EL JARDÍN DE LAS FIERAS

EL JARDÍN DE LAS FIERAS

BERLÍN, 1936.
UN MATÓN
DE LA MAFIA
ES CONTRATADO
PARA ASESINAR
AL LUGARTENIENTE
DE HITLER

JEFFERY DEAVER

Título original: *Garden of Beasts*
© Jeffery Deaver, 2004
© De la traducción, Edith Zilli, 2004
© Santillana Ediciones Generales, S. L., 2006
© De esta edición: Aguilar, Altea, Taurus, Alfaguara de Ediciones S.A., 2007
  Leandro N. Alem 720 (1001), Ciudad de Buenos Aires
  www.sumadeletras.com.ar

ISBN-13: 978-987-04-0652-5

Hecho el depósito que indica la ley 11.723
Impreso en la Argentina. *Printed in Argentina*
Primera edición: marzo de 2007

Diseño de cubierta: Eduardo Ruiz
Diseño de interiores: Raquel Cané

Deaver, Jeffery
  El jardín de las fieras - 1ª ed. - Buenos Aires : Aguilar, Altea, Taurus,
Alfaguara, 2007.
  496 p. ; 24x15 cm.

  Traducido por: Edith Zilli Nunciati

  ISBN 978-987-04-0652-5

  1. Narrativa Estadounidense. I. Zilli Nunciati, Edith, trad. II. Título
  CDD 813

Se terminó de imprimió en Kalifón S.A., Ramón L. Falcón 4307,
(1407) Ciudad de Buenos Aires, Argentina.

A la memoria de los hermanos Hans y Sophie Scholl,
ejecutados en 1943 por protestar contra los nazis; del periodista
Carl von Ossietzky, galardonado con el premio Nobel de la Paz
en 1935, mientras estaba prisionero en el campo de Oranienburg,
y de Wilhelm Kruzfeld, oficial de la policía de Berlín,
quien, durante la ola de disturbios contra los judíos provocada
por los nazis y que conocemos como Noche de los Cristales Rotos,
se negó a permitir que una turba destruyera una sinagoga...
Cuatro personas que enfrentaron al mal y dijeron: «No».

«[Berlín] estaba llena de susurros. Se hablaba de arrestos ilegales a medianoche, de prisioneros torturados en las mazmorras de la SA... Los murmullos eran ahogados por las fuertes y coléricas voces del Gobierno, que los contradecían a través de sus mil bocas».

CHRISTOPHER ISHERWOOD, *Berlin Stories*

PARTE UNO

EL SICARIO

Lunes, 13 de julio de 1936

I

En cuanto entró en el departamento en penumbras supo que era hombre muerto.

Se secó las palmas sudadas y echó un vistazo en derredor; el piso estaba tan silencioso como un depósito de cadáveres, salvo por el amortiguado rumor del tránsito nocturno de Hell's Kitchen y el tremolar de los sucios visillos cuando el ventilador giratorio dirigía su hálito caliente hacia la ventana.

Sin embargo, algo no marchaba bien.

Lo invadió un mal presentimiento.

Supuestamente, Malone debía estar allí, borracho perdido, durmiendo la mona. Pero no estaba. No había botellas de aguardiente barato por ninguna parte; ni rastro de bourbon, lo único que bebía aquella rata, ni siquiera el olor. Y al parecer hacía ya algún tiempo que no iba por allí. En la mesa había un periódico de hacía dos días, junto a un cenicero frío y un vaso que tenía un halo azul de leche seca hasta la mitad.

Encendió la luz.

Bueno, había una puerta lateral, tal como él había visto desde el pasillo el día anterior al estudiar el sitio. Pero estaba clausurada. ¿Y la ventana que daba a la escalera de incendios? ¡Maldición!, bien cerrada con alambre de gallinero, cosa que no se veía desde el callejón. La otra ventana estaba abierta, sí, pero a doce metros de altura con respecto a los adoquines.

No había salida.

Y dónde estaba Malone, se preguntó Paul Schumann.

El tipo se había largado. O estaba en Jersey bebiendo cerveza. O era una estatua con base de cemento debajo de algún muelle.

No importaba.

Cualquiera hubiese sido la suerte de aquel borrachín, Paul se dio cuenta de que había sido sólo un cebo. Y la información de que estaría esa noche allí, pura mentira.

En el pasillo, fuera, un roce de pies. Un tintineo metálico.

Descabalado...

Paul dejó su pistola en la única mesa de la habitación y sacó el pañuelo para enjugarse la cara. El aire abrasador de esa mortífera ola de calor del Medio Oeste había llegado hasta Nueva York. Pero cuando se lleva una Colt .45 de 1911 metida bajo el cinturón, a la espalda, no se puede andar sin saco; por eso Paul estaba condenado a usar traje. Llevaba el saco de lino gris, de un solo botón. La camisa blanca de algodón estaba empapada.

Otra pisada afuera, en el pasillo, donde debían de estar preparándose para sorprenderlo. Un susurro, otro tintineo.

Paul pensó en mirar por la ventana, pero temió recibir un disparo en la cara. Quería que lo velaran a ataúd abierto y no sabía de ningún embalsamador capaz de reparar los daños causados en el rostro por un disparo de bala o de perdigones.

¿Quién quería matarlo?

No podía ser Luciano, el hombre que lo había contratado para despachar a Malone. Tampoco Meyer Lansky. Eran peligrosos, sí, pero no traidores. Paul siempre les había hecho trabajos de primera, sin dejar nunca la menor pista que pudiera vincularlos con el despachado. Además, si uno u otro querían deshacerse de Paul, no necesitaban encargarle un trabajo falso: lo harían desaparecer sin más.

¿Quién, pues, le había tendido esa trampa? Si era O'Banion, o Rothstein, el de Williamsburg, o Valenti, el de Bay Ridge, en pocos minutos sería fiambre.

Si era el pulcro Tom Dewey la muerte tardaría algo más: el tiempo que hiciera falta para condenarlo y sentarlo en la silla eléctrica de Sing Sing.

Más voces en el pasillo. Más tintineos, metal contra metal.

Pero visto desde un ángulo positivo, reflexionó con ironía, de momento se podía decir que todo iba como la seda: aún estaba vivo.

Y muerto de sed.

Se acercó a la heladera y la abrió. Tres botellas de leche (dos cortadas), una caja de queso y una lata de melocotones en almíbar. Varias bebidas cola. Buscó un abridor para destapar una de las botellas de refresco.

Desde algún lugar se oía una radio. Sonaba *Stormy Weather*.

Al sentarse nuevamente ante la mesa se vio en el espejo polvoriento de la pared, sobre un lavabo de esmalte cascado. Sus ojos azul claro no revelaban el temor que cabía esperar, se dijo. Pero su expresión era desconfiada. Era un hombre corpulento: pasaba del metro ochenta y pesaba más de noventa kilos. Había heredado el pelo de su madre, castaño rojizo; la tez clara, de los antepasados alemanes de su padre. La piel estaba un poco marcada, no por la viruela, sino por golpes con los nudillos recibidos a edad temprana y por los guantes de boxeo en tiempos más recientes. También por el cemento y la lona.

Bebió un poco de refresco. Era más sabroso que la Coca-Cola. Le gustó.

Paul estudió su situación. Si aquello era cosa de O'Banion, Rothstein o Valenti... Bueno, a ninguno de ellos le importaba un comino Malone, un loco que trabajaba como remachador en los astilleros, metido a pandillero, que había matado a la esposa de un policía de una manera bastante desagradable. Después amenazó con más de lo mismo a cualquiera de la policía secreta que le causara problemas. Aun si alguno de ellos quería despachar a Paul, ¿por qué no esperar a que hubiera cepillado a Malone?

Todo eso significaba que debía de ser Dewey.

Lo deprimía la idea de quedar encerrado en el calabozo hasta que lo ejecutaran. Sin embargo, a decir verdad, en el fondo no lo afligía demasiado que le echaran el guante. Como cuando era niño y se lanzaba impulsivamente a pelear contra dos o tres chicos más grandes que él, sabiendo que tarde o temprano acabaría con un hueso roto por meterse con quien no debía. Desde un principio había tenido muy claros los riesgos que conllevaba su oficio actual: que en algún momento un tipo como Dewey u O'Banion le frenaría el carro.

Pensó en una de las expresiones favoritas de su padre: «En el mejor de los días y en el peor, el sol finalmente se pone». Y su viejo añadía, haciendo restallar sus coloridos tiradores: «Anímate, que mañana habrá otra carrera de caballos».

El timbre del teléfono lo hizo saltar.

Paul quedó un largo instante mirando el aparato de baquelita negra. Atendió al séptimo u octavo timbrazo:

—¿Diga?

—Paul. —Una voz nítida, joven. Sin acento de arrabal.

—Sabes quién soy.

—Estoy en otro departamento del mismo bloque. Somos seis. En la calle hay otra media docena.

¿Doce? Paul se sintió extrañamente sereno. Contra doce no podía hacer nada. Lo atraparían, de una manera u otra. Bebió otro poco de refresco. ¡Qué sed de mierda! El ventilador no servía más que para mover el calor de un lado a otro de la habitación.

—¿Trabajan para los muchachos de Brooklyn o los del West Side? —preguntó—. Por pura curiosidad.

—Escúchame, Paul. Te diré lo que debes hacer. Sólo tienes dos armas, ¿verdad? La Colt y esa pequeña veintidós. Las otras las has dejado en tu departamento, ¿no?

Él rió.

—Así es.

—Las descargas y pones el seguro de la Colt. Luego caminas hasta la ventana que no está clausurada y las tiras a la calle. Después te quitas el saco, lo dejas caer al suelo, abres la puerta y te quedas de pie en medio de la habitación, con las manos en alto. Los brazos bien estirados hacia arriba.

—Me dispararán —dijo él.

—De cualquier manera tienes los días contados, Paul. Pero si haces lo que te he dicho es posible que vivas un poco más.

El que había llamado cortó.

Él dejó caer el auricular en la horquilla. Permaneció un momento inmóvil, recordando una noche muy agradable, algunas semanas atrás. Marion y él habían ido a Coney Island para escapar del calor; jugaron al minigolf y comieron salchichas con cerveza. Ella, entre risas, lo arrastró hasta una adivina del parque de diversiones. La falsa gitana, después de tirarle las cartas, le dijo muchas cosas. Pero a la mujer se le había pasado por alto este acontecimiento, que debería haber aparecido en la lectura de cualquier adivina que se precie.

Marion... Él nunca le había dicho de qué vivía. Sólo que era dueño de un gimnasio y que de vez en cuando hacía negocios con ciertos tipos de pasado dudoso. Pero nunca pasó de allí. De pronto cayó en la cuenta de que esperaba que esa relación tuviera algún futuro. La chica era bailarina de un club barato del West Side, y durante el día estudiaba diseño de modas. Ahora debía de estar trabajando; por lo general no salía hasta la una o las dos de la madrugada. ¿Cómo se enteraría de lo que le pasara?

Si era Dewey, probablemente le permitirían llamarla.

Si eran los muchachos de Williamsburg, no habría llamada. Nada.

El teléfono volvió a sonar.

Paul lo ignoró. Después de sacar el cargador de la pistola grande, retiró la bala que ya estaba en la recámara; luego sacó todos los cartuchos. Se acercó a la ventana y arrojó las pistolas, una por una. No las oyó golpear contra el suelo.

Cuando acabó el refresco, se quitó el saco y lo dejó caer al suelo. Dio un paso hacia la puerta, pero se detuvo. Regresó a la heladera a por otra soda y se la bebió toda. Después de enjugarse nuevamente la cara, abrió la puerta de entrada y dio un paso atrás, con los brazos en alto.

El teléfono dejó de sonar.

—Esto se llama La Habitación —dijo el hombre de pelo gris y uniforme blanco bien planchado, mientras se sentaba en un diván pequeño—. Nunca has estado aquí —añadió, con una alegre seguridad, indicadora de que el asunto estaba fuera de discusión.— Y tampoco has oído hablar de ella.

Eran las once de la noche. Habían llevado a Paul allí directamente desde el departamento de Malone. Era una casa particular, situada en la parte alta del East Side, aunque casi todas las habitaciones del piso bajo contenían escritorios, teléfonos y teletipos, como si aquello fuera una oficina. Sólo en aquella estancia había divanes y butacas. En las paredes se veían cuadros de buques de la Marina, tanto nuevos como antiguos. En el rincón, un globo terráqueo. Roosevelt los miraba desde su sitio, encima de la repisa de mármol. El ambiente estaba deliciosamente fresco. Una casa particular con aire acondicionado, imagínate.

Paul, todavía esposado, había sido depositado en una cómoda butaca de cuero. A su lado, algo más atrás, se sentaron dos hombres más jóvenes, también de uniforme blanco, que lo habían sacado del departamento de Malone. El que había llamado por teléfono se llamaba Andrew Avery; tenía las mejillas rosadas y ojos penetrantes, decididos. Ojos de pugilista, aunque Paul estaba seguro de que nunca en su vida se había agarrado a puñetazos. El otro era Vincent Manielli y era moreno; por su voz, Paul dedujo que ambos se habían criado en el mismo barrio de Brooklyn. No parecían mucho mayores que los muchachos que jugaban a la pelota frente a su casa, pero eran tenientes de la Marina, nada menos. Los tenientes a cuyas órdenes Paul había servido en Francia eran todos hombres hechos y derechos.

Mantenían las pistolas enfundadas, pero con la mano cerca de las cartucheras desabrochadas.

El hombre de más edad, sentado en la butaca de enfrente, tenía un grado bastante alto: comandante de la Marina, a menos que en esos veinte años hubieran cambiado las insignias del uniforme.

Se abrió la puerta para dar paso a una mujer atractiva, que vestía el uniforme blanco de la Marina. El nombre que llevaba en la blusa era Ruth Willets. Ella le entregó una carpeta.

—Está todo aquí.

—Gracias, recluta.

Mientras ella se retiraba, sin haber echado un solo vistazo a Paul, el oficial abrió la carpeta para extraer de ella dos hojas de papel fino y las leyó con atención. Al terminar levantó la vista.

—Soy James Gordon, oficial de la Inteligencia Naval. Me llaman Bull.

—¿Éste es su cuartel general? —preguntó Paul—. ¿La Habitación?

El hombre, sin prestarle atención, miró a los otros dos.

—¿Ustedes ya se han presentado?

—Sí, señor.

—¿No ha habido problemas?

—Ninguno, señor. —Era Avery quien respondía.

—Quítele las esposas.

Mientras Avery lo hacía, Manielli mantuvo la mano cerca de su pistola, observando con nerviosismo los nudillos torcidos de Paul. Él también tenía manos de luchador. Las del teniente eran rosadas, como las de un dependiente de alguna tienda fina.

La puerta volvió a abrirse y entró otro hombre. Aunque sesentón, era delgado y alto como ese actor joven que había visto con Marion en un par de películas: Jimmy Stewart. Paul frunció el entrecejo: conocía esa cara por haberla visto en artículos del *Times* y del *Herald Tribune*.

—¿Senador?

El hombre respondió, pero dirigiéndose a Gordon.

—Usted me dijo que era inteligente. No sabía que además estuviera bien informado —dijo como si le disgustara que lo hubiera reconocido. El senador lo miró de arriba abajo y, después de sentarse, encendió un puro corto.

Pasado un momento entró un hombre más; aparentaba la misma edad que el senador y vestía un traje de lino blanco, muy arrugado. El cuerpo que estaba embutido en él era grande y blando. Usaba un bastón. Echó a Paul una sola mirada; luego, sin decir una palabra a nadie, se retiró al rincón. El recién llegado también le resultaba conocido, pero no logró identificarlo.

—Bien —continuó Gordon—. Te explicaré la situación, Paul. Sabemos que has trabajado para Luciano, para Lansky y para dos o tres de los otros. Y sabemos qué tipo de trabajo les haces.

—¿Sí? ¿Cuál?

—Eres un sicario, Paul —manifestó Manielli alegremente, como si hubiera estado deseando decirlo.

Gordon prosiguió:

—En marzo pasado Jimmy Coughlin te vio... —Frunció la frente. — ¿Cómo le dicen, en vez de «matar»?

Paul se quedó pensando: algunos decían «cepillar». Por su parte prefería «despachar». Era el verbo que utilizaba el sargento Alvin York para describir la eliminación de soldados enemigos durante la guerra. Paul se sentía menos delincuente si utilizaba el mismo término que un héroe de guerra. Claro que, en esos momentos, Paul Schumann no dijo nada de eso.

Gordon continuó:

—El trece de marzo, en un almacén del Hudson, Jimmy te vio matar a Arch Dimici.

Antes de que Dimici apareciera Paul había pasado cuatro horas vigilando el lugar. Tenía la certeza de que el hombre estaba solo.

Jimmy debía de haber estado durmiendo la mona detrás de algunas cajas.

—Ahora bien: por lo que me dicen, Jimmy no es un testigo muy digno de confianza. Pero tenemos algunas pruebas más firmes. Unos agentes fiscales lo detuvieron por vender licor clandestino y él aceptó denunciarte. Al parecer recogió un casquillo de bala en la escena del crimen y lo conservó a modo de seguro. No tiene impresiones digitales; eres demasiado astuto como para dejarlas. Pero la gente de Hoover ha hecho una prueba con tu Colt. Las marcas coinciden.

¿Hoover? ¿El FBI estaba metido en eso? Y ya habían hecho una prueba del arma. No hacía aún una hora que él la había arrojado por la ventana de Malone.

Paul entrechocó los dientes de arriba contra los de abajo. Estaba furioso consigo mismo. Después de la faena con Dimici había pasado media hora buscando ese condenado casquillo, hasta llegar a la conclusión de que había caído al Hudson por alguna de las grietas del suelo.

—Pues bien, hicimos averiguaciones y nos enteramos de que se te pagarían quinientos dólares por... —Gordon vaciló.

Despachar.

—... eliminar a Malone, esta noche.

—¡Qué disparate! —exclamó Paul, riendo—. Alguien les ha dado una información falsa. He ido sólo a hacerle una visita. A propósito, ¿dónde está?

El comandante hizo una pausa.

—El señor Malone ha dejado de ser una amenaza para la policía y los ciudadanos de Nueva York.

—Se diría que alguien les debe cinco billetes de cien.

Bull Gordon no rió.

—Estás metido en un lío, Paul, y no te puedes librar. He aquí lo que te ofrecemos. ¡Esto es una excepción, recuérdalo! Sólo lo haremos esta vez, como dicen esos anuncios de Studebakers de segunda mano. Lo aceptas o lo rechazas. No negociaremos.

Por fin habló el senador.

—Tom Dewey te la tiene tan jurada como a los otros mafiosos de su lista.

El fiscal especial estaba convencido de que tenía la misión divina de acabar con el crimen organizado en la ciudad de Nueva

York. Sus objetivos principales eran el jefe Lucky Luciano, las Cinco Familias italianas de la ciudad y el sindicato judío de Meyer Lansky. Dewey tenía tesón y era muy sagaz; iba obteniendo una condena tras otra.

—Pero en lo que a ti respecta, ha aceptado cedernos el derecho de pernada.

—Olvídense. No soy un soplón.

Gordon dijo:

—¡Pero si no te pedimos que lo seas! No se trata de eso.

—Pues bien, ¿qué es lo que quieren de mí?

Una pausa momentánea. El senador hizo una señal afirmativa a Gordon, quien explicó:

—Eres un sicario, Paul. ¿No te lo imaginas? Queremos que mates a alguien.

2

Por un momento Schumann sostuvo la mirada a Gordon; luego desvió la vista hacia las imágenes de barcos que decoraban las paredes. La Habitación... Tenía un ambiente militar, como de club de oficiales. Paul lo había pasado bien en el Ejército. Allí se sentía a sus anchas, tenía amigos, tenía objetivos. Para él fueron buenos tiempos, tiempos sencillos... antes de regresar y de que se le complicara la vida. Y cuando se te complica la vida, lo que sucede nunca es bueno.

—¿Me está diciendo la verdad?

—Por supuesto.

Mientras Manielli entornaba los ojos, como para advertirle que se moviera con tiento, Paul hundió la mano en el bolsillo para sacar un paquete de Chesterfield y encendió uno.

—Continúe.

Gordon dijo:

—Tienes un gimnasio en la Novena Avenida. No es gran cosa, ¿verdad? —el que preguntaba era Avery.

—¿Lo conoce? —preguntó Paul.

—No es como para presumir —confirmó Avery.

—Un verdadero tugurio, diría yo —rió Manielli.

El comandante continuó:

—Pero antes de dedicarte a este oficio eras impresor. ¿Te gustaba trabajar en el negocio de las artes gráficas, Paul?

Él respondió con cautela:

—Sí.

—¿Eras de los buenos?

—De los buenos, sí. ¿Qué tiene eso que ver eso con lo que estábamos hablando?

—¿No te gustaría borrar todo tu pasado? Comenzar de nuevo. Trabajar otra vez como impresor. Podemos arreglar las cosas de manera que nadie pueda acusarte de nada que hayas hecho en el pasado.

—Además —añadió el senador—, podríamos aflojar algo de plata. Cinco mil. Podrás iniciar una vida nueva.

¿Cinco mil? Paul parpadeó. La mayoría necesitaba dos años para ganar eso.

—¿Cómo me limpiarían los antecedentes?

El senador se echó a reír.

—¿Conoces ese nuevo juego que llaman Monopoly? ¿Has jugado alguna vez?

—Mis sobrinos lo tienen, pero no he jugado nunca.

El senador continuó:

—A veces, cuando lanzas el dado, acabas en la cárcel. Pero hay una tarjeta que dice «Sale en libertad». Pues bien, te daremos una de ésas, pero de verdad. Es todo lo que necesitas saber.

—¿Quieren que mate a alguien? Qué extraño. No creo que Dewey esté de acuerdo.

—No hemos informado al fiscal especial para qué te queremos.

Después de una pausa Paul preguntó:

—¿A quién? ¿A Siegel? —De todos los mafiosos del momento, el más peligroso era Bugsy Siegel. Un psicópata, en realidad. Paul había visto los sangrientos resultados de su brutalidad. Sus berrinches eran legendarios.

—¡Qué disparate! —dijo Gordon, con expresión desdeñosa—. Sería ilegal que mataras a un ciudadano estadounidense. De ningún modo podríamos pedirte una cosa así.

—Pues entonces no entiendo.

El senador explicó:

—En cierto modo es como si estuviéramos en guerra. Tú fuiste soldado... —Y echó un vistazo a Avery, quien recitó:

—Primera División de Infantería, Primer Cuerpo de Ejército, Fuerza Expedicionaria Americana. St. Mihiel, Meuse-Argonne. Combatiste en serio. Recibiste varias condecoraciones por tu puntería en el campo de batalla. Y también combatiste cuerpo a cuerpo, ¿no?

Paul se encogió de hombros. El gordo del traje blanco arrugado seguía sentado en su rincón, en silencio, rodeando con las manos el pomo de oro de su bastón. Paul le sostuvo la mirada durante un minuto. Luego se volvió hacia el comandante:

—¿Qué posibilidades hay de que sobreviva para disfrutar de esa amnistía?

—Razonables —dijo el comandante—. No son grandes, pero sí razonables.

Paul era amigo de Damon Runyon, escritor y periodista especializado en temas deportivos. Bebían juntos en las tabernas cercanas a Broadway, iban juntos a ver combates de boxeo y partidos de fútbol. Un par de años antes Runyon lo había invitado a una fiesta, tras el estreno en Nueva York de su película *Dejada en prenda*, que a Paul le pareció bastante buena. En la fiesta que hubo después, donde tuvo la oportunidad de conocer a Shirley Temple, había pedido al escritor que le firmara un ejemplar de su libro. Runyon se lo había dedicado así: «A mi amigo Paul. Recuerda: toda la vida es, de seis, cinco en contra».

Avery dijo:

—Mira, digamos que tendrás muchas más posibilidades que si acabaras en Sing Sing.

Pasado un momento Paul preguntó:

—¿Por qué yo? Por esa plata hay en Nueva York una docena de sicarios que estarían dispuestos a hacerles el trabajo.

—Ah, pero tú eres diferente, Paul. Tú no eres un matón de tres al cuarto. Eres de los buenos. Hoover y Dewey dicen que has matado a diecisiete hombres.

Paul bufó.

—Insisto: información falsa.

En realidad, la cifra correcta era trece.

—Lo que nos han dicho de ti es que antes de hacer el trabajo lo inspeccionas todo dos y tres veces. Compruebas que tus armas estén en perfecto estado, te informas sobre tus víctimas, estudias con tiempo los lugares que frecuentan, averiguas sus horarios y te aseguras de que sean puntuales, sabes cuándo encontrarlos solos, cuándo estarán hablando por teléfono, dónde comen.

El senador añadió:

—Y eres inteligente. Como decía, para esto se necesita ser inteligente.

—¿Inteligente?

—Hemos ido a tu casa, Paul —dijo Manielli—. Tienes libros. Tienes un montón de libros, hombre. ¡Si hasta te has asociado al Club del Libro!

—No son libros para inteligentes. No todos.

—Pero son libros, ¿no? —apuntó Avery—. Y apuesto a que tus colegas, en general, no leen mucho, que digamos.

—O no saben leer —completó Manielli. Y celebró con risas su propio chiste.

Paul miró al hombre del traje blanco arrugado.

—¿Quién es usted?

—A ti no te interesa quién... —empezó Gordon.

—Se lo he preguntado a él.

—Escucha —gruñó el senador—, aquí somos nosotros los que llevamos la voz cantante, amigo.

Pero el gordo hizo un gesto con la mano y respondió al detenido:

—¿Lees historietas? ¿Las de Annie la Huerfanita, la niña de los ojos sin pupilas?

—Sí, claro.

—Bueno, piensa en mí como «Daddy» Warbucks, su amigo y benefactor.

—¿Qué me quiere decir?

El hombre se limitó a reír. Luego se volvió hacia el senador:

—A ver si lo convences. Me gusta.

El enjuto político dijo a Paul:

—Lo más importante para nostros es que nunca matas a personas inocentes.

Gordon añadió:

—Según nos ha dicho Jimmy Coughlin, una vez dijiste que sólo matabas a otros asesinos. ¿Cómo era aquello? Que sólo corregías los errores de Dios, ¿fue así? Y eso es lo que necesitamos.

—Los errores de Dios —repitió el senador, sonriendo con los labios, pero no con el espíritu.

—Está bien, ¿quién es?

El comandante miró al senador, quien desvió la pregunta.

—¿Aún tienes parientes en Alemania?

—Cercanos, ninguno. Mi familia vino hace mucho tiempo.

—¿Qué sabes de los nazis? —preguntó el político.

—Que quien gobierna es Adolf Hitler. Parece que a nadie le gusta mucho. Hace dos o tres años hubo una gran concentración contra él en el Madison Square Garden. El congestionamente era terrible, créanme. Me perdí los tres primeros *rounds* de una pelea que se hacía en el Bronx. Fue un fastidio. Creo que eso es todo.

—¿Sabías, Paul —preguntó el senador lentamente—, que Hitler está planeando otra guerra? —Eso lo dejó de piedra—. Tenemos en Alemania fuentes que nos envían información desde que Hitler ascendió al poder, en el treinta y tres. El año pasado llegó a manos de nuestro hombre en Berlín un borrador de carta, escrito por el general Beck, uno de sus jerarcas.

El comandante le entregó una hoja mecanografiada. Estaba en alemán. Paul la leyó. El autor de la carta convocaba a un lento pero incesante rearme de las Fuerzas Armadas, para proteger y expandir lo que él tradujo como «territorio vital». En unos pocos años la nación debía estar lista para la guerra. Bajó el papel con un gesto ceñudo.

—¿Y lo están haciendo?

—El año pasado —respondió Gordon— Hitler inició un reclutamiento. Desde entonces ha aumentado el número de soldados por encima de lo que recomienda esa carta. Y hace cuatro meses las tropas alemanas se apoderaron de Renania, esa zona desmilitarizada que linda con Francia.

—Sí, leí algo sobre eso.

—En Helgoland están construyendo submarinos. Y van recuperando el control del canal de Wilhelm para trasladar naves de guerra desde el Mar del Norte hasta el Báltico. El hombre que maneja las finanzas tiene un título nuevo: es «jefe de la economía de guerra». ¿Y lo de España y su guerra civil? Hitler envía tropas y equipo, supuestamente para respaldar a Franco. En realidad, lo que hace es aprovechar esa guerra para adiestrar a sus soldados.

—¿Y ustedes quieren que yo... que un sicario de la mafia mate a Hitler?

—¡No, hombre, no! —exclamó el senador—. Hitler no es más que un chiflado. Quiere que el país se rearme, pero no tiene ni idea de cómo hacerlo.

—Y ese hombre del que ustedes hablan, ¿ése sí tiene idea?

—¡Ya lo creo! —aseguró el senador—. Se llama Reinhard Ernst. Durante la guerra fue coronel, pero ahora ha pasado a la vida civil. Tiene un título impronunciable: plenipotenciario por la Estabilidad Interior. Pero eso es una pantalla. Es el cerebro que conduce el rearme. Está metido en todo: junto con Schacht, en finanzas; con Blomberg, en el Ejército; con Baeder, en la Marina; con Göring, en la Fuerza Aérea; con Krupp, en municiones.

—¿Y qué ha sido del tratado de Versalles? Tenía entendido que no están autorizados a tener Ejército.

—Ejército grande, no. Lo mismo en cuanto a la Marina. Y no pueden tener Fuerza Aérea —especificó el senador—. Pero nuestro informante dice que los soldados y marineros se multiplican por toda Alemania, como el vino en las bodas de Caná.

—¿Y los Aliados no pueden impedirlo? ¡Si ganamos la guerra!

—En Europa nadie hace nada. En marzo, en Renania, los franceses podrían haber parado en seco a Hitler. Pero no lo hicieron. ¿Y los británicos? Como si retaran a un perro que se hubiera meado en la alfombra.

Tras un momento Paul preguntó:

—Y nosotros, ¿qué hemos hecho para detenerlos?

La mirada sutil de Gordon fue respetuosa. El senador se encogió de hombros.

—En América sólo queremos paz. Son los aislacionistas los que manejan la cuestión. Y ellos no quieren entrometerse en la política europea. Los hombres quieren empleos y las madres no desean volver a perder a sus hijos en los campos de Flandes.

—Y el presidente quiere salir reelegido en noviembre —añadió Paul, sintiendo que los ojos de Roosevelt lo espiaban desde su sitio, sobre la repisa ornamentada.

Por un momento se hizo un silencio incómodo. Gordon se echó a reír. El senador no.

Paul apagó su cigarrillo.

—Claro. Ya comienzo a entender. Si me atrapan no habrá nada que me relacione con ustedes. Ni con él. —Señaló con la cabeza el retrato del presidente—. ¡Hombre!, soy sólo un civil trastornado, no un soldado como estos muchachos. —Echó un vistazo a los dos oficiales. Avery sonrió; Manielli también, pero fue una sonrisa muy diferente.

—Es así, Paul —dijo el senador—. Es exactamente así.

—Además hablo alemán.

—Dicen que con fluidez.

El abuelo de Paul estaba orgulloso de su país de origen; también su padre, quien se había empeñado en que los niños estudiaran alemán y hablaran la lengua paterna en casa. Él recordaba momentos absurdos en que sus padres reñían, ella gritando en gaélico y él en alemán. Además, Paul había trabajado en la imprenta de su abuelo durante las vacaciones del instituto, como linotipista y corrector de pruebas en alemán.

—¿Cómo se haría? Todavía no he dicho que sí, ¿eh? Es sólo curiosidad. ¿Cómo se haría?

—Hay un barco que llevará a Alemania al equipo olímpico, a sus familiares y a los periodistas. Zarpará pasado mañana. Tú irás a bordo.

—¿Con el equipo olímpico?

—Hemos decidido que es lo mejor. En la ciudad habrá millares de extranjeros. Berlín estará repleto. El Ejército y la policía no darán abasto.

Avery dijo:

—Oficialmente no tendrás nada que ver con las Olimpíadas; los Juegos no comienzan hasta el uno de agosto. El Comité Olímpico cree que eres escritor.

—Cronista de deportes —agregó Gordon—. Es tu disfraz. Pero básicamente debes pasar por tonto y hacerte invisible. Vas a la Villa Olímpica con todo el mundo y estás allí uno o dos días; después te escabulles y vas a la ciudad. Los hoteles no sirven: los nazis vigilan a todos los huéspedes y comprueban los pasaportes. Nuestro hombre te buscará una habitación en una pensión particular.

Como a cualquier artesano concienzudo, le vinieron a la mente algunas preguntas sobre el trabajo a realizar.

—¿Usaría mi nombre?

—Sí, te moverías bajo tu propio nombre. Pero también te daremos un pasaporte para la fuga, con tu fotografía, pero bajo otro nombre. Extendido por otro país.

El senador observó:

—Tienes pinta de ruso. Eres alto y macizo —asintió—. Sí, serás «el hombre de Rusia».

—No hablo ruso.

—Allá tampoco lo habla nadie. Además, lo más probable es que jamás necesites el pasaporte. Es sólo para que puedas salir del país en caso de emergencia.

—Y para que nadie pueda seguir el hilo hasta ustedes si no logro salir, ¿verdad? —añadió Paul de inmediato.

La vacilación del senador, seguida de una rápida mirada a Gordon, expresó que había dado en el clavo.

—¿Para quién se supone que trabajo? —continuó él—. Todos los periódicos enviarán corresponsales. Y ellos se darían cuenta de que no soy cronista.

—Ya lo hemos pensado. Escribirás artículos por cuenta propia y a tu regreso intentarás venderlos a algunos de esos periodicuchos de deportes.

—¿A quién tienen ustedes allí? —preguntó Paul.

—Por ahora, nada de nombres —respondió Gordon.

—No pido nombres. Quiero saber si confían en él. Y por qué.

El senador dijo:

—Lleva un par de años viviendo en Alemania y siempre nos ha pasado información de primera. Durante la guerra sirvió a mis órdenes. Lo conozco personalmente.

—¿Qué coartada utiliza?

—Se hace pasar por comerciante, representante, ese tipo de cosas. Trabaja para sí mismo.

Gordon continuó:

—Él te proporcionará un arma y todo lo que necesites saber sobre tu objetivo.

—No tengo pasaporte auténtico. A mi nombre, quiero decir.

—Ya lo sabemos, Paul. Te daremos uno.

—¿Me devolverán las pistolas?

—No —dijo Gordon. Y eso fue definitivo—. Pues bien, amigo mío, ése es nuestro plan, en general. Y debo advertirte que, si estás pensando embarcarte en un buque de carga para perderte en algún villorrio del oeste... —Claro que Paul lo había pensado. Pero frunció el ceño y negó con la cabeza—. Pues mira, estos buenos muchachos se pegarán a ti como lapas hasta que el barco amarre en Hamburgo. Y si te atacara la misma urgencia por escapar de Berlín, te advierto que nuestro contacto no te quitará la vista de encima. Si desapareces nos llamará. Y nosotros llamaremos a los nazis para decirles que tienen a un asesino americano suelto en la ciudad. Y les daremos tu nombre y tu foto. —Gordon le sostuvo la mirada—. Si te parece que nosotros hemos sido hábiles para rastrearte, Paul, ya verás que no podemos compararnos con los nazis. Y por lo que nos dicen, ellos no se andan con juicios ni sentencias de ejecución. ¿Lo tienes todo claro?

—Como el agua.

—Bien. —El comandante hizo un gesto a Avery—. Ahora dígale qué sucederá cuando el trabajo esté hecho.

—Tendremos un avión y su tripulación esperando en Holanda —respondió el teniente—. En las afueras de Berlín hay un viejo aeródromo. Cuando acabes te sacaremos desde allí.

—¿En avión? —preguntó Paul, intrigado. Volar lo fascinaba. A los nueve años se había roto un brazo (la primera de más fracturas de las que deseaba recordar) al lanzarse desde el tejado de la imprenta de su padre con un planeador que había construido, sólo para estrellarse contra los gastados adoquines, dos pisos más abajo.

—Así es, Paul —confirmó Gordon.

—Te gustan los aviones, ¿no? —añadió Avery—. En tu apartamento hay muchas revistas de aviones. Y libros también. Y fotos de aeroplanos. Y hasta algunas maquetas. ¿Las haces tú mismo?

Él se sintió abochornado. Le fastidiaba que hubieran descubierto sus juguetes.

—¿Eres piloto? —preguntó el senador.

—Nunca he subido a un avión. —Luego meneó la cabeza—. No sé. —Todo aquello era una perfecta locura.

La habitación se llenó de silencio. Lo quebró el hombre del traje blanco arrugado.

—Yo también fui coronel durante la guerra. Como Reinhard Ernst. Y estuve en los bosques de Argonne. Igual que tú.

Paul asintió con la cabeza.

—¿Sabes cuántos, en total?

—¿Cuántos qué?

—Cuántos hombres perdimos.

Él recordaba un mar de cadáveres: americanos, franceses y alemanes. Los heridos, en cierto modo, eran aún más horribles: gritaban, gemían y llamaban a la madre, al padre. Uno jamás olvidaba esos gemidos. Jamás.

El otro dijo, en tono reverente:

—La Fuerza Especial Americana perdió más de veinticinco mil. Casi cien mil heridos. Murió la mitad de los muchachos que estaban a mis órdenes. En un mes avanzamos once kilómetros contra el enemigo. Todos los días de mi vida recuerdo esas cifras. La mitad de mis soldados, once kilómetros. Y la de Meuse-Argonne fue la más espectacular de nuestras victorias en esa guerra... No quiero que vuelva a suceder.

Paul lo observaba.

—¿Quién es usted? —volvió a preguntar.

El senador se removió. Iba a hablar, pero el otro se interpuso.

—Soy Cyrus Clayborn.

Sí, eso era. Vaya... el tipo era presidente de Teléfonos y Telégrafos Continental. Un millonario hecho y derecho aun ahora, a la sombra de la Depresión.

El hombre continuó:

—«Daddy» Warbucks, tal como te decía. Soy el banquero. En este tipo de «proyectos», digamos, por lo general es mejor que el dinero no provenga de las arcas públicas. Ya soy demasiado viejo para pelear por mi país, pero hago lo que puedo. ¿Eso te deja más tranquilo, muchacho?

—Sí.

—Bien. —Clayborn lo miró de pies a cabeza—. Bueno. Sólo me queda una cosa por decir. Referente al dinero. La suma que ellos han mencionado, ¿recuerdas?

Paul hizo un gesto afirmativo.

—Pues bien, duplícala.

Él sintió que le crepitaba la piel. ¡Diez mil dólares! No era capaz ni de imaginarlo.

Gordon giró lentamente la cabeza hacia el senador. Paul comprendió que eso no figuraba en el libreto.

—¿Me pagarán en efectivo? No quiero cheques.

Por algún motivo eso hizo que el senador y Clayborn rieran con ganas.

—Como tú quieras, claro —dijo el industrial.

El político acercó un teléfono y dio un golpecito al auricular.

—Bueno, hijo, ¿qué hacemos? ¿Llamamos a Dewey o no?

El chasquido de una cerilla quebró el silencio: Gordon encendía un cigarrillo.

—Piénsalo, Paul. Te ofrecemos la posibilidad de borrar el pasado. De comenzar otra vez. ¿A cuántos sicarios se les ofrece una oportunidad así?

PARTE
dos

LA CIUDAD DE LOS SUSURROS
Viernes, 24 de julio de 1936

3

Por fin el hombre podía ejecutar aquello para lo que había venido.

Eran las seis de la mañana; el *S.S. Manhattan,* el barco en cuyo pasillo de tercera clase se encontraba, avanzaba poco a poco hacia el puerto de Hamburgo, diez días después de haber zarpado de Nueva York.

El navío era, literalmente, el buque enseña de las United States Lines: el primero de la flota construido exclusivamente para pasajeros. Era enorme (su eslora superaba la longitud de dos campos de fútbol), pero en ese viaje estaba más atestado que nunca. Un cruce transatlántico típico se hacía con seiscientos pasajeros, poco más o menos, y quinientos tripulantes. En ese trayecto, en cambio, las tres clases estaban colmadas por casi cuatrocientos atletas olímpicos, sus representantes, sus entrenadores y otros ochocientos cincuenta pasajeros, en su mayoría parientes, amigos, periodistas y miembros del Comité Olímpico.

La cantidad de pasajeros y las excéntricas necesidades de los atletas y los periodistas a bordo del *Manhattan* habían dado muchísimo quehacer a la diligente y cortés tripulación, pero en especial a ese hombre gordo y calvo, que se llamaba Albert Heinsler. Por cierto, el puesto de mozo exigía largas horas de trabajo pesado. Pero el aspecto más arduo de esa jornada se debía a su verdadero papel a bordo del barco, del que absolutamente nadie sabía nada. Heinsler se autodenominaba Hombre A, el término que empleaba el servicio de inteligencia nazi para referirse a sus operadores de confianza en Alemania: sus *Agenten*.

En realidad, ese reservado soltero de treinta y cuatro años era un simple miembro del *Bund* germano-americano, chusma estadounidense partidaria de Hitler, más o menos aliada al Frente Cristiano en su oposición a los judíos, los comunistas y los negros. Heinsler no odiaba Norteamérica, pero jamás había podido olvidar los horrorosos días de su adolescencia durante la guerra, tiempos en que su familia había sido lanzada a la pobreza por los prejuicios antigermanos; él mismo había padecido incesantes provocaciones («Heinie, Heinie, Heinie el Huno») e incontables palizas en los callejones y el patio de la escuela.

No, no odiaba su país. Pero amaba la Alemania nazi con todo su corazón y estaba deslumbrado por el mesías Adolf Hitler. Estaba dispuesto a cualquier sacrificio por ese hombre: a aceptar la prisión y hasta la muerte, si era necesario.

Apenas pudo creer en su buena suerte cuando, en el cuartel general de las Tropas de Asalto de Nueva Jersey, el comandante reparó en que ese leal camarada había trabajado como contable de libros a bordo de algunos barcos de pasajeros y le consiguió un puesto en el *Manhattan*. Vestido con su uniforme pardo, el comandante se reunió con él en los muelles de Atlantic City y le explicó que, si bien los nazis recibían magnánimamente a gente de todo el mundo, les preocupaban los problemas de seguridad que podía producir la llegada de tantos atletas y visitantes. Heinsler debía actuar como representante clandestino de los nazis a bordo de ese barco. Pero no trabajaría llevando registros contables, como antes. Era importante que dispusiera de libertad para moverse por el barco sin despertar sospechas: sería mozo.

¡Pero si eso era la aventura de su vida! De inmediato renunció al empleo que ocupaba en la trastienda de un contador, en la parte baja de Broadway. A su manera típicamente obsesiva, dedicó los días que faltaban para zarpar a prepararse para su misión: pasaba la noche estudiando diagramas del barco, ensayando su papel de mozo y puliendo su dominio del alemán; también aprendió una variante del código Morse, llamada código continental, que se utilizaba para telegrafiar mensajes a Europa y dentro de ella.

Una vez que el barco abandonó el puerto permaneció solo; observaba, escuchaba y era el Hombre A perfecto. Pero durante el tiempo que el *Manhattan* pasó en alta mar no pudo comunicarse con Alemania: la señal de su equipo inalámbrico era demasiado débil. El barco poseía un potente sistema de radio, desde luego, así como radiotransmisores de onda corta y onda larga, pero él no podía utilizarlos para transmitir su mensaje; para eso tendría que haber involucrado a algún operador de radio de la tripulación, y era vital que nadie oyera ni viera lo que debía decir.

Por el ojo de buey, Heinsler echó un vistazo a la costa gris de Alemania. Sí, creía estar ya lo bastante cerca como para transmitir. Entró en su minúsculo camarote para retirar de debajo del catre el telégrafo inalámbrico Allocchio Bacchini. Luego echó a andar hacia la escalera que lo llevaría a la cubierta superior, desde donde esperaba que la endeble señal llegara a tierra.

Mientras caminaba por el estrecho corredor volvió a repasar mentalmente su mensaje. Si algo lamentaba era no poder incluir su nombre y afiliación. Aun cuando Hitler, en privado, admiraba lo que hacía el *Bund* germanoamericano, el grupo era tan rabiosa y estentóreamente antisemita que el Führer se había visto obligado a desautorizarlo en público. Si Heinsler incluía cualquier referencia al grupo americano, sus palabras serían ignoradas.

Y ese mensaje en especial no podía de ningún modo ser pasado por alto.

Para el Obersturmführer-SS, Hamburgo: soy un devoto nacionalsocialista. He oído que, en los próximos días, un hombre con vínculos rusos planea causar algún daño en altas esferas de Berlín. Aún no sé su identidad, pero continuaré investigando el asunto y confío enviar pronto esa información.

Cuando boxeaba se sentía vivo.

No había sensación comparable. Bailar con esas cómodas zapatillas de cuero, calientes los músculos, la piel a la vez fresca por el sudor y cálida por la sangre, en constante movimiento el zumbido de dínamo del cuerpo. Y el dolor, también. Paul Schumann estaba convencido de que se puede aprender mucho del dolor. A fin de cuentas, ésa era la finalidad de todo aquello.

Pero sobre todo le gustaba aquel deporte porque, en el boxeo, el éxito o el fracaso dependían sólo de sus anchos hombros, marcados por algunas cicatrices, y se debía a la destreza de sus pies, a sus manos poderosas, a su mente. En el boxeo estás solo contra el otro tipo, sin compañeros de equipo. Si recibes una paliza es porque el otro es mejor. Así de simple y directo. Y si ganas, todo el mérito es tuyo: porque te entrenaste con la cuerda, dejaste la bebida y los cigarrillos, pasaste horas y horas pensando cómo meterte bajo su guardia, cuáles son sus puntos débiles. En un estadio de fútbol o de béisbol hay suerte, sí. Pero en el ring de boxeo la suerte no existe.

Ahora bailaba sobre el ring que se había armado en la cubierta principal del *Manhattan;* todo el barco había sido convertido en un gimnasio flotante para el entrenamiento. Uno de los pugilistas olímpicos, la noche anterior, lo había visto ejercitarse con la bolsa de arena y le preguntó si quería practicar un poco por la mañana, antes de que el barco llegara a puerto. Paul había aceptado de inmediato.

Esquivó unos cuantos golpes rápidos y conectó su clásico derechazo, lo que provocó en su adversario un parpadeo de sorpresa. De inmediato recibió un fuerte golpe en el abdomen antes de que pudiera ponerse nuevamente en guardia. Al principio estuvo un poco rígido (llevaba algún tiempo sin subir a un ring), pero se había hecho examinar por el joven y sagaz médico de a bordo, un tipo llamado Joel Koslow, quien le dijo que podía vérselas cara a cara con boxeadores a los que doblaba en edad. «Pero en su lugar me limitaría a dos o tres *rounds*», le había advertido el médico, sonriente. «Estos muchachos son fuertes. Zurran de verdad.»

Lo cual era cierto, sin duda. Pero a Paul no le importaba. En realidad, cuanto más intenso fuera el ejercicio, tanto mejor: esta sesión, como las de saltar a la cuerda y boxear con su sombra, cosas que había hecho todos los días desde que estaba a bordo, le estaba ayudando a mantenerse en forma para lo que le esperaba en Berlín.

Paul practicaba dos o tres veces por semana. Era muy solicitado como *sparring*, a pesar de sus cuarenta y un años, pues era un verdadero compendio ambulante de técnicas de boxeo. Estaba acostumbrado a practicar en cualquier parte: en los gimnasios de Brooklyn, en los rings al aire libre de Coney Island y hasta en lugares serios. Damon Runyon era uno de los fundadores del Twentieth Century Sporting Club, junto con Mike Jacobs, el legendario promotor, y unos cuantos periodistas. Él había conseguido que Paul pudiera ejercitarse en el mismo Hipódromo de Nueva York. Una o dos veces llegó a hacer guantes con alguno de los grandes. También practicaba en su propio gimnasio, que funcionaba en un pequeño edificio cercano a los muelles del West Side. Tal como había dicho Avery, no era precisamente un sitio muy fino, pero a los ojos de Paul ese lugar oscuro y mohoso era un santuario; Sorry Williams, que vivía en la trastienda, lo mantenía siempre limpio y tenía a mano hielo, toallas y cerveza.

Ahora el chico finteaba, pero Paul supo inmediatamente de dónde vendría el *jab* y lo bloqueó; luego le aplicó un sólido golpe al pecho. Pero no llegó a bloquear el siguiente y el guante lo alcanzó de lleno en la mandíbula. Bailó para ponerse fuera del alcance del hombre antes de que llegara el golpe siguiente y ambos volvieron a moverse en círculos.

Mientras se desplazaban sobre la lona, Paul notó que el muchacho era fuerte y veloz, pero no podía separarse de su adversario. Lo desbordaban las ansias de ganar. Claro que se necesitaba deseo, pero más importante aún era observar con calma cómo se movía el otro, buscar las claves que indicaran qué haría a continuación. Ese distanciamiento era absolutamente vital para ser un gran pugilista.

Y también era vital para un sicario.

Él lo denominaba «tocar el hielo».

Varios años atrás, en un bar de la calle 48, Paul trataba de calmar el dolor de un ojo morado, cortesía de Beavo Wayne, que no era capaz de golpear en el cuerpo ni para salvar la vida, pero, ¡qué habilidad tenía para partir las cejas, el tipo! Mientras sostenía un trozo de bife barato contra su cara, un negro enorme entró por la puerta para efectuar la diaria entrega de hielo. Los repartidores de hielo, en su mayoría, usaban pinzas y cargaban los bloques a la espalda. Éste, en cambio, lo llevaba en las manos, sin guantes siquiera. Paul lo vio pasar detrás del mostrador y depositar la barra en el cajón.

—Oye —le pidió—, ¿me picas un poco?

El hombre echó un vistazo a la mancha purpúrea que le rodeaba el ojo y, riendo, cogió un picahielo para partir un trozo. Paul lo envolvió en una servilleta y se lo puso contra la cara. Luego deslizó una moneda de diez hacia el repartidor, que dijo:

—Gracias.

—Permíteme una pregunta. ¿Cómo haces para cargar así esa barra? ¿No te duele?

—Pues mira. —El hombre levantó las manazas. Tenía las palmas llenas de cicatrices, tan suaves y claras como el pergamino que el padre de Paul usaba en otros tiempos para imprimir invitaciones lujosas. El negro explicó—: El hielo también quema, como el fuego. Y deja cicatriz. Pero con tanto tiempo de tocar hielo ya no siento nada.

Tocar el hielo.

La frase se le quedó grabada. Era exactamente lo que le sucedía a él cuando tenía un trabajo entre manos. Estaba convencido de que todos tenemos hielo dentro. Cada uno decide si lo toma o no.

Ahora, en ese improbable gimnasio, a miles de kilómetros de la patria, Paul sentía algo de ese entumecimiento, en tanto se concentraba en la coreografía de aquel combate. Guante contra guante, guante contra piel; aun en el aire fresco del amanecer marítimo esos dos hombres sudaban a chorros mientras se rondaban, buscando los puntos débiles, evaluando los fuertes. A veces conectaban, otras no. Pero se mantenían vigilantes.

En el ring de boxeo no existe la suerte.

Albert Heinsler, encaramado junto a una chimenea, en una de las cubiertas altas del *Manhattan,* conectó la batería al equipo inalámbrico. Luego sacó la diminuta llave negra y parda del telégrafo y la instaló sobre la unidad.

Le preocupaba un poco utilizar un transmisor italiano, pues pensaba que Mussolini era irrespetuoso con el Führer, pero eso era puro sentimentalismo: sabía que el Allocchio Bacchini era uno de los mejores transmisores portátiles del mundo.

Mientras los tubos se calentaban probó la llave, *punto raya, punto raya.* Su temperamento compulsivo lo había llevado a practicar horas enteras. Justo antes de zarpar se había cronometrado: era capaz de enviar un mensaje de esa longitud en menos de dos minutos.

Con la vista fija en la costa que se aproximaba, Heinsler inhaló profundamente. Se sentía bien allí arriba, en la cubierta superior. Aunque no se había visto condenado a permanecer en su camarote, haciendo arcadas y gimiendo, como varios cientos de pasajeros e incluso algunos tripulantes, detestaba la claustrofobia de permanecer en el interior del buque. Su puesto anterior, contable de libros de a bordo, tenía más categoría que el de mozo; en aquellos tiempos ocupaba un camarote más grande en una cubierta superior. Pero no importaba: el honor de colaborar con el país de sus ancestros compensaba cualquier incomodidad.

Por fin se encendió una luz en el gabinete del equipo de radio. Se inclinó hacia delante para graduar dos de los indicadores y deslizó los dedos sobre la diminuta llave de baquelita. Luego comenzó a transmitir el mensaje, que iba traduciendo al alemán según operaba la llave.

Punto punto raya punto.... punto punto raya... punto raya punto... raya raya raya... raya punto punto punto... punto... punto raya punto...

Für Ober...

No llegó más allá.

Heinsler ahogó una exclamación al sentir que una mano aferraba la parte trasera del cuello de la camisa y tiraba de él hacia atrás. Gritó, perdiendo el equillibrio, y cayó contra la suave cubierta de roble.

—¡No, no, no me haga daño! —Quiso ponerse de pie, pero aquel hombrón ceñudo, que vestía ropas de boxeador, levantó el enorme puño hacia atrás y sacudió la cabeza.

—No te muevas.

Heinsler volvió a caer al piso, trémulo.

Heinie, Heinie, Heinie el Huno.

El pugilista alargó la mano para arrancar los cables de la batería.

—Abajo —ordenó, mientras recogía el transmisor—. Rápido.

Y levantó de un tirón al Hombre A.

—¿Qué hacías?

—Vete al diablo —dijo el calvo, aunque la voz trémula no se correspondía con las palabras. Estaban en el camarote de Paul. En la estrecha litera yacían esparcidos el transmisor, la batería y el contenido de los bolsillos de Heinsler. Paul repitió la pregunta, esta vez con el añadido de un gruñido ominoso:

—Dime.

Fuertes golpes contra la puerta del camarote. Paul dio un paso adelante y, con el puño preparado, abrió la puerta. Entró Vince Manielli.

—He recibido tu mensaje. ¿Qué diablos...? —Y calló, la mirada fija en el prisionero.

Paul le entregó la cartera.

—Albert Heinsler, del *Bund* germanoamericano.

—¡Ay, Dios mío, el *Bund* no!

—Tenía eso. —Hizo un gesto con la cabeza señalando el telégrafo inalámbrico.

—¿Nos estaba espiando?

—No sé. Pero estaba a punto de transmitir algo.

—¿Cómo lo has descubierto?

—Digamos que ha sido una corazonada.

Paul prefirió no decir que, si bien en parte confiaba en Gordon y sus muchachos, no sabía hasta qué punto podían actuar con descuido en ese tipo de juego; era posible que estuvieran dejando tras ellos una estela de pistas más ancha que una carretera: notas sobre el barco, comentarios imprudentes sobre Malone o algún otro «despachado», incluso referencias al mismo Paul. No creía que los nazis presentaran mucho peligro; antes bien, lo que temía era que alguno de sus antiguos enemigos de Brooklyn o Nueva Jersey se enterara de que él iba en ese barco; prefería estar bien preparado. Por eso, antes de zarpar, había pagado cien dólares de su propio bolsillo a un oficial para que le informara sobre cualquier tripulante que no formara parte del grupo habitual, que se mantuviera aparte o hiciera preguntas extrañas. También sobre cualquier pasajero que le pareciera sospechoso.

Con cien dólares se paga mucho trabajo detectivesco, pero transcurrió todo el viaje sin que el oficial se enterara de nada... hasta que esa mañana había interrumpido el entrenamiento de Paul con el boxeador olímpico para decirle que algunos marineros hablaban de un mozo, un tal Heinsler. El hombre andaba siempre al acecho y no confraternizaba con sus compañeros; lo más raro de todo era que, a la menor ocasión, empezaba a loar a Hitler y los nazis.

Paul, alarmado, había seguido el rastro de Heinsler y lo había encontrado en la cubierta superior, agachado junto a su radio.

—¿Ha transmitido algo? —preguntó Manielli.

—Esta mañana no. He subido la escalera tras él y le he visto preparar la radio. No ha tenido tiempo de enviar más que unas cuantas letras. Pero tal vez se haya pasado toda la semana transmitiendo.

Manielli echó un vistazo al aparato.

—Con eso no, no creo. Tiene un alcance de pocos kilómetros. ¿Qué sabe?

—Pregúntaselo a él —dijo Paul.

—Di, amigo, ¿qué estabas tramando?

El calvo guardó silencio. Paul se inclinó hacia él.

—Larga.

Heinsler sonrió con aire espectral y se volvió hacia Manielli.

—Los oí hablar. Sé lo que se traen entre manos. Pero se lo impedirán.

—¿Quién te metió en esto? ¿El *Bund*?

El hombre bufó despectivamente.

—Nadie me metió en nada. —Ya no hacía gestos de miedo. Con emocionada devoción, añadió—: Soy leal a la Nueva Alemania. Quiero al Führer. Haría cualquier cosa por él y por el Partido. Y la gente como vosotros...

—Bah, cállate —murmuró Manielli—. ¿Qué es eso de que nos oíste?

Heinsler no respondió. Miraba por el ojo de buey con una sonrisa ufana. Paul dijo:

—¿Te oyó hablar con Avery? ¿Qué conversaron?

El teniente bajó la vista.

—No sé. Un par de veces repasamos el plan. Sólo eso. No recuerdo exactamente.

—¡No me digas que hablaban en su camarote! —le espetó Paul—. ¡Deberían haberlo hecho arriba, en la cubierta, para ver si había alguien cerca o no!

—No pensamos que alguien pudiera escuchar —replicó Manielli, a la defensiva.

Una estela de pistas como una carretera...

—¿Qué harán con éste?

—Hablaré con Avery. A bordo hay un calabozo. Supongo que lo meteremos allí hasta que se nos ocurra algo.

—¿No podríamos entregarlo al Consulado de Hamburgo?

—Tal vez sí. No sé. Pero... —El joven calló, ceñudo—. ¿Qué olor es ése?

Paul también frunció el entrecejo: un olor súbito, entre dulce y amargo, había llenado el camarote.

—¡No!

Heinsler caía ya contra la almohada, con los ojos en blanco y motas de espuma blanca en la comisura de la boca. Su cuerpo se contrajo en una convulsión horrorosa.

Era olor a almendras.

—Cianuro —susurró Manielli. Y corrió a abrir el ojo de buey.

Paul cogió una funda de almohada para limpiar minuciosamente la boca del hombre, en busca de la cápsula, pero sólo retiró unas pocas astillas de vidrio: se había destrozado por completo. Fue al lavabo en busca de un vaso de agua para lavar el veneno, pero cuando regresó el hombre ya había muerto.

—Se ha suicidado —susurraba Manielli como un maniático, mirándolo con los ojos dilatados—. Así como así... Se ha suicidado.

«Y así desaparece cualquier posibilidad de averiguar algo más», pensó Paul. El teniente seguía mirando el cadáver. Temblaba.

—Ahora sí que estamos en un aprieto. Ay, Dios mío...

—Ve a informar a Avery.

Pero Manielli parecía paralizado. Paul lo aferró por un brazo.

—Vince... debes informar a Avery. ¿Me escuchas?

—¿Qué...? Ah, sí. A Andy. Se lo diré, sí. —Y el teniente salió.

Con unas cuantas pesas del gimnasio atadas a la cintura el cuerpo se hundiría en el océano. Pero el ojo de buey del camarote sólo medía veinte centímetros de diámetro. Y los corredores del *Manhattan* ya se iban poblando de pasajeros que se preparaban para desembarcar; no habría manera de sacarlo por el interior del barco. Tendrían que esperar. Paul escondió el cadáver bajo las mantas y le giró la cabeza hacia un costado, como si estuviera durmiendo; luego se lavó cuidadosamente las manos en el diminuto lavabo, a fin de eliminar cualquier rastro de veneno.

Diez minutos después alguien llamó a la puerta; Paul dejó entrar a Manielli.

—Andy está intentando ponerse en contacto con Gordon. En Washington es medianoche, pero lo localizará. —No podía apartar los ojos del cuerpo. Al fin preguntó—: ¿Tienes el equipaje preparado? ¿Estás listo?

—Sólo me falta cambiarme. —Paul echó un vistazo a su ropa de gimnasia.

—Anda, hazlo rápido. Luego sube. Dice Andy que no conviene llamar la atención. Tú desaparece, y este tipo también, y su supervisor no conseguirá dar con él... Nos encontraremos dentro de media hora en la cubierta principal, por babor.

Tras echar una última mirada a Heinsler, Paul recogió la maleta y los enseres de afeitar y se encaminó hacia la sala de duchas. Ya bañado y afeitado, se puso una camisa blanca y pantalones de franela gris. Prescindió del Stetson pardo de ala estrecha, pues a tres o cuatro novatos en los viajes transatlánticos se les había caído ya el sombrero por la borda. Diez minutos después se paseaba por las cubiertas de roble macizo, bajo la pálida luz de la mañana. Se detuvo a fumar un Chesterfield, apoyado contra la barandilla.

Pensaba en el hombre que acababa de suicidarse. Jamás comprendería el suicidio. Pero la expresión de esos ojos podía ser una clave: el brillo del fanatismo. Heinsler le hacía pensar en algo que había leído recientemente; al cabo de un momento lo recordó: la gente que caía subyugada por el predicador evangelista de *Elmer Gantry*, la famosa novela de Sinclair Lewis.

Quiero al Führer. Haría cualquier cosa por él y por el Partido...
Sin duda, era una locura que un hombre se quitara la vida de esa manera. Pero lo más inquietante era lo que expresaba sobre la franja de tierra gris que Paul tenía ahora a la vista. De los que vivían allí, ¿cuántos tenían la misma pasión mortífera? La gente como Dutch Schultz y Siegel eran peligrosos, sí, pero se los podía entender. En cambio lo que había hecho ese hombre, la expresión de sus ojos, esa devoción apasionada... Estaban dementes, totalmente desquiciados. Paul nunca se había enfrentado a nada parecido.

Sus pensamientos quedaron interrumpidos al mirar hacia un costado. Un joven negro, de muy buen físico, venía hacia él. Vestía el saco azul del equipo olímpico, de tela liviana, y pantalones cortos que revelaban piernas poderosas.

Ambos se saludaron con una inclinación de cabeza.

—Disculpe, señor —dijo el hombre, en voz baja—. ¿Cómo le va?

—Bien —respondió Paul—. ¿Y a usted?

—Me encanta el aire de la mañana. Mucho más limpio que en Cleveland o Nueva York. —Ambos miraron sobre el agua—. Hace un rato lo vi boxear. ¿Profesional?

—¿A mi edad? Lo hago sólo como ejercicio.

—Me llamo Jesse.

—Ah, sí, señor, ya sé quién es usted —exclamó Paul—. La Bala del Estado de Ohio.

Se estrecharon la mano. Paul se presentó. Pese a la impresión por lo que había sucedido en su camarote, no podía dejar de sonreír de oreja a oreja.

—El año pasado vi aquella competición en los informativos del cine. Lo de Ann Arbor. Usted batió tres récords mundiales. E igualó uno más, ¿no? Debo de haber visto esa filmación diez o doce veces. Pero debe de estar cansado de que se lo comenten.

—No me molesta ni un poquito, no señor —aseguró Jesse Owens—. Pero siempre me sorprende que la gente esté tan enterada de lo que hago. Sólo correr y saltar. No lo he visto mucho durante el viaje, Paul.

—Andaba por ahí —respondió él, evasivo. Se preguntaba si Owens sabría algo de lo que había pasado con Heinsler. ¿Acaso los habría oído por casualidad? ¿Y si lo había visto atrapar al hombre junto a la chimenea de la cubierta superior? Pero decidió que, en ese caso, el atleta no habría estado tan tranquilo. Parecía estar pensando en otra cosa.

Paul señaló con la cabeza hacia atrás.

—Es el gimnasio más grande que he visto en toda mi vida. ¿Te gusta?

—Me gusta tener la posibilidad de entrenarme, pero no que la pista se mueva. Mucho menos que se balancee de arriba abajo, como pasaba hace algunos días. Prefiero mil veces las pistas normales.

—Claro —dijo Paul—. Allí va el boxeador contra el que estuve peleando.

—Cierto. Buen tipo. Hemos estado hablando.

—Es bueno —manifestó Paul, sin mucho entusiasmo.

—Eso parece —dijo el corredor. Evidentemente, él también sabía que el boxeo no era el punto más fuerte del equipo norteamericano, pero no quería criticar a sus colegas. Paul había oído decir que ese negro era uno de los más simpáticos entre los norteamericanos. La noche anterior, en el certamen de popularidad, había resultado segundo después de Glenn Cunningham.

—Te ofrecería un cigarrillo, pero...

Owens rió:

—No, no fumo.

—Ya he renunciado a ofrecer un trago de mi petaca. Ustedes son todos demasiado sanos.

Otra risa. Luego, un momento de silencio; el corpulento negro contemplaba el mar.

—Oye, Paul, quiero hacerte una pregunta. ¿Has venido oficialmente?

—¿Oficialmente?

—Con el comité, quiero decir. Como guardaespaldas.

—¿Yo? ¿Por qué lo preguntas?

—Porque tienes pinta de... no sé, de militar o algo así. Además, por tu manera de pelear. Sabes lo que haces.

—Es que estuve en la guerra. Debe de ser eso lo que te ha llamado la atención.

—Tal vez. —Luego Owens añadió—: Pero eso fue hace veinte años. Y esos dos tipos con los que te he visto conversar. Son de la Marina. Los oímos hablar con un tripulante.

Hombre, otra estela de pistas.

—¿Esos dos? Los he conocido a bordo, por casualidad. Vengo en este viaje de gorra. Estoy escribiendo unos artículos sobre deporte: el boxeo en Berlín, los Juegos... Soy escritor.

—Ah, claro. —Owens asintió lentamente. Por un momento pareció reflexionar—. Pues si eres cronista quizá sepas algo sobre esos dos tipos. —Señaló con la cabeza a unos hombres que corrían en tándem por la cubierta, pasándose el testigo. Eran veloces como el relámpago.

—¿Quiénes son? —preguntó Paul.

—Sam Stoller y Marty Glickman. Son buenos corredores, de los mejores que tenemos. Pero se rumorea que tal vez no correrán. ¿Sabes algo de eso?

—No, nada. ¿Hay algún problema de calificación? ¿Lesiones?

—No, es que son judíos.

Paul meneó la cabeza. Recordaba cierta controversia porque a Hitler no le gustaban los judíos. Hubo algunas protestas y se habló de cambiar la sede de las Olimpíadas. Algunos hasta querían que el equipo estadounidense boicoteara los Juegos. Damon Runyon se sulfuraba por el solo hecho de que el país participara. Pero, ¿qué motivos podía tener el mismo comité norteamericano para retirar a unos atletas por su condición de judíos?

—Sería ridículo. No parece correcto en absoluto.

—Claro que no. Bueno, sólo quería saber si estabas enterado de algo.

—Lo siento, amigo, pero no puedo ayudarte —dijo Paul.

Se les unió otro negro, Ralph Metcalfe, y se presentó. Paul también había oído hablar de él. En las Olimpíadas de Los Ángeles, en 1932, había ganado un par de medallas.

Owens notó que Vince Manielli los miraba desde una cubierta más alta. El teniente saludó con la cabeza y se encaminó hacia las escaleras.

—Aquí viene tu amiguito. El que conociste a bordo por pura casualidad. —Owens mostraba una gran sonrisa astuta; no estaba del todo convencido de que Paul hubiera sido sincero. El negro dirigió una mirada hacia delante, hacia la franja de tierra que iba creciendo—. ¡Figúrate! Estamos casi en Alemania. Nunca imaginé que viajaría así. La vida es asombrosa, ¿no te parece?

—Eso es muy cierto —admitió Paul.

Los corredores se despidieron y se alejaron al trote.

—¿Ése era Owens? —preguntó Manielli al acercarse. Se apoyó contra la barandilla, de espaldas al viento, para liar un cigarrillo.

—Sí. —Paul sacó un Chesterfield. Después de encenderlo entre las manos ahuecadas ofreció las cerillas al teniente, que encendió el suyo—. Simpático, el hombre.

«Aunque demasiado perspicaz», pensó Paul.

—¡Y cómo corre! ¿Qué te decía?

—Sólo charlábamos —respondió. Y en un susurro preguntó—: ¿Cómo están las cosas con nuestro amigo allí abajo?

—Avery se está ocupando de eso —dijo Manielli ambiguamente—. Está en el cuarto de radio. Vendrá en un minuto.

Un avión pasó a poca altura. Ellos lo observaron en silencio durante varios minutos.

Manielli aún parecía impresionado por el suicidio, pero no de la misma manera que Paul, a quien aquella muerte le revelaba algo inquietante sobre la gente con la que iba a vérselas muy pronto. No: el marino estaba inquieto porque acababa de ver la muerte desde muy cerca... y por primera vez: eso era obvio. Paul sabía que los novatos suelen ser de dos tipos. Ambos se dan aires, fanfarronean y tienen brazos fuertes, buenos puños. Pero uno de esos tipos se lanzará sobre cualquier oportunidad de tomarse a golpes (tocar el hielo); el otro no. Vince Manielli entraba en esa segunda categoría. En realidad no era más que un buen chico de barrio. Le gustaba disparar palabras tales como «sicario» y «cepillar», para demostrar que conocía su significado, pero estaba tan lejos del mundo de Paul como Marion. Marion, la chica buena que coqueteaba con el lado salvaje.

Pero Lucky Luciano, el jefe mafioso, le había dicho una vez una gran verdad: «Coquetear no es coger».

Manielli parecía esperar que Paul hiciera algún comentario sobre el muerto, ese Heinsler. Algo así como que el tipo merecía morir. O que estaba loco. La gente siempre quiere escuchar esas cosas cuando muere alguien: que ha sido culpa del propio difunto, que lo merecía o que era inevitable. Pero la muerte nunca es simétrica y pulcra; el sicario no tenía nada que decir. Un silencio espeso llenó el espacio entre ellos; un momento después se les unió Andrew Avery. Traía una carpeta con papeles y un maltrecho portafolio de cuero. Miró en derredor. No había nadie lo bastante cerca como para oírlos.

—Acerquen una silla.

Paul encontró una pesada silla de madera blanca y la acercó hasta donde estaban los marinos. No tenía por qué cargarla con una sola mano; habría sido más fácil hacerlo con dos. Pero le gustó notar que Manielli parpadeaba al verle cargar el mueble y hacerlo girar sin un solo gruñido. Paul se sentó.

—Aquí está el telegrama —susurró el teniente—. Al comandante no le preocupa mucho este tal Heinsler. El Allocchio Bacchini es un aparato pequeño, diseñado para aviones y trabajo de campo, de corto alcance. Y aunque hubiera logrado transmitir un mensaje, lo más probable es que en Berlín no le prestaran mucha atención. Para ellos el *Bund* es un bochorno. Pero Gordon dice que a ti te corresponde decidir. Si quieres salirte, está bien.

—Pero no habrá amnistía —dijo Paul.

—No —confirmó Avery.

—Este trato se me hace cada vez más dulce. —El sicario dejó oír una risa agria.

—¿Sigues con nosotros?

—Sigo, sí. —Un cabezazo hacia la cubierta de abajo—. ¿Qué harán con el cadáver?

—Una vez que todo el mundo haya desembarcado subirán a bordo unos marines del Consulado de Hamburgo, que se ocuparán de él. —Luego Avery se inclinó hacia delante para decir en voz baja—: Oye, te diré qué pasará con tu misión, Paul. En cuanto desembarquemos, te marchas. Vince y yo nos encargaremos de arreglar lo de Heinsler. Luego nosotros iremos a Ámsterdam y tú te quedas con el equipo. En Hamburgo habrá una breve ceremonia; después todo el mundo tomará el tren a Berlín. Esta noche habrá otra ceremonia para los atletas, pero tú te vas directamente a la Villa Olímpica y te mantienes fuera de la vista. Mañana por la mañana tomas un autobús para ir al Tiergarten, el parque central de Berlín. —Le entregó el portafolio—. Lleva esto.

—¿Qué es?

—Parte de tu coartada. Credencial de periodista. Papel, lápices. Mucha información sobre los Juegos y la ciudad. Una guía de la Villa Olímpica. Artículos, recortes, estadísticas de deporte. El tipo de cosas que tiene cualquier cronista. No hace falta que lo mires ahora mismo.

Pero Paul abrió el portafolio y dedicó algunos minutos a estudiar atentamente el contenido. La credencial, según le aseguró Avery, era auténtica; en cuanto al otro material, no detectó nada sospechoso.

—No confías en nadie, ¿verdad? —preguntó Manielli.

Habría sido divertido meterle un buen golpe a ese novato; Paul cerró el portafolio y levantó la vista.

—¿Y mi otro pasaporte? ¿El ruso?

—Te lo dará nuestro hombre. Tiene un falsificador experto en documentos europeos. Escucha: no olvides llevar mañana el portafolio. Es así como te reconocerá. —Desplegó un colorido mapa de Berlín para trazar una ruta—. Desciende aquí y camina en esta dirección. Llegarás a una cafetería que se llama Bierhaus.

Avery miró a Paul, que observaba el mapa atentamente.

—Puedes llevártelo. No hace falta que lo memorices.

Pero el sicario sacudió la cabeza.

—Los mapas indican dónde has estado o adónde irás. Y si te pones a mirar uno en plena calle atraes la atención de todos. Si te pierdes es mejor pedir indicaciones. Así sólo una persona sabrá que eres extranjero, no toda una multitud.

Avery enarcó una ceja. Ni siquiera Manielli tuvo nada que objetar.

—Cerca de la cafetería hay un callejón. El pasaje Dresden.

—¿Tiene letrero?

—En Alemania todos los callejones tienen su letrero. O al menos unos cuantos. Es un atajo. No importa adónde lleve. Al mediodía entra en él y detente, como si estuvieras perdido. Nuestro hombre se te acercará. Es el tipo del que te hablaba el senador. Reginald Morgan. Reggie.

—Descríbemelo.

—Bajo. Con bigote. Pelo oscuro. Te hablará en alemán. Entablará conversación. En algún momento le preguntas: «¿Cuál es el mejor tranvía para ir a la Alexanderplatz?». Y él te dirá: «El número ciento treinta y ocho». Luego hará una pausa y rectificará: «No, es mejor el doscientos cincuenta y cuatro». Así sabrás que es él, porque no hay tranvías con esos números.

—Se diría que te hace gracia —observó Manielli.

—Parece sacado de una novela de Dashiell Hammett. *El agente de la Continental.*

—Esto no es ningún juego.

No, la verdad, y el santo y seña no le parecía divertido. Pero toda aquella intriga era inquietante. Y él sabía por qué: al final, no le quedaba más remedio que confiar en otros. Y eso era algo que a Paul Schumann no le gustaba ni pizca.

—De acuerdo. Alexanderplatz. Tranvías ciento treinta y ocho, doscientos cincuenta y cuatro. ¿Y si no me dice lo de los tranvías? ¿No es él?

—A eso iba. Si algo te suena raro, no le pegues ni hagas escándalo alguno. Te limitas a sonreír y te vas, con tanta desenvoltura como puedas. Y vas a esta dirección.

Avery le entregó un trozo de papel con el nombre de una calle y un número. Paul los memorizó y se lo devolvió. El teniente le dio una llave, que él guardó en el bolsillo.

—Justo al sur de la Puerta de Brandenburgo hay un palacio antiguo. Iba a ser la nueva Embajada de Estados Unidos, pero hace unos cinco años hubo un incendio muy grande y aún no han terminado de repararlo. Como los diplomáticos todavía no se han instalado allí, los franceses, alemanes y británicos no se molestan en husmear por la zona. Pero hay un par de habitaciones que usamos de vez en cuando. En la despensa contigua a la cocina hay un transmisor inalámbrico. Nos envías un radiograma a Ámsterdam; nosotros haremos una llamada al comandante Gordon y él decidirá qué hacer a continuación. Pero si todo va bien, Morgan se ocupará de ti. Te llevará a la pensión, te conseguirá un arma y te dará toda la información que necesites sobre el hombre que vas a... visitar.

A despachar, decimos nosotros.

—Y recuerda —anunció Manielli con placer—: si no apareces mañana en el pasaje Dresden o si le das el esquinazo a Morgan, en cuanto él nos llame nos aseguraremos de que la policía caiga sobre ti como una tonelada de ladrillos.

Paul dejó pasar esa bravuconada sin decir palabra. Se daba cuenta de que Manielli estaba avergonzado por su reacción ante el suicidio de Heinsler; el chico necesitaba soltar la rienda. Pero, en realidad, no había posibilidad de que Paul se largara. Bull Gordon tenía razón: a ningún sicario se le brinda otra oportunidad como la que a él se le ofrecía... y con un montón de dinero para que la aprovechara mejor.

Luego los hombres guardaron silencio. No quedaba nada por decir. En torno a ellos, el aire húmedo y picante se llenó de sonidos: el viento, el *shusssh* de las olas, el chirrido de barítono de los motores del *Manhattan*... una mezcla de tonos que le resultó extrañamente consoladora, pese al suicidio de Heinsler y la ardua misión que le esperaba. Por fin los marinos bajaron.

Paul se levantó y, después de encender otro cigarrillo, se apoyó una vez más contra la barandilla, mientras el enorme barco entraba en el puerto de Hamburgo. Sus pensamientos estaban completamente concentrados en el coronel Reinhard Ernst, hombre cuya verdadera importancia, para Paul Schumann, guardaba muy poca relación con su posible amenaza contra la paz de Europa y contra tantas vidas inocentes: para el sicario, su trascendencia residía en el hecho de que Ernst iba a ser su última víctima.

Varias horas después de que el *Manhattan* hubiera amarrado, cuando los atletas y su cortejo ya habían desembarcado, un joven tripulante del barco salió a través del control de pasaportes alemanes y se alejó sin rumbo por las calles de Hamburgo.

No pasaría mucho tiempo en tierra; por su posición subalterna sólo tenía seis horas de permiso. Pero había pasado toda su vida en suelo americano y estaba decidido a disfrutar de esa primera visita a un país extranjero.

El pulcro y sonrosado asistente de cocina se dijo que en la ciudad debía de haber algunos museos estupendos. Y tal vez también algunas iglesias de las buenas. Traía su Kodak y pensaba pedir a los residentes que le tomaran algunas instantáneas frente a esos lugares, para sus padres. (*«Bitte, das Foto?»*, había estado ensayando.) Por no mencionar las cervecerías, las tabernas... y quién sabía qué más encontraría para divertirse en esa exótica ciudad portuaria.

Pero antes de sumergirse en la cultura debía hacer un recado. Le preocupaba la posibilidad de que esa tarea redujera su precioso tiempo en tierra, pero resultó se equivocaba. Unos pocos minutos después de abandonar la aduana encontró exactamente lo que buscaba.

El marinero se acercó a un hombre de mediana edad, que vestía uniforme verde y sombrero verde y negro.

—*Bitte* —probó en alemán.

—*Ja, mein Herr?*

El muchacho, bizqueando, barbotó:

—*Bitte, du bist ein Polizist...* hum... o un *soldat?*

El oficial, sonriente, cambió de idioma:

—Sí, sí, soy policía. Y fui soldado. ¿Cómo puedo ayudarle?

El asistente de cocina señaló calle abajo con la cabeza.

—He encontrado esto en el suelo. —Entregó al hombre un sobre blanco—. Esta palabra ¿no significa «importante»? —Señaló las letras *Bedeutend*—. Quería asegurarme de que fuera entregada.

Al ver el anverso del sobre el policía tardó un momento en responder. Por fin dijo:

—Sí, sí, importante. —Las otras palabras allí escritas eran *Für Obersturmführer-SS, Hamburg.* El muchacho no tenía idea de lo que significaban, pero el alemán parecía preocupado—. ¿Dónde estaba esto?

—Estaba allí, en la acera.

—Bien. Se le agradece. —El oficial seguía mirando el sobre cerrado. Le dio la vuelta en la mano—. ¿Tal vez usted vio quién lo tiró?

—No. Lo he visto allí, simplemente, y he querido ser un buen samaritano.

—*Ach*, sí, samaritano.

—Bueno, tengo que irme —dijo el norteamericano—. Adiós.

—*Danke* —replicó el policía, distraído.

Mientras regresaba hacia uno de los sitios turísticos más interesantes que había visto al pasar, el joven se preguntaba qué contendría aquel sobre exactamente. Y por qué la noche anterior Heinsler, el mozo que había conocido a bordo del *Manhattan*, le había pedido que lo entregara a un policía local o a un soldado en cuanto el barco estuviera en puerto. El tipo estaba un poco chiflado, como decían todos; en su camarote todo estaba limpio y en perfecto orden; no había nada fuera de sitio, su ropa siempre estaba bien planchada. Además era muy reservado. Y se le humedecían los ojos cuando hablaba de Alemania.

—Con mucho gusto. ¿Qué es? —le había preguntado él.

—A bordo había un pasajero que me ha parecido algo sospechoso. Quiero que las autoridades alemanas estén informadas. Trataré de enviar un mensaje telegráfico, pero a veces no llegan. Y quiero asegurarme de que las autoridades reciban la información.

—¿Quién es ese pasajero? Ah, espera. Ya sé. Ese gordo del traje a cuadros, el que bebió hasta desmayarse en la mesa del capitán.

—No, otro.

—¿Por qué no hablas con el sargento de a bordo?

—Porque es un asunto alemán.

—Ah, ¿y no puedes entregarlo tú?

Heinsler había cruzado las manos regordetas en un ademán escalofriante, meneando la cabeza.

—Es posible que esté muy ocupado. Me he enterado de que tú tendrás permiso. Es muy importante que los alemanes reciban esto.

—Pues... supongo que sí, claro.

Heinsler había añadido en voz baja:

—Otra cosa: harías bien en decir que te has encontrado la carta. De otro modo podrían llevarte a la comisaría de policía para interrogarte. Eso te entretendría horas. Tal vez perderías todo el tiempo de tu permiso.

Esa intriga inquietó un poco al joven. Heinsler se dio cuenta de inmediato y añadió:

—Aquí tienes veinte dólares.

«Jesús, María y José», pensó el ayudante de cocina.

—Acabas de pagar un servicio de entrega especial —le dijo al mozo.

Ahora, mientras se alejaba del policía para regresar al puerto, se preguntó distraídamente qué habría sido de Heinsler. No lo había visto desde la noche anterior. Pero los recuerdos del mozo desaparecieron en cuanto se acercó al sitio que había visto antes, que parecía perfecto para probar por primera vez la cultura alemana. Sin embargo fue una desilusión descubrir que el Rosa's Hot Kitten Club (el tentador nombre convenientemente escrito en inglés) estaba cerrado de forma permanente, como todas las otras atracciones del puerto.

«Bueno», pensó el hombre, suspirando, «parece que, después de todo, tendré que conformarme con iglesias y museos.»

4

Se despertó al ruido de un pájaro, que levantaba vuelo desde las matas de bayas, junto a la ventana del dormitorio, en su casa de Charlottenburg, en las afueras. Se despertó al perfume de las magnolias.

Se despertó al toque del infame viento berlinés, que, según los hombres jóvenes y las viejas amas de casa, estaba cargado de un polvo alcalino que despertaba los deseos terrenales.

Ya fuera por la magia del aire o por ser un hombre de cierta edad, Reinhard Ernst se descubrió representándose a Gertrud, su atractiva esposa, una morena de veintiocho años. Giró en la cama para mirarla. Y se encontró con el hueco vacío en el lecho de plumas. No pudo menos que sonreír. Por las noches él siempre estaba exhausto, tras una jornada de dieciséis horas, y ella siempre se levantaba temprano, pues era su modo de ser. Últimamente apenas compartían una o dos palabras en la cama.

Ya se oían, abajo, los ruidos de la actividad en la cocina. Eran las siete de la mañana. Ernst había dormido poco más de cuatro horas.

Se desperezó, levantando el brazo lesionado hasta donde pudo; al masajearlo percibió el trozo triangular de metal que tenía alojado cerca del hombro. Había algo familiar y, curiosamente, cierto consuelo en ese fragmento de metralla. Ernst era partidario de aceptar el pasado y apreciaba todos los emblemas de los años transcurridos, aun aquellos que casi le habían quitado el miembro y la vida.

Bajó de la cama y se quitó la camisa de dormir. Como a esas horas Frieda ya estaría en la casa, se puso unos pantalones de montar beige y, colocándose la camisa, entró en el estudio contiguo. El coronel tenía cincuenta y seis años; su cabeza redonda estaba cubierta de pelo gris, muy corto; la boca, rodeada de arrugas. Tenía la nariz pequeña y romana; los ojos, muy juntos, lo cual le daba un aire a la vez depredador e inteligente. Esas facciones hacían que sus hombres, durante la guerra, le hubieran dado el apodo de «César».

En el verano solía pasar la mañana ejercitándose con Rudy, su nieto, que tenía siete años; hacían rodar la pelota, levantaban pesas, hacían llaves de lucha libre y corrían sin moverse del sitio. Pero los miércoles y los viernes el niño iba a la escuela de verano, que abría temprano, y Ernst se veía obligado a ejercitarse solo, cosa que era todo un desencanto.

Inició los quince minutos de flexiones de rodillas, pero en la mitad de la sesión oyó:

—*Opa!*

Ernst se detuvo, respirando con fuerza, y miró hacia el pasillo.

—Buenos días, Rudy

—Mira lo que he dibujado. —Su nieto, vestido de uniforme, mostraba una hoja. Como Ernst no tenía las gafas puestas no llegaba a distinguir bien el dibujo. Pero el niño dijo—: Es un águila.

—Pues sí, por supuesto. Ya la veo.

—Y vuela sobre una tormenta eléctrica.

—Qué águila tan valiente has dibujado.

—¿Bajas a desayunar?

—Sí. Di a tu abuela que bajaré en diez minutos. ¿Has comido hoy huevo?

—Sí.

—Excelente. Los huevos te hacen bien.

—Mañana dibujaré un halcón. —El niño, delgado y rubio, giró en redondo para correr hacia la escalera.

Mientras volvía a sus ejercicios, Ernst pensó en las decenas de asuntos que debería atender ese día. Completada la sesión, se lavó con agua fría para limpiarse el sudor y el polvo alcalino. Mientras se secaba sonó el teléfono. Detuvo las manos. En esos días, por muy encumbrado que uno estuviera dentro del Gobierno nacionalsocialista, una llamada de teléfono a horas extrañas era motivo de preocupación.

—Reinie —llamó Gertrud—, es para ti.

Se puso la camisa y, sin perder tiempo en calcetines ni zapatos, bajó la escalera. Cogió el auricular que le ofrecía su esposa.

—¿Sí? Al habla Ernst.

—Coronel.

Reconoció la voz: era una de las secretarias de Hitler.

—Señorita Lauer. Buenos días.

—Buenos días. Se me ha encomendado decirle que el Líder requiere inmediatamente su presencia en la Cancillería. Si tiene cualquier otro compromiso, debo pedirle que lo postergue.

—Por favor, diga al canciller Hitler que iré de inmediato. ¿En su despacho?

—Correcto.

—¿Quién más estará presente?

Hubo un momento de vacilación. Luego la mujer dijo:

—Es toda la información de que dispongo, coronel. *Heil* Hitler.

—*Heil*.

Cortó y se quedó mirando el aparato, con la mano sobre el auricular.

—¡*Opa*, no te has puesto los zapatos! —Rudy había aparecido junto a él, todavía con su dibujo. Reía ante los pies descalzos de su abuelo.

—Ya lo sé, Rudy. No he acabado de vestirme. —Se quedó mirando el teléfono.

—¿Qué pasa, *Opa*? ¿Algún problema?

—No, Rudy, nada.

—*Mutti* dice que se te enfría el desayuno.

—Has comido todo el huevo, ¿no?

—Sí, *Opa*.

—Así me gusta. Di a tu abuela y a tu *Mutti* que bajaré enseguida. Que comiencen a desayunar sin mí.

Ernst subió para afeitarse. Su deseo conyugal y su apetito por el desayuno que lo esperaba habían desaparecido por completo.

Cuarenta minutos más tarde Reinhard Ernst caminaba entre obreros por los pasillos de la Cancillería del Estado, en un céntrico edificio de Berlín, que se levantaba en la esquina de las calles Wilhelm y Voss. El edificio era antiguo (algunos sectores databan del siglo XVIII) y había sido la sede de los líderes alemanes desde los tiempos de Bismarck. Hitler solía lanzar parrafadas sobre lo maltrecho de la estructura y, puesto que aún faltaba mucho para que se terminara la nueva Cancillería, no paraba de ordenar renovaciones en la vieja.

Pero ni la construcción ni la arquitectura tenían, por el momento, interés alguno para Ernst. El único pensamiento que ocupaba su mente era: «¿Cuáles serán las consecuencias de mi error? ¿Hasta qué punto he calculado mal?».

Levantó el brazo en un somero «*Heil*» dirigido a un guardia, que había saludado con entusiasmo al plenipotenciario por la Estabilidad Interior, título tan pesado e incómodo de usar como una chaqueta raída y mojada. Ernst continuó a lo largo del corredor, con el rostro impávido, sin revelar los turbulentos pensamientos sobre el crimen que había cometido.

¿Y cuál era ese crimen?

El pecado mortal de no compartirlo todo con el Líder.

Quizá en otros países fuera un asunto de poca importancia, pero en el suyo podía considerarse ofensa capital. Sin embargo, a veces no era posible compartirlo todo. Si uno daba a Hitler todos los detalles de una idea, su mente podía prenderse del aspecto más insignificante. Y así acabaría todo, fusilado con una sola palabra. Poco importaba que no tuvieras ningún interés personal en juego, que pensaras sólo en el bien de la patria.

Pero si no se lo decías... Puff, eso podía ser mucho peor. En su paranoia podía decidir que le estabas ocultando información por algún motivo. Y entonces ese gran ojo penetrante que era el mecanismo de seguridad del Partido se volvía hacia ti y hacia tus seres queridos... a veces con resultados mortíferos. Reinhard Ernst estaba convencido de que eso era lo que ocurría ahora, dada la misteriosa y perentoria convocatoria a una reunión temprana, que no estaba programada. El Tercer Imperio era el orden, la estructura y la regularidad personificados. Todo lo que saliera de lo ordinario era motivo de alarma.

Vaya, debería haberle dicho algo del Estudio Waltham desde el momento de su concepción, el pasado marzo. Pero por entonces el Líder, el ministro de Defensa von Blomberg y el mismo Ernst estaban tan ocupados en recuperar la Renania que el estudio había quedado en un segundo plano por el riesgo monumental que entrañaba reclamar esa porción del país, que les habían robado los Aliados en Versalles. Y a decir verdad, gran parte del estudio se basaba en un trabajo académico que a los ojos de Hitler resultaría sospechoso, si no incendiario; Ernst, sencillamente, no había querido mencionar el asunto.

Y ahora pagaría por esa omisión.

Se anunció a la secretaria de Hitler y ella lo hizo pasar.

Al entrar en el gran antedespacho se encontró de pie ante Adolf Hitler, Líder, canciller y presidente del Tercer Imperio y comandante supremo de las Fuerzas Armadas. Pensó, como tantas veces: «Si los principales ingredientes del poder son el carisma, la energía y la astucia, he aquí al hombre más poderoso del mundo».

Hitler, de uniforme pardo y lustrosas botas negras hasta la rodilla, estaba encorvado hacia el escritorio, hojeando unos papeles.

—Mi Líder. —Ernst lo saludó con una respetuosa inclinación de cabeza y un leve toque de tacones, resabio de los tiempos del Segundo Imperio, que había terminado dieciocho años atrás, con la rendición de Alemania y la huida del káiser Guillermo rumbo a Holanda. Aunque se esperaba de los ciudadanos que hicieran el saludo del Partido, diciendo «*Heil* Hitler» o «*Heil* victoria», los oficiales de mayor grado rara vez empleaban esa formalidad, salvo los aduladores más entregados

—Coronel. —Hitler levantó hacia Ernst sus pálidos ojos azules bajo los párpados caídos; por algún motivo esos ojos daban la impresión de que su dueño estaba estudiando diez o doce cosas al mismo tiempo. Su estado de ánimo era siempre insondable. Una vez hubo hallado el documento que buscaba, se dio la vuelta para entrar en su despacho, una oficina amplia, pero modestamente decorada—. Venga, por favor.

Ernst lo siguió. Su impávido rostro de militar no delató reacciones, pero el corazón le dio un vuelco al ver quiénes estaban presentes.

Hermann Göring, sudoroso y corpulento, de cara redonda, descansaba en un sofá que crujía bajo su peso. Aseguraba estar siempre dolorido y su manera de cambiar constantemente de posición causaba horror. La fragancia de su colonia, excesivamente intensa, llenaba la habitación. El ministro del Aire saludó con la cabeza a Ernst, quien le devolvió el gesto.

Otro hombre, sentado en una silla ornamentada, bebía café a sorbos, con las piernas cruzadas a la manera de las mujeres: aquella rata repugnante de Paul Joseph Goebbels, ministro de Propaganda del Estado. Ernst no dudaba de su habilidad: él era el principal responsable del apoyo temprano y vital que el Partido había logrado en Berlín y Prusia. Aun así, lo despreciaba por su manera de mirar al Líder con ojos de adoración; además, ya servía ufanamente cotilleos malévolos sobre judíos y socis prominentes, ya dejaba caer los nombres de famosos actores y actrices alemanes de los estudios UFA. Ernst le dio los buenos días y se sentó, recordando un chiste que circulaba desde hacía poco: «Describa al ario ideal. Pues a ver, es rubio como Hitler, esbelto como Göring y alto como Goebbels».

Hitler ofreció el documento al abotagado Göring, quien lo leyó e hizo un gesto afirmativo; luego lo guardó sin comentarios en un suntuoso cartapacio de cuero. El Líder tomó asiento y se sirvió chocolate. Luego enarcó una ceja hacia Goebbels, para indicarle que continuara con lo que había estado diciendo. Ernst comprendió que lo del Estudio Waltham debería permanecer en el limbo por un tiempo más.

—Como decía, mi Líder, muchos de los asistentes a las Olimpíadas querrán entretenimientos.

—Tenemos cafeterías y teatros. Tenemos museos, parques, cines. Pueden ver nuestras películas de Babelsberg, pueden ver a Greta Garbo y a Jean Harlow. A Charles Laughton, a Mickey Mouse.

El tono impaciente de Hitler reveló a Ernst que el hombre sabía exactamente a qué tipo de entretenimiento se refería Goebbels. Siguió un debate penosamente largo y nervioso sobre la posibilidad de permitir que las prostitutas legales («chicas de control» acreditadas) volvieran a las calles. Al principio Hitler se opuso a la idea, pero Goebbels había estudiado el asunto a fondo y presentó argumentos persuasivos. Al fin el Líder cedió, a condición de que no hubiera más de siete mil mujeres en toda la zona metropolitana. También el artículo 175 del Código Penal, que prohibía la homosexualidad, se aplicaría momentáneamente con menos rigor. Abundaban los rumores sobre las preferencias del propio Hitler (desde el incesto a los excrementos humanos, pasando por muchachos y animales), pero Ernst había llegado a la conclusión de que, simplemente, a ese hombre no le interesaba el sexo en absoluto; el único amante que deseaba era la nación alemana.

—Por fin —continuó Goebbels, zalamero—, está ese asunto de la exhibición pública. Me parece que podríamos permitir que las mujeres acortaran un poco sus faldas.

Mientras el jefe del Tercer Imperio alemán y su ayudante debatían en centímetros el grado en que las berlinesas tendrían autorización para ajustarse a la moda mundial, el gusano de la inquietud continuaba devorando el corazón de Ernst. ¿Por qué no le habría dicho siquiera el título del Estudio Waltham, algunos meses antes? Podría haberlo mencionado como de pasada en alguna carta al Líder. En estos tiempos había que ser muy prudente con esas cosas.

El debate continuaba. Por fin el Líder dijo con firmeza.

—Las faldas se pueden acortar cinco centímetros. Asunto resuelto. Pero no permitiremos el maquillaje.

—Sí, mi Líder.

Se hizo un momento de silencio en tanto Hitler posaba los ojos en el rincón, cosa que hacía a menudo. Luego los clavó en Ernst.

—Coronel.

—¿Sí, señor?

Se levantó para dirigirse hacia su despacho. Después de recoger una hoja regresó lentamente hacia los otros. Göring y Goebbels no apartaban los ojos de Ernst. Aunque cada uno de ellos creía tener una influencia especial sobre el Líder, muy en el fondo existía el temor de que esa gracia fuera pasajera o, peor aún, ilusoria; en cualquier momento uno podía encontrarse allí como Ernst, como un zorro acorralado, aunque probablemente sin el tranquilo aplomo del coronel.

El Líder se atusó el mostacho.

—Un asunto importante.

—Por supuesto, mi Líder. En qué puedo servirle. —Ernst le sostenía la mirada y respondía con voz firme.

—En relación a nuestra Fuerza Aérea.

Ernst echó un vistazo a Göring, cuyas mejillas rojizas enmarcaban una falsa sonrisa. Tras haber sido durante la guerra un as temerario (aunque despedido por el mismo barón von Richthofen por sus repetidos ataques contra civiles), en la actualidad era a la vez ministro del Aire y comandante en jefe de la Fuerza Aérea alemana, siendo este último título su favorito entre los diez o doce que ostentaba. El tema de la Fuerza Aérea era el que provocaba los choques más frecuentes y apasionados entre él y Ernst.

Hitler entregó el documento al coronel.

—¿Sabe leer inglés?

—Un poco.

—Es una carta del señor Charles Lindbergh en persona —explicó el Líder con orgullo—. Asistirá a las Olimpíadas como invitado especial nuestro.

¿De verdad? La información era estimulante. Göring y Goebbels, sonrientes, se inclinaron hacia delante para dar unos golpecitos en la mesa que tenían delante, en señal de aprobación por esa noticia. Ernst tomó la carta con la mano derecha, en cuyo dorso tenía cicatrices de metralla, como en el hombro.

Lindbergh... Él había seguido ávidamente la historia de su vuelo transatlántico, pero lo conmovió mucho más el terrible relato de la muerte de su hijo. Él conocía el horror de perder a un hijo. La explosión accidental que se había llevado a Mark era trágica, desgarradora, por supuesto; pero al menos su hijo había muerto al timón de un barco de guerra, tras haber visto el nacimiento de Rudy, su propio hijo. En cambio, perder a un bebé a manos de un criminal... eso sí que era horroroso.

Ernst echó un vistazo al documento y pudo entender esas palabras cordiales, que expresaban interés por ver los últimos adelantos alemanes en materia de aviación.

El Líder continuó:

—Por eso lo he mandado llamar, coronel. Algunos piensan que sería estratégicamente importante mostrar al mundo el crecimiento de nuestra potencia aérea. Yo mismo me inclino por pensar así. ¿Qué opina usted de organizar un pequeño espectáculo aéreo en honor del señor Lindbergh, para hacer una demostración con nuestro nuevo monoplano?

Para Ernst fue un gran alivio que no se le hubiera convocado por lo del Estudio Waltham. Pero el alivio duró apenas un momento. Su preocupación volvió a crecer al analizar lo que se le preguntaba... y la respuesta que debía dar. Al decir «algunos piensan» Hitler se refería, naturalmente, a Hermann Göring.

—El monoplano, señor, eh...

El Me 109 Messerschmitt era una estupenda máquina de matar, un avión de combate con una velocidad de cuatrocientos sesenta kilómetros por hora. Había en el mundo otros similares, aunque ninguno tan veloz. Pero lo más importante era que el Me 109 estaba hecho todo de metal, cosa que Ernst había recomendado fervientemente, pues eso facilitaba la producción en serie, el mantenimiento y la reparación allí donde estuvieran. Hacía falta un gran número de aviones para llevar a cabo los devastadores bombardeos que Ernst planeaba como precursores de cualquier invasión por tierra que llevara a cabo el Ejército del Tercer Imperio.

Inclinó la cabeza a un costado, como si estudiara la cuestión, aunque había tomado su decisión al instante.

—Yo me opondría a esa idea, mi Líder.

—¿Por qué? —Hitler dilató los ojos, señal de que podía sobrevenir una rabieta, probablemente acompañada por algo casi igualmente malo: un delirante monólogo sobre política o historia militar—. ¿Acaso no se nos permite protegernos? ¿Nos avergüenza hacer saber al mundo que rehusamos ese papel de tercera clase al que intentan relegarnos los Aliados?

«Con cautela ahora», se dijo Ernst. Con la cautela del cirujano al extirpar un tumor.

—No estoy pensando en ese traicionero tratado de 1918 —respondió, llenando la voz de desprecio por el acuerdo de Versalles—. Pienso en la prudencia de permitir que otros sepan lo de ese aeroplano. Quienes estén familiarizados con la aviación reconocerán de inmediato el carácter único de su construcción. Podrían deducir que lo estamos produciendo en masa. A Lindbergh le sería fácil reconocer esto: tengo entendido que él mismo diseñó su *Espíritu de San Luis*.

Göring evitó el contacto visual con el coronel para insistir en su punto de vista:

—Nuestros enemigos deben comenzar a ver nuestra potencia.

—Tal vez —propuso Ernst lentamente— se podría exhibir en las Olimpíadas uno de los prototipos del 909. Fueron construidos más artesanalmente que los modelos en producción y no tienen montado el armamento. Además están equipados con motores Rolls-Royce británicos. Así el mundo vería nuestro avance tecnológico, pero quedaría desarmado por el hecho de que utilizamos los motores de nuestro antiguo enemigo, lo cual daría a entender que cualquier utilización ofensiva está muy lejos de nuestros pensamientos.

—Tiene usted algo de razón, Reinhard —reconoció Hitler—. Sí, no habrá ningún espectáculo aéreo. Y exhibiremos el prototipo. Bien. Eso está decidido. Gracias por venir, coronel.

—Mi Líder. —Ernst se levantó, visiblemente aliviado.

Estaba llegando a la puerta cuando Göring dijo, como de pasada:

—Ah, Reinhard, ahora que lo recuerdo... Creo que una carpeta suya ha sido enviada por error a mi oficina.

Ernst se volvió para examinar aquella sonriente cara de luna. Los ojos hervían por la anterior derrota en el debate del avión. El hombre quería venganza. Göring entornó los párpados.

—Creo que se relacionaba con... ¿Cómo se llamaba? Estudio Waltham. Sí, eso.

«Dios bendito...»

Hitler no prestaba atención. Había desplegado un diseño arquitectónico y lo estaba estudiando minuciosamente.

—¿Por equivocación? —repitió el coronel. En realidad eso significaba que había sido escamoteado por uno de los espías de Göring—. Gracias, señor ministro —dijo en tono ligero—. Mandaré que pasen a recogerla inmediatamente. Buenos dí...

Pero su estratagema no dio resultado, por supuesto. Göring continuó:

—Ha tenido suerte de que me la entregaran a mí. Imagine lo que podrían pensar algunos si vieran su nombre asociado a unos escritos judíos.

Hitler levantó la vista.

—¿De qué se trata?

El ministro del Aire sudaba prodigiosamente, como siempre. Después de enjugarse la cara, respondió:

—Del Estudio Waltham que ha encargado el coronel Ernst. —Como el Líder meneaba la cabeza, Göring insistió—: Perdón. Suponía que nuestro Líder estaba enterado.

—Explíquese —exigió Hitler.

—No sé nada del asunto. Sólo recibí, por error, como he dicho, varios informes escritos por esos médicos judíos que se dedican a la mente. Uno de ese austríaco, Freud. Otro llamado Weiss. Y otros que no recuerdo. Esos psicólogos —añadió, haciendo una mueca.

En la jerarquía del odio de Hitler el primer puesto lo ocupaban los judíos; el segundo, los comunistas; el tercero, los intelectuales. Los psicólogos merecían un desprecio especial, pues rechazaban la ciencia racial: la creencia de que la raza determinaba la conducta, punto fundamental del pensamiento nacionalsocialista.

—¿Es cierto, Reinhard?

Ernst dijo, como sin darle importancia:

—Es parte de mi trabajo leer muchos documentos sobre agresión y conflicto. De eso tratan esos escritos.

—No me ha mencionado nada de eso. —Con su característica intuición para olfatear cualquier pizca de conspiración, Hitler se apresuró a añadir—: El ministro de Defensa Von Blomberg, ¿está enterado de ese estudio suyo?

—No. Por el momento no hay nada de qué informar. Tal como sugiere el nombre, es un simple estudio realizado a través del Colegio Militar Waltham. Para reunir información. Eso es todo. Es posible que de él no surja nada. —Avergonzado por entrar en el juego, puso en sus ojos un poco del adulador brillo de Goebbels—. Pero es posible que los resultados nos muestren la manera de crear un ejército mucho más fuerte y eficiente para alcanzar los gloriosos objetivos que usted ha establecido para nuestra patria.

No pudo saber si ese rastrero halago había surtido efecto. Hitler se levantó para pasearse. Luego se detuvo a mirar largamente una compleja maqueta del Estadio Olímpico. Ernst sentía los latidos de su corazón hasta en los dientes.

Por fin el Líder se volvió gritando:

—Quiero ver a mi arquitecto. Inmediatamente.

—Sí, señor —dijo su auxiliar. Y corrió al antedespacho.

Un momento después entró un hombre de uniforme negro. No era Albert Speer, sino Heinrich Himmler; ante lo diminuto de su físico, su mentón débil y sus gafas redondas de marco negro, uno tendía a olvidar que era el jefe absoluto de la SS, la Gestapo y todas las otras fuerzas policiales del país.

Himmler hizo el rígido saludo de siempre y volvió hacia Hitler los ojos azul-grisáceos, cargados de adoración. El otro respondió con su propio saludo de costumbre, levantando la mano floja por encima del hombro. El jefe de la SS echó una mirada rápida por la habitación y dedujo que podía compartir la novedad que lo había hecho venir.

Hitler señaló distraídamente la bandeja con café y chocolate, pero Himmler negó con la cabeza. Aunque generalmente mantenía un rígido autocontrol (aparte de las miradas obsequiosas que le dedicaba al Líder), Ernst observó que esa mañana parecía nervioso.

—Debo informar sobre un asunto de seguridad. Esta mañana un comandante de la SS en Hamburgo recibió una carta, con fecha de hoy. Estaba dirigida a su cargo, pero no a su nombre. Aseguraba que un ruso causaría «algún daño» en Berlín en los días próximos. En altas esferas, decía.

—¿Escrita por quién?

—Se presenta como leal nacionalsocialista. Pero no da nombre alguno. La encontraron en la calle. No sabemos nada más de su origen. —El hombre descubrió los dientes, perfectamente blancos y parejos, en una mueca de niño que desilusiona a sus padres. Luego se quitó las gafas para limpiarlas y volvió a ponérselas—. El remitente decía que continuaría investigando y que nos informaría de la identidad del hombre en cuanto la averiguara. Pero no hemos vuelto a saber de él. El hecho de que la nota apareciera en la calle hace pensar que el remitente fue interceptado y tal vez muerto. Es posible que no sepamos nada más.

Hitler preguntó:

—¿En qué idioma estaba? ¿Alemán?

—Sí, mi Líder.

—Daño. ¿Qué tipo de daño?

—No lo sabemos.

—Sí, a los bolcheviques les encantaría arruinarnos los Juegos. —La cara de Hitler era una máscara de furia.

Göring preguntó:

—¿Cree usted que es auténtica?

—Podría ser una tontería —respondió Himmler—. Pero en estos días hay miles y miles de extranjeros que pasan por Hamburgo. Es posible que alguien se haya enterado de alguna conspiración y, por no involucrarse, escribiera un anónimo. Yo instaría a todos los presentes a andarse con especial cautela. Advertiré también a los comandantes militares y a los otros ministros. He ordenado a todas nuestras fuerzas de seguridad que investiguen el asunto.

Hitler ordenó, con voz ronca de ira:

—¡Haga todo lo que sea necesario! ¡Todo! No caerá la menor mácula sobre nuestros Juegos. —De manera inquietante, una fracción de segundo después su voz sonó calma y sus ojos azules se iluminaron. Se inclinó hacia delante para llenar nuevamente su taza de chocolate y puso dos bizcochos en el platillo—. Ya pueden ustedes retirarse, por favor. Gracias. Necesito estudiar unos asuntos de construcción. —Y preguntó a su auxiliar, que esperaba en el vano de la puerta—. ¿Dónde está Speer?

—Vendrá en un momento, mi Líder.

Los hombres comenzaron a salir. El corazón de Ernst había vuelto a su lento ritmo normal. Lo que acababa de suceder respondía al funcionamiento típico del círculo interno del Gobierno nacionalsocialista. La intriga, que podía tener resultados desastrosos, desapareció como unas cuantas migajas barridas desde el umbral hacia afuera. En cuanto a las conspiraciones de Göring, pues bien...

—Coronel —llamó Hitler.

Ernst se detuvo inmediatamente y miró hacia atrás. El Líder tenía la vista clavada en la maqueta del estadio; examinaba la estación de tren, de reciente construcción.

—Prepáreme un informe sobre ese estudio suyo, ese Waltham —dijo—. Detallado. Quiero recibirlo el lunes.

—Sí, mi Líder. Por supuesto.

Göring, ante la puerta, extendió el brazo con la palma hacia arriba para que él saliera el primero.

—Me ocuparé de que reciba esos documentos, Reinhard. Y espero que usted y Gertrud asistan a mi fiesta olímpica.

—Gracias, señor ministro. No dejaré de asistir.

Viernes; un anochecer neblinoso y cálido, fragante de hierba cortada, tierra removida y aromática pintura fresca.

Paul Schumann caminaba solo a través de la Villa Olímpica, a media hora de Berlín, hacia el oeste.

Había llegado poco antes, tras el complicado viaje desde Hamburgo. Fue un trayecto agotador, pero también tonificante; lo estimulaba el entusiasmo de estar en un país extranjero, su patria ancestral, y la espera de su misión. Una vez presentada su credencial de periodista lo habían recibido en el sector norteamericano de la villa: decenas de edificios, cada uno de los cuales albergaba a cincuenta o sesenta personas. Había dejado su maleta y su portafolio en una de las pequeñas habitaciones de huéspedes de la parte trasera, donde pasaría algunas noches; ahora caminaba por los impecables terrenos. Lo divertía ver la villa. Paul Schumann estaba habituado a practicar deporte en lugares mucho más toscos: su propio gimnasio, por ejemplo, que llevaba cinco años sin recibir una mano de pintura y olía a sudor, a cuero y a cerveza, por mucho que Sorry Williams lo fregara enérgicamente. En cambio la Villa era justamente lo que su nombre insinuaba: una coqueta ciudad por derecho propio, construida en un bosque de abedules y bellamente diseñada; tenía edificios bajos con amplias arcadas, inmaculados, un lago, senderos en curva para correr y caminar, campos de entrenamiento y hasta su propio estadio.

Según la guía turística que Andrew Avery le había incluido en el portafolio, la Villa tenía una oficina de aduanas, almacenes, sala de prensa, oficina de correos, banco, gasolinera, tiendas de artículos para deportes y de comestibles, puestos donde comprar recuerdos y agencia de viajes.

Los atletas estaban en esos momentos en la ceremonia de bienvenida; Jesse Owens, Ralph Metcalfe y el joven boxeador con quien practicaba lo habían instado a asistir, pero ahora que estaba en el sitio donde debía ejecutar su trabajo le convenía mantener un perfil bajo. Se había disculpado, diciendo que debía prepararse para las entrevistas de la mañana siguiente. Cenó en el comedor (uno de los mejores bifes de su vida) y, después de un café y un Chesterfield, estaba poniendo fin a su paseo por la villa.

Lo único que le preocupaba, teniendo en cuenta el motivo por el que estaba en el país, era que al complejo habitacional de cada nación se le hubiera asignado un soldado alemán como «oficial de enlace». En el sector estadounidense era un moreno joven y severo, de uniforme gris, a quien el calor parecía resultarle insoportablemente molesto. Paul se mantenía tan lejos de él como le era posible; Reginald Morgan, su contacto local, había advertido a Avery que Paul debía desconfiar de todos los uniformados. Utilizaba sólo la puerta trasera para entrar en su dormitorio y tenía cuidado de que el guardia nunca pudiera verlo de cerca.

Mientras caminaba por la limpia acera vio a uno de los corredores norteamericanos con una joven y un bebé; varios miembros del equipo habían venido con sus esposas o con otros parientes. Eso le recordó la conversación mantenida con su hermano la semana anterior, justo antes de embarcarse en el *Manhattan*.

Paul llevaba una década distanciado de sus hermanos y de sus respectivas familias; no quería contaminarles la vida con la violencia y el peligro que reinaban en la suya. Su hermana vivía en Chicago, adonde él rara vez iba, pero a Hank lo veía de vez en cuando. Vivía en Long Island y trabajaba en una imprenta, heredera de la del abuelo. Era buen esposo y padre; no sabía con certeza cómo se ganaba Paul la vida, pero sí que estaba vinculado a criminales y tipos duros.

Aunque Paul no había revelado ninguna información personal a Bull Gordon y los otros presentes en La Habitación, el motivo principal por el que había aceptado ejecutar aquel trabajo en Alemania era que, si limpiaba sus antecedentes y cobraba todo ese dinero, podría revincularse con la familia, cosa con la que soñaba desde hacía años.

Había bebido un vaso de whisky; luego, otro. Por fin tomó el teléfono para llamar a su hermano. Después de pasar diez minutos parloteando nerviosamente sobre la ola de calor, el béisbol y los dos niños de Hank, Paul se había lanzado al vacío: le preguntó si le interesaría tener un socio en Impresiones Schumann. Se apresuró a tranquilizarlo:

—Ya no tengo nada que ver con aquella gente. —Y añadió que podía aportar diez mil dólares a la empresa—. Dinero limpio. Cien por ciento legítimo.

—Madre... perla —exclamó Hank. Y los dos rieron, pues la expresión era una de las favoritas del padre—. Hay un solo problema —añadió su hermano, en tono grave.

Paul pensó que iba a negarse, pensando en la turbia carrera de su hermano. Pero el mayor de los Schumann continuó:

—Tendremos que comprar un letrero nuevo. En el que tengo no hay lugar para poner «Impresiones Schumann Hermanos».

Roto el hielo, discutieron la idea un poco más. A Paul le sorprendió que Hank pareciera casi lacrimosamente conmovido por la propuesta. Para él la familia era fundamental y no entendía que Paul se hubiera mantenido lejos esos diez años.

También a la alta y hermosa Marion le gustaría esa vida. Claro que le agradaba hacerse la mala, pero era una pose; Paul la conocía lo suficiente como para dejarle probar apenas un bocado de la vida salvaje. La había presentado a Damon Runyon, en el gimnasio le daba a beber cerveza de la botella y la llevaba al bar de Hell's Kitchen donde Owney Madden sabía hechizar a las damas con su acento británico y la exhibición de sus pistolas con culatas de madreperla. Pero sabía que, como tantas chicas rebeldes, si Marion tuviera que llevar esa vida de bajos fondos acabaría por hartarse. También se cansaría de su trabajo en la sala de baile y querría algo más estable. Estar casada con un impresor bien establecido sería un edén.

Hank había dicho que hablaría con su abogado para que preparara un contrato de sociedad; Paul podría firmarlo en cuanto regresara de su «viaje de negocios».

Ahora, mientras volvía a su cuarto, Paul reparó en tres muchachos de pantalones cortos, camisa parda y corbata negra, que llevaban sombreros pardos de estilo militar. Había visto allí a decenas de jóvenes como ésos, orientando a los equipos. El trío marchó hacia un poste alto, en cuyo extremo ondeaba la bandera nazi. Paul había visto esa enseña en los informativos del cine y en los periódicos, pero siempre en imágenes en blanco y negro. Aun en esa luz crepuscular el carmesí de la bandera era impresionante; brillaba como sangre fresca.

Uno de los muchachos notó que la estaba observando y preguntó en alemán:

—¿Usted es atleta, señor? ¿Pero no ha asistido a la ceremonia que hemos organizado?

A él le pareció mejor no delatar su habilidad lingüística, ni siquiera ante esos *boy scouts,* y respondió en inglés:

—Perdona, pero no domino muy bien el alemán.

El chico también cambió de idioma.

—¿Usted es un atleta?

—No. Soy periodista.

—¿Inglés o americano?

—Americano.

—Ah —dijo el alegre joven, con fuerte acento—, bienvenido a Berlín, *mein Herr.*

—Gracias.

El segundo chico siguió la dirección de su mirada.

—¿Le gusta nuestra bandera del Partido? Es, dicen ustedes, impresionante, ¿sí?

—Sí, en efecto. —La estadounidense era más suave en cierto modo. Ésta parecía a punto de soltar un puñetazo.

—Permítame —dijo el primero—, cada parte tiene un significado, un significado importante. ¿Sabe usted cuáles son?

—No. Dime. —Paul seguía mirando la bandera.

El chico, lleno de entusiasmo, explicó:

—Rojo, eso es socialismo. Blanco es, sin duda, nacionalismo. Y negro... la cruz gamada. Esvástica, diría usted... —Miró al norteamericano con una ceja enarcada y no dijo más.

—Sí, continúa. ¿Qué significa?

El muchacho lanzó un vistazo a sus compañeros; luego dedicó a Paul una sonrisa extraña.

—*Ach,* sin duda usted sabe. —Y dijo a sus amigos en alemán—: Ahora arriaré la bandera. —Luego repitió a Paul, sonriente—: Sin duda usted sabe.

Y con el entrecejo arrugado en un gesto de concentración, arrió la bandera, mientras los otros dos extendían el brazo en uno de esos saludos rígidos que se veían por todas partes.

Mientras Paul caminaba hacia la residencia, los chicos iniciaron una canción; la entonaban con voces enérgicas, desiguales. Al alejarse le llegaron algunos fragmentos, que subían y bajaban en el aire cálido: «Sostened en alto el estandarte, cerrad filas. La SA marcha con pasos firmes... Abrid paso, abrid paso a los batallones pardos, en tanto las tropas de asalto despejan la tierra... La trompeta hace oír su toque final. Para la batalla estamos listos. Pronto todas las calles verán la bandera de Hitler y nuestra esclavitud habrá terminado...».

Paul miró hacia atrás. Los vio plegar la bandera con aire reverencial y alejarse marchando con ella. Entonces entró por la puerta trasera de su residencia y regresó a su cuarto. Después de lavarse y cepillarse los dientes, se desnudó y se dejó caer en la cama. Esperó el sueño durante mucho rato, con la vista fija en el techo, pensando en Heinsler, el hombre que se había suicidado esa mañana en el barco, en un sacrificio tan apasionado y tonto.

Pensaba también en Reinhard Ernst.

Y finalmente, cuando ya empezaba a adormecerse, pensó en el muchacho de uniforme pardo. Vio su misteriosa sonrisa. Oyó su voz una y otra vez: «Sin duda usted sabe... sin duda usted sabe...».

PARTE
tres

EL SOMBRERO DE GÖRING
Sábado, 25 de julio de 1936

5

Las calles de Berlín estaban inmaculadas y la gente era cordial; muchos lo saludaban con la cabeza al verlo pasar. Paul Schumann caminaba hacia el norte, a través del Tiergarten, llevando el viejo y maltrecho portafolio. Se acercaba el mediodía del sábado; iba a encontrarse con Reggie Morgan.

El parque era hermoso; estaba lleno de árboles frondosos, senderos, lagos y jardines. En el Central Park de Nueva York uno siempre tenía conciencia de estar rodeado por la ciudad: los rascacielos eran visibles por doquier. Pero Berlín era una ciudad baja; allí había muy pocos edificios altos: «atrapanubes», según oyó que una mujer decía a un niño en el autobús. Mientras atravesaba el parque, con sus árboles negros y su densa vegetación, perdió por completo la sensación de estar en una gran ciudad. Aquello le hacía pensar en los densos bosques que crecían al norte de Nueva York, donde su abuelo solía llevarlo a cazar todos los veranos, hasta que la salud debilitada impidió al anciano hacer esos viajes.

Lo invadió la inquietud. Era una sensación familiar: esa agudización de los sentidos al comenzar un trabajo; cuando estudiaba la oficina o el departamento de quien debía despachar, cuando lo seguía y averiguaba todo lo posible sobre ese hombre. Instintivamente se detenía de tanto en tanto y echaba un vistazo despreocupado hacia atrás, como para orientarse. Al parecer nadie lo seguía. Pero no tenía ninguna certeza. Había sectores de bosque muy umbríos donde alguien podía haber estado espiándolo. Varios hombres de aspecto andrajoso lo miraron con desconfianza; luego se escabulleron entre los árboles o las matas. Vagabundos o desharrapados, probablemente; aun así, para no correr riesgos, cambió unas cuantas veces de rumbo, a fin de despistar a quien pudiera estar siguiéndolo.

Después de cruzar el lodoso río Spree, buscó la calle Spener y continuó hacia el norte, alejándose del parque; le pareció curioso que en las casas se notara un estado de mantenimiento tan diverso. Junto a una realmente grandiosa podía alzarse otra abandonada y maltrecha. Pasó frente a una que tenía el patio delantero lleno de maleza marchita. Era obvio que en otros tiempos había sido una casa muy lujosa. Ahora casi todas las ventanas estaban rotas y alguien (delincuentes juveniles, pensó) la había manchado con pintura amarilla. Un letrero anunciaba que el sábado se realizaría una venta de los enseres. Problemas de impuestos, probablemente. ¿Qué habría sido de la familia? ¿Adónde habrían ido todos? Tiempos difíciles, presintió. Cambio de circunstancias.

Por fin se pone el sol...

Encontrar el restaurante fue fácil. Vio el letrero, pero ni siquiera se percató de que estaba leyendo «Bierhaus»; para él era «cervecería», simplemente: ya estaba pensando en alemán. Su educación y las horas dedicadas a la composición tipográfica en la imprenta del abuelo hacían que la traducción fuera automática. Echó un vistazo al lugar. Había cinco o seis parroquianos sentados en la terraza: hombres y mujeres, en su mayoría solitarios y concentrados en la comida o en algún periódico. Nada fuera de lo normal, por lo que se podía ver.

Cruzó la calle hasta el callejón que Avery le había indicado: el pasaje Dresden. Se adentró en el cañón fresco y oscuro. Faltaban unos minutos para el mediodía.

Un momento después oyó pisadas. Luego un hombre corpulento, de traje pardo y chaleco, se le acercó por detrás, escarbándose los dientes con un palillo.

—Buenos días —saludó alegremente el hombre en alemán. Y dirigió una mirada a su portafolio de piel parda.

Paul respondió con una inclinación de cabeza. Coincidía con la descripción que Avery había hecho de Morgan, aunque era más gordo de lo que él esperaba.

—Buen atajo éste, ¿no le parece? Lo uso con frecuencia.

—Sí, por cierto. —Paul le echó un vistazo—. Quizás usted pueda ayudarme. ¿Cuál es el mejor tranvía para ir a la plaza Alexander?

Pero el hombre arrugó el entrecejo.

—¿En tranvía? ¿Desde aquí?

El sicario se puso más alerta.

—Sí. A la plaza Alexander.

—Pero, ¿por qué quiere ir en tranvía si el metro es mucho más rápido?

«Bueno», pensó Paul, «no es éste. Lárgate. Ahora mismo, caminando sin prisa».

—Gracias. Me ha sido muy útil. Buenos días tenga usted.

Pero sus ojos debían de haber revelado algo. El hombre se llevó la mano a un costado, en un gesto que él conocía muy bien. «Pistola», pensó.

Y aquellos imbéciles lo habían enviado a la cita sin su Colt.

Paul apretó los puños y dio un paso adelante, pero su adversario saltó hacia atrás, con una celeridad asombrosa en un hombre tan obeso, y se puso fuera de su alcance, mientras sacaba diestramente una pistola negra del cinturón. Paul sólo pudo girar sobre sus talones y huir. Giró en la esquina, hacia un corto desvío de la callejuela.

Se detuvo en seco. Era un callejón sin salida.

Sintió el roce de un zapato detrás de él y el arma del hombre contra la espalda, a la altura del corazón.

—No te muevas —anunció el desconocido en alemán gutural—. Deja caer el maletín.

Él soltó el portafolio, que cayó a los adoquines; entonces sintió que el arma se apartaba de su espalda para tocarle la cabeza, justo bajo la banda del sombrero.

«Padre», pensó; no se dirigía a la divinidad, sino a su progenitor, que había abandonado la tierra doce años atrás.

Cerró los ojos.

El sol por fin se pone...

El disparo fue abrupto. Resonó brevemente contra las paredes del callejón antes de que los ladrillos lo sofocaran.

Paul, encogiéndose de miedo, sintió que la boca del arma se apretaba más contra su cráneo. Luego se apartó y la oyó repiquetear contra los adoquines. Se movió a un lado precipitadamente agachándose, y giró a tiempo para ver cómo se desmoronaba el hombre que había estado a punto de matarlo. Tenía los ojos abiertos, pero vidriosos. Una bala lo había alcanzado en la sien. La sangre salpicó el suelo y el muro de ladrillos.

Al levantar la vista vio que se acercaba otro hombre, vestido con un traje de franela gris oscuro. Llevado por el instinto, Paul recogió la pistola del muerto. Era automática, con un seguro en la parte superior; una Luger, probablemente. La apuntó al pecho del hombre, con los ojos entrecerrados. Reconoció al tipo de haberlo visto en la cervecería, sentado en la terraza y concentrado en su periódico, según había supuesto cuando se fijó en él. Tenía una pistola grande, automática, pero no la dirigía hacia Paul; seguía apuntando al hombre tendido en tierra.

—No te muevas —dijo Paul en alemán—. Suelta el arma.

El hombre no obedeció; sin embargo, una vez seguro de que su víctima no representaba amenaza alguna, se guardó la pistola en el bolsillo. Luego miró hacia ambos extremos del callejón.

—Chist —susurró, con la cabeza inclinada para escuchar. Se aproximó a paso lento—. ¿Schumann?

Paul no dijo nada. Mantenía la Luger apuntada hacia el desconocido, quien se agachó frente al hombre caído.

—Mi reloj. —Lo había dicho en alemán, con un leve acento.

—¿Qué?

—Mi reloj. Es todo lo que voy a sacar. —Lo extrajo del bolsillo y, después de abrirlo, acercó el cristal a la nariz y la boca del hombre. No hubo condensación de aliento. El recién llegado guardó el objeto.

—¿Usted es Schumann? —repitió, señalando el portafolio abandonado en el suelo—. Soy Reggie Morgan.

Él también respondía a la descripción de Avery: pelo oscuro y mostacho, aunque mucho más delgado que el muerto.

Paul también miró a ambos lados. Nadie.

El diálogo parecería absurdo con un cadáver allí, pero preguntó:

—¿Cuál es el mejor tranvía para ir a la Alexanderplatz?

Morgan respondió con celeridad.

—El número ciento treinta y ocho... No, es mejor el doscientos cincuenta y cuatro.

El sicario echó un vistazo al cuerpo.

—Dígame, ¿quién es éste?

—Vamos a averiguarlo. —Morgan se inclinó hacia el cadáver para registrarle los bolsillos.

—Yo montaré guardia —ofreció Paul.

—Bien.

Se alejó unos pasos. De inmediato regresó y apoyó la Luger contra la nuca del hombre.

—No te muevas.

El hombre se quedó de piedra.

—¿Qué haces?

—Dame tu pasaporte —ordenó Paul en inglés.

Cogió el documento; confirmaba que el hombre era Reginald Morgan. Aun así, no retiró la pistola al devolvérselo.

—Descríbeme al senador. En inglés.

—Bueno, pero ten cuidado con el gatillo, por favor —dijo el hombre; su voz situaba sus raíces en alguna zona de Nueva Inglaterra—. ¿El senador, dices? Tiene sesenta y dos años, pelo blanco, la nariz más cargada de venas de las que debería, gracias al whisky. Y es flaco como un palo de escoba, aunque devora un buen bife en Delmonico cuando está en Nueva York y en Ernie cuando está en Detroit.

—¿Qué fuma?

—Nada, la última vez que lo vi, el año pasado. Por su esposa. Pero me dijo que volvería a fumar. Y lo que solía fumar eran unos puros dominicanos que olían a neumático quemado. Vamos, hombre. No quiero morir sólo porque el viejo ha vuelto a caer en ese vicio.

—Paul apartó el arma.

—Perdona.

Morgan continuó con su examen del cadáver, sin dejarse alterar por la prueba a la que había sido sometido.

—Prefiero trabajar con un hombre cauteloso que me insulte y no con un imprudente que no lo haga. Los dos viviremos más tiempo. —Escarbó en los bolsillos del muerto—. ¿Todavía no tenemos visitas?

Paul recorrió el callejón con la mirada.

—No, ninguna.

Notó que Morgan observaba con fastidio algo que había encontrado en los bolsillos del cadáver. Por fin suspiró.

—Bueno, hermano, tenemos un problema.

—¿Qué pasa?

El hombre le mostró una tarjeta de aspecto oficial. Arriba se
veía un sello con un águila; debajo, dentro de un círculo, la esvástica. En la parte alta, dos letras: SA.

—¿Qué significa eso?

—Significa, amigo mío, que no has estado ni veinticuatro horas en la ciudad y ya nos hemos cargado a un miembro de las Tropas
de Asalto.

6

U n qué? —preguntó Paul Schumann.

Morgan suspiró.

—Un *Sturmabteilung*. Tropa de Asalto. Camisa Parda. SA. El ejército particular del Partido. Vienen a ser los matones de Hitler. —Meneó la cabeza—. Y lo tenemos peor: no viene de uniforme. Eso significa que es de la Élite Parda, de la plana mayor.

—¿Cómo pudo descubrirme?

—No creo que lo hiciera a propósito. Estaba en una cabina telefónica, observando a todos los que pasaban por la calle.

—No lo he visto —dijo Paul, furioso consigo mismo por no haber detectado la vigilancia. Allí todo estaba incompleto en exceso; no sabía qué buscar y qué pasar por alto.

Morgan continuó:

—Ha ido tras de ti en cuanto entraste en el callejón. Diría que sólo quería saber a qué venías: un extraño en el vecindario. Los Camisas Pardas tienen sus feudos. Probablemente éste era el suyo. —Frunció el entrecejo—. Aun así es raro que estén tan vigilantes. Lo que me pregunto es por qué un superior de la SA estaba observando a ciudadanos comunes. Eso queda para los subordinados. Tal vez han lanzado algún tipo de alerta. —Contempló el cadáver—. De cualquier modo esto es serio. Si los Camisas Pardas se enteran de que han matado a uno de los suyos, no cejarán en la búsqueda hasta haber hallado al asesino. ¡Y cómo buscarán! Son millares y millares los que hay en esta ciudad. Como cucarachas.

Ya pasada la impresión inicial del disparo, Paul iba recobrando el instinto. Salió del callejón cerrado hacia la parte principal del pasaje Dresden. Aún estaba desierto, con las ventanas a oscuras. No se había abierto ninguna puerta. Levantó un dedo hacia Morgan y luego regresó a la boca de la callejuela para mirar desde la esquina hacia la cervecería. De los pocos que estaban en la calle, nadie parecía haber oído el disparo.

A su regreso dijo a Morgan que todo parecía estar en orden. Luego recordó:

—El casquillo.

—¿Qué?

—El casquillo de la bala. De tu pistola.

Buscaron por el suelo hasta que Paul halló el pequeño tubo dorado. Lo recogió con el pañuelo y frotó para limpiarlo, por si tuviera las impresiones digitales de Morgan; luego lo dejó caer por una alcantarilla. Se le oyó repiquetear por un momento. Luego, un chapoteo.

Morgan asintió:

—Ya me habían dicho que eras de los buenos.

No tanto como para evitar que lo atraparan, allá en Estados Unidos, gracias a un trocito de bronce como aquél.

Reggie desplegó su navaja de bolsillo, ya bien gastada.

—Le cortaremos las etiquetas de la ropa y le quitaremos todos los efectos personales. Luego nos alejaremos de aquí a toda prisa. Antes de que ellos lo encuentren.

—¿Quiénes? —preguntó Paul.

Morgan dejó escapar una risa seca.

—En la Alemania actual, «ellos» es todo el mundo.

—Los *Sturmabteilung* ¿usan tatuajes? ¿Esa esvástica, quizá? ¿O las letras SA?

—Sí, es posible.

—Mira si tiene alguno. En los brazos y en el pecho.

—¿Y si encuentro uno? —preguntó Morgan, ceñudo—. ¿Qué se puede hacer?

Paul señaló la navaja con la cabeza.

—No bromees.

Pero la expresión del sicario reveló que no bromeaba.

—No puedo hacer algo así —susurró Morgan.

—Pues entonces lo haré yo. Si es importante que no lo identifiquen, habrá que hacerlo.

Paul se arrodilló en los adoquines para abrir la chaqueta y la camisa del hombre. Comprendía los escrúpulos de Morgan, pero el trabajo de sicario era como cualquier otro: uno tenía que aplicarse a fondo o dedicarse a otra cosa. Y un pequeño tatuaje podía representar la diferencia entre vivir y morir.

Pero al final no hizo falta desollar ninguna parte del cadáver, según resultó. El cuerpo de aquel hombre estaba libre de marcas.

De pronto, un grito.

Los dos se quedaron petrificados. Morgan miró callejón arriba y se llevó nuevamente la mano hacia la pistola. También Paul aferró el arma que había quitado al cadáver.

Se oyó nuevamente la voz. Luego, silencio, salvo por el ruido del tráfico. Pero un momento después Paul detectó una sirena extraña que subía y bajaba, cada vez más cerca.

—Debes irte —dijo su compañero con urgencia—. Yo acabaré con esto. —Reflexionó un momento—. Nos veremos dentro de cuarenta y cinco minutos en el Jardín Estival; es un restaurante que está en la calle Rosenthaler, al noroeste de la Alexanderplatz. Uno de mis contactos tiene información sobre Ernst. Haré que se reúna con nosotros allí. Vuelve a la calle de la cervecería. Allí podrás conseguir un taxi. En los tranvías y los autobuses suele haber policías. Limítate a los taxis o a ir a pie, cuando sea posible. Mira siempre hacia delante y no mires a nadie a los ojos.

—El Jardín Estival —repitió Paul, mientras recogía el portafolio y sacudía el polvo y la cochambre pegados al cuero. Dejó caer dentro de él la pistola del *Sturmabteilung*—. De ahora en adelante hablemos sólo en alemán. Es menos sospechoso.

—Buena idea —respondió Morgan en el idioma del país—. Lo hablas bien, mejor de lo que yo esperaba. Pero debes suavizar las ges. Así parecerás más berlinés.

Otro grito. La sirena se acercaba.

—Oye, Schumann... si dentro de una hora no he llegado... La radio que te mencionó Bull Gordon, la del edificio que están reformando para la Embajada, ¿recuerdas? —Paul asintió—. Ve y diles que necesitas cambio de instrucciones. —Una risa lúgubre—. De paso puedes informarles de que he muerto. Ahora lárgate. Mira siempre hacia delante; pon cara de despreocupación. Y pase lo que pase, no corras.

—¿Que no corra? ¿Por qué?

—Porque en este país hay muchísima gente que te perseguirá por el solo hecho de verte correr. ¡Anda, apúrate!

Y Morgan reanudó su tarea con la rápida precisión de los sastres.

El coche negro, polvoriento y abollado subió a la acera cerca del callejón, donde esperaban tres oficiales de la Schupo, impecables en sus uniformes verdes, con insignias muy anaranjadas en el cuello y altos gorros verdes y negros.

Un hombre de mediana edad, con bigote, que vestía un traje de tres piezas de lino color blanco tiza, bajó del vehículo por la portezuela del pasajero. El coche se elevó varios centímetros al verse libre de su considerable peso. El gordo cubrió con el sombrero panamá su pelo encanecido y ya ralo, que peinaba hacia atrás, y vació a golpecitos su pipa de espuma de mar.

El motor fue rezongando hasta que al final se quedó en silencio. Mientras se guardaba en el bolsillo la pipa amarillenta, el inspector Willi Kohl echó un vistazo algo exasperado a ese vehículo. Los grandes investigadores de la SS y la Gestapo tenían Mercedes y BMW, pero los inspectores de la Kripo, aun los más antiguos, como Kohl, debían conformarse con coches Auto Union. Y de los cuatro anillos entrelazados que representaban a las empresas combinadas (Audi, Horch, Wanderer y DKW) se le había proporcionado, naturalmente, uno de los modelos más modestos, con dos años de antigüedad. Aunque su coche funcionaba a nafta, sus iniciales, DKW, correspondían a las palabras «vehículo propulsado a vapor».

Konrad Janssen, bien afeitado y sin sombrero, como tantos de los inspectores jóvenes en aquel entonces, emergió del asiento del conductor abrochándose el saco cruzado de seda verde. Luego tomó del portamaletas un portafolio y la cámara Leica.

Kohl se palpó el bolsillo para comprobar si tenía allí su libreta y los sobres de pistas, y se dirigió hacia los oficiales de la Schupo.

—*Heil* Hitler inspector —dijo el mayor de los tres, con un dejo de familiaridad en la voz.

Kohl, que no lo reconocía, se preguntó si se habrían encontrado en alguna ocasión anterior. Los de la Schupo (patrulleros urbanos) podían colaborar de vez en cuando con los inspectores, pero técnicamente no estaban a las órdenes de la Kripo. Kohl no los veía con regularidad.

Levantó el brazo en algo parecido al saludo del Partido.

—¿Dónde está el cuerpo?

—Por aquí, señor. En el pasaje Dresden.

Los otros oficiales se mantenían más o menos en posición de firmes. Se mostraban cautelosos. Los oficiales de la Schupo eran muy hábiles para detectar infracciones de tránsito, atrapar carteristas y apartar a la multitud cuando Hitler recorría la ancha avenida Unter den Linden, pero un homicidio requería discernimiento. Si el homicida era un ladrón había que proteger cuidadosamente el escenario; si eran las tropas de asalto o la SS, ellos debían desaparecer lo antes posible y olvidar lo que hubieran visto.

Kohl dijo al mayor de los Schupo:

—Dígame todo lo que sepa.

—Sí, señor. Me temo que no es mucho. En el distrito de Tiergarten recibimos una llamada. He venido inmediatamente. He sido el primero en llegar.

—¿Quién ha llamado? —Kohl se adentró en el callejón; luego se volvió para hacer un gesto impaciente a los otros policías, indicándoles que le siguieran.

—No ha dado el nombre. Era una mujer que había oído un disparo por aquí.

—¿A qué hora llamó?

—Alrededor del mediodía, señor.

—Y usted ¿a qué hora ha llegado?

—He partido en cuanto el comandante me avisó.

—¿Y a qué hora ha llegado? —insistió Kohl.

—Más o menos a las doce y veinte, y media. —El hombre señaló un estrecho desvío sin salida.

En los adoquines, de espaldas, yacía un hombre cuarentón, con exceso de peso. La causa de la muerte era clara: una herida en el costado de la cabeza, que había sangrado abundantemente. El hombre tenía las ropas desaliñadas y los bolsillos hacia fuera. Sin duda alguna lo habían matado allí mismo; las marcas de sangre llevaban a esa obvia conclusión.

El inspector dijo a los dos Schupo más jóvenes:

—Por favor, miren si pueden encontrar testigos, sobre todo en las bocas de este callejón. Y en estos edificios. —Señaló con la cabeza las dos construcciones de ladrillo que los rodeaban, pese a haber notado que no tenían ventanas—. Y en esa cafetería por la que pasamos. Bierhaus, se llamaba.

—Sí, señor. —Los hombres se alejaron a paso enérgico.

—¿Lo han revisado?

—No —dijo el mayor de los Schupo. Luego añadió—: sólo para verificar que no fuera judío, desde luego.

—Pues entonces sí lo han revisado.

—Sólo le he abierto los pantalones. Y ya ve usted que los he vuelto a abrochar.

Kohl se preguntó si, al decidirse que la muerte de hombres circuncidados sería de baja prioridad, se había tenido en cuenta que a veces aquel procedimiento se realizaba por motivos médicos hasta en el más ario de los bebés. Revisó los bolsillos del muerto, pero no halló ninguna identificación. En realidad no había allí absolutamente nada. Qué extraño.

—¿No le han sacado nada? ¿No tenía documentos, efectos personales...?

—No, señor.

El inspector se arrodilló, respirando con dificultad, para examinar minuciosamente el cuerpo. Descubrió que el hombre tenía las manos suaves, libres de callos.

—Con estas manos —dijo, medio para sí mismo, medio para Konrad Janssen—, con las uñas recortadas y residuos de talco en la piel, no puede haber hecho tareas muy duras. En los dedos tiene tinta, pero no mucha, lo cual sugiere que tampoco se dedicaba a trabajos de impresión. Además, la distribución de las manchas delata que se las hizo escribiendo a mano, probablemente registros contables y correspondencia. No es periodista; si lo fuera tendría mina de lápiz en las manos y no veo nada de eso. —Kohl lo sabía porque, desde la llegada del nacionalsocialismo al poder, había investigado la muerte de diez o doce periodistas. Ninguno de los casos estaba cerrado y ninguno era investigado activamente—. Comerciante, profesional, funcionario, agente del Gobierno...

—Bajo las uñas tampoco tiene nada, señor.

Kohl hizo un gesto afirmativo. Luego palpó las piernas del muerto.

—Como he dicho, lo más probable es que fuera un intelectual. Pero tiene las piernas muy musculosas. Y los zapatos, muy gastados. *Ach,* me arden los pies sólo de verlos. Creo que hacía largas caminatas. —El inspector se incorporó con un gruñido de esfuerzo.

—Un almuerzo temprano y luego un paseo.

—Sí, es muy probable. Allí veo un palillo de dientes que podría ser suyo. —Kohl lo recogió para olfatearlo. Ajo. Se inclinó; cerca de la boca de la víctima se percibía el mismo olor—. Sí, creo que sí. —Dejó caer el palillo en uno de sus pequeños sobres de papel manila y lo selló.

El joven oficial continuaba:

—Por lo tanto, ha sido víctima de un robo.

—Es posible —reconoció Kohl lentamente—. Pero no creo. ¿Qué ladrón se lleva todo lo que la víctima tiene encima? Además, no hay quemaduras de pólvora en el cuello ni en la oreja. Eso significa que la bala fue disparada desde cierta distancia. Un asaltante lo habría encañonado desde más cerca, cara a cara. Este hombre recibió el disparo desde atrás y al costado. —Lamió la punta de un lápiz romo para apuntar esas observaciones en su arrugada libreta—. Sí, sí, no dudo de que haya asaltantes que esperen escondidos y disparen contra la víctima antes de robarle. Pero eso no concuerda con lo que sabemos de la mayoría, ¿verdad?

La herida también sugería que el asesino no había sido de la Gestapo, de la SS o miembro de las Tropas de Asalto. En esos casos el disparo solía ser a quemarropa, a la parte frontal del cerebro o en la nuca.

—¿Qué hacía en este callejón? —musitó el aspirante a inspector mientras paseaba una mirada en derredor, como si pudiera hallar la respuesta en el suelo.

—Esa pregunta todavía no nos interesa, Janssen. Este pasaje es un atajo muy usado entre las calles Spener y Calvin. Puede que el hombre tuviera un propósito ilícito, pero habrá que averiguar eso a partir de las pistas, no de su ruta.

Kohl volvió a examinar la herida de la cabeza; luego fue hasta la pared del callejón, contra la cual había salpicado una considerable cantidad de sangre.

—Ah —exclamó, encantado al ver que la bala estaba allí, en el sitio donde los adoquines se encontraban con la base del muro. La recogió con cuidado, utilizando una servilleta de papel. Estaba apenas mellada. La reconoció inmediatamente como una nueve milímetros. Eso significaba que, muy probablemente, había sido disparada por una pistola automática, que habría expulsado el cartucho de bronce usado.

—Por favor, oficial —dijo al tercer Schupo—, revise el suelo en esta zona, centímetro a centímetro. Busque una cápsula de bronce.

—Sí, señor.

Kohl sacó del bolsillo de su chaleco un monóculo de aumento, que usó para examinar el proyectil.

—La bala ha quedado en muy buen estado. Eso es alentador. En el Alex veremos qué nos dicen las marcas. Son muy nítidas.

—Conque el asesino tenía un arma nueva —dedujo Janssen. De inmediato acotó su comentario—: O un arma vieja que se había disparado muy pocas veces.

—Muy bien, Janssen. Eso era lo que yo estaba a punto de decir. —Kohl guardó la bala en otro sobre de papel manila, que también selló. Apuntó otras notas.

Janssen volvía a observar el cadáver.

—Si no le robaron, señor, ¿por qué los tiene hacia fuera? —preguntó—. Me refiero a los bolsillos.

—¡Pero si no he dicho que no le robaran! Sólo que no estoy seguro de que el motivo principal fuera el robo... Ah, ya veo. Ábrale otra vez la americana.

Su ayudante obedeció.

—¿Ve las hilachas?

—¿Dónde?

—¡Aquí, hombre! —señaló el inspector.

—Sí, señor.

—Han cortado la etiqueta. ¿En el resto de las prendas también?

—Identificación —dijo el joven, con un gesto afirmativo, mientras buscaba en la camisa y los pantalones—. El homicida no quiere que sepamos a quién ha matado.

—¿Marcas en los zapatos?

Janssen se los quitó para examinarlos.

—Ninguna, señor.

Kohl les echó un vistazo. Luego palpó la chaqueta del difunto.

—El traje es de... tela *ersatz*. —Había estado a punto de cometer el error de utilizar la frase «tela de Hitler», en referencia al falso paño hecho con fibras de árbol. Había un chascarrillo popular: si tienes un desgarrón en el traje, riégalo y expónlo al sol; la tela volverá a crecer». El Líder había anunciado planes para independizar al país de los productos importados. Cintas elásticas, margarina, nafta, aceite para motores, goma, telas... todo se fabricaba con materiales alternativos producidos en la misma Alemania. El problema era, desde luego, el mismo que planteaban los sucedáneos en cualquier lugar: simplemente no eran muy buenos; a veces la gente los denominaba, despectivamente, «productos de Hitler». Pero no era prudente utilizar ese término en público: alguien podía denunciarte por decir algo así.

La importancia del descubrimiento era que indicaba que el hombre debía de ser alemán. En los últimos tiempos casi todos los extranjeros traían moneda propia, con la que tenían un gran poder adquisitivo, y ninguno de ellos compraría voluntariamente ropas tan baratas como ésas.

Pero, ¿por qué deseaba el asesino mantener en secreto la identidad de su víctima? La tela *ersatz* insinuaba que el hombre no tenía mucha importancia. Claro que muchos altos funcionarios del Partido Nacionalsocialista estaban mal pagados. Y hasta los que cobraban sueldos decentes solían utilizar sucedáneos de telas por lealtad al Líder. ¿Sería posible que el motivo de la muerte fuera el trabajo desempeñado por la víctima dentro del Partido o del Gobierno?

—Interesante —dijo Kohl, incorporándose con movimientos rígidos—. El homicida mata a un hombre en una parte muy transitada de la ciudad. Sabe que alguien puede haber oído el ruido del disparo, pero aun así se detiene a cortar las etiquetas de la ropa, arriesgándose a que lo sorprendan con las manos en la masa. Esto aumenta mi curiosidad por averiguar quién era este infortunado caballero. Tómele las huellas digitales, Janssen. Si esperamos a que lo haga el médico forense no acabaremos nunca.

—Sí, señor. —El joven oficial abrió su portafolio para sacar el equipo y comenzó su trabajo.

Kohl, mientras tanto, observaba los adoquines.

—He estado diciendo «homicida», en singular, Janssen, pero podrían haber sido diez o doce, claro está. El caso es que en el suelo no veo nada de la coreografía de este hecho—. En escenarios más abiertos, el infame viento arenoso de Berlín esparcía convenientemente un polvo delator por el suelo, pero ese callejón estaba más protegido.

—Señor... inspector —llamó el oficial de la Schupo—, no he encontrado ningún casquillo por aquí. Ya he revisado toda la zona.

Eso preocupó a Kohl. Janssen detectó la expresión de su jefe. El inspector explicó:

—Porque no sólo cortó las etiquetas de la ropa, sino que también se tomó el tiempo necesario para buscar el casquillo de la bala.

—Conque es un profesional.

—Como siempre digo, Janssen, cuando se deduce algo no se deben expresar las conclusiones como si fueran certidumbres. Si uno actúa así, la mente se cierra instintivamente a otras posibilidades. Antes bien, conviene decir que nuestro sospechoso puede poseer un alto grado de diligencia y atención a los detalles. Tal vez sea un asesino profesional, tal vez no. También es posible que una rata o un pájaro se hayan llevado el objeto brillante. O que un chaval lo haya recogido antes de huir aterrorizado al ver el muerto. Y hasta es posible que el asesino sea un hombre pobre que desee sacar provecho del bronce.

—Por supuesto, inspector —dijo Janssen, moviendo afirmativamente la cabeza, como si estuviera memorizando esas palabras.

En el breve tiempo que llevaban trabajando juntos, el inspector había descubierto dos cosas sobre su ayudante: que era incapaz de usar la ironía y que aprendía con notable celeridad. Esta última cualidad era un regalo del cielo para el impaciente veterano. Con respecto a lo primero, en cambio, le habría gustado que el muchacho bromeara con más frecuencia; la profesión de policía está muy necesitada de sentido del humor.

Janssen acabó de tomar las huellas digitales, cosa que hizo con mucha destreza.

—Ahora empolve los adoquines alrededor del cadáver y fotografíe cualquier huella que encuentre. Puede que el homicida haya tenido la astucia de quitar las etiquetas, pero no tanta como para no tocar el suelo mientras lo hacía.

Tras pasar cinco minutos esparciendo un polvo fino en torno al cadáver, el joven dijo:

—Creo que aquí hay algunas, señor. Mire usted.

—Sí, son buenas. Regístrelas.

Después de fotografiar las huellas, el muchacho se incorporó para tomar otras fotos del cadáver y el escenario. El inspector caminó lentamente alrededor. Luego sacó otra vez el monóculo de aumento y se lo colgó del cuello con el cordón verde que la pequeña Hanna le había trenzado como regalo de Navidad. Examinó un punto del adoquinado, cerca del cuerpo.

—Escamas de cuero, al parecer. —Las observó con atención—. Viejas y secas. Pardas. Demasiado tiesas para ser de guantes. Quizá de zapatos, de un cinturón, de una mochila vieja o una maleta que tal vez cargaba el asesino o su víctima.

Recogió esas escamas para guardarlas en otro sobre de papel manila. Luego humedeció la goma para cerrarlo.

—Tenemos un testigo, señor —anunció uno de los jóvenes de la Schupo—, pero no se muestra muy dispuesto a cooperar.

Un testigo. ¡Excelente! Kohl siguió al oficial hacia la boca del callejón. Allí otro de los agentes empujaba a un hombre hacia delante. El testigo parecía tener unos cuarenta años. Vestía un mono de trabajo. Tenía un ojo de cristal, el izquierdo, y el brazo derecho pendía al costado, inútil. Uno de los cuatro millones que habían sobrevivido a la guerra, pero con el cuerpo alterado para siempre por la terrible experiencia.

El Schupo lo empujó hacia Kohl.

—Suficiente, oficial —dijo el inspector con severidad—. Gracias. —Y añadió, dirigiéndose al testigo—: Quiero ver su documentación.

El hombre le entregó su carné de identidad. Kohl le echó un vistazo. En cuanto se lo hubo devuelto olvidó todos los datos del documento, pero hasta el más somero de esos exámenes por parte de un funcionario policial hacía que los testigos colaboraran de muy buena gana.

Aunque no en todos los casos.

—Me gustaría ayudar. Pero como he dicho al oficial, señor, en realidad no he visto gran cosa. —El hombre se quedó en silencio.

—Sí, venga, dígame lo que en verdad ha visto. —Un gesto impaciente de la gruesa mano de Kohl.

—Sí, inspector. Estaba fregando las escaleras del sótano del número cuarenta y ocho. Allí. —Señaló una casa fuera del callejón—. Ya verá usted que estaba por debajo del nivel de la acera. He oído algo que me pareció la explosión de un tubo de escape.

Kohl gruñó. Desde el año treinta y tres sólo un idiota podía pensar en tubos de escape; cualquiera pensaba en disparos.

—He continuado fregando sin darle importancia. —Para demostrarlo, el hombre señaló su camisa y sus pantalones; los tenía húmedos—. Diez minutos después he oído un silbido.

—¿Un silbato policial?

—No, señor. Un silbido, como el que se hace soplando entre los dientes. Era muy potente. Al mirar hacia arriba he visto a un hombre que salía caminando del callejón. El silbido era para llamar a un taxi. El coche se detuvo frente a mi edificio. El hombre ha pedido al conductor que lo llevara al restaurante Jardín Estival.

Eso del silbido era algo fuera de lo común, reflexionó Kohl. Uno podía silbar para llamar a un perro, a un caballo. Pero llamar así a un taxi era denigrante para el conductor. En Alemania todas las profesiones y oficios merecían igual respeto. ¿Revelaba eso que el sospechoso era extranjero? ¿O simplemente un grosero? Apuntó la observación en su libreta.

—¿El número del taxi? —Había que preguntarlo, desde luego, pero Kohl recibió la respuesta que esperaba:

—Pues no tengo ni idea, señor.

—Jardín Estival. —Era un nombre común—. ¿Cuál?

—Creo haber oído «calle Rosenthaler».

El inspector asintió, entusiasmado por tener tan buena pista a esa temprana altura de la investigación.

—Rápido: ¿qué aspecto tenía ese hombre?

—Como le he dicho, señor, yo estaba en la escalera, abajo. Sólo lo he visto de espaldas, cuando detenía el taxi. Era un hombre grande, de más de dos metros de altura. Fornido, pero no gordo. Eso sí: hablaba con acento.

—¿Qué tipo de acento? ¿De otra región de Alemania? ¿O de otro país?

—Más o menos como la gente del sur, en todo caso. Pero tengo un hermano que vive cerca de Múnich y éste sonaba diferente.

—¿De otro país, tal vez? En estos días, por lo de las Olimpíadas, tenemos aquí a muchos extranjeros.

—No sé, señor. He pasado toda la vida en Berlín. Y sólo una vez he salido de la patria. —Señaló con el mentón su brazo inutilizado.

—¿Tenía un portafolio de cuero?

—Sí, creo que sí.

Kohl dijo a su asistente:

—Origen probable de las escamas de cuero. —Se volvió hacia el testigo—: ¿Y usted no le ha visto la cara?

—No, señor, como ya le he dicho.

El inspector bajó la voz.

—Si yo le prometo que no apuntaré su nombre, para que en el futuro no se vea involucrado, ¿podría recordar algo más de su aspecto?

—Le digo la verdad, señor: no le he visto la cara.

—¿Edad?

El hombre meneó la cabeza.

—Sólo sé que era corpulento y que vestía un traje claro. Me temo que no sé de qué color. Ah, sí… llevaba un sombrero como los que usa el ministro Göring.

—¿Qué clase de sombrero es ése? —preguntó Kohl.

—Pardo, de ala estrecha.

—Ah, eso servirá. —El inspector miró al portero de arriba abajo—. Muy bien, ya puede irse.

—*Heil* Hitler —dijo el hombre con patético entusiasmo. Y le hizo un enérgico saludo, tal vez para compensar la necesidad de hacerlo con el brazo izquierdo.

El inspector respondió con un distraído «*Heil*» y regresó junto al cadáver. Ambos recogieron apresuradamente el equipo.

—Rápido. Vamos al Jardín Estival.

Mientras iban hacia el coche Willi Kohl hizo una mueca de dolor y se miró los pies. Ni siquiera esos carísimos zapatos de cuero, forrados con el más suave vellón de cordero, servían de mucho para aliviar los dedos y los arcos. Y esos adoquines eran especialmente brutales.

De pronto notó que Janssen, a su lado, aminoraba el paso.

—Gestapo —susurró el joven.

El inspector levantó la vista, consternado. Peter Krauss se acercaba, vestido con un raído traje pardo y un sombrero flexible del mismo color. Dos de sus jóvenes ayudantes, más o menos de la edad de Janssen, se quedaron atrás.

¡Justo ahora! En ese mismo instante el sospechoso podía estar en el restaurante, sin sospechar que lo habían detectado.

Krauss caminó tranquilamente hacia los dos inspectores de la Kripo. Goebbels, el ministro de Propaganda, gustaba de hacer fotografiar a arios típicos con sus familias para utilizar en sus publicaciones. Peter Krauss podría haber servido de modelo para esas fotos: era alto, esbelto, rubio. Había sido colega de Kohl hasta que lo invitaron a unirse a la Gestapo, debido a su experiencia en la investigación de delitos políticos. Cuando los nacionalsocialistas asumieron el poder, el antiguo Departamento IA de la Kripo fue separado del cuerpo de policía y pasó a formar parte de la Gestapo. Krauss era como tantos alemanes prusianos: nórdico, con algo de sangre eslava; no obstante, en las oficinas se rumoreaba que sólo se le había invitado a cambiar de trabajo después de que modificara su nombre de pila, Pietr, que olía a eslavo.

Kohl sabía que Krauss era un investigador metódico, aunque nunca habían trabajado juntos, pues él siempre se había negado a ocuparse de delitos políticos y en ese momento a la Kripo se le prohibía hacerlo.

—Buenas tardes, Willi.

—*Heil* Hitler. ¿Qué te trae por aquí, Peter?

Janssen lo saludó con una inclinación de cabeza; el investigador de la Gestapo hizo lo mismo.

—He recibido una llamada telefónica de nuestro jefe —dijo a Kohl.

¿Se refería acaso a Heinrich Himmler en persona? Era posible. Un mes atrás el jefe de la SS había consolidado todas las fuerzas policiales de Alemania bajo su control; así se había creado la Sipo, la división que vestía de civil; incluía a la Gestapo, la Kripo y la notoria SD, que era la división de inteligencia de la SS. Himmler había sido nombrado jefe estatal de policía; cuando se anunciaron todos aquellos cambios, a Kohl le había parecido un título bastante modesto para la cabeza del cuerpo policial más poderoso del planeta.

Krauss continuó:

—El Líder me ha ordenado que mantenga la ciudad libre de mácula mientras duren las Olimpíadas. Debemos investigar todos los delitos graves que se cometan cerca del estadio, la Villa Olímpica y el centro de la ciudad, y cuidar de que los delincuentes sean atrapados cuanto antes. Y aquí tenemos un homicidio a dos pasos del Tiergarten. —El hombre chasqueó la lengua, consternado.

Kohl echó un vistazo a su reloj, desesperado por llegar al Jardín Estival.

—Debo irme, Peter.

El hombre de la Gestapo se agachó para examinar atentamente el cadáver.

—Lamentablemente, con tantos periodistas extranjeros en la ciudad... Es difícil controlarlos, vigilarlos.

—Sí, sí, pero...

—Debemos asegurarnos de que esto se resuelva antes de que se enteren. —Krauss se levantó y caminó en un lento círculo en torno al muerto—. ¿Quién es? ¿Ya se sabe?

—Todavía no. No tiene carné de identidad. Dime, Peter: ¿es posible que esto tenga algo que ver con algún asunto de la SS o la SA?

—Que yo sepa, no —respondió, frunciendo el entrecejo—. ¿Por qué?

—De camino hacia aquí, Janssen y yo nos hemos dado cuenta de que había muchas patrullas deteniendo a la gente para revisar sus documentos. Sin embargo no hemos sabido que hubiera ningún operativo.

—Ah, no tiene importancia. —El inspector de la Gestapo descartó el asunto con un ademán—. Un pequeño asunto de seguridad. Nada que deba preocupar a la Kripo.

Kohl volvió a consultar su reloj de bolsillo.

—Oye, Peter, tengo apuro.

El otro se incorporó:

—¿Le han robado?

—Falta todo el contenido de los bolsillos —fue la impaciente respuesta.

Krauss observó el cadáver durante un largo rato. Kohl sólo podía pensar en el sospechoso; lo imaginaba sentado en el Jardín Estival, liquidando un plato de *schnitzel* o de *wurst*.

—Debo irme —insistió.

—Un momento. —Krauss continuaba estudiando el cadáver. Por fin, sin levantar la vista, dijo—: Tendría sentido que el asesino fuera un extranjero.

—¿Un extranjero? Pues... —Janssen habló con celeridad, enarcando las cejas juveniles, pero su jefe lo acalló con una mirada penetrante.

—¿Qué decía? —preguntó Krauss.

El aspirante a inspector se repuso de inmediato.

—Iba a preguntarle por qué tendría sentido.

—El callejón desierto, la falta de documentos de identificación, un disparo a sangre fría... Cuando se pasa un tiempo en este oficio, aspirante a inspector, uno desarrolla cierta intuición para saber quién ha perpetrado los homicidios de este tipo.

—¿Homicidios de qué tipo? —Kohl no pudo resistir la tentación de preguntarlo. En esos tiempos, que mataran a un hombre de un disparo en un callejón de Berlín no era en absoluto algo extraordinario

Pero Krauss no respondió.

—Muy probablemente, un rumano o un polaco. Gente violenta, sin duda. Y con motivos de sobra para asesinar a alemanes inocentes. También podría ser un checo. Del Este, por supuesto, no de la Sudetenland. Son famosos por su costumbre de disparar por la espalda.

Kohl iba a añadir: «Igual que las Tropas de Asalto». Pero se limitó a decir:

—En ese caso esperemos que el criminal resulte ser eslavo.

El otro no reaccionó ante esa referencia a sus propios orígenes étnicos. Otra mirada al cadáver.

—Haré averiguaciones, Willi. Haré que mi gente se ponga en contacto con los Hombres A de la zona.

El de la Kripo comentó:

—Es un alivio que se utilicen informantes nacionalsocialistas. Son muy buenos para esto. Y hay tantos...

—Desde luego.

Janssen, bendito muchacho, también echó una mirada impaciente a su reloj. Luego dijo con una mueca:

—Llevamos mucho retraso para esa entrevista, señor.

—Sí, sí, es cierto. —Kohl iba a salir del callejón, pero se detuvo para decir a Krauss—: ¿Puedo hacerte una pregunta?

—¿Sí, Willi?

—¿Qué tipo de sombrero usa el ministro Göring?

—¿Me preguntas...? —Su colega frunció las cejas.

—Göring. ¿Qué tipo de sombrero usa?

—Pues mira, no tengo ni idea —reconoció Krauss, momentáneamente sorprendido, como si todo buen oficial de la Gestapo debiera estar bien versado en el tema—. ¿Por qué?

—No tiene importancia.

—*Heil* Hitler.

—*Heil.*

Mientras se dirigían apresuradamente hacia el DKW, Kohl ordenó, sin aliento:

—Entregue el rollo de película a uno de los oficiales de la Schupo. Que lo lleve inmediatamente al cuartel general. Quiero esas fotos al momento.

—Sí, señor.

El joven se desvió de su camino para entregar el rollo a un agente; después de darle instrucciones alcanzó a Kohl, quien llamó a uno de la Schupo para decirle:

—Cuando lleguen los hombres del departamento forense, dígales que quiero recibir cuanto antes el informe de la autopsia. Quiero saber qué enfermedades sufría nuestro amigo aquí presente. En particular, si tenía gonorrea o tisis. Y si estaban avanzadas. Y el contenido del estómago. También tatuajes, fracturas, cicatrices de operaciones quirúrgicas.

—Sí, señor.

—No olvide decirles que es urgente.

Tan ocupado estaba el forense en esos días que podía tardar entre ocho y diez horas en hacer retirar el cadáver; la autopsia solía requerir varios días.

Al correr hacia el DKW Kohl hizo un gesto de dolor: se le había movido el vellón de cordero dentro de los zapatos.

—¿Cuál es la ruta más rápida para llegar al Jardín Estival? No importa, ya veremos. —Miró en derredor—. ¡Allí! —gritó, señalando un puesto de periódicos—. Vaya a comprar todos los diarios que tengan.

—Sí, señor, pero, ¿por qué?

Willi Kohl se dejó caer en el asiento del conductor y presionó el botón de encendido. Su voz, aunque agitada, aún lograba transmitir impaciencia:

—Porque necesitamos una foto de Göring con sombrero, claro está.

7

De pie en la esquina, con un sobado ejemplar del *Berlin Journal* en las manos, Paul estudiaba el restaurante Jardín Estival: mujeres enguantadas que bebían café, hombres que acababan la cerveza a grandes tragos y se tocaban los mostachos con servilletas de hilo bien planchadas, para quitar la espuma. Gente que disfrutaba del sol de la tarde, fumando.

Paul Schumann, completamente inmóvil, miraba y miraba.

Incompleto...

Igual que cuando uno compone, retirando las letras de metal de su caja para formar palabras y frases. «Cuidado con las pes y las cus», advertía su padre constantemente; «esas letras son fáciles de confundir, pues el tipo es el anverso exacto de la letra impresa».

Ahora estudiaba el Jardín Estival con idéntica atención. No había reparado en el Camisa Parda que lo observaba desde la cabina telefónica, frente al pasaje Dresden. Para un sicario era un error imperdonable; no volvería a cometerlo.

Pasados algunos minutos aún no había detectado ningún peligro inmediato, pero, ¿qué sabía uno? Tal vez la gente que él observaba era simplemente lo que aparentaba: tipos normales que habían salido a comer y a hacer algún encargo en aquella pesada y perezosa tarde de sábado, sin ningún interés por la gente que estaba en la calle. Pero quizás eran tan suspicaces y mortíferamente leales a los nazis como Heinsler, el hombre del *Manhattan*.

«Quiero al Führer...»

Arrojó el diario a una papelera y cruzó la calle para entrar en el restaurante.

—Una mesa para tres, por favor —dijo al jefe de camareros.

—Donde guste, donde guste —respondió el atribulado hombre.

Paul ocupó una mesa dentro. Echó una mirada disimulada a su alrededor. Nadie le prestaba atención.

Al menos eso parecía.

Pasó un camarero:

—¿Qué desea?

—Por ahora una cerveza.

—¿De qué tipo? —Y comenzó a nombrar marcas que él nunca había oído.

—La primera. En vaso grande.

El camarero se acercó hacia el bar y regresó un momento después, trayendo un alto vaso Pilsen. Paul bebió con ansia, pero descubrió que el sabor le disgustaba: era casi dulce, como de fruta. Apartó el vaso y encendió un cigarrillo, que sacó del paquete por debajo de la mesa para que nadie viera la etiqueta norteamericana. Al levantar la vista, vio que Reginald Morgan entraba a paso tranquilo, mirando en derredor. Al ver a Paul se acercó a él y lo saludó en alemán:

—Cuánto me alegra volver a verte, amigo.

Después de estrecharle la mano se sentó al otro lado de la mesa. Se enjugó con un pañuelo la cara húmeda; sus ojos tenían una expresión atribulada.

—Por un pelo. La Schupo ha llegado justo cuando me alejaba.

—¿Te ha visto alguien?

—No, no creo. Salí por el otro extremo del callejón.

—¿Estamos seguros aquí? —preguntó Paul, mirando a ambos lados—. ¿No sería mejor salir?

—No. A esta hora sería más sospechoso llegar a un restaurante y retirarse de inmediato, sin haber comido. Esto no es como Nueva York: cuando se trata de la comida los berlineses no se dejan apurar. Las oficinas cierran durante dos horas para que la gente pueda almorzar como Dios manda. Y también desayunan dos veces. —Morgan se dio unas palmaditas en el vientre—. Ya comprenderás por qué me alegró que me destinaran aquí.

Echó una ojeada rápida alrededor y agregó:

—Toma. —Empujó un grueso libro hacia su compañero—. Ya ves que no me he olvidado de devolvértelo.

En la cubierta se leían las palabras alemanas *Mein Kampf,* que Paul tradujo como «mi lucha», y el nombre de Hitler. ¿El tipo había escrito un libro?

—Gracias. No había apuro, hombre.

Aplastó su cigarrillo en el cenicero, pero en cuanto estuvo frío se lo guardó en el bolsillo, para no dejar rastros que pudieran delatar su paradero.

Morgan se inclinó hacia delante, sonriente, como si le estuviera contando un chascarrillo soez:

—Dentro del libro hay cien marcos. Y la dirección de la casa donde te alojarás. Es una pensión. Está cerca de la plaza Lützow, al sur del Tiergarten. Te he apuntado también cómo llegar.

—¿Está en la planta baja?

—¿El departamento? No sé. No he preguntado. ¿Estás pensando en las posibles vías de escape?

De hecho, estaba pensando en la madriguera del borracho Malone, con sus puertas y ventanas clausuradas y el grupo de marines armados que lo esperaban para darle la bienvenida.

—En efecto.

—Mira, échale un vistazo. Si no te convence tal vez puedas cambiar de sitio. La encargada parece bien dispuesta. Se llama Käthe Richter.

—¿Es nazi?

Morgan respondió, en voz baja:

—No uses esa palabra. Te delatarás. «Nazi», en la jerga de los bávaros, significa «inocentón». El apócope correcto es «nazo», pero tampoco se usa mucho por aquí. Debes decir «nacionalsocialista». Algunos usan las siglas: NSDAP. También puedes decir «el Partido». Y dilo en tono de reverencia. En cuanto a la señorita Richter, no parece estar a favor ni en contra. —Morgan señaló la cerveza con un gesto—. ¿No te gusta?

—Agua con meados.

Morgan se echó a reír.

—Es cerveza de trigo. La beben los niños. ¿Por qué la has pedido?

—Había mil tipos diferentes. Nunca los había oído nombrar.

—Pediré yo por ti. —Cuando llegó el camarero dijo—: Por favor, tráiganos dos cervezas Pschorr. Salchichas y pan. Con chucrut y pepinos en vinagre. Y manteca, si es que hoy tienen.

—Sí, señor. —El hombre se llevó la copa de Paul.

Morgan continuó:

—Dentro del libro hay también un pasaporte ruso con tu foto y rublos por valor de cien dólares. En caso de emergencia, ve a la frontera con Suiza. Los alemanes te dejarán pasar, felices de librarse de otro ruso. No te quitarán los rublos, pues no se les permite gastarlos. A los suizos no les importará que seas bolchevique; te recibirán encantados de que gastes tu dinero allí. Ve a Zúrich y haz llegar un mensaje a la Embajada de Estados Unidos. Gordon se ocupará de sacarte. Ahora bien: después de lo que ha sucedido en el pasaje Dresden debemos tener muchísimo cuidado. Como te he dicho, es obvio que en la ciudad está sucediendo algo. En la calle hay muchas más patrullas que de costumbre. Tropas de Asalto, lo cual no es tan extraño, puesto que no tienen otra cosa en qué pasar el tiempo que desfilar y patrullar. Pero también hay gente de la SS y de la Gestapo.

—¿Qué son?

—La SS... ¿Has visto esos dos que están fuera, en la terraza? Los de uniforme negro.

—Sí.

—Originariamente eran la guardia personal de Hitler. Ahora son otro ejército privado. En general visten de negro, pero algunos van de uniforme gris. La Gestapo es la policía secreta; van de civil. Son pocos, pero muy peligrosos. Su jurisdicción es, principalmente, el delito político. Pero en la Alemania de hoy cualquier cosa puede ser considerada un delito político. Escupir en la acera es una ofensa contra el honor del Líder, de modo que te envían a la cárcel de Moabit o a un campo de concentración.

Llegaron la comida y la cerveza Pschorr; Paul bebió de inmediato la mitad de su vaso. Era espesa y rica.

—Ésta sí que es buena.

—¿Te gusta? Una vez aquí caí en la cuenta de que jamás podría volver a beber cerveza norteamericana. Para hacerla bien se requieren años de aprendizaje. Es un oficio tan respetado como un título universitario. Berlín es la capital cervecera de Europa, pero la mejor se hace en Múnich, allá en Baviera.

Paul comió con apetito. Pero la cerveza y la comida no eran lo más importante que tenía en la mente.

—Tendremos que actuar rápidamente —susurró. En su profesión, cada hora pasada cerca del sitio del trabajo a realizar aumentaba el riesgo de ser atrapado—. Necesito información y un arma.

Morgan asintió.

—Mi contacto vendrá en cualquier momento. Tiene información detallada sobre... el hombre que vas a visitar. Y esta tarde iremos a una casa de empeño. El propietario tiene un buen rifle para ti.

—¿Un rifle? —Paul frunció el entrecejo.

Morgan inquirió, preocupado:

—¿No sabes usar un rifle?

—Claro que sé. Fui soldado de infantería. Pero acostumbro a operar desde corta distancia.

—¿Sí? ¿Te resulta más fácil?

—No es cuestión de facilidad, sino de eficacia.

—Pues mira, Paul: tal vez sea posible, aunque lo veo muy difícil, que puedas acercarte a tu blanco lo suficiente como para matarlo con una pistola. Pero te atraparían, sin duda, con tantos Camisas Pardas y hombres de la SS y la Gestapo rondando por ahí. Entonces tu muerte sería lenta y desagradable, te lo aseguro. Pero hay otro motivo para que utilices un rifle: tendrás que matarlo en público.

—¿Por qué? —preguntó Paul.

—El senador ha dicho que, en el Partido y en el Gobierno alemán, todos saben lo crucial que es Ernst para el rearme. Es importante que quien lo reemplace sepa que, si continúa con lo que él estaba haciendo, también estará en peligro. Si Ernst muere «discretamente» Hitler lo ocultará todo y asegurará que falleció por accidente o enfermedad.

—Bien, lo haré en público —dijo el sicario—. Con un rifle. Pero tendré que ver esa arma, familiarizarme con ella, buscar un buen lugar para el operativo, examinarlo con anticipación, evaluar la luz y las brisas, ver cómo llegar y cómo salir.

—Por supuesto. Tú eres el experto. Lo que digas.

Paul acabó de comer.

—Después de lo que ha pasado en el callejón tendré que esconderme. Iré a la Villa Olímpica por mis cosas y me mudaré cuanto antes a la pensión. ¿La habitación ya está lista?

Morgan contestó afirmativamente.

Él bebió un poco más de cerveza; luego se puso el libro de Hitler en el regazo y lo hojeó hasta hallar el pasaporte, el dinero y la dirección. Cogió la tira de papel donde le habían anotado los datos de la pensión. Después de guardar el libro en el portafolio, memorizó la dirección y las indicaciones para encontrarla, usó tranquilamente el papel para limpiar la cerveza volcada en la mesa y lo amasó entre los dedos hasta reducirlo a pulpa. Luego deslizó la bola en el bolsillo, junto con las colillas de los cigarrillos, para deshacerse de ellos más adelante.

Morgan enarcó una ceja.

Ya me habían dicho que eras de los buenos.

Paul señaló su portafolio con la cabeza.

—*Mi lucha* —susurró—. El libro de Hitler. ¿De qué trata exactamente?

—Alguien dijo que era una colección de ciento sesenta mil errores gramaticales. Se supone que desarrolla la filosofía de Hitler, pero básicamente es una estupidez impenetrable. Aun así, tal vez te convenga conservarlo. —Morgan sonrió—. En Berlín escasean muchas cosas. En este momento cuesta conseguir papel higiénico.

Una risa breve. Luego Paul preguntó.

—Este hombre que esperamos... ¿cómo sabes que podemos confiar en él?

—En la Alemania actual la confianza es algo extraño. El riesgo es tan grave y tan presente que no puedes confiar en alguien sólo porque crea en tu misma causa. En el caso de mi contacto, su hermano era sindicalista y las Tropas de Asalto lo mataron; por eso simpatiza con nosotros. Pero como no estoy dispuesto a jugarme la vida a esa única carta, además le he pagado mucho dinero. Aquí tienen un dicho: «Si de su pan como, su canción canto». Pues bien, Max come una buena cantidad de mi pan. Y se encuentra en la precaria posición de haberme vendido material muy útil para mí y comprometedor para él. Ahí tienes un ejemplo perfecto de cómo funciona aquí la confianza: tienes que sobornar o amenazar. Y yo prefiero hacer ambas cosas simultáneamente.

Se abrió la puerta y Morgan entornó los ojos.

—Ah, ahí está —susurró.

Un hombre flaco, que vestía traje de mecánico, entró en el restaurante con una bolsa pequeña echada al hombro. Miró a su alrededor, parpadeando para adaptar la vista a la penumbra. Morgan agitó la mano y el hombre se les acercó. Estaba obviamente nervioso; sus ojos iban de Paul a los otros parroquianos, a los camareros, a las sombras de los corredores que conducían a los cuartos de baño y a la cocina, para volver finalmente a Paul.

En la Alemania actual, «ellos» es todo el mundo.

Se sentó a la mesa, primero de espaldas a la puerta. Luego cambió de asiento para ver el resto del restaurante.

—Buenas tardes —saludó Morgan.

—*Heil* Hitler.

—*Heil* —respondió Paul.

—Este amigo mío ha pedido que lo llamemos Max. Ha trabajado para el hombre que vienes a ver. En los alrededores de su casa. Lleva provisiones; conoce al ama de llaves y al jardinero. Vive en la misma zona, Charlottenburg, al oeste de aquí.

Max no quiso comida ni cerveza; sólo pidió café, en el que echó un terrón de azúcar que dejó un residuo polvoriento en la superficie. Lo revolvió con vigor.

—Necesito saber de él todo lo que puedas decirme —susurró Paul.

—Sí, sí, te lo diré. —Pero el hombre quedó en silencio; continuaba mirando en derredor. Usaba la suspicacia tal como utilizaba loción para aplastarse el pelo ralo. A Paul su intranquilidad le resultó irritante, por no decir peligrosa. Max abrió la bolsa y le ofreció una carpeta verde oscuro. El sicario se apoyó en el respaldo, para que nadie pudiera ver el contenido, y la abrió. Se encontró ante cinco o seis fotografías arrugadas; en ellas se veía a un hombre que vestía un traje de calle cortado a medida, como corresponde a un caballero minucioso y detallista. Parecía estar en la cincuentena; tenía la cabeza redonda y pelo corto, gris o blanco. Usaba gafas de montura de alambre.

Paul preguntó:

—¿Son de él con seguridad? ¿No puede ser un doble?

—Él no usa dobles. —El hombre bebió un sorbo de café con manos trémulas y volvió a mirar a su alrededor.

Paul acabó de observarlas. Iba a pedir a Max que se quedara con las fotos y las destruyera al llegar a su casa, pero el hombre parecía demasiado nervioso; el norteamericano lo imaginó despavorido, olvidándolas en el tranvía o en el metro. Entonces deslizó la carpeta en el interior del portafolio, junto al libro de Hitler; más tarde se desharía de ellas.

—Bien —dijo inclinándose hacia delante—, háblame de él. Dime todo lo que sepas.

Max le transmitió lo que sabía de Reinhard Ernst. El coronel conservaba la disciplina y el porte militares, aunque hacía ya algunos años que no lo era. Se levantaba temprano y trabajaba muchas horas, seis o siete días a la semana. Se ejercitaba con regularidad y era un tirador experto. A menudo llevaba una pequeña pistola automática. Su despacho estaba en el edificio de la Cancillería, el de la calle Wilhelm; iba y venía conduciendo su propio coche, rara vez acompañado por un guardia. El coche era un Mercedes descapotable.

Paul analizó lo que acababa de oír.

—Esa Cancillería... ¿Va allí todos los días?

—Por lo general, sí. Pero a veces viaja a los astilleros. Recientemente, también a las fábricas de Krupp.

—¿Quién es Krupp?

—Sus empresas, fábricas de municiones y blindados.

—Y en la Cancillería, ¿dónde estaciona?

—No lo sé, señor. Nunca he estado allí.

—¿Podrías averiguar dónde estará en los próximos días? ¿Cuándo irá a la oficina?

—Sí, lo intentaré. —Una pausa—. No sé si... —Max dejó apagar la voz.

—¿Qué? —lo instó Paul.

—También sé algunas cosas de su vida personal. De su esposa, su nuera, su nieto. ¿Quiere conocer esa faceta de su vida? ¿O prefiere no saberlo?

Tocar el hielo.

—No —susurró Paul—. Dímelo todo.

Circulaban por la calle Rosenthaler, a toda la velocidad que permitía el pequeño motor, rumbo al restaurante Jardín Estival. Konrad Janssen dijo a su jefe:

—Una pregunta, señor.

—¿Sí?

—El inspector Krauss esperaba descubrir que el asesino era un extranjero. Y tenemos pistas de que en verdad el sospechoso lo es. ¿Por qué no se lo ha dicho?

—Las pistas sólo insinúan que podría serlo. Tampoco son muy concluyentes. Lo único que sabemos es que podría hablar con acento y que ha silbado para llamar a un taxi.

—Sí, señor, pero, ¿no habríamos debido mencionarlo? Nos convendría contar con los recursos de la Gestapo.

El obeso Kohl jadeaba y sudaba profusamente por aquel calor. Le gustaba el verano, pues la familia podía disfrutar del Tiergarten y el Luna Park o almorzar al aire libre en Wannsee o en el río Havel. Pero en cuanto al clima, a él le gustaba el otoño. Se enjugó la frente antes de responder:

—No, Janssen, no deberíamos haberlo mencionado ni deberíamos buscar la ayuda de la Gestapo. Le diré por qué. En primer lugar, desde la consolidación del mes pasado, la Gestapo y la SS hacen cuanto pueden por privar a la Kripo de su independencia. Debemos mantenerla hasta donde sea posible y para eso conviene que trabajemos solos. En segundo lugar, algo que es muchísimo más importante: los «recursos» de la Gestapo suelen reducirse a arrestar a quien parezca siquiera remotamente culpable. Y, a veces, a arrestar a quienes son inocentes a todas luces, pero cuya reclusión podría ser conveniente.

El cuartel general de la Kripo contenía seiscientos calabozos, cuya finalidad había sido, en otros tiempos, la misma de las comisarías de policía de todas partes: retener a los delincuentes arrestados hasta que fueran llevados a juicio o puestos en libertad. En los tiempos que corrían, esas celdas estaban llenas a rebosar con los acusados de vagos crímenes políticos; eran vigiladas por los de la SA, jóvenes brutales de uniforme pardo con brazaletes blancos. Esos calabozos eran una simple parada transitoria en el camino a un campo de concentración o al cuartel general de la Gestapo, en la calle Prince Albrecht. A veces, al cementerio.

Kohl continuó:

—No, Janssen. Nosotros somos artesanos que practicamos el refinado arte del trabajo policial, no granjeros sajones armados con guadañas para segar a los ciudadanos por decenas en la persecución de un solo culpable.

—Sí, señor.

—No lo olvide nunca. —Meneó la cabeza—. *Ach*, qué difícil es hacer este trabajo en las arenas movedizas morales que nos rodean. —Mientras detenía el coche junto al cordón echó un vistazo a su ayudante—. Por esto que he dicho, Janssen, usted podría hacerme arrestar y enviar a Oranienburg por un año, ¿sabe?

—No diré nada, señor.

Kohl apagó el motor. Ambos bajaron y atravesaron al trote la amplia acera, rumbo al Jardín Estival. Al acercarse Willi Kohl detectó un aroma a *sauerbraten* bien marinados; eran lo que daba fama a ese lugar.

Janssen llevaba un ejemplar de *El Observador del Pueblo*, periódico nacionalsocialista, en cuya primera plana se destacaba una foto de Göring con un elegante sombrero, de corte nada habitual en Berlín. Al pensar en esos accesorios el jefe desvió una mirada hacia su ayudante; la clara tez del joven estaba enrojeciendo bajo el sol de julio. ¿Acaso los muchachos de hoy no sabían que los sombreros se habían inventado para algo?

Ya cerca del restaurante le indicó por gestos que aminorara el paso. Se detuvieron junto a una farola para estudiar el Jardín Estival. A esa hora ya no quedaban muchos parroquianos. Dos oficiales de la SS pagaron y se retiraron; mejor así, pues, por los motivos que acababa de explicar a Janssen, prefería no decir nada sobre el caso. Quedaban sólo un hombre de mediana edad, vestido con traje tradicional, y un jubilado.

Kohl reparó en las gruesas cortinas, que los protegían de la observación desde dentro. Hizo a Janssen un gesto con la cabeza y ambos entraron en la terraza; el inspector preguntó a cada uno de los comensales si había visto entrar en el restaurante a un hombre corpulento.

El jubilado asintió con la cabeza.

—¿Un hombre corpulento? Sí, detective. No me he fijado bien, pero creo que ha entrado hace unos veinte minutos.

—¿Aún está allí?

—Que yo haya visto, no ha salido.

Janssen se puso rígido, como un sabueso al olfatear el rastro.

—¿Llamamos a la Orpo, señor?

Era la Policía del Orden, uniformada, alojada en barracas y siempre lista, como lo insinuaba el nombre, para mantener el orden mediante el uso de fusiles, pistolas automáticas y cachiporras. Pero Kohl volvió a pensar en el caos que estallaría si se la llamaba, sobre todo contra un sospechoso armado en un restaurante lleno de clientes.

—No, creo que no, Janssen. Seremos más sutiles. Dé la vuelta usted al restaurante y espere junto a la puerta trasera. Si sale alguien, con o sin sombrero, deténgalo. Recuerde que nuestro sospechoso va armado. Sea cauto y discreto.

—Sí, señor.

El joven se detuvo ante el callejón y, con un saludo nada cauto, giró en la esquina y desapareció.

Kohl se adelantó con aire casual y se detuvo, como si estudiara la lista de especialidades exhibida en la pared. Luego se acercó un poco más; sentía cierto desasosiego; notaba también el peso del revólver en el bolsillo. Antes de que los nacionalsocialistas asumieran el poder eran pocos los detectives de la Kripo que iban armados. Pero hacía ya varios años, cuando Göring, por entonces ministro del Interior, expandió las muchas fuerzas policiales del país, que se había ordenado que todos los policías llevaran armas y, para espanto de Kohl y sus colegas de la Kripo, que las usaran libremente. Llegó a promulgar un edicto por el cual se podía reprender al policía que no disparara contra un sospechoso, aunque no por disparar contra alguien que resultara inocente.

Willi Kohl no había disparado un arma desde 1918.

Sin embargo, al visualizar el cráneo destrozado de la víctima del pasaje Dresden se alegraba de tener ese revólver. Acomodó la chaqueta de modo que pudiera extraerlo con celeridad, en caso necesario, e inspiró hondo. Luego empujó la puerta.

Se quedó petrificado como una estatua, presa del pánico. El interior del Jardín Estival estaba bastante oscuro, mientras que sus ojos venían habituados al sol intenso del exterior; durante un momento quedó cegado. «Qué tontería», pensó, enfadado consigo mismo. Habría debido tenerlo en cuenta. Allí estaba, con la palabra «Kripo» escrita en toda su persona, blanco fácil para cualquier sospechoso armado.

Dio un paso hacia dentro y cerró la puerta a su espalda. En su algodonoso campo visual había gente que se movía por todo el restaurante. Algunos parecían estar de pie. Y alguien avanzaba hacia él.

Kohl dio un paso atrás, alarmado, y acercó la mano al bolsillo que contenía el revólver.

—¿Una mesa, señor? Puede sentarse donde guste.

Bizqueó. Poco a poco empezaba a recobrar la vista.

—¿Señor? —repitió el camarero.

—No. Busco a alguien.

Por fin volvía a ver normalmente. En el restaurante había sólo diez o doce comensales. Ninguno era corpulento ni llevaba sombrero pardo y traje claro. Se dirigió hacia la cocina.

—Señor, no puede...

Mostró su credencial al camarero.

—Sí, señor —dijo el hombre con timidez.

Kohl atravesó la cocina, donde el calor aturdía, y abrió la puerta trasera.

—¿Janssen?

—Por aquí no ha salido nadie, señor.

El aspirante a inspector se reunió con su jefe y ambos regresaron al comedor. Kohl llamó por señas al camarero.

—¿Cómo se llama, señor?

—Johann.

—Diga, Johann: en los últimos veinte minutos, ¿ha visto aquí a un hombre con un sombrero como éste? —E hizo una señal a Janssen, que mostró la foto de Göring.

—Pues sí, lo he visto. Él y sus compañeros se han retirado hace un momento. Me ha parecido algo sospechoso; se han ido por la puerta lateral.

Señalaba una mesa vacía. Kohl suspiró con disgusto: era una de las dos mesas que estaban junto a las ventanas. La cortina era gruesa, sí, pero vio una pequeña abertura en uno de los lados; sin duda el sospechoso los había visto hablar con los comensales de la terraza.

—¡Venga, Janssen!

El jefe y su ayudante salieron rápidamente por la puerta lateral y atravesaron un jardín anémico, uno entre los millares que había esparcidos por toda la ciudad; a los berlineses les encantaba cultivar flores y plantas, pero la tierra era tan escasa que se veían obligados a sembrar sus jardines en cualquier parche polvoriento que encontraran. Sólo había un camino para salir de allí; conducía a la calle Rosenthaler. Ambos se dirigieron hasta allí a toda prisa y miraron hacia ambos lados de la congestionada calle. No había señales del sospechoso.

Kohl estaba furioso. Si Krauss no lo hubiera distraído habrían tenido más posibilidades de interceptar al hombrón del sombrero. Pero sobre todo estaba furioso consigo mismo por su propio descuido en la terraza, momentos atrás.

—Con tanto apuro —murmuró al joven— hemos quemado la corteza, pero tal vez se pueda salvar algo de la hogaza restante.

Giró para regresar sigilosamente hacia la puerta principal del Jardín Estival.

Paul, Morgan y ese hombre esmirriado y nervioso que conocían con el nombre de Max estaban quince metros más allá, en la calle Rosenthaler, en un pequeño grupo de tilos. Observaban al hombre del traje blanco y a su joven ayudante: desde el jardín lateral miraron hacia ambos lados antes de regresar a la puerta principal.

—No es posible que nos busquen —dijo Morgan.

—Buscaban a alguien —apuntó Paul—. Han salido por la puerta de atrás un minuto después que nosotros. Eso no puede ser una coincidencia.

Max preguntó con voz trémula:

—¿Podrían ser de la Gestapo? ¿O de la Kripo?

—¿Qué es la Kripo? —preguntó Paul.

—Policía Criminal. Detectives que visten de civil.

—Eran de la policía, desde luego —anunció el norteamericano. No tenía dudas. Lo había sospechado apenas los vio acercarse al Jardín Estival. Había elegido la mesa de la ventana expresamente para vigilar la calle. Le habían llamado la atención, por supuesto: un hombre fornido, con sombrero panamá, y uno más joven y más delgado, de traje verde; ambos interrogaban a los comensales de la terraza. Luego el más joven se había alejado, probablemente para cubrir la puerta trasera, mientras el de traje blanco examinaba el menú durante más tiempo del normal.

Paul se había puesto súbitamente de pie; dejó algún dinero en la mesa (sólo billetes, en los que las impresiones digitales eran casi imposibles de detectar) y ordenó:

—Vayámonos, ya mismo.

Seguido por Morgan y Max, que estaba despavorido, cruzó la puerta lateral. Esperaron delante del pequeño jardín hasta que el policía hubo entrado en el restaurante; luego se alejaron a paso rápido por la calle Rosenthaler.

—Policía —murmuraba ahora Max, como si estuviera al borde del llanto—. No, no...

Había allí demasiada gente para cazarte... demasiada para seguirte, demasiada para delatarte.

Haría cualquier cosa por él y por el Partido...

Paul volvió a mirar calle abajo, hacia el Jardín Estival. No los seguía nadie. Aun así sintió, como una corriente eléctrica, la urgencia por extraer de Max todo lo que supiera de Ernst, para continuar con el operativo. Se giró hacia él diciendo:

—Necesito saber... —Pero se le apagó la voz.

Max había desaparecido.

—¿Dónde está?

Morgan también se volvió.

—*Goddamn* —maldijo en inglés.

—¿Nos ha traicionado?

—No puedo creerlo. Lo arrestarían a él también. Pero... —Perdió la voz al mirar más allá de Paul—. ¡No!

El sicario se dio la vuelta bruscamente. Max estaba a dos calles de allí, entre varias personas detenidas por dos hombres de uniforme negro, a quienes al parecer no había visto.

—Un control de seguridad de la SS.

Max miraba en derredor, nervioso, esperando su turno de ser interrogado por los agentes de la SS. Lo vieron secarse la cara, con la expresión culpable de un adolescente. Paul susurró:

—No tiene por qué preocuparse. Tiene los documentos en regla. Nos ha entregado las fotos de Ernst. Mientras no se deje llevar por el pánico no le pasará nada.

«Cálmate», Paul se dirigió al hombre, en silencio. «No mires hacia aquí».

En ese momento Max, con una sonrisa, dio un paso hacia los de la SS.

—Saldrá bien —anunció Morgan.

«No», pensó Paul. «Está a punto de huir».

Justo en ese momento el hombre giró en redondo y huyó.

Los de la SS apartaron a la pareja con la que estaban hablando y echaron a correr tras él.

—¡Deténgase! ¡Alto!

—¡No! —susurró Morgan—. ¿Por qué ha hecho eso? ¿Por qué?

«Porque estaba muerto de miedo», pensó Paul.

Max era más delgado que los guardias de la SS, con sus voluminosos uniformes, y comenzaba a ganar distancia.

«Tal vez pueda escapar. Tal vez...».

Sonó un disparo y Max cayó al pavimento, con la sangre floreciéndole en la espalda. Paul miró hacia atrás. Quien había disparado era un tercer oficial de la SS, al otro lado de la calle. Malherido, Max comenzó a arrastrarse hacia el cordón. En ese momento llegó el primero de los dos guardias, jadeante. Desenfundó el arma y disparó a la cabeza del pobre hombre; luego se apoyó contra una farola para recuperar el aliento.

—Vamos —susurró Paul—. ¡Vámonos ya!

Giraron en redondo para marchar por Rosenthaler hacia el norte, junto con los otros peatones que se alejaban a paso firme de la escena de los disparos.

—Santo Dios —murmuró Morgan—. Pasé todo un mes ganándomelo, alentándolo mientras averiguaba detalles sobre la vida de Ernst. ¿Y ahora qué haremos?

—No sé, pero habrá que decidirse muy pronto, antes de que alguien relacione a ese hombre —una mirada hacia el cuerpo tendido en la calle— con Ernst.

Morgan, suspirando, reflexionó por un momento.

—No conozco a nadie más que esté cerca de nuestro objetivo. Pero tengo a un hombre en el Ministerio de Información.

—¿Tienes a alguien allí mismo?

—Los nacionalsocialistas son paranoicos, pero tienen un fallo aún mayor: la vanidad. Con tantos agentes como tienen apostados, no se les ocurre pensar que alguien podría infiltrarse entre ellos. Mi hombre es un simple empleado, pero podría averiguar algo.

Se detuvieron en una esquina transitada. Paul dijo:

—Iré a la Villa Olímpica por mis cosas para mudarme a la pensión.

—La casa de empeño donde conseguiremos el rifle queda cerca de la estación Oranienburger. Te esperaré en la plaza Noviembre de 1923, junto a la gran estatua de Hitler. Digamos... a las cuatro y media. ¿Tienes mapa?

—La encontraré.

Los hombres se estrecharon la mano y, con una última mirada a la multitud que rodeaba al infortunado Max, echaron a andar con rumbos diferentes. Otra sirena llenaba las calles de esa ciudad limpia, ordenada, llena de gente cortés y sonriente... que había sido escenario de dos homicidios en otras tantas horas.

No, se dijo Paul; el desdichado Max no lo había traicionado. Pero comprendió que existía una complicación mucho más preocupante: esos dos policías o agentes de la Gestapo habían seguido a Morgan, a Paul o a ambos, desde el pasaje Dresden hasta el Jardín Estival, sin ayuda de nadie, y habían estado a pocos minutos de capturarlos. El trabajo policíaco era allí mucho mejor que en Nueva York. «¿Quiénes diablos son?», se preguntó.

—Johann —preguntó Willi Kohl al camarero—, ¿cómo vestía, exactamente, ese hombre del sombrero pardo?

—Traje gris claro, camisa blanca y una corbata verde que me ha parecido bastante llamativa.

—¿Y era corpulento?

—Mucho, señor. Pero sin ser gordo. Tal vez sea preparador físico.

—¿Alguna otra característica?

—Que yo haya visto, no.

—¿Era extranjero?

—No sé. Pero hablaba un alemán impecable. Tal vez con un leve acento.

—¿Color de pelo?

—No sabría decirle. Más oscuro que claro.

—¿Edad?

—Ni joven ni viejo.

Kohl suspiró.

—¿Y has dicho que tenía «compañeros»?

—Sí, señor. Él ha sido el primero en llegar. Luego se le ha unido otro hombre. Bastante más bajo. Vestía traje negro o gris oscuro; no recuerdo la corbata. Y después otro más, con ropa de mecánico; de treinta a cuarenta años. Un obrero, parecía. Ha venido bastante después.

—El hombre corpulento, ¿traía una maleta o un portafolio de cuero?

—Sí. Pardo.

—¿Sus compañeros también hablaban en alemán?

—Sí.

—¿Has oído algo de la conversación?

—No, inspector.

—¿Y la cara del hombre? El del sombrero —preguntó Janssen. Una vacilación.

—No le he visto la cara. A sus compañeros tampoco.

—¿Los has atendido, pero sin verles las caras? —inquirió Kohl.

—No prestaba atención. Ya ve usted que aquí dentro hay poca luz. Y en este oficio... tanta gente... Uno mira, pero rara vez ve, ¿comprende?

Eso debía de ser verdad. Pero Kohl también sabía que, desde la llegada de Hitler al poder, tres años atrás, la ceguera se había convertido en la enfermedad nacional. Los alemanes eran tan capaces de denunciar a un conciudadano por «crímenes» que no habían presenciado como incapaces de recordar detalles de los delitos que sí habían visto. Saber demasiado podía significar un viaje al cuartel general de la Kripo, el Alex, o al de la Gestapo, en la calle Príncipe Albrecht, para examinar interminables fotografías de delincuentes fichados. Nadie iba de buen grado a esos lugares: el testigo de hoy podía ser el detenido de mañana.

Los ojos del camarero barrían el suelo, atribulados. La frente se le cubrió de sudor. Kohl se compadeció de él.

—Tal vez si pudieras añadir alguna otra observación, en vez de una descripción de la cara, podríamos dispensarte de ir a la sede policial. Si por casualidad recuerdas algo útil.

El hombre levantó la vista, aliviado.

—Trataré de ayudarte —dijo el inspector—. Comencemos por cosas concretas. ¿Qué ha comido y bebido?

—Ah, eso sí. Al principio me ha pedido una cerveza de trigo. Me dio la sensación de que no la había probado nunca: después de beber apenas un sorbo la ha dejado a un lado. En cambio se ha bebido toda la Pschorr que su compañero pidió para él.

—Bien. —Kohl nunca sabía, en los comienzos, qué podían revelar más adelante esos detalles. Tal vez el estado o el país del que provenía el sospechoso; quizá algo más específico. Pero valía la pena apuntarlo, cosa que hizo en su ajada libreta, después de lamer la punta del lápiz—. ¿Y de comer?

—Salchicha y chucrut. Con mucho pan y margarina. Los dos han pedido lo mismo. El tipo corpulento se lo ha comido todo; parecía hambriento. Su compañero ha dejado la mitad.

—¿Y el tercer hombre?

—Sólo café.

—Y ese hombrón, como lo llamaremos, ¿cómo sostenía el tenedor?

—¿El tenedor?

—Después de cortar cada trozo de salchicha, ¿Cambiaba de mano el tenedor para comer el bocado? ¿O se lo llevaba a la boca sin cambiar de mano?

—Pues... no sé, señor. Posiblemente cambiara de mano, sí. Lo digo porque parecía dejar siempre el tenedor para beber la cerveza.

—Bien, Johann.

—Es una alegría ayudar a mi Líder en lo que pueda.

—Sí, sí —dijo el inspector, fatigado.

Cambiar de mano el tenedor. Era común en otros países; en Alemania, menos. Como lo de llamar al taxi con un silbido. Conque el acento bien podía haber sido extranjero.

—¿Fumaba?

—Creo que sí, señor.

—¿Puro, cigarrillo, pipa?

—Cigarrillo, creo, pero...

—¿No has visto la marca del fabricante?

—No, señor.

Kohl cruzó el salón para examinar la mesa del sospechoso y las sillas que la rodeaban. No encontró nada útil. Frunció el entrecejo al ver que en el cenicero no había colillas, sólo ceniza.

¿Más pruebas de la astucia de ese hombre?

Luego el inspector se agachó y encendió una cerilla bajo la mesa.

—¡Ah, sí! Mire, Janssen. Escamas de la misma piel parda que hemos encontrado antes. Es nuestro hombre, sí. Y estas marcas del polvo indican que ha apoyado un portafolio.

—Me gustaría saber qué contiene —dijo su ayudante.

—Eso no nos interesa. —Kohl recogió las escamas para depositarlas en un sobre—. Todavía no. Lo importante es el portafolio, que establece una conexión entre este hombre y el pasaje Dresden.

Después de dar las gracias al camarero y echar una mirada anhelante a un plato de *wiener schnitzel,* salió al exterior seguido por Janssen.

—Averigüemos en el vecindario si alguien ha visto a nuestros caballeros. Usted vaya al otro lado de la calle, Janssen. Yo interrogaré a los vendedores de flores. —Kohl soltó una risa lúgubre: los floristas de Berlín eran notoriamente groseros.

El ayudante sacó un pañuelo para enjugarse la frente, con un leve suspiro.

—¿Está cansado, Janssen?

—No, señor. En absoluto. —El joven vaciló antes de agregar—: Es que a veces este trabajo nuestro parece imposible. Tanto esfuerzo por un gordo muerto.

Kohl extrajo la pipa del bolsillo e hizo un gesto ceñudo: había puesto allí la pistola y la cazoleta estaba mellada. La llenó de tabaco.

—Sí, Janssen, es verdad. La víctima era un hombre de mediana edad y gordo. Pero somos detectives sagaces, ¿verdad? Sabemos algo más de él.

—¿Qué más, señor?

—Que era hijo de alguien.

—Bueno... por supuesto.

—Y tal vez era hermano de alguien. Y esposo o amante de alguien. Y quizá tuvo la suerte de criar hijos. Ojalá haya tenido también antiguas amantes que lo recuerden de vez en cuando. Y quizá había otras amantes en su futuro. Y tres o cuatro hijos más que habría podido traer al mundo. —Frotó la cerilla contra el costado de la caja para encender la *meerschaum*—. Y si miramos el incidente bajo esta luz, Janssen, ya estamos ante un extraño misterio relacionado con un muerto obeso. Estamos ante una tragedia que es como una telaraña: alcanza muchas vidas y muchos lugares distintos, se extiende a lo largo de años y años. Qué triste es eso... ¿Comprende ahora por qué este trabajo nuestro es tan importante?

—Sí, señor.

Y Kohl pensó que en verdad el joven había comprendido.

—Usted necesita un sombrero, Janssen. Pero por ahora cambiaré de idea: vaya usted a la parte sombreada de la calle. Eso significa, desde luego, que será usted quien interrogue a los floristas. Le obsequiarán con palabras que sólo se oyen en las barracas de las Tropas de Asalto, pero al menos esta noche, cuando se reúna con su esposa, no tendrá la piel del color de las remolachas maduras.

ientras caminaba hacia la concurrida plaza en busca de un taxi, Paul echaba de vez en cuando una mirada hacia atrás. Iba
fumando su Chesterfield y contemplaba el panorama, las tiendas, los
peatones, siempre alerta a cualquier cosa que se saliera de lo normal.

Entró en un cuarto de baño público, que estaba inmaculado, y
ocupó un cubículo. Allí apagó el cigarrillo y lo dejó caer en el inodoro, junto con las colillas y la bolita de pulpa donde le habían apuntado la dirección de Käthe Richter. Luego redujo las fotos de Ernst
a docenas de trocitos diminutos e hizo correr el agua.

Ya de nuevo en la calle apartó de sí las difíciles imágenes de
Max y su muerte triste, innecesaria, para concentrarse en el trabajo que tenía ante sí. Hacía años que no mataba a nadie con un rifle.
Tenía buena puntería con las armas largas. Se decía que las armas de
fuego igualaban a la gente, pero eso no era del todo cierto. Una pistola pesa alrededor de un kilo y medio; un rifle, seis o más. Para sos-
tener un arma con absoluta firmeza se requiere fuerza; la potencia
de sus brazos había ayudado a Paul a ser el mejor tirador de su es-
cuadrón.

Sin embargo, tal como había explicado a Morgan, cuando debía despachar a alguien prefería hacerlo con pistola.

Y siempre se acercaba todo lo posible.

Nunca decía una palabra a su víctima; nunca se enfrentaba a
ella ni le permitía saber lo que estaba por pasar. Aparecía por detrás,
si era posible, tan en silencio como cabía en un hombre de su tama-

ño, y le disparaba a la cabeza para matarlo instantáneamente. Jamás se habría comportado como el sádico Bugsy Siegel o como Dutch Schultz, recientemente fallecido, que mataban lentamente, entre tormentos e insultos. Su tarea de sicario no tenía nada que ver con la ira, el placer ni la áspera satisfacción de la venganza; se trataba simplemente de cometer un mal para eliminar un mal mayor.

Y Paul Schumann insistía en pagar el precio de esta hipocresía: la proximidad del homicidio lo hacía sufrir. Esas muertes lo asqueaban, lo empujaban a un túnel de pesar y culpa. Cada vez que mataba moría también una parte de él. Cierta vez, tras emborracharse en un mísero bar de irlandeses, en el West Side, había llegado a la conclusión de que era lo opuesto a Cristo: él moría para que otros pudieran morir también. Habría querido estar como una cuba para no recordar nunca más esa idea. Pero se le había quedado grabada.

Aun así, probablemente Morgan tenía razón con respecto al rifle. Una vez su amigo Damon Runyon había dicho que uno sólo puede ser un triunfador si está dispuesto a dar el paso hacia el abismo. Paul lo hacía a menudo, desde luego, pero también sabía cuándo detenerse. Nunca había sido suicida. En varias ocasiones había postergado la tarea porque las probabilidades estaban en su contra. Cinco de seis podían ser aceptables, pero más que eso... Él no...

Lo sobresaltó un fuerte ruido. A pocos metros de distancia algo atravesó el escaparate de una librería y cayó a la acera. Una estantería. Después, algunos libros. Paul echó un vistazo dentro del negocio; un hombre de mediana edad se apretaba la cara ensangrentada. Al parecer lo habían golpeado en la mejilla. Una mujer, llorando, lo aferraba por el brazo. Los dos estaban aterrrorizados. Los rodeaban cuatro hombrones de uniforme pardo claro. Debían de ser Tropas de Asalto. Camisas Pardas. Uno de ellos tenía un libro en la mano y gritaba al tendero:

—¡No se permite vender esta mierda! ¡Es ilegal! Esto es un pasaje a Oranienburg.

—Pero si es Thomas Mann —protestó el hombre—. No dice nada contra el Líder ni contra nuestro Partido. Yo...

El Camisa Parda lo golpeó en la cara con el libro abierto y repitió, con voz burlona:

—Pero si es... —Otro golpe furioso—. Thomas... — Otro, y se quebró el lomo del libro—. Mann...

Ese maltrato enfureció a Paul, pero no era asunto suyo. No podía permitirse el lujo de llamar la atención. Cuando iba a continuar su camino, uno de los Camisas Pardas aferró a la mujer por un brazo y la empujó hacia fuera. Ella chocó violentamente contra Paul y cayó a la acera. Estaba tan aterrada que ni siquiera pareció reparar en él. Le sangraban las rodillas y las palmas, cortadas por los fragmentos del escaparate.

El que parecía ser jefe de los Camisas Pardas arrastró al hombre afuera.

—Destruyan el local —ordenó a sus amigos. Los otros comenzaron a derribar estantes y mostradores, a arrancar los cuadros y golpear las recias sillas contra el suelo, tratando de quebrarlas. El jefe echó un vistazo a Paul; luego descargó un potente puñetazo al vientre del librero, que soltó un gruñido y vomitó, tendido boca abajo. El Camisa Parda se acercó a la mujer y la cogió por los cabellos. Cuando estaba a punto de golpearla en la cara, Paul le sujetó el brazo, llevado por el instinto.

El hombre giró en redondo, haciendo volar la saliva que escapaba de su boca, totalmente abierta en su cara cuadrada. Miró fijamente a los ojos azules del intruso.

—¿Quién eres tú? ¿Sabes quién soy yo? Hugo Felstedt, de la Brigada de Tropas de Asalto del Castillo de Berlín. ¡Alexander! ¡Stefan!

Paul apartó suavemente a la mujer, que se inclinó para ayudar al librero a levantarse. El hombre se estaba limpiando la boca, lagrimeando por el dolor y la humillación.

Dos Camisas Pardas emergieron del negocio.

—¿Quién es éste? —preguntó uno.

—¡Su credencial! ¡Ya! —gritó Felstedt.

Paul había boxeado toda su vida, pero evitaba las peleas callejeras. De niño su padre solía decirle, severamente, que no debía competir en ninguna prueba si no había quien vigilara las reglas. Le prohibía pelear en el patio de la escuela y en los callejones. «¿Me escuchas, hijo?». Paul aseguraba: «Sí, papá, claro que sí». Sin embargo, a veces no había más remedio que enfrentarse a Jake McGuire o a Bill Carter e intercambiar algunos golpes. No habría sabido decir por qué esas ocasiones eran diferentes, pero uno sabía, sin lugar a dudas, que no podía retirarse.

Y a veces (muchas, quizá) uno podía, pero no quería. Y eso era todo.

Evaluó a aquel hombre. Era como ese chico, el teniente Manielli. Joven y musculoso, pero todo pura fachada. El norteamericano apoyó el peso del cuerpo en la punta de los pies, buscó el equilibrio y golpeó a Felstedt en el vientre con un derechazo casi invisible.

El hombre se quedó boquiabierto y retrocedió, tratando de respirar; se palpaba el pecho como buscando el corazón.

—¡Puerco! —exclamó uno de los otros con voz aguda, espantada. Y acercó la mano a su pistola.

Paul se adelantó como bailando, le sujetó la derecha para apartarla de la pistolera y le aplicó un gancho de izquierda a la cara. En el boxeo no hay dolor como el de un buen golpe en la nariz; cuando se partió el cartílago, al correr la sangre por el uniforme color camello, el hombre lanzó un aullido escalofriante y retrocedió hasta la pared, tambaleante, virtiendo lágrimas a torrentes.

Hugo Felstedt había caído de rodillas y ya le daba igual el corazón: se apretaba el vientre; ahora era él quien daba arcadas patéticamente.

El tercer Camisa Parda quiso desenfundar su arma. Paul se adelantó deprisa, con los puños cerrados.

—No —le advirtió, sereno.

Súbitamente el hombre huyó calle arriba, gritando:

—Voy por ayuda... voy por ayuda...

El cuarto Camisa Parda salió de la librería. Cuando vio que Paul se le acercaba gritó:

—¡No me haga daño, por favor!

Sin apartar los ojos de él, Paul se arrodilló para abrir el portafolio y comenzó a revolver los papeles, buscando la pistola. Por un momento bajó la vista; entonces el Camisa Parda se inclinó para recoger unos fragmentos de cristal y se los arrojó. El sicario los esquivó, pero el hombre se lanzó contra él y lo alcanzó en la mejilla con unos nudillos metálicos. Aunque apenas lo rozó, Paul quedó aturdido y cayó hacia atrás, sobre su portafolio, en un pequeño jardín lleno de maleza que se abría junto a la tienda. El Camisa Parda saltó tras él. Se enzarzaron. El hombre no tenía mucha fuerza ni era buen luchador, pero aun así Paul tardó un momento en poder levantarse. Furioso por haberse dejado tomar por sorpresa, aferró la muñeca del hombre y la retorció con violencia, hasta oír que algo se quebraba.

—Ay —susurró el Camisa Parda. Cayó al suelo y se desmayó.

Felstedt estaba rodando para sentarse. Se limpió el vómito de la cara.

Paul cogió la pistola que el otro llevaba en el cinturón y la arrojó al tejado de un edificio cercano. Luego se volvió hacia el librero y la mujer.

—Huyan. Lárguense.

Ellos lo miraron fijamente, mudos.

—¡Ya! —murmuró él, seco.

Se oyó un silbato calle arriba. Algunos gritos.

—¡Corran! —ordenó Paul.

El librero volvió a limpiarse la boca y echó una última mirada a los restos de su tienda. La mujer le rodeó los hombros con un brazo. Ambos se alejaron velozmente.

Por la calle Rosenthaler, desde el extremo opuesto, cinco o seis Camisas Pardas corrían hacia Paul.

—Cerdo judío —murmuró el hombre de la nariz quebrada—. Ahora sí que estás perdido.

El norteamericano recogió el portafolio y metió dentro las cosas que se habían esparcido. Luego echó a correr hacia un callejón cercano. Una mirada atrás: el grupo de Camisas Pardas venía en su persecución. ¿De dónde diablos habían salido tantos? Al salir del callejón se encontró en una calle de edificios residenciales, puestos, restaurantes decrépitos y tiendas baratas. Se detuvo entre la multitud para mirar en derredor.

Pasó junto a un vendedor ambulante de ropa usada; en cuanto el hombre apartó la vista, él arrebató un saco verde oscuro de entre las prendas masculinas. Lo hizo un bollo y corrió hacia otro callejón para ponérselo. Pero a poca distancia se oyeron gritos:

—¡Allí! ¿Es ése? ¡Eh, tú! ¡Alto!

A su izquierda, otros tres Camisas Pardas lo estaban señalando. La noticia del incidente había corrido como la pólvora. Paul entró apresuradamente en el callejón; era más largo y más oscuro que el primero. Más gritos a su espalda. Luego, un disparo. Oyó el chasquido seco de la bala contra los ladrillos, cerca de su cabeza, y se volvió a mirar. Tres o cuatro uniformados más se habían unido a sus perseguidores.

En este país hay muchísima gente que te perseguirá por el solo hecho de verte correr...

Paul escupió violentamente contra la pared y se esforzó por llenarse los pulmones de aire. Un momento después salía del callejón hacia otra calle, aún más transitada que la primera. Después de inspirar profundamente se perdió entre la muchedumbre que hacía las compras del sábado. Había tres o cuatro callejuelas que se abrían desde esa avenida.

¿Por cuál?

Más gritos detrás de él; las Tropas de Asalto salieron corriendo a la calle. No había tiempo. Escogió el callejón más cercano.

Mal hecho. Las únicas salidas eran cinco o seis puertas, todas cerradas.

Iba a correr nuevamente hacia la entrada, pero se detuvo. Ya eran diez o doce los Camisas Pardas que deambulaban entre la multitud, avanzando sin pausa hacia ese lugar. Casi todos pistola en mano. Los acompañaban muchachos vestidos como los que habían bajado la bandera en la Villa Olímpica el día anterior.

Se apretó contra los ladrillos de la pared, tratando de calmar la respiración.

«Menudo lío», pensó, furioso.

Metió en el portafolio el sombrero, la corbata y el saco de su traje. Luego se puso el saco verde.

Dejó el maletín a sus pies para sacar la pistola. Verificó que estuviera cargada y con una bala en la recámara. Luego, con el brazo contra la pared, apoyó el arma en el antebrazo y se inclinó poco a poco hacia fuera, apuntando al hombre que iba delante: Felstedt.

Para ellos sería difícil descubrir de dónde había venido el disparo. Era de esperar que se dispersaran para refugiarse; así le darían la oportunidad de perderse entre las hileras de puestos cercanos. Era arriesgado, pero en pocos minutos estarían en ese callejón. ¿Qué alternativas tenía?

Cada vez más cerca...

Tocar el hielo...

Fue aumentando lentamente la presión contra el gatillo; apuntaba al pecho del hombre; la mira flotaba en el punto donde la correa diagonal de cuero, entre el cinturón y el hombro, cubría el corazón.

—No —le susurró una voz apresurada al oído.

Paul se dio la vuelta, bajando la pistola hacia el hombre que se le había acercado sigilosamente por detrás. Era un cuarentón de traje muy gastado; tenía un mostacho poblado y el pelo abundante, peinado hacia atrás con brillantina. Era varios centímetros más bajo que Paul y el vientre se abultaba sobre el cinturón. En las manos llevaba una gran caja de cartón.

—Ya puede apuntar eso hacia otra parte —dijo con calma, señalando la pistola con la cabeza.

El sicario no movió el arma.

—¿Quién es usted?

—Sería mejor dejar la conversación para más tarde. Ahora tenemos asuntos más urgentes. —Pasó frente a Paul para mirar hacia un lado—. Son diez o doce. Debe de haber hecho algo muy gordo.

—He vapuleado a tres de ellos.

El alemán enarcó una ceja sorprendida.

—Puff, pues le aseguro, señor, que si mata a uno o dos en pocos minutos habrá aquí cien más. Lo perseguirán hasta cazarlo. Y mientras tanto bien pueden matar a diez o doce personas inocentes. Yo lo ayudaré a escapar.

Paul dudó.

—Si no hace lo que le digo lo matarán. Lo único que saben hacer bien es matar y desfilar.

—Deje esa caja.

El hombre obedeció y Paul le levantó la chaqueta para mirarle la cintura; luego le indicó por gestos que girara en un círculo.

—No voy armado.

El mismo gesto impaciente.

El alemán giró. Paul le palpó los bolsillos y las piernas. No iba armado.

—Lo estaba observando —dijo el hombre—. He visto que se quitaba la americana y el sombrero. Ha hecho bien. Con esa corbata tan vistosa se destacaba como una virgen en la Nollendorfplatz. Pero es probable que lo registren. Debe deshacerse de esa ropa. —Señaló el portafolio con la cabeza.

Alguien corría a poca distancia. Paul dio un paso atrás, analizando la situación. El consejo tenía sentido. Sacó las prendas del maletín y se acercó a un cubo de basura.

—No, allí no —dijo el hombre—. En Berlín, si quiere deshacerse de algo, no lo arroje a los cubos de basura, pues lo encontrará la gente que busca sobras. Y no los tire a los contenedores, si no quiere que lo hallen los hombres de la Gestapo, los Hombres V o los Hombres A de la SD; tienen por costumbre revisar los desperdicios. El único lugar seguro es la cloaca. Nadie revisa las cloacas... al menos por ahora.

Paul vio una rejilla a poca distancia y, aunque de mala gana, metió allí las prendas.

Su corbata de la suerte...

—Ahora le daré algo para contribuir a su papel de fugitivo de los Camisas de Estiércol. —El hombre sacó varios gorros del bolsillo de su americana y escogió uno de lona clara para entregárselo a Paul—. Póngaselo. —El sicario lo hizo—. Ahora, la pistola. Debe deshacerse de ella. Comprendo que vacile, pero realmente le servirá de muy poco. Ninguna arma tiene tantas balas como para detener a todas las Tropas de Asalto de la ciudad, mucho menos una mísera Luger. ¿Sí o no?

El instinto volvió a decirle que el hombre tenía razón. Se agachó para arrojar la pistola por la rejilla. Muy por debajo del nivel de la calle se oyó un chapoteo.

—Y ahora sígame. —El hombre recogió la caja. Al ver que Paul vacilaba le susurró—: Ha de estar preguntándose cómo confiar en mí si no me conoce. Pues le diré, señor: dadas las circunstancias, la verdadera pregunta es cómo NO confiar en mí. Pero será usted quien decida. Tiene unos diez segundos. —Rió—. ¿No es siempre así? Cuanto más importante es la decisión, menos tiempo hay para tomarla.

Se acercó a una puerta y forcejeó con una llave hasta abrirla. Luego echó una mirada atrás. Paul lo siguió al interior de un almacén. El alemán cerró la puerta y echó la llave. Por la grasienta ventana Paul vio que el grupo de Camisas Pardas entraba en el callejón y, después de examinarlo, seguían de largo.

El recinto estaba atestado de cajones y polvorientas botellas de vino. El hombre hizo una pausa; luego señaló una caja con la cabeza.

—Tome eso. Será testigo de lo que digamos. Y además es posible que le saquemos provecho.

Paul lo miró, enfadado.

—Podría haberme hecho dejar la ropa y la pistola aquí, en su almacén. No hacía falta arrojarlas a la basura.

El hombre proyectó el labio inferior.

—Ah, sí, sólo que este sitio no es exactamente mío. A ver, esa caja. Por favor, que debemos darnos prisa, señor.

El americano puso el portafolio sobre la caja, la alzó y siguió a su compañero. Salieron a una polvorienta habitación frontal. El hombre echó un vistazo por la mugrienta ventana. Cuando estaba a punto de abrir la puerta Paul dijo:

—Espere.

Se tocó la mejilla; el corte hecho por los nudillos de bronce sangraba un poco. Pasó la mano por algunos estantes sucios y se tocó la cara para disimular la herida; luego, por la americana y los pantalones. Las manchas llamarían menos la atención que la sangre.

—Bien —dijo el alemán, mientras abría la puerta de par en par—. Ahora es un trabajador sudoroso. Y yo seré su jefe. Por aquí. —Giró directamente hacia un grupo de tres o cuatro Camisas Pardas, que hablaban con una mujer apoyada contra una farola; ella retenía a un diminuto caniche con una correa roja.

Paul vaciló.

—Venga. No pierda tiempo.

Cuando casi habían dejado atrás a los Camisas Pardas, uno de ellos los llamó.

—Eh, ustedes, alto. Queremos ver sus credenciales.

Éste y uno de sus compañeros se plantaron delante de Paul y el alemán. Furioso por haber abandonado su arma, Paul echó un vistazo al costado. El hombre del callejón frunció el entrecejo.

—Nuestras credenciales, sí, sí. Lo siento mucho, caballeros, pero ya comprenderán ustedes que hoy nos hemos visto obligados a trabajar, como ya ven. —Señaló las cajas con un movimiento de cabeza—. No estaba planeado. Una entrega urgente.

—Deben llevar su documentación con ustedes en todo momento.

Paul dijo:

—Es que vamos muy cerca.

—Buscamos a un hombre corpulento, de traje gris y sombrero pardo. Va armado. ¿Han visto ustedes a alguien así?

Ambos se consultaron con una mirada.

—No —dijo Paul.

El segundo Camisa Parda los palpó a ambos. Luego cogió el portafolio para mirar dentro. Sacó el ejemplar de *Mein Kampf;* Paul vio el bulto donde estaban escondidos los rublos y el pasaporte ruso. El alemán del callejón se apresuró a decir:

—Ahí no hay nada que pueda interesarles. Ahora recuerdo que sí tenemos las credenciales. Busque usted en la caja que lleva mi empleado.

Los Camisas Pardas intercambiaron una mirada. El que tenía el libro volvió a arrojarlo dentro, dejó el portafolio en el suelo y desgarró la tapa de la caja que Paul sostenía.

—Ya verán ustedes que somos los Hermanos Burdeos.

Uno de los agentes se echó a reír. El alemán continuó:

—Pero hay que asegurarse. Podrían tomar dos de ésas para comprobarlo.

Los hombres sacaron varias botellas de vino tinto. Luego les hicieron señas de que podían continuar la marcha. Paul recogió el portafolio y ambos continuaron calle arriba.

Dos manzanas más allá el alemán señaló la acera de enfrente.

—Allí.

El lugar que indicaba parecía ser un club nocturno decorado con banderas nazis. Un letrero de madera rezaba: Cafetería Aria.

—¿Está loco, hombre? —preguntó el americano.

—¿No he acertado hasta ahora, amigo mío? Entre, por favor. En ningún lugar estará más seguro. Aquí los Camisas de Estiércol no son bien recibidos; tampoco pueden pagarlo. Estará a salvo mientras no haya golpeado a un oficial de la SS o a un alto funcionario del Partido. No lo ha hecho, ¿verdad?

Paul sacudió la cabeza. Aunque de mala gana, siguió a su compañero al interior. Inmediatamente comprendió qué había querido decir al referirse al precio de admisión. Un letrero ponía: 20 U$S / 40 DM. «Joder», pensó. En el sitio más caro que había visitado en Nueva York, el Debonair Club, se cobraban cinco dólares.

¿Cuánto dinero llevaba encima? Esa suma era casi la mitad de lo que Morgan le había dado. Pero el portero, al reconocer al alemán de los mostachos, les hizo señas de que pasaran sin cobrarles nada.

Atravesaron una cortina hacia un bar pequeño y oscuro, atestado de antigüedades y cachivaches, carteles de películas y botellas polvorientas.

—¡Otto! —El encargado del bar estrechó la mano a su compañero.

Otto dejó su caja en la barra e indicó a Paul que hiciera otro tanto.

—¿No ibas a entregar una sola caja?

—Es que mi camarada me ha ayudado a cargar con otra; hay diez botellas sólo en ésa. Con esto el total asciende a setenta marcos, ¿verdad?

—He pedido una sola caja. Necesito una sola. Pagaré sólo una.

Mientras los hombres discutían Paul se concentró en la potente voz que surgía de una radio grande, detrás del mostrador: «La ciencia moderna ha descubierto mil maneras de proteger el cuerpo contra las enfermedades. Sin embargo, si usted no aplica estas sencillas normas de higiene, puede enfermar gravemente. Con tantos visitantes extranjeros en la ciudad es posible que haya nuevas cepas de infección. Por eso es vital tener en cuenta las reglas sanitarias».

Acabadas las negociaciones, al parecer a su entera satisfacción, Otto echó un vistazo por la ventana.

—Aún rondan por ahí. Tomemos una cerveza. Le permitiré pagarme una.

Notó que Paul miraba la radio; pese a lo alto del volumen, sólo él parecía prestarle atención.

—Ah, ¿le gusta la voz grave de nuestro ministro de Propaganda? Es dramática, ¿no? Pero visto en persona es un enano. Tengo contactos en toda la calle Wilhelm y todos los edificios del Gobierno. A sus espaldas le llaman «Mickey Mouse». Vayamos a la trastienda, que no soporto esta cháchara. Todos los establecimientos deben tener una radio para transmitir los discursos de los líderes del Partido. Y cuando los transmiten es obligatorio subir el sonido. No hacerlo es ilegal. Aquí tienen la radio delante para cumplir con las reglas, pero el verdadero club está en la trastienda. Diga, ¿prefiere los hombres o las mujeres?

—¿Perdón?

—¿Hombres o mujeres? ¿Qué prefiere?

—No tengo ningún interés en...

—Comprendo, pero como debemos esperar a que los Camisas Pardas se cansen de perseguirlo, dígame, por favor: ¿qué preferiría mirar mientras tomamos esa cerveza a la que tan generosamente ha accedido a invitarme? ¿Hombres que bailan como hombres, hombres que bailan como mujeres o mujeres que bailan como lo que son?

—Mujeres.

—Bien, yo también. Ahora en Alemania ser homosexual está prohibido por la ley. Pero es sorprendente el número de nacionalsocialistas que parecen disfrutar de la mutua compañía, y no sólo para hablar de política. Por aquí.

Atravesó una cortina de terciopelo azul.

La segunda sala era, al parecer, para hombres a los que les gustaban las mujeres. Estaba pintada de negro y decorada con farolillos chinos, cintas de papel y trofeos de caza, tan polvorientos como las banderas nazis que pendían del techo. Se sentaron ante una desvencijada mesa de mimbre.

Paul devolvió a su compañero la gorra de lona, que desapareció en el bolsillo del hombre, junto con las otras.

—Gracias.

Otto inclinó la cabeza.

—Nada, ¿para qué estamos los amigos? —Y buscó con la vista a un camarero, hombre o mujer.

—Regresaré enseguida. —Paul se levantó para ir al baño.

Allí se lavó de la cara las manchas de tierra y sangre; luego se peinó el pelo hacia atrás con loción; así parecía más corto y más oscuro, lo cual le daba un aspecto algo diferente del hombre que buscaban los Camisas Pardas. El corte de la mejilla no era grande, pero a su alrededor se había formado un moretón. Al salir del lavabo se escurrió por detrás del escenario, en busca del camarín de los artistas. En el extremo opuesto un hombre se había sentado a fumar un puro y leer un periódico. Sin que él le prestara la menor atención, Paul hundió el dedo en un pote. De nuevo en el baño, untó la magulladura con el cosmético. Tenía alguna experiencia en cuestiones de maquillaje: todo buen boxeador conoce la importancia de ocultar las lesiones al adversario.

Regresó a la mesa, donde Otto estaba haciendo gestos a la camarera, una morena joven y bonita. Pero la chica estaba atareada. El hombre lanzó un suspiro de irritación y miró a Paul con atención.

—Hombre, es obvio que no eres de aquí, pues no sabes nada de nuestra cultura. Me refiero a la radio. Y a los Camisas de Estiércol; si fueras alemán no los habrías provocado peleando con ellos. Pero hablas perfectamente el idioma. Con un acento muy leve, que no es francés, ni eslavo ni español. ¿A qué raza canina perteneces?

—Te agradezco la ayuda, Otto. Pero hay cosas que prefiero reservarme.

—No importa. He decidido que debes de ser norteamericano o inglés. Norteamericano, probablemente. Lo sé por sus películas... ese modo de armar las frases... Sí, ¿un norteamericano audaz, con buenos cojones? Eres del país de los vaqueros heroicos, que revientan ellos solos a toda una tribu de indios. Pero, ¿dónde se ha metido esa camarera? —Miró alrededor, alisándose los bigotes—. A ver, vamos a presentarnos. Me llamo Otto Wilhelm Friedrich Georg Webber. ¿Y tú...? Claro que tal vez prefieres no decir tu nombre.

—Me parece más prudente.

Webber rió entre dientes.

—Conque has zurrado a tres de ellos, con lo que te has ganado la eterna estima de los Camisas Pardas y de sus bestezuelas.

—¿Quiénes?

—Las Juventudes Hitlerianas. Los chicos que corretean entre los pies de las Tropas de Asalto. —Webber echó un vistazo a los nudillos enrojecidos de Paul—. ¿Es posible que te guste el boxeo, señor Sin Nombre? Tienes aspecto de atleta. Puedo conseguirte entradas para las Olimpíadas. No queda ninguna, como has de saber, pero yo puedo conseguirlas. Asientos para todo el día, en buena ubicación.

—No, gracias.

—También puedo hacerte entrar a una de las fiestas olímpicas. En algunas estará Max Schmeling.

—¿Schmeling? —Paul enarcó una ceja. Admiraba al campeón de peso pesado, el más famoso de Alemania; justo el mes anterior había estado en el Yankee Stadium para ver la pelea de Schmeling con Joe Louis. Para asombro de todos, el alemán derribó al Bombardero de Detroit en el duodécimo *round*. La velada había costado a Paul seiscientos ocho dólares: ocho por el billete y seis de cien por la apuesta perdida.

Webber continuó:

—Irá con su esposa, Anny Ondra. Es bellísima. Actriz, ¿sabes? Pasarás una noche inolvidable. Sería bastante cara, pero eso tiene solución. Tendrás que ir de esmoquin, claro está. También puedo conseguírtelo. Por una pequeña comisión.

—Paso.

—¡Bueno! —murmuró el alemán, como si Paul hubiera cometido el error de su vida.

La camarera se detuvo junto al sicario, sonriéndole.

—Me llamo Liesl. ¿Y tú?

—Hermann —dijo Paul.

—¿Qué te traigo?

—Cerveza para los dos. Para mí una Pschorr.

—*Ach* —exclamó Webber, desdeñando esa elección—. Para mí lager berlinesa, de fermentación baja. Jarra grande.

Ella le echó una mirada fría, como si en alguna ocasión anterior el hombre la hubiera dejado sin propina. Acto seguido miró a Paul fijamente a los ojos; luego le dedicó una sonrisa coqueta y se alejó hacia otra mesa.

—Tiene usted una admiradora, señor No Hermann. Bonita, ¿verdad?

—Muy bonita.

Webber le guiñó un ojo.

—Si quieres, puedo...

—No —replicó Paul con firmeza.

El alemán enarcó una ceja y dirigió su atención hacia el escenario, donde daba vueltas una mujer con el pecho desnudo. Tenía los brazos flácidos y las tetas caídas; aun desde lejos se le veían arrugas en torno a la boca, que mantenía una sonrisa feroz; la mujer se movía al son cascado de un gramófono.

—Aquí, por la tarde, no hay música en vivo —explicó Webber—. Pero por la noche tocan bandas buenas. Metales... me encantan los metales. Tengo un disco que escucho a menudo, de John Philip Sousa, ese gran director británico.

—Lamento informarte que es norteamericano.

—¡No me digas!

—Es la verdad.

—Qué país ha de ser ése, Estados Unidos. Tienen un cine estupendo y millones de automóviles, según se dice. Y ahora me entero de que también tienen a John Philip Sousa.

Paul contempló a la camarera que se aproximaba, meneando las esbeltas caderas. La mujer dejó las cervezas en la mesa. Al parecer, en esos tres o cuatro minutos de ausencia se había puesto más perfume. Paul le devolvió la sonrisa con otra bien grande; luego echó un vistazo a la cuenta. Como no estaba familiarizado con la moneda alemana y no quería llamar la atención contando monedas, le dio un billete de cinco marcos, calculando que sería dos dólares y pico.

Liesl interpretó que la diferencia era su propina y le dio las gracias cogiéndole calurosamente una mano entre las suyas. Él temió que lo besara. No sabía cómo pedirle el cambio; decidió apuntar la pérdida como lección sobre las costumbres alemanas. Con otra mirada de adoración, Liesl se apartó de la mesa, pero de inmediato se puso mohína ante la perspectiva de atender otras. Webber chocó su jarra contra la de Paul y ambos dieron un buen trago.

El alemán lo observó atentamente.

—Dime, ¿a qué triles te dedicas?

—¿Triles?

—Cuando te he visto en el callejón, con esa pistola, he pensado: «*Ach,* este tipo no es soci ni kosi...».

—¿Qué?

—Soci... socialdemócrata. Era un partido político importante hasta que lo prohibieron por ley. Los kosis son los comunistas; no sólo están prohibidos por ley, sino que los han liquidado. No, tú no eres un agitador; eres uno de los nuestros, un trilero, un artista de los negocios oscuros. —Echó una mirada a la sala—. No te preocupes. Mientras no alcemos la voz se puede hablar sin peligro. Aquí no hay micrófonos. Tampoco hay lealtad hacia el Partido entre estas paredes. Al fin y al cabo, siempre es más digna de confianza la verga que la conciencia. Y de conciencia los nacionalsocialistas no tienen ni pizca. Anda, dime, ¿qué triles haces?

—No soy trilero. He venido por las Olimpíadas.

—¿De veras? —Webber le guiñó un ojo—. Este año debe de haber un deporte nuevo que no conozco.

—Soy cronista. Escribo sobre deportes.

—¡Ah!, escribes. Un escritor que pelea con los Camisas Pardas, no dice su nombre, anda por la calle con una Luger de pacotilla y se cambia de ropa para desorientar a sus perseguidores. Y luego se cambia el peinado y se maquilla. —Webber se tocó la mejilla con una sonrisa comprensiva.

—Es que he tropezado con unos Camisas Pardas que estaban atacando a una pareja. Y lo he impedido. En cuanto a la Luger, se la he robado a uno de ellos.

—Sí, sí, lo que tú digas. ¿Conoces a Al Capone?

—Claro que no, hombre —respondió Paul, exasperado.

Webber lanzó un fuerte suspiro, sinceramente desencantado.

—Me mantengo informado sobre los crímenes de Estados Unidos. Como tantos otros, aquí en Alemania. Nos pasamos el rato leyendo novelas de crímenes, ¿sabes? Muchas se desarrollan en Norteamérica. Seguí con mucho interés la historia de John Dillinger. Fue traicionado por una mujer de vestido rojo y lo mataron en un callejón, cuando salían del cine. Menos mal que pudo ver la película antes de que lo mataran. Murió llevándose ese pequeño placer. Aunque habría sido aún mejor que hubiera podido ver la película, emborracharse y acostarse con la mujer antes de que lo mataran. Ésa habría sido una muerte perfecta. Sí: a pesar de lo que digas, creo que eres un verdadero mafioso, señor John Dillinger. ¡Liesl, bella Liesl! ¡Trae más cerveza! Mi amigo va a pagar otras dos.

Webber tenía la jarra vacía; la de Paul aún estaba llena en sus tres cuartas partes.

—No, para mí no —dijo a la camarera—. Sólo para él.

Antes de desaparecer rumbo a la barra ella le arrojó otra mirada de adoración; el brillo de sus ojos y lo esbelto de su silueta le hicieron pensar en Marion. Se preguntó cómo estaría, qué haría en esos momentos. En Estados Unidos eran seis o siete horas menos. «Llámame», había dicho la última vez, convencida de que él iba a Detroit por asuntos de negocios. Paul había descubierto que era posible hacer una llamada telefónica al otro lado del Atlántico, pero costaba casi cincuenta dólares el minuto. Además, ningún sicario competente dejaba semejante pista de su paradero.

Observó a los nazis del público: algunos eran soldados o de la SS, con inmaculados uniformes negros o grises; otros, comerciantes. En su mayoría estaban ebrios; algunos bien avanzados en la borrachera de la tarde. Todos sonreían animosamente, pero parecían aburridos por ese espectáculo pretendidamente sensual tan poco turbador.

Cuando llegó la camarera traía dos cervezas. Puso una frente a Webber, a quien por lo demás no prestó ninguna atención, y dijo a Paul:

—Puede pagar la de su amigo, pero la suya es un regalo mío. —Le tomó la mano para cerrársela en torno al asa—. Veinticinco *pfennigs*.

—Gracias —dijo él; probablemente, con el cambio del billete de cinco habría podido pagar un barril entero. Esta vez le dio un marco.

Ella se estremeció de placer, como si Paul le hubiera puesto un anillo de diamantes, y le dio un beso en la frente

—Que la disfrutes —dijo. Y se fue.

—*Ach,* te ha hecho el descuento para clientes habituales. A mí me cobra cincuenta. Claro que los extranjeros suelen pagar un marco con setenta y cinco.

Webber bebió un tercio de la jarra. Luego se limpió la espuma de los mostachos con el dorso de la mano y sacó un paquete de cigarrillos.

—Éstos son horrorosos, pero me gustan bastante. —Se los ofreció a Paul, pero éste negó con la cabeza—. Son hojas de repollo remojadas en agua de tabaco y nicotina. Ahora es difícil encontrar puros de verdad.

—¿A qué te dedicas? Además de importar vinos.

Webber, riendo, le echó una mirada coquetona. Hizo un esfuerzo por inhalar ese humo acre y luego dijo, pensativo:

—A muchas cosas diferentes. En general, lo que hago es comprar y vender cosas difíciles de conseguir. Últimamente hay mucha demanda de material militar. No me refiero a armas, desde luego, sino a insignias, cantimploras, cinturones, botas, uniformes. Aquí todo el mundo adora los uniformes. Mientras el marido está en el trabajo, la mujer sale a comprarle uniformes, aunque no tenga rango ni afiliación. Hasta los niños los usan, ¡incluso los bebés! Medallas, barras, cintas, charreteras, insignias. Y también los vendo al Gobierno para los soldados de verdad. Ahora hemos vuelto a tener reclutamiento. Nuestro Ejército está aumentando. Necesita uniformes. Y la tela es difícil de conseguir. Yo tengo gente que me vende uniformes; luegos los altero un poco y los vendo al Ejército.

—Los robas a una fuente gubernamental para vendérselos a otra.

—Ay, señor John Dillinger, qué divertido eres. —Miró al otro lado del salón—. Un momento. ¡Hans, ven aquí! ¡Hans!

Apareció un hombre vestido de esmoquin, quien miró a Paul con aire suspicaz. Webber le aseguró que era un amigo. Luego dijo:

—Ha llegado a mis manos una cantidad de manteca. ¿La quieres?

—¿Cuánto?

—¿Cuánta manteca o cuánto cuesta?

—Ambas cosas, desde luego.

—Diez kilos. Setenta y cinco marcos.

—Si es como la de la última vez, quieres decir seis kilos de manteca mezclada con cuatro de aceite de carbón, grasa animal, agua y colorante amarillo. Es demasiado dinero por tan poca manteca.

—Pues te la cambio por dos cajones de champán francés.

—Uno.

—¿Diez kilos por un cajón? —Webber parecía indignado.

—Seis kilos, como he explicado.

—Dieciocho botellas.

El jefe de camareros dijo, encogiéndose de hombros:

—Si le añades colorante, acepto. El mes pasado hubo diez o doce parroquianos que no quisieron tocar tu manteca blanca. ¿Quién podría reprochárselo?

Cuando el hombre se hubo ido, Paul acabó su cerveza y sacó un Chesterfield del atado, siempre maniobrando bajo la mesa, para que nadie viera la marca norteamericana. Hicieron falta cuatro intentos para encender el cigarrillo: las cerillas baratas provistas por el club se rompían una tras otra. Webber las señaló con la cabeza.

—No me las eches en cara, amigo. No las vendí yo.

Después de inhalar profundamente el humo del Chesterfield, Paul preguntó:

—¿Por qué me has ayudado, Otto?

—Porque estabas en aprietos, claro está.

—Haces buenas obras, ¿eh? —El norteamericano enarcó una ceja.

Su compañero se acarició los bigotes.

—Bueno, te seré franco: en estos tiempos las oportunidades son mucho más difíciles de encontrar.

—Y yo soy una oportunidad.

—Quién sabe, señor John Dillinger. Tal vez sí, tal vez no. Si no, no he perdido nada, salvo una hora bebiendo cerveza con un amigo nuevo, lo cual no es pérdida en absoluto. Sí, tal vez ambos podamos extraer beneficios de esto. —Se levantó para acercarse a la ventana y miró por entre las gruesas cortinas—. Creo que ya puedes salir sin peligro. No sé qué haces en nuestra vibrante ciudad, pero es posible que yo sea el hombre que te conviene. Conozco a mucha gente, gente que ocupa puestos importantes. No, no me refiero a los altos cargos, sino a la gente que más conviene conocer en nuestro tipo de trabajo.

—¿Qué gente?

—Gente pequeña, bien situada. ¿Has oído ese chiste sobre el pueblecito de Baviera que reemplazó su veleta por un funcionario? ¿Por qué? Porque los funcionarios saben mejor que nadie de dónde sopla el viento. ¡Ja! —Rió con ganas. Luego volvió a ponerse solemne y vació su jarra de cerveza—. La verdad es que aquí me estoy muriendo. Muero de aburrimiento. Echo de menos los viejos tiempos. Anda, déjame un mensaje o ven a verme. Generalmente estoy aquí. En este salón o en el bar. —Apuntó la dirección en una servilleta y la empujó hacia su compañero.

Paul echó un vistazo al cuadrado de papel; después de memorizar la dirección, se la devolvió.

Webber lo observaba.

—Ah, pero si eres un cronista de deportes muy espabilado, ¿verdad?

Caminaron hacia la puerta. Paul le estrechó la mano.

—Gracias, Otto.

Ya fuera, el alemán le dijo:

—Y ahora adiós, amigo mío. Espero volver a verte. —Luego frunció el entrecejo—. ¿Y yo? Yo debo ponerme a buscar tintura amarilla. *Ach,* mira en qué se ha convertido mi vida. Grasa y colorante.

9

Reinhard Ernst, sentado en su amplio despacho de la Cancillería, repasó nuevamente los descuidados caracteres de la nota:

Cnel. Ernst:
 Espero el informe sobre ese Estudio Waltham que ha decidido preparar. He reservado un rato del lunes para inspeccionarlo.

Adolf Hitler

Limpió las gafas de marco de alambre. Mientras volvía a ponérselas se preguntó qué revelaría esa grafía desordenada sobre quien la había escrito. La forma, en particular, era llamativa. «Adolf» era un relámpago comprimido; «Hitler», aunque un poco más legible, se inclinaba extraña y marcadamente hacia abajo y hacia la derecha.

Ernst giró en su silla para mirar por la ventana. Se sentía como un comandante de ejército que, aun enterado de que el enemigo se acerca y va a atacar, no sabe cuándo, con qué tácticas, dónde establecerá las líneas de ataque, de dónde procederá la maniobra. Era consciente de que la batalla sería decisiva, y de que el destino de sus ejércitos, mejor dicho, del país entero, estaba en juego.

No exageraba la gravedad de su dilema, pues Ernst sabía de Alemania algo que pocos percibían y no estaban dispuestos a admitir en voz alta: que Hitler no detentaría el poder por mucho tiempo.

El Líder tenía demasiados enemigos, tanto dentro como fuera del país. Era César, era Macbeth, era Ricardo. Cuando su locura se agotara sería expulsado o asesinado; incluso era posible que muriera por su propia mano, tan asombrosamente maníacos eran sus ataques de ira. Y tras su muerte otros llenarían el inmenso vacío. No sería Göring, tampoco: sus apetitos físicos y anímicos conspiraban en su contra para arruinarlo. Ernst pensaba que, desaparecidos los dos líderes (y con Goebbels llorando a Hitler, su amor perdido), los nacionalsocialistas se marchitarían. Entonces emergería un estadista prusiano de centro: otro Bismarck, tal vez imperial, pero razonable y brillante.

Y hasta era posible que Ernst tuviera algo que ver con esa transformación. Pues a falta de una bala o una bomba, la única amenaza segura contra Adolf Hitler y el Partido era el Ejército alemán.

En junio del año 34, durante la llamada Noche de los Cuchillos Largos, Hitler y Göring habían asesinado o arrestado a gran parte de la plana mayor de las Tropas de Asalto. Se consideró que la purga era necesaria, sobre todo para apaciguar al Ejército regular, celoso de la enorme milicia de los Camisas Pardas. Hitler había sopesado por un lado a la horda de matones; por el otro, a los militares alemanes, herederos directos de los batallones Hohenzollern del siglo XIX. Y sin un momento de vacilación eligió a los últimos. Dos meses después, a la muerte del presidente Hindenburg, dio dos pasos para cimentar su posición. Primero, se declaró líder sin restricciones de la nación. Segundo (y mucho más importante), requirió que las Fuerzas Armadas alemanas pronunciaran un juramento personal de lealtad a él.

Tocqueville había dicho que en Alemania nunca habría una revolución, pues la policía no lo permitiría. No, a Hitler no le preocupaba la posibilidad de un alzamiento popular; su único miedo era el Ejército.

Y era a ese Ejército nuevo y preclaro al que Ernst había dedicado su vida desde el fin de la guerra. Un ejército que protegiera a Alemania y a sus ciudadanos de todas las amenazas, tal vez hasta del mismo Hitler, en último término.

Sin embargo, se dijo, Hitler aún no había desaparecido y él no podía permitirse el lujo de ignorar al autor de esa nota, que lo atribulaba tanto como el rumor distante de los vehículos blindados aproximándose en la noche.

«Cnel. Ernst: Espero el informe...»

Había albergado la esperanza de que la intriga iniciada por Göring se diluyera, pero ese delgado trozo de papel significaba que no era así. Comprendió que debía actuar rápido y prepararse para repeler el ataque.

Después de un debate difícil, el coronel tomó una decisión. Se guardó la carta en el bolsillo y se levantó del escritorio para abandonar la oficina. Dijo a su secretaria que regresaría en media hora.

Recorrió un pasillo y luego otro, pasando junto a los ubicuos trabajos de refacción de ese edificio viejo y polvoriento. Por doquier había obreros, atareados a pesar de ser fin de semana. La construcción era la gran metáfora de la Nueva Alemania: una nación que surgía de entre las cenizas de Versalles, reconstruida según la filosofía hitleriana, tantas veces citada, de «alinear» con el nacionalsocialismo a todos los ciudadanos y todas las instituciones del país.

Un pasillo más, bajo un severo retrato del Líder en escorzo, con la vista algo elevada, como ante una visión del glorioso futuro del país.

Ernst salió al viento arenoso, calentado por el ardiente sol de la tarde.

—*Heil,* coronel.

Saludó con una inclinación de cabeza a los dos guardias armados con máuser con bayonetas. El saludo le divertía. Era costumbre llamar por su título completo a quienes tuvieran un rango próximo al gabinete, pero eso de «señor plenipotenciario» resultaba incómodo e irrisorio.

Bajó por la calle Wilhelm hasta dejar atrás la Voss y la Príncipe Albrecht; a la altura del número 8 dirigió un vistazo a la derecha: la sede principal de la Gestapo, en el antiguo hotel y Escuela de Artes y Oficios. Continuó en dirección sur, hasta su cafetería favorita, donde pidió un café. Permaneció allí sólo un momento antes de ir a la cabina telefónica. Marcó un número y, después de introducir algunas monedas en la ranura, obtuvo conexión.

Atendió una voz de mujer.

—Buenos días.

—Buenos días, ¿la señora Keitel?

—No, señor. Soy la asistenta.

—¿Puede llamar al doctor-profesor Keitel? Soy Reinhard Ernst.

—Un momento, por favor.

Instantes después llegó por la línea una suave voz masculina.

—Buen día, coronel, aunque caluroso.

—La verdad es que sí, Ludwig... Hemos de vernos. Hoy mismo. Ha surgido un asunto urgente con respecto al estudio. ¿Estarás disponible?

—¿Urgente?

—Muchísimo. ¿Puedes venir a mi oficina? No puedo abandonar mi despacho, pues espero novedades de Inglaterra sobre ciertos asuntos. A las cuatro de la tarde, ¿te va bien?

—Sí, por spuesto.

Cortaron y Ernst volvió a su café.

¡A qué medidas ridículas debía recurrir, simplemente para usar un teléfono que no estuviera pinchado por los sirvientes de Göring! «He visto la guerra desde dentro y desde fuera», pensó. «El campo de batalla es horroroso, sí, horroroso hasta lo inconcebible. Pero cuán pura y limpia es la guerra, aun angelical, comparada con una lucha en la que no tienes a los enemigos enfrente, sino a tu lado»

Desde el centro de Berlín hasta la Villa Olímpica había veintitrés kilómetros de carretera amplia y perfectamente nivelada. El taxista silbaba alegremente; contó a Paul Schumann que esperaba hacer muchos viajes bien pagados durante esas Olimpíadas.

De pronto el hombre enmudeció; de la radio surgía una poderosa música clásica. El Opel estaba equipado con dos: una para informar al taxista de dónde se le requería y la otra para las transmisiones públicas.

—Beethoven —comentó el conductor—. Precede a todas las transmisiones oficiales. Escuchemos.

Un momento después la música se desvaneció poco a poco y una voz ronca, apasionada, comenzó a hablar:

«En primer lugar, no es aceptable tratar con frivolidad esta cuestión de las infecciones; es necesario comprender que la buena salud podría depender, y en verdad depende, de hallar maneras de tratar, no sólo los síntomas de la enfermedad, sino también su fuente. Miremos las aguas contaminadas de un estanque, campo de cultivo para los gérmenes. Pero un río caudaloso no ofrece el mismo clima para esos peligros. Nuestra campaña continuará localizando y secando estos charcos estancados, para que los gérmenes, así como los mosquitos y las moscas que los portan, no tengan lugar donde multiplicarse. Más aún...»

Paul escuchó durante un momento más, pero aquellas divagaciones repetitivas lo aburrían. Cerró los oídos a esa cháchara sin sentido para contemplar el paisaje bañado de sol, las casas, las posadas, los bonitos suburbios del oeste de la ciudad, que daban paso a zonas menos pobladas. El conductor abandonó la autovía de Hamburgo y se detuvo frente a la entrada principal de la Villa Olímpica. Paul le pagó. El hombre le dio las gracias enarcando una ceja, pero no dijo nada; permanecía prendido de las palabras que manaban de la radio. Schumann pensó pedirle que esperara, pero decidió que sería más prudente buscar a otro para que lo llevara de regreso a la ciudad.

La Villa ardía bajo el sol de la tarde. El viento olía a salitre, como el aire del océano, pero era seco como alumbre y venía cargado de una arenilla fina. Paul mostró su pase y continuó caminando; el sendero, perfectamente trazado, pasaba junto a hileras de árboles distribuidos a espacios regulares, que se elevaban en línea recta desde el centro de redondos discos de mantillo tendidos en el césped verde y perfecto. La bandera alemana ondeaba elegante en el viento caliente: roja, blanca y negra.

«*Ach,* sin duda usted sabe...».

Ya en la residencia de los norteamericanos, esquivando la zona de recepción y a su soldado alemán, se deslizó hasta su cuarto por la puerta trasera. Después de cambiarse hundió la chaqueta verde en un cesto lleno de ropa sucia, puesto que no había cloacas a mano; se puso pantalones de franela de color crema, una camisa de tenis y un suéter ligero. Luego se peinó el pelo de otra manera, hacia un lado. El maquillaje había desaparecido, pero eso no tenía remedio. Cuando salía con su maleta y el portafolio una voz le llamó:

—Eh, Paul.

Al levantar la vista se encontró con Jesse Owens, que regresaba a la residencia vestido con ropa de gimnasia.

—¿Qué haces? —preguntó Owens.

—Voy a la ciudad. Debo trabajar.

—Esperábamos que te quedaras. Anoche te perdiste una buena ceremonia. ¡Hay que ver la comida que sirven aquí! Estupenda.

—Ya sé que es fantástica, pero tengo que irme. Debo hacer unas entrevistas en la ciudad.

Owens se acercó un poco más e hizo un gesto al ver el corte y el moretón que Paul tenía en la cara. Luego su vista aguda bajó a los nudillos, que estaban enrojecidos por la pelea.

—Espero que tus otras entrevistas vayan mejor que la de esta mañana. Parece que en Berlín escribir sobre deporte es oficio peligroso.

—Ha sido una caída. Nada grave.

—Para ti tal vez no —comentó el atleta, divertido—. Pero, ¿para el tipo sobre el que has caído?

Paul no pudo evitar una sonrisa. El corredor era sólo un muchacho, pero tenía un aire mundano. Tal vez ser negro en el sur o en el Medio Oeste te hacía madurar más rápido. Igual que costearse uno mismo los estudios en plena Depresión.

De la misma forma que su terrible oficio le había cambiado a él bien pronto.

—¿Qué es lo que haces aquí, Paul? —susurró el corredor.

—Sólo hago mi trabajo —respondió él lentamente—. Nada más. Oye, ¿qué se sabe de Stoller y Glickman? Espero que no los hayan descalificado.

—No, todavía figuran como participantes. —Owens frunció el entrecejo—. Pero corren rumores feos.

—Que tengan suerte. Y tú también, Jesse. A ver si nos llevan una medalla de oro.

—Haremos lo posible. ¿Nos veremos después?

—Tal vez.

Paul le estrechó la mano y se alejó hacia la entrada de la Villa, donde aguardaba una fila de taxis.

—Eh, Paul.

Se volvió. El hombre más veloz del mundo le despedía, con una enorme sonrisa.

El sondeo entre los vendedores y la gente sentada en los bancos de la calle Rosenthaler había resultado inútil (no obstante, Janssen confirmó que había aprendido varias palabrotas nuevas cuando una florista entendió que la estaba importunando, no para comprar algo, sino para hacer preguntas). Kohl descubrió que se había producido un tiroteo a poca distancia, pero se trataba de un asunto de la SS, quizá uno de sus «asuntos menores de seguridad» tan celosamente guardados, y ninguno de la guardia de élite se dignaría hablar de eso con los de la Kripo.

Sin embargo, al regresar al cuartel general descubrieron que había ocurrido un milagro: en el despacho de Willi Kohl estaban las fotografías de la víctima y de las huellas digitales encontradas en el pasaje Dresden.

—Mire esto, Janssen —dijo el inspector, señalando con un gesto las lustrosas copias pulcramente alineadas.

Se sentó ante el maltrecho escritorio que tenía en el Alex, el enorme y vetusto edificio de la Kripo, así apodado en honor de la plaza y el vecindario que lo rodeaba: Alexanderplatz. Al parecer se estaban remozando todos los edificios del Estado, salvo ése. La Policía Criminal seguía alojada desde hacía años en la misma construcción decrépita. De cualquier modo a Kohl no le molestaba, pues estaba a cierta distancia de la calle Wilhelm, lo cual brindaba al organismo cierta autonomía práctica, aunque en lo administrativo ya no tuviera ninguna.

Además podía considerarse afortunado por tener despacho propio, un cuarto de cuatro metros por seis con escritorio, mesa y tres sillas. Sobre el sencillo roble de la mesa había miles de hojas, un cenicero, un portapipas y diez o doce fotografías enmarcadas de su esposa, sus hijos y sus padres.

Se inclinó hacia delante en la chirriante silla de madera para inspeccionar las fotografías de la escena del crimen y las de las impresiones dactilares.

—Usted tiene talento, Janssen. Éstas son bastante buenas.

—Gracias, señor. —El joven las miraba, asintiendo con la cabeza.

Kohl lo observó con atención. Él había ido ascendiendo de rango por la vía tradicional. Cuando era niño, aunque era hijo de un agricultor prusiano, le fascinaban Berlín y el trabajo policial por los libros que leía. A los dieciocho años llegó a la gran ciudad y consiguió empleo como oficial uniformado de la Schupo; después de cursar el entrenamiento básico en el famoso Instituto Policial de Berlín, ascendió a cabo y a sargento; mientras tanto obtuvo un certificado de estudios universitarios. Después, ya casado y con dos hijos, pasó a la Escuela de Oficiales y se incorporó a la Kripo, donde con el correr de los años ascendió de inspector auxiliar a inspector jefe.

Su joven protegido, en cambio, seguía un camino diferente, mucho más común en los nuevos tiempos. Varios años atrás Janssen se había graduado en una buena universidad; después de aprobar el examen eliminatorio de Jurisprudencia y estudiar en el instituto policial, a esa temprana edad había sido aceptado como aspirante a inspector, bajo la dirección de Kohl.

A menudo era difícil hacerlo hablar; Janssen era reservado. Estaba casado con una morena robusta y esperaban el segundo hijo. El joven sólo se animaba cuando hablaba de su familia y de su pasión por el ciclismo y las caminatas. Hasta que la proximidad de las Olimpíadas obligó a toda la policía a trabajar tiempo extra, los inspectores trabajaban los miércoles sólo media jornada; a mediodía Janssen solía ponerse los pantalones cortos en un lavabo de la Kripo y salía a caminar con su hermano o con su esposa.

Cualesquiera que fuesen sus aficiones, el hombre era inteligente y ambicioso; Kohl se consideraba muy afortunado por poder contar con él. Desde hacía varios años la Kripo sufría una hemorragia de oficiales con talento que pasaban a la Gestapo, donde el sueldo era mejor y había más oportunidades. Cuando Hitler llegó al poder la Kripo tenía doce mil detectives en todo el país; ahora ese número había descendido a ocho mil. Y de éstos, muchos eran antiguos investigadores de la Gestapo, transferidos a cambio de jóvenes oficiales; y a decir verdad, en su mayoría eran borrachines incompetentes.

Sonó el teléfono. Él atendió.

—Aquí Kohl.

—Inspector, soy Schreiber, el empleado con quien usted ha hablado hoy. *Heil* Hitler.

—Sí, sí, *Heil*. —En el trayecto de regreso al Alex desde el Jardín Estival, Kohl y Janssen se habían detenido en Tietz, la gran tienda que dominaba el costado norte de la Alexanderplatz, cerca del cuartel general de la Kripo. En la sección de artículos para caballeros, el jefe había mostrado al empleado la foto de Göring, preguntando qué clase de sombrero era ése. El hombre no lo sabía, pero prometió averiguarlo—. ¿Ha tenido suerte? —le preguntó Kohl.

—*Ach,* sí, sí, ya tengo la respuesta. Es un Stetson. Fabricado en Estados Unidos. Como usted sabe, el ministro Göring tiene un gusto excelente.

El inspector no hizo comentarios sobre eso.

—¿Es un sombrero común aquí?

—No, señor. Bastante raro. Y caro, como usted puede imaginar.

—¿Dónde se pueden comprar en Berlín?

—En verdad, señor, no lo sé. Me han dicho que el ministro los encarga especialmente a Londres.

Kohl le dio las gracias y cortó. Luego dijo a Janssen lo que acababa de saber.

—Quizá el hombre es norteamericano —dijo su ayudante—. Pero tal vez no, puesto que Göring usa el mismo tipo de sombrero.

—Un pequeño acertijo, Janssen. Pero ya descubrirá que muchas piezas pequeñas suelen brindar una imagen del crimen más clara que una sola pieza grande. —Sacó del bolsillo los sobres con las pistas y seleccionó el que contenía la bala.

La Kripo tenía su propio laboratorio forense, que databa de los tiempos en que la fuerza policial prusiana había sido la más importante de la nación (o acaso del mundo: en los días de la Weimar la Kripo resolvía el noventa y siete por ciento de los homicidios de Berlín). Pero también el laboratorio había sido saqueado por la Gestapo, tanto en cuanto a equipo como a personal; los técnicos que trabajaban en el cuartel general estaban sobrecargados de trabajo y eran mucho menos competentes que antes. Por ende Willi Kohl había asumido la responsabilidad de adquirir pericia en ciertos aspectos criminológicos. Pese a la falta de interés personal por las armas de fuego, había hecho un verdadero estudio de balística, imitando el enfoque del mejor laboratorio del mundo: el del FBI de Washington, dirigido por J. Edgar Hoover.

Hizo caer la bala en una hoja de papel limpio y, con el monóculo en un ojo, buscó un par de pinzas para examinarla minuciosamente.

—Mire usted, que tiene mejor vista —pidió.

El aspirante a inspector cogió cuidadosamente la bala y el monóculo, mientras Kohl retiraba una carpeta del estante. Contenía fotografías y dibujos de muchos tipos de balas. Era un archivador grande, de varios cientos de páginas, pero el inspector lo había organizado por calibres y por número de surcos y planos (las bandas dejadas en el proyectil de plomo por el cañón) y por su torsión hacia la derecha o la izquierda. Apenas cinco minutos después Janssen halló una que coincidía.

—Bien, ésa es una buena noticia —dijo Kohl.

—¿Por qué?

—Nuestro homicida ha utilizado un arma fuera de lo común. Es una nueve milímetros de cartucho largo. Muy probablemente del modelo A de la Spanish Star. Es rara, por suerte para nosotros. Y tal como usted ha señalado, es un arma nueva o muy poco usada. Roguemos que sea lo primero. Usted que maneja bien las palabras, Janssen: por favor, envíe un telegrama a todos los distritos policiales de la zona. Que pregunten en las armerías si en alguna se ha vendido en los últimos meses una Star Modelo A, nueva o poco usada, o municiones para esa arma. No: que sea en el último año. Quiero el nombre y la dirección de todos los compradores.

—Sí, señor.

El joven aspirante a inspector apuntó la información. Cuando salía hacia la sala de teletipos Kohl añadió:

—Espere: añada a su mensaje, como posdata, una descripción de nuestro sospechoso. Y aclare que va armado. —El inspector recogió las fotografías más claras de las huellas digitales del sospechoso y la tarjeta con las de la víctima. Luego suspiró—. Y ahora debo tratar de actuar con diplomacia. *Ach*, cómo detesto hacer eso.

10

Lo siento, inspector Kohl, pero en el departamento estamos ocupados.

—¿Todos?

—Sí, señor —dijo el hombre, un calvo flaco, de traje ceñido, abotonado hasta muy arriba—. Hace varias horas se nos ordenó interrumpir todas las investigaciones para compilar una lista de todas las personas de origen ruso o marcado aspecto de serlo.

Estaban en el vestíbulo de la gran división de Identificación de la Kripo, donde se realizaban los análisis de huellas digitales y de antropometría.

—¿De toda la población de Berlín?

—Sí. Hay un aviso de alerta.

Ah, otra vez ese asunto de seguridad, el que Krauss había considerado demasiado insignificante como para mencionarlo a la Kripo.

—¿Y utilizan expertos en huellas digitales para revisar archivos personales? ¿Nuestros propios expertos, nada menos?

—Abandonarlo todo —replicó el hombrecito de los botones—: Ésas han sido las órdenes que he recibido. Del cuartel general de la Sipo.

«De nuevo Himmler», pensó Kohl.

—Por favor, Gerhard, que esto es muy importante. —Le mostró la tarjeta con las impresiones digitales y las fotos.

—Buenas imágenes —comentó Gerhard al examinarlas—. Muy claras.

—Ponga a tres o cuatro expertos a analizarlas, por favor. Es todo lo que le pido.

Una risa demacrada cruzó la cara del funcionario.

—No puedo, inspector. ¿Tres? Imposible.

Kohl se sintió frustrado. Como estudioso de la ciencia criminalística extranjera, miraba con envidia a Estados Unidos e Inglaterra, donde la identificación forense ya se hacía casi exclusivamente por medio del análisis de las impresiones digitales. En Alemania también se las usaba para la identificación; no obstante, a diferencia de los norteamericanos, allí no tenían un sistema uniforme para el estudio de las huellas; cada zona del país lo hacía de manera diferente. Un policía de Wesfalia podía analizar una impresión de determinada manera; un oficial de la Kripo berlinesa lo haría de otro modo. Si se enviaban las muestras de un lado a otro era posible lograr una identificación, pero el procedimiento solía requerir semanas enteras. Hacía tiempo que Kohl apoyaba la unificación de ese análisis en todo el país, pero encontraba una resistencia y un letargo notables. También había instado a su supervisor a comprar a Estados Unidos algunas máquinas de telefoto, magníficos artefactos que podían, con notable claridad y en pocos minutos, transmitir por las líneas telefónicas facsímiles de fotos e imágenes, tales como las de huellas digitales. Pero eran bastante costosas; su jefe había rechazado la solicitud sin siquiera discutir el asunto con el jefe de la policía.

Más preocupante aún para Kohl era el hecho de que, desde que los nacionalsocialistas tenían el poder, las huellas digitales tenían menos importancia que el anticuado sistema de antropometría Bertillon, por el cual se identificaba a los criminales por las medidas del cuerpo, la cara y la cabeza. Kohl, como la mayoría de los investigadores modernos, rechazaba el análisis de Bertillon por ser difícil de manejar; en verdad cada persona tenía una estructura física muy diferente de la de cualquier otra, pero se requerían decenas de mediciones exactas para categorizar a alguien. Y a diferencia de las impresiones dactilares, rara vez los delincuentes dejaban en la escena del crimen impresiones físicas suficientes como para poder vincularlo al lugar por medio de los datos de Bertillon.

Pero el interés de los nacionalsocialistas por la antropometría iba más allá de la simple identificación. Era clave para lo que ellos denominaban «ciencia» de la criminobiología: categorizar a la gente como criminal, independientemente de su conducta, sólo por sus características físicas. Cientos de hombres de la Gestapo y la SS dedicaban todo su tiempo a correlacionar el tamaño de la nariz y el tono de la piel, por ejemplo, con la proclividad a cometer un delito. El objetivo de Himmler no era poner a los criminales ante la justicia, sino eliminar el crimen antes de que se produjera.

A los ojos de Kohl, eso era tan estúpido como terrorífico.

Mientras echaba un vistazo a esa enorme sala, llena de hombres y mujeres inclinados sobre los documentos en torno a mesas largas, decidió que de nada serviría la diplomacia que había invocado durante el trayecto. Se requería una táctica diferente: el engaño.

—Muy bien. Dígame en qué fecha podrá iniciar su análisis. Necesito algo que pueda decir a Krauss. Hace horas que me importuna.

Una pausa.

—¿Pietr Krauss? ¿Nuestro Krauss?

—Krauss, el de la Gestapo, sí. Le diré... ¿Qué debo decirle, Gerhard? ¿Que esto tardará una semana, diez días?

—¿La Gestapo está involucrada?

—Krauss y yo hemos investigado juntos la escena del crimen. —Eso, al menos, era cierto. Poco más o menos.

—Es posible que este incidente esté relacionado con la situación de seguridad —reflexionó el hombre, ya intranquilo.

—Creo que sí. Estas huellas podrían ser del ruso en cuestión.

El experto no dijo nada, pero observó las fotos. ¿Por qué usaría un traje tan estrecho, si era tan flaco?

—Entregaré estas copias a un experto. Lo llamaré en cuanto tenga algún resultado, Kohl.

—Le agradezco cualquier cosa que usted pueda hacer —dijo el inspector, mientras pensaba: «*Ach*, un solo examinador. Será casi inútil, a menos que tenga la suerte de hallar una coincidencia».

Después de dar las gracias al técnico subió nuevamente la escalera hasta su piso. Allí entró en el despacho de Friedrich Horcher, su superior, que era el jefe de los inspectores de Berlín-Potsdam.

Ese hombre delgado y canoso, de anticuados mostachos encerados, había sido en sus primeros tiempos un buen investigador, que había capeado bien las marejadas de la reciente política alemana. Con respecto al Partido tenía una posición ambivalente; había sido miembro secreto en los días terribles de la inflación, pero luego renunció debido al extremismo de Hitler. Sólo en tiempos recientes había vuelto a incorporarse, quizá de mala gana, arrastrado inexorablemente por el curso que tomaba la nación. O quizá era un verdadero converso. Kohl no tenía ni idea de cómo eran las cosas.

—¿Cómo marcha el caso, Willi? El del pasaje Dresden.

—Lento, señor. —Añadió con aire lúgubre—: Al parecer los recursos están ocupados. Nuestros propios recursos.

—Sí, hay algo, una especie de alerta.

—Ya veo.

—¿Sabe algo de eso? —preguntó Horcher.

—No, nada.

—Aun así estamos bajo presión. Creen que todo el mundo los está mirando y que un cadáver cerca del Tiergarten puede arruinar para siempre la imagen de nuestra ciudad. —En el rango de Horcher la ironía era un lujo peligroso; Kohl no detectó nada de eso en la voz del hombre—. ¿Algún sospechoso?

—Algunos detalles de su aspecto, pequeñas claves. Eso es todo.

El jefe ordenó los papeles que tenía en el escritorio.

—Sería conveniente que el perpetrador fuera...

—¿... extranjero? —propuso Kohl.

—Exactamente.

—Ya veremos... Me gustaría hacer una cosa, señor. La víctima aún no ha sido identificada. Eso es una desventaja. Me gustaría publicar su foto en *El Observador del Pueblo* y en el *Journal,* para ver si alguien lo reconoce.

Horcher rió.

—¿La foto de un cadáver en el diario?

—No saber quién es la víctima es una gran desventaja para la investigación.

—Plantearé el asunto a la Oficina de Propaganda. Veremos qué dice el ministro Goebbels. Habrá que pedir su autorización.

—Gracias, señor. —Kohl se volvió para partir, pero se detuvo—. Algo más, inspector jefe. Aún espero ese informe de Gatow. Ya ha pasado una semana. Se me ha ocurrido que tal vez lo recibiera usted.

—¿Qué pasó en Gatow? Ah, ese tiroteo.

—Dos —corrigió Kohl—. Dos tiroteos.

En el primero dos familias, que almorzaban al aire libre junto al río Havel, al sudoeste de Berlín, habían sido asesinadas a disparos: siete personas, incluidos tres niños. Al día siguiente se había producido una segunda matanza: ocho trabajadores que vivían en casas rodantes, entre Gatow y Charlottenburg, el exclusivo barrio que se levantaba al oeste de Berlín.

El comandante policial de Gatow, que nunca había manejado un caso así, hizo que uno de sus gendarmes llamara a la Kripo para pedir ayuda. Raul, un oficial joven y con iniciativa, habló con Kohl y le envió al Alex fotos de la escena del crimen. Willi Kohl, pese a haberse curtido en las investigaciones de homicidios, quedó espantado al ver asesinadas a madres con sus hijos. La Kripo tenía jurisdicción sobre todos los delitos de Alemania que no fueran políticos y él quería convertir esos casos en asunto prioritario.

Pero la jurisdicción local y la asignación de recursos eran dos asuntos muy diferentes, sobre todo en estos crímenes, donde las víctimas eran, según le informó Raul, respectivamente judías y polacas.

—Dejaremos que se encargue la gendarmería de Gatow —le había dicho Horcher la semana anterior.

—¿De homicidios de esta magnitud? —se había extrañado Kohl, a la vez atribulado y escéptico. Los gendarmes suburbanos y rurales investigaban accidentes de tránsito y robos de ganado. Y Wilhelm Meyerhoff, el jefe de la policía de esa comarca, era un funcionario perezoso y tonto, incapaz de encontrar sin ayuda el *zwieback* de su desayuno.

Por eso Kohl había insistido hasta obtener de Horcher permiso para revisar siquiera el informe sobre la escena del crimen. Llamó a Raul, lo instruyó sobre técnicas básicas de investigación y le pidió que entrevistara a los testigos. El gendarme había prometido enviarle un mensaje en cuanto su superior lo aprobara. Kohl había recibido sólo las fotografías, sin ningún otro material.

Horcher le dijo:

—No me he enterado de nada, Willi. Pero, ¡hombre! ¿Judíos? ¿Polacos? Tenemos otras prioridades.

Kohl respondió, pensativo:

—Por supuesto, señor. Comprendo. Sólo me preocupa que los kosis se nos escapen.

—¿Los comunistas? ¿Qué tiene que ver esto con ellos?

—La idea no se me ocurrió hasta que vi las fotografías. Pero observé que había algo organizado en esas muertes... y no hubo ningún intento de cubrirlas. A mi modo de ver, los homicidios fueron demasiado obvios. Casi parecían escenificados.

Horcher analizó aquello.

—¿Cree usted que los kosis querían presentar las cosas como si detrás de los homicidios estuvieran la SS o la Gestapo? Sí, es una idea interesante, Willi. Esos rojos cabrones serían muy capaces de rebajarse a tanto.

Kohl añadió:

—Sobre todo con toda la prensa extranjera en la ciudad, por las Olimpíadas. A los kosis les encantaría mancillar nuestra imagen a los ojos del mundo.

—Miraré ese informe, Willi. Y haré algunas llamadas. Buena idea.

—Gracias, señor.

—Ahora vaya a resolver ese caso del pasaje Dresden. Si nuestro jefe de policía quiere una ciudad libre de máculas, la tendrá.

Kohl regresó a su despacho y se sentó pesadamente en la silla; mientras se masajeaba los pies miró fijamente las fotografías de las dos familias asesinadas. Lo que había dicho a Horcher era una tontería. Fuera lo que fuese lo que había pasado en Gatow no era una conspiración comunista. Pero los nacionalsocialistas tendían a las conspiraciones como los cerdos al lodo. Había que entrar en esos juegos. *¡Ach,* qué tristes lecciones había recibido desde enero del año treinta y tres!

Volvió a poner las fotos en la carpeta rotulada *Gatow/Charlottenburg* y la dejó a un lado. Luego guardó en una caja los sobres con las pistas recogidas esa tarde y escribió en ella: *Incidente Pasaje Dresden*. Agregó las fotografías de las huellas digitales, de la escena del crimen y la víctima, y puso la caja en un sitio visible de su despacho.

Cuando llamó al médico forense le dijeron que el doctor había salido por un café. Su asistente le dijo que ya había llegado desde el pasaje Dresden el cadáver sin identificar A 25-7-36-Q, pero que no sabía cuándo lo examinarían. Esa noche, posiblemente. Kohl hizo un gesto ceñudo. Había albergado la esperanza de que la autopsia estuviera cuanto menos en marcha, si no acabada. Cortó.

Regresó Janssen.

—Los teletipos ya han sido enviados a los distritos, señor. He dicho que era urgente.

—Gracias.

Sonó su teléfono y él atendió. Era nuevamente Horcher.

—Willi, el ministro Goebbels ha dicho que no podemos publicar en el diario la foto del muerto. He intentado convencerlo empleando toda mi persuasión, se lo aseguro. Creía poder lograrlo, pero al fin no he tenido éxito.

—Bueno, gracias, inspector jefe. —Cortó, pensando cínicamente: «Toda su persuasión, sí, claro». Hasta dudaba de que hubiera hecho esa llamada.

Kohl repitió al aspirante a inspector lo que había dicho el jefe.

—*Ach,* y pasarán días, semanas quizá, hasta que algún experto en huellas digitales pueda siquiera reducir posibilidades sobre las huellas que hemos encontrado. Janssen, coja esa fotografía de la víctima... No, no, la otra, ésa en que no parece tan muerto. Llévela al departamento de impresión. Que impriman quinientas copias. Dígales que tenemos muchísima prisa. Que es un caso conjunto de la Kripo y la Gestapo. Al menos sacaremos provecho del inspector Krauss, ya que nos ha hecho llegar tarde al Jardín Estival. Cosa que aún me tiene perturbado, debo reconocerlo.

—Sí, señor.

Diez minutos después, cuando su ayudante acababa de regresar, sonó el teléfono una vez más. Kohl levantó el auricular.

—Sí, aquí Kohl.

—Soy Georg Jaeger. ¿Cómo estás?

—¡Georg! Estoy bien. Trabajando en sábado, aunque esperaba ir con mi familia al Lustgarten. Pero así son las cosas. ¿Y tú?

—También trabajando. Siempre trabajando.

Algunos años antes Jaeger había sido el protegido de Kohl. Era un detective de mucha valía; al llegar el Partido al poder lo habían invitado a incorporarse a la Gestapo. Él se negó; al parecer, su rotundo rechazo había ofendido a algunos funcionarios: lo mandaron nuevamente a la uniformada Policía del Orden; para un detective de la Kripo era bajar un peldaño. Sin embargo, Jaeger se destacó también en ese nuevo trabajo y pronto ascendió hasta la jefatura del distrito Orpo, la zona norte del Berlín central; lo irónico era que se lo veía mucho más feliz en ese territorio olvidado que en el Alex, plagado de intrigas.

—Te llamo con la esperanza de brindarte una ayuda, profesor.

Kohl rió, recordando que así lo llamaba Jaeger en los tiempos en que trabajaban juntos.

—¿De qué se trata?

—Acabamos de recibir un telegrama sobre el sospechoso de un caso en el que estás trabajando.

—Sí, sí, Georg. ¿Has hallado ya alguna armería que haya vendido una Star Modelo A?

—No, pero me he enterado de que unos SA se han quejado de que un hombre los atacó en una librería de la calle Rosenthaler, no hace mucho. Responde a la descripción de tu mensaje.

—*Ach,* Georg, esto sí que es una ayuda. ¿Puedes pedirles que se reúnan conmigo en el sitio del ataque?

—No querrán colaborar, los muy estúpidos, pero si están en mi distrito los mantengo a raya. Me encargaré de que vayan. ¿Cuándo?

—Ahora. Inmediatamente.

—A tus órdenes, profesor. —Jaeger le dio la dirección de la calle Rosenthaler. Luego preguntó—: Oye, ¿cómo marchan las cosas en el Alex?

—Sería mejor reservar esa conversación para otra oportunidad, bebiendo *schnapps* y cerveza.

—Sí, por supuesto —aceptó el comandante de la Orpo, intuyendo sin duda que Kohl no quería discutir ciertos asuntos por teléfono.

Y así era, en verdad. Sin embargo, los motivos que tenía el inspector para poner fin a la llamada no se relacionaban tanto con intrigas como con su urgente necesidad de hallar al hombre que usaba el mismo tipo de sombrero que Göring.

—*Ach* —murmuró el Camisa Parda, sarcástico—, ¿un detective de la Kripo viene a ayudarnos? ¡Mirad, camaradas! ¡Esto sí que es raro!

El hombre medía más de dos metros y, como tantos de ese cuerpo, era bastante fornido: tanto por haber sido jornalero antes de incorporarse a la SA como por la incesante y estúpida práctica de desfilar que ahora hacía. Estaba sentado en el cordón de la acera, con el sombrero pardo en forma de lata colgándole de los dedos.

Otro Camisa Parda, más bajo pero igualmente fornido, esperaba apoyado contra la fachada de una pequeña tienda de comestibles. El letrero del escaparate anunciaba: «Hoy no hay manteca ni carne». Al lado había una librería con el escaparate destrozado. La acera estaba sembrada de cristales y libros rotos. El segundo hombre, con una mueca de dolor, se apretó la muñeca vendada. Un tercero permanecía sentado aparte, mohíno, con manchas de sangre seca en la pechera de la camisa.

—¿Qué le ha hecho salir de su despacho, inspector? —continuó el primero de los Camisas Pardas—. No ha de ser por nosotros, sin duda. Los comunistas podrían habernos acribillado como a Horst Wessel y usted no se habría separado de su café con galletitas, allá en la Alexanderplatz.

Janssen se puso rígido ante lo ofensivo de esas palabras, pero Kohl lo contuvo con una mirada y observó a aquellos hombres con expresión solidaria. Su rango le habría permitido insultar a esos Camisas Pardas en sus barbas sin sufrir consecuencias, pero necesitaba de su colaboración.

—Vaya, señores míos, no hay motivos para que se quejen así. La Kripo se preocupa por ustedes tanto como por cualquiera. Cuéntenme lo de la emboscada, por favor.

—Sí, tiene razón, inspector —dijo el hombre corpulento, saludando con un gesto la palabra que Kohl había escogido tan cuidadosamente—. Ha sido una cobarde encerrona, sí. Ese miserable nos ha atacado desde atrás mientras aplicábamos la ley contra libros indecorosos.

—¿Su nombre...?

—Hugo Felstedt. Soy comandante del Castillo de Berlín.

Kohl sabía que se trataba del almacén de una cervecería abandonada, que veinte o ventincinco Camisas Pardas habían ocupado. Lo de «castillo» se podía interpretar como «tugurio».

—Y allí, ¿quién había? —preguntó, señalando la librería con la cabeza.

—Una pareja. Parecían marido y mujer.

Kohl miró en derredor, esforzándose por conservar la expresión de interés.

—¿Ellos también han escapado?

—En efecto.

Por fin habló el tercero de los Camisas Pardas, a través de un hueco en la dentadura.

—Estaba todo planeado, por supuesto. Esos dos nos distrajeron y el tercero nos atacó por la espalda. Con una cachiporra.

—Comprendo. ¿Y usaba un sombrero Stetson? ¿Cómo los del ministro Göring? ¿Y corbata verde?

—Sí —confirmó el más alto—. Una corbata chillona, judía.

—¿Le han visto la cara?

—Tenía una nariz enorme y mandíbulas carnosas.

—Cejas pobladas. Y labios gruesos.

—Era bastante gordo —contribuyó Felstedt—. Como el que ponían en el *Stormer* de la semana pasada. ¿Lo vio usted? Era igual al hombre de la portada.

Se trataba de una revista que publicaba Julius Streicher, pornográfica y antisemita, con artículos inventados sobre crímenes cometidos por judíos y tonterías sobre su inferioridad racial. Las portadas presentaban grotescas caricaturas de judíos. A la mayoría de los nacionalsocialistas les resultaba bochornosa, pero se la publicaba porque Hitler disfrutaba con ese tabloide.

—Por desgracia, me la perdí —respondió Kohl, seco—. ¿Y hablaba alemán?

—Sí.

—¿Con acento?

—Acento judío.

—Sí, sí, pero algún otro acento. ¿De Bavaria, de Westfalia, de Sajonia?

—Puede ser. —El alto asintió con la cabeza—. Sí, creo que sí. Verá usted, no habría podido hacernos daño si nos hubiera atacado de frente, como un hombre, no cobardem...

Kohl lo interrumpió:

—¿Es posible que su acento fuera extranjero?

Los tres se miraron mutuamente.

—No podemos saberlo. Nunca hemos salido de Berlín.

—Tal vez de Palestina —insinuó uno—. Eso podría ser.

—Pues bien, los ha atacado por la espalda y con una cachiporra.

—Y también con esto. —El tercero mostraba un par de manillas de bronce.

—¿Ésas son de él?

—No, son mías. Él se ha llevado las suyas.

—Ya veo, ya veo. Los ha atacado desde atrás. Pero a usted le
sangra la nariz.

—Es que el golpe me ha hecho caer de bruces.

—¿Y dónde ha sucedido eso exactamente?

—Por allí. —El hombre señaló un pequeño jardín que asomaba
a la acera—. Uno de nuestros camaradas fue en busca de ayuda. A su
regreso el judío huyó cobardemente, como un conejo.

—¿Hacia dónde?

—Hacia allí. Varios callejones más al este. Se lo enseñaré.

—Un momento —dijo el inspector—. ¿Tenía un portafolio?

—Sí.

—¿Y lo ha llevado consigo?

—En efecto. Allí escondía las cachiporras.

Kohl señaló el jardín con la cabeza. Janssen lo acompañó hasta allí.

—Eso no tenía sentido —susurró el asistente—. Atacados por
un judío enorme con cachiporras y manillas de bronce. Sin duda lo
acompañaban cincuenta hombres del Pueblo Elegido.

—En mi opinión, Janssen, el relato de un testigo o un sospechoso es como el humo: a menudo las palabras no tienen sentido por
sí solas, pero pueden guiarte hasta el fuego.

Recorrieron el jardín, revisando minuciosamente el suelo.

—Aquí, señor —anunció Janssen, entusiasmado. Había hallado una pequeña guía turística de la Villa Olímpica, escrita en inglés.

Kohl se sintió alentado. Era raro que hubiera un turista extranjero en ese vecindario y, por coincidencia, perdiera el folleto justo en
el escenario de la pelea. Las páginas estaban secas y limpias, lo cual
revelaba que llevaba poco tiempo en el césped. La recogió con un pañuelo (a veces era posible recoger huellas dactilares del papel) y la
abrió con cuidado. Las páginas no contenían ninguna anotación que
pudiera servir de pista para descubrir la identidad de su dueño. Después de envolverlo se lo guardó en el bolsillo.

—Acérquense, por favor —pidió a los Camisas Pardas.

Los tres hombres entraron en el jardín.

—Fórmense aquí, en hilera. —El inspector señaló un sector de tierra descubierta.

Ellos se alinearon con precisión, tarea para la que las Tropas de Asalto estaban muy bien preparadas. Kohl examinó sus botas y comparó el tamaño y la forma con las pisadas del suelo. Así supo que el atacante tenía los pies más grandes y que sus tacones estaban muy gastados.

—Bien. —Luego se dirigió a Felstedt—. Muéstrenos hasta dónde lo han perseguido. Los otros ya pueden retirarse.

El hombre de la cara ensangrentada alzó la voz:

—Cuando lo encuentre, inspector, avísenos. En nuestros cuarteles tenemos una celda. Allí ajustaremos cuentas con él.

—Sí, sí, quizá podamos hacer algo así. Y les daré tiempo de sobra, para que no tengan que enfrentarse a él los tres solos.

El Camisa Parda vaciló, preguntándose si aquello era un insulto. Echó un vistazo a las manchas carmesíes de su camisa.

—Mire esto. *Ach,* cuando lo agarremos no le quedará una gota de sangre. Vamos, camarada.

Los dos se alejaron calle abajo.

—Por aquí. Ha huido por aquí. —Felstedt condujo al inspector y a Janssen hasta la transitada calle Gormann—. Estábamos seguros de que había entrado por uno de esos dos callejones anteriores. Los teníamos cubiertos por los otros extremos. Pero desapareció.

Kohl inspeccionó el lugar. De la calle partían varias callejuelas; una de ellas no tenía salida; las otras desembocaban en diferentes calles.

—Muy bien, señor, ahora nos haremos cargo de todo.

En ausencia de sus camaradas Felstedt se mostró más sincero.

—El hombre es peligroso, inspector —dijo en voz baja.

—¿Está usted seguro de que su descripción es exacta?

Una vacilación. Luego:

—Judío. Obviamente era judío, sí. Pelo rizado como de etíope, nariz de judío, ojos de judío. —El hombre cepilló con la mano la mancha de su camisa y se alejó con aire arrogante.

—Cretino —murmuró Janssen.

Y echó una mirada cauta a su jefe, quien añadió:

—Es poco decir. —El inspector recorría los callejones con la vista—. Sin embargo, pese a esa ceguera suya, creo que el «comandante» Felstedt nos ha dicho la verdad. Nuestro sospechoso estaba acorralado, sí, pero logró escapar... y de muchos hombres de la SA. Buscaremos en los cubos de basura de los callejones, Janssen.

—Sí, señor. ¿Cree usted que se ha deshecho de alguna prenda o del portafolio para poder escapar?

—Es lógico.

Inspeccionaron cada una de esas callejuelas, mirando dentro de los cubos; sólo había cartones viejos, papeles, latas, botellas y comida en putrefacción. Kohl se detuvo por un momento a mirar en derredor, con los brazos en jarras. Luego preguntó:

—¿Quién le lava las camisas, Janssen?

—¿Las camisas?

—Las tiene siempre impecablemente lavadas y planchadas.

—Mi esposa, por supuesto.

—En ese caso transmítale mis excusas cuando deba limpiar y remendar la que usted tiene puesta ahora.

—¿Por qué tendrá que remendarla?

—Porque usted va a tenderse boca abajo y meterá el brazo por esa alcantarilla.

—Pero...

—Sí, sí, ya sé. Es que yo lo he hecho muchas veces. Y la edad trae sus privilegios, Janssen. Vamos, quítese el saco. Es de seda muy buena. No hay necesidad de arruinarlo también.

El joven entregó a Kohl su saco verde oscuro. Era muy bonito, sí. La familia de Janssen era adinerada y él contaba con algún dinero, aparte de su sueldo de aspirante a inspector; era una suerte, puesto que los detectives de la Kripo recibían una retribución miserable. Se arrodilló en los adoquines y, apoyado en una mano, introdujo la otra en la sombría abertura.

En realidad la camisa no se ensució tanto, pues apenas un momento después el joven exclamó:

—¡Aquí hay algo, señor! —Se incorporó para exhibir un objeto pardo, abollado. El sombrero de Göring. Y, por añadidura, dentro estaba la corbata: el verde era chillón, desde luego.

Janssen explicó que habían quedado en un saliente, apenas a medio metro de la rejilla. Continuó rebuscando, pero no había nada más.

—Ya tenemos algunas respuestas, Janssen —dijo su jefe, mientras examinaba el interior del sombrero. El rótulo del fabricante decía: «Stetson Mity-Lite». Otro había sido agregado por la tienda: «Manny's Men's Wear, New York City».

—Más para añadir a nuestro retrato del sospechoso. —Kohl sacó el monóculo del bolsillo de su chaleco y, después de sujetarlo contra el ojo, examinó algunos cabellos atrapados en la banda—. Tiene pelo castaño oscuro, algo rojizo, medianamente largo. No es negro ni rizado, en absoluto: lacio. Y no hay manchas de crema ni de aceite para el pelo.

Después de entregar la corbata y el sombrero a su ayudante, lamió la punta del lápiz para apuntar esas nuevas observaciones. Luego cerró la libreta.

—¿Y ahora, señor? ¿Regresamos al Alex?

—¿Y qué podríamos hacer allí? ¿Tomar café con galletitas, como dicen nuestros camaradas de la SA que hacemos todo el día? ¿Ver cómo la Gestapo se lleva nuestros recursos para detener a todos los rusos de la ciudad? No, creo que daremos un paseo en coche. Esperemos que el DKW no se vuelva a recalentar. La última vez que llevé a Heidi y a los niños al campo tuvimos que pasar dos horas sentados a las afueras de Falkenhagen, sin otra cosa que hacer que contemplar las vacas.

11

El taxi que había tomado en la Villa Olímpica lo dejó en la plaza Lützow, un sitio muy transitado cerca de un canal pardo y estancado, al sur del Tiergarten.

Al apearse Paul olió a agua fétida y se detuvo durante un momento a orientarse, mientras miraba lentamente a su alrededor. No vio ojos insistentes que lo espiaran sobre algún periódico ni hombres furtivos de uniforme o traje pardo. Echó a andar con rumbo este. Aquél era un vecindario residencial tranquilo, con algunas casas encantadoras y otras más modestas. Como recordaba perfectamente las indicaciones de Morgan, siguió durante un rato el canal; luego lo cruzó para descender por la calle Príncipe Heinrich. Pronto llegó a una calle tranquila, el pasaje Magdeburger, bordeado de edificios residenciales de cuatro y cinco pisos; se parecía a los barrios más pintorescos del West Side de Manhattan. En casi todas las casas ondeaba una bandera, generalmente la roja, blanca y negra del nacional-socialismo; varias tenían estandartes con los aros entrelazados de los Juegos Olímpicos. La casa que buscaba, el número 26, tenía uno de ésos. Tocó el timbre. Un momento después se oyeron pisadas. La cortina de una ventana lateral se movió como por efecto de una brisa repentina. Luego, una pausa. Tras un chasquido metálico, la puerta se abrió.

Paul saludó con una inclinación de cabeza a la mujer, que lo miraba con cautela.

—Buenas tardes —dijo él en alemán.

—¿Usted es Paul Schumann?

—Sí, señora.

Ella parecía rondar los cuarenta años. Tenía una figura esbelta y llevaba un vestido floreado que Marion habría calificado de «muy poco elegante»: el bajo le llegaba por debajo de la rodilla, a la moda de dos o tres años atrás. Su pelo era rubio oscuro; lo llevaba corto y ondulado; como la mayoría de las mujeres que él había visto en Berlín, no usaba maquillaje. Tenía la piel opaca y los ojos castaños parecían cansados, pero eran detalles superficiales que habrían desaparecido bien pronto con unas cuantas comidas abundantes y un par de noches de sueño ininterrumpido. Lo curioso era que, justamente por esos pequeños defectos, la mujer que se escondía tras ellos le resultó más atractiva. No era como Marion o sus amigas, que a veces se emperifollaban al punto de que uno ya no sabía cómo eran.

—Soy Käthe Richter. Bienvenido a Berlín. —La mujer le tendió una mano enrojecida y huesuda, que estrechaba con firmeza—. No sabía cuándo debía esperarlo. El señor Morgan dijo que vendría en algún momento de este fin de semana. De todas maneras sus habitaciones ya están listas. Pase, por favor.

Él entró en el vestíbulo, que olía a naftalina y canela, con un ligero aroma de lilas; tal vez era su perfume. Después de cerrar con llave ella volvió a examinar la calle por un momento, a través de la ventana lateral. Luego se hizo cargo de la maleta y el portafolio de cuero.

—No, deje usted...

—Los llevaré yo —insistió ella con firmeza—. Por aquí.

Lo condujo hasta una puerta que se abría en la mitad de un corredor oscuro, donde aún se conservaban las lámparas de gas originales junto a las eléctricas, más recientes. En las paredes se veían unas cuantas pinturas al óleo, descoloridas escenas pastorales. Käthe abrió la puerta e hizo un gesto para invitarlo a entrar. El departamento, amplio y limpio, tenía pocos muebles. La puerta daba a la sala; atrás había un dormitorio; a la izquierda y a lo largo de la pared, una cocina pequeña, separada del resto de la sala por un manchado biombo japonés. Las mesas estaban cubiertas con estatuillas de animales, muñecas, cajas de esmalte descascarado y abanicos baratos. Había dos lámparas eléctricas poco firmes. En el rincón, un gramófono, con una gran radio al lado, que ella encendió.

—La sala de fumar está en la parte delantera. Supongo que usted está habituado a que sean sólo para hombres, pero ésta es para todos; es algo en lo que me empeño.

Él no estaba habituado a salas de fumar de ningún tipo, pero asintió con la cabeza.

—Ya me dirá usted si le gustan las habitaciones. Si no, tengo otras.

Después de echar una mirada rápida al lugar, Paul dijo:

—Me va bien, sí.

—¿No quiere ver el resto? ¿Examinar los armarios, la vista desde las ventanas, hacer correr el agua?

Él había notado que estaban en la planta baja y que las ventanas no tenían rejas; podía salir rápidamente por las del dormitorio o la sala; también por la puerta que daba al pasillo y conducía a otros departamentos, otras vías de escape.

—Siempre que el agua no provenga de ese canal por el que he pasado, no dudo que estará bien —respondió a la mujer—. En cuanto al panorama, tengo demasiado trabajo como para poder disfrutarlo.

Una vez que se calentaron las lámparas de la radio, la voz de un hombre llenó la habitación. ¡Vaya, aún seguía la lección de higiene! Más cháchara sobre pantanos a secar y rociar para eliminar los mosquitos. Al menos las charlas junto al fuego de Roosevelt eran breves y dulces. Paul se acercó al receptor e hizo girar el dial en busca de música. No la había. Apagó.

—No la ofendo, ¿verdad?

—Está usted en su habitación. Puede hacer lo que guste. —Ella echó un vistazo inseguro a la radio silenciosa. Luego comentó—: El señor Morgan dijo que usted es norteamericano, pero habla alemán muy bien.

—Gracias a mis padres y abuelos. —Él cogió la maleta. Luego entró en el dormitorio y la puso en la cama. Al ver que se hundía en el colchón se preguntó si estaría relleno de plumas. Su abuela contaba que en Núremberg, antes de emigrar a Nueva York, ella tenía un lecho de plumas; de niño a Paul le fascinaba la idea de dormir entre plumas de ave.

Cuando regresó a la sala Käthe dijo:

—De siete a ocho de la mañana sirvo un desayuno liviano al otro lado del vestíbulo. Por favor, hágame saber la noche anterior a qué hora quiere que se lo sirva. Y por la tarde hay café, desde luego. En el dormitorio encontrará una jofaina. El cuarto de baño está algo más allá por el pasillo. Es compartido, pero por ahora usted es nuestro único huésped. Cuando se acerquen las Olimpíadas habrá muchos más. Hoy usted es el rey del número veintiséis. El castillo es todo suyo. —Se dirigió hacia la puerta—. Ahora prepararé el café de la tarde.

—No es necesario. En realidad...

—Sí, claro que sí. Está incluido en el precio.

Cuando ella salió al pasillo Paul volvió al dormitorio; diez o doce escarabajos negros merodeaban por el suelo. Abrió el portafolio para poner en la estantería el ejemplar de *Mein Kampf* que contenía los rublos y el pasaporte falso. Luego se quitó el suéter y, tras arremangarse la camisa de tenis, se lavó las manos y usó la raída toalla para secarse.

Un momento después Käthe regresó con una bandeja en la que llevaba una cafetera de plata abollada, una taza y un plato pequeño cubierto con un tapete de encaje. La puso en la mesa, frente a un sofá muy gastado.

—Siéntese, por favor.

Él obedeció. Mientras se abotonaba los puños preguntó:

—¿Reggie Morgan y usted son amigos?

—No; él respondió a un anuncio donde se ofrecían habitaciones y me pagó por adelantado.

Era la respuesta que Paul esperaba. Fue un alivio saber que no era la mujer quien se había puesto en contacto con Morgan; eso la habría hecho sospechosa. Por el rabillo del ojo vio que ella le miraba la mejilla.

—¿Está herido?

—Soy alto. Siempre me golpeo la cabeza. —Paul se tocó levemente la cara, como golpeándose, para ilustrar sus palabras. Como la pantomima lo hizo sentir estúpido, bajó la mano.

Ella se levantó.

—Espere, por favor. —Pocos minutos después regresó con una tirita y se la ofreció.

—Gracias.

—Pero no tengo yodo. Ya he buscado.

Schumann pasó al dormitorio; de pie frente al espejo, detrás del lavabo, se aplicó la tirita a la cara.

—Aquí no correrá peligro —aseguró ella—. Los techos no son bajos.

—¿Este edificio es suyo? —preguntó Paul al regresar.

—No. Es de un hombre que actualmente está en Holanda. Yo se lo administro a cambio de techo y comida.

—¿Él está relacionado con las Olimpíadas?

—¿Con las Olimpíadas? No, ¿por qué?

—Es que en la calle casi todo el mundo tiene la bandera nazi... nacionalsocialista, quiero decir. Pero la de aquí es la olímpica.

—Sí, sí. —Ella sonrió—. Nos dejamos entusiasmar por los Juegos, ¿no?

Hablaba el alemán con una gramática impecable y se expresaba con mucha claridad; era obvio que en otros tiempos había ejercido un oficio diferente, mucho mejor, aunque las manos arruinadas, las uñas rotas y esos ojos tan cansados hablaban de dificultades recientes. Pero también se percibía en ella una energía interior, la decisión de llevar la vida adelante hacia tiempos mejores. Paul decidió que a eso se debía, en parte, la atracción que experimentaba.

Ella le sirvió café.

—En estos momentos no hay azúcar. En las tiendas se ha acabado.

—Lo tomo sin azúcar.

—Pero tengo *strudel*. Lo hice antes de que escasearan las provisiones. —Ella descubrió el plato, en el que había cuatro pequeños trozos de pastel—. ¿Sabe qué es el *strudel*?

—Mi madre lo hacía todos los sábados. Mis hermanos la ayudaban. Estiraban la masa hasta dejarla tan fina que se podía leer a través de ella.

—Sí, sí —confirmó ella, entusiasta—; así lo hago yo también. Y usted, ¿no ayudaba a estirar la masa?

—No, nunca. No tengo mucho talento para la cocina. —Paul cogió un trozo—. Pero lo comía en cantidades, sí... Éste es muy bueno. —Señaló la cafetera con la cabeza—. ¿Quiere café? Le serviré un poco.

—¿Yo? —Käthe parpadeó—. Oh, no.

Él bebió un sorbo del brebaje, que era bastante flojo. Estaba hecho con granos ya usados.

—Hablaremos su idioma —anunció ella. Y se lanzó en inglés—: Nunca he estado en su país, pero me gustaría mucho ir allá.

Él apenas detectó un leve acento en el sonido inglés más difícil para los alemanes.

—Habla buen inglés —dijo Paul.

—Ha querido decir «bien» —espetó ella con una sonrisa, creyendo haberlo pescado en un error.

—No —explicó Paul—. Usted habla *buen* inglés. Usted habla inglés *bien*. «Bueno» es adjetivo. «Bien» es adverbio.

Ella frunció el entrecejo.

—Déjeme pensar... Sí, sí, tiene razón. Qué vergüenza... El señor Morgan dijo que usted es escritor. Y ha ido a la universidad, claro está.

Dos años de estudios superiores en una pequeña universidad de Brooklyn, que había abandonado al enrolarse para combatir en Francia. Nunca había llegado a completar la carrera. Fue al regresar cuando se le complicó la vida y los estudios quedaron a un lado. En realidad, trabajando en la imprenta para su padre y su abuelo había aprendido más de palabras y libros de lo que creía haber podido aprender en la universidad. Pero no dijo nada de eso.

—Yo soy maestra. Es decir, lo fui. Enseñaba literatura a adolescentes. Y también la diferencia entre «ser» y «estar», «deber» y «deber de»... y también entre «bueno» y «bien». Por eso me siento avergonzada.

—¿Literatura inglesa?

—No, alemana. Pero me encantan muchos libros ingleses.

Por un momento se hizo el silencio. Paul sacó el pasaporte del bolsillo y se lo entregó. Ella, frunciendo las cejas, le dio vueltas en la mano.

—En verdad soy quien digo ser.

—No comprendo.

—El idioma... Usted me pidió que habláramos en inglés para ver si soy realmente norteamericano, no un informante nacionalsocialista. ¿Me equivoco?

—Pues... —La mirada parda bajó rápidamente al suelo. Estaba abochornada.

—No me molesta. Mírelo. La foto.

Ella iba a devolvérselo, pero se detuvo. Luego lo abrió para comparar la foto con su cara. Paul aceptó de nuevo el documento.

—Sí, tiene razón. Espero que me perdone, señor Schumann.

—Paul.

Una sonrisa.

—Ha de ser muy buen periodista para ser tan... ¿«perceptivo», se dice?

—Sí, así se dice.

—Supongo que el Partido no es tan diligente ni tiene tantos fondos como para contratar a un norteamericano para que espíe a gente sin importancia como yo. Por lo tanto, puedo decirle que he caído en desgracia. —Un suspiro—. Culpa mía. No reflexioné. En una clase sobre Goethe, el poeta, dije simplemente que lo respetaba por la valentía de prohibir a su hijo que combatiera en la guerra. En la Alemania actual el pacifismo es delito. Por decir eso me expulsaron y me confiscaron todos los libros. —Hizo un gesto con la mano—. Me estoy quejando. Perdone. ¿Lo ha leído? ¿A Goethe?

—Creo que no.

—Le gustaría. Es brillante. Hila colores con las palabras. De todos los libros que me quitaron, los que más echo de menos son los suyos. —Käthe echó una mirada hambrienta al plato de *strudel*. No lo había probado. Paul se lo acercó—. No, no, gracias.

—Si no come un trozo pensaré que usted es la agente nacionalsocialista y que trata de envenenarme.

Ella miró el postre y cogió un trozo, que comió con velocidad. Cuando Paul bajó la vista para coger su taza de café, vio por el rabillo del ojo que tocaba con la punta de un dedo las migajas caídas en la mesa para llevárselas a la boca, alerta por si él estuviera observando.

Cuando Paul volvió a levantar la cabeza, ella dijo:

—Mire que hemos sido descuidados, usted y yo, como suele suceder en el primer encuentro. Debemos tener más cautela. Ahora que recuerdo... —señaló el teléfono—, manténgalo siempre desconectado. Tenga en cuenta que hay aparatos para escuchar. Y cuando haga una llamada, dé por seguro que está compartiendo su conversación con un lacayo nacionalsocialista. Esto vale sobre todo para cualquier llamada de larga distancia que haga desde la oficina de correos; en cambio dicen que las cabinas telefónicas de la calle ofrecen una relativa privacidad.

—Gracias —dijo Paul—. Pero si alguien escuchara mis conversaciones se aburriría bastante: qué población tiene Berlín, cuántos churrascos comen los atletas, cuánto tiempo se requirió para construir el estadio... Cosas así.

—*Ach* —murmuró Käthe, mientras se levantaba para retirarse—, lo que hemos dicho usted y yo esta tarde sería aburrido para muchos, pero haría que mereciéramos una visita de la Gestapo. O algo peor.

12

El maltrecho Auto Union DKW de Kohl logró cubrir los veinte kilómetros hacia el oeste de la ciudad, hasta la Villa Olímpica, sin recalentarse, pese al implacable sol que obligó a los dos
detectives a quitarse el saco, contra sus tendencias naturales y las reglas de la Kripo.

La ruta los llevó a través de Charlottenburg; si hubieran continuado hacia el suroeste los habría llevado hacia Gatow; eran las
dos ciudades cerca de las cuales habían muerto los trabajadores
polacos y las familias judías. Las terribles fotos de esos asesinatos
continuaban revolviéndose en la memoria de Kohl como pescado
podrido en las tripas.

Llegaron a la entrada principal de la Villa, que bullía de actividad. Allí había coches privados, taxis y autobuses, de los que bajaban atletas y gente del personal; de varios camiones se descargaban
cajas, equipaje y equipos. Después de ponerse nuevamente los sacos,
los detectives caminaron hasta el portón; una vez que hubieron mostrado sus credenciales a los guardias, que eran del ejército regular, se
les permitió entrar a los jardines, amplios y bien cuidados. En derredor, por las amplias aceras, pasaban hombres llevando carretillas
con maletas y baúles. Otros, de pantalones cortos y camisas sin mangas, corrían o se entrenaban.

—Mire —dijo Janssen, lleno de entusiasmo, señalando con la
cabeza a un grupo de japoneses o chinos. A Kohl le sorprendió verlos con camisa blanca y pantalones de franela en vez de... Bueno, lo

que fuera: taparrabos, quizás, o túnicas de seda bordada. A poca distancia varios deportistas morenos de Oriente Medio caminaban juntos; dos de ellos reían por lo que había dicho un tercero. Willi Kohl miraba todo aquello como un colegial. Cuando comenzaran los Juegos, la semana siguiente, disfrutaría viéndolos, desde luego, pero también ansiaba ver gente de casi todos los países de la Tierra; las únicas naciones importantes que no estaban representadas eran España y Rusia.

Los policías localizaron los alojamientos de los norteamericanos. En el edificio principal había una zona de recepción. Se aproximaron al oficial de enlace del Ejército alemán.

—Teniente —dijo Kohl, guiándose por el rango que revelaba el uniforme.

El hombre se levantó de inmediato; su atención fue aun mayor cuando Kohl se identificó junto con su asistente.

—*Heil* Hitler. ¿Ha venido por trabajo, señor?

—En efecto. —El inspector describió al sospechoso y preguntó al oficial si había visto a algún hombre así.

—No, señor, pero sólo en la residencia para norteamericanos hay varios cientos de personas. Como usted ve, el edificio es bastante grande.

Kohl asintió.

—Necesito hablar con alguien que esté con el equipo americano. Algún funcionario.

—Sí, señor. Me ocuparé de eso.

Cinco minutos después regresó con un hombre larguirucho, de unos cuarenta años, que se identificó en inglés como jefe de entrenadores. Vestía pantalones blancos, holgados, y un chaleco blanco de punto sobre la camisa, blanca también. Kohl cayó en la cuenta de que en la zona de recepción, casi desierta un rato antes, habían entrado diez o doce personas, atletas o no, fingiendo tener algo que hacer allí. Tal como él recordaba de sus tiempos de militar, nada se divulga más rápido que una noticia entre compañeros de alojamiento.

El oficial alemán estaba dispuesto a servir de intérprete, pero Kohl prefirió hablar directamente con quienes debía entrevistar.

—Señor —dijo en inglés vacilante—, estoy siendo policía inspector de la Policía Criminal. —Mostró su credencial.

—¿Hay algún problema?

—Todavía no estamos seguros. Pero... hum... tratamos de encontrar a un hombre con quien nos gustaría hablar. Tal vez usted lo está conociendo.

—Se trata de un asunto bastante grave —colaboró Janssen, con pronunciación perfecta. Kohl ignoraba que hablara tan bien el inglés.

—Sí, sí —continuó el inspector—. Al parecer tenía este libro que perdió. —Desplegó el pañuelo para mostrar la guía de turismo—. Es dada a personas de los Juegos Olímpicos, ¿no?

—En efecto. Pero no sólo a los atletas: a todos. Nos han repartido un millar, poco más o menos. Y hay varios países más que ofrecen también la versión inglesa, como usted sabe.

—Sí, pero hemos localizado también este sombrero y fue comprado en Nueva York. Así, muy probable, es americano.

—¿De veras? —inquirió el entrenador, cauteloso—. ¿Su sombrero?

Kohl continuó:

—Está siendo un hombre grande, nos parece, con pelo rojo, negro pardo.

—¿Negro pardo?

Frustrado por su propia falta de vocabulario extranjero, Kohl dirigió una mirada a Janssen, quien explicó:

—Su pelo es castaño oscuro, lacio, con un tinte rojizo.

—Usa un traje gris claro y este sombrero y corbata. —Kohl hizo una señal a su ayudante, que sacó las pruebas de su portafolio.

El entrenador los miró sin comprometerse y se encogió de hombros.

—Tal vez si me dijeran de qué se trata...

Kohl reflexionó otra vez en lo diferente que era la vida en Estados Unidos: ningún alemán se habría atrevido a preguntar a un policía para qué quería saber algo.

—Es un asunto de seguridad de Estado.

—Seguridad de Estado. Ajá. Bien, me gustaría colaborar, claro que sí. Pero si no pueden darme más datos...

El inspector miró alrededor.

—Tal vez alguna persona aquí pueda estar conociendo a este hombre.

El entrenador alzó la voz.

—Oigan, muchachos, ¿alguno de ustedes sabe a quién pertenecen estas cosas?

Hubo meneos de cabeza y murmullos negativos.

—Tal vez entonces yo tengo la esperanza de que usted tiene un... sí, sí, una lista de personas que vinieron con usted aquí. Y direcciones. Para ver quién viviría en Nueva York.

—La tenemos, pero sólo de los miembros del equipo y sus entrenadores. No sugerirá usted que...

—No, no. —Kohl no creía que el asesino estuviera en el equipo. Los atletas eran demasiado visibles; era improbable que alguno de ellos se hubiera escabullido sin ser visto el primer día para ir a Berlín, asesinar a un hombre, visitar diversos lugares de la ciudad como si cumpliera una misión y luego regresar sin despertar sospechas—. Estoy dudando que este hombre es un atleta.

—Pues en ese caso temo que no puedo serle de mucha ayuda. —El entrenador se cruzó de brazos—. Escuche, oficial: supongo que el Departamento de Inmigración ha de tener información sobre las direcciones de los visitantes. ¿Verdad que llevan un registro de todas las llegadas y salidas del país? Se dice que los alemanes son expertos en eso.

—Sí, sí, lo he pensaba. Pero desgraciadamente la información no presenta la dirección de una persona en su patria. Sólo su nacionalidad.

—Caramba, qué lástima.

Kohl insistió.

—Lo que también estoy esperando: ¿tal vez un manifiesto del barco, la lista de pasajeros del *Manhattan*? A menudo está dando direcciones.

—Pues sí, eso lo tenemos, sin duda. Pero comprenderá usted que a bordo veníamos cerca de mil personas.

—Por favor, comprendo. Pero aun estaría muy esperanzado de verla.

—Sin duda. Sólo que... Vea, oficial, me sabe mal ponerle dificultades, pero creo que la residencia... creo que tenemos privilegios diplomáticos, ¿sabe? Soberanía territorial. Me parece que necesitará una orden.

Kohl recordaba los tiempos en que se requería la aprobación de un juez para inspeccionar la casa de un sospechoso o exigir la entrega de pruebas. La Constitución de Weimar, que después de la guerra había creado la República de Alemania, tenía muchas garantías de esa clase, en su mayoría copiadas de la norteamericana. (Sin embargo contenía un solo punto débil, bastante significativo, que Hitler aprovechó inmediatamente: el privilegio presidencial de suspender indefinidamente todos los derechos civiles.)

—Oh, sólo estoy mirando unos pocos asuntos aquí. No estoy teniendo orden.

—En verdad me sentiría más tranquilo si trajera una.

—Este asunto tiene cierta urgencia.

—No lo dudo, pero, ¡señor!, tal vez sea mejor para usted también. No conviene agitar las aguas. En el sentido diplomático. Agitar las aguas; ¿comprende lo que quiero decir?

—Comprendo las palabras.

—¿Por qué no hace que su jefe llame a la Embajada o a la Comisión Olímpica? Si ellos me dan el visto bueno, le daré lo que me pida en bandeja de plata.

—El visto bueno. Sí, sí. —Era probable que la Embajada de Estados Unidos accediera, reflexionó Kohl, si presentaba bien la solicitud. Los norteamericanos no querrían que circularan rumores sobre un asesino que había entrado en Alemania con su equipo olímpico—. Muy bien, señor. Estaré contactando la Embajada y la Comisión, como usted sugiere.

—Bien. A sus órdenes. Ah, y buena suerte en los Juegos. Sus muchachos nos lo pondrán bien difícil.

—Estaré presente —dijo el inspector—. Tengo mis entradas desde más de todo un año.

Salió con el candidato a inspector.

—Llamaremos a Horcher por la radio del coche, Janssen. Sin duda él podrá ponerse en contacto con la Embajada estadounidense. Esto podría ser... —Kohl se interrumpió. Había detectado un olor penetrante. Aunque familiar, allí estaba fuera de lugar—. Esto no me gusta.

—¿Qué pa...?

—Por aquí. ¡Pronto! —Echó a andar deprisa, rodeando la parte trasera del edificio principal entre los que ocupaban los americanos. Olía a humo, pero no era el de las barbacoas que se percibe a menudo en verano, sino humo de leña, algo raro en julio—. ¿Qué palabra es ésa, Janssen? ¿La que pone en el letrero? No entiendo.

—Pone «Duchas/sala de vapor».

—¡No!

—¿Qué pasa, señor?

Kohl cruzó precipitadamente la puerta hacia una amplia zona azulejada. A la izquierda estaban los lavabos; las duchas, a la derecha; una puerta aparte conducía a la sala de vapor. Hacia allí corrió Kohl y la abrió de par en par. Dentro había una estufa sobre la cual se veía una bandeja grande, llena de piedras. A un costado, cubos de agua que se podían verter sobre las piedras calientes, a fin de producir vapor. Junto a la estufa, que tenía el fuego encendido, había dos negros jóvenes, de ropa deportiva azul marino. El que estaba inclinado hacia la portezuela tenía cara redonda, facciones atractivas y frente alta; el otro era más delgado, de pelo espeso, que le nacía más abajo, sobre la frente. El carirredondo cerró la portezuela metálica y giró hacia el inspector, enarcando una ceja con una sonrisa simpática.

—Buenas tardes, señores —dijo Kohl, nuevamente en su temible inglés—. Estoy...

—Sí, ya sabemos. ¿Cómo está, inspector? Estupendo el lugar que nos han hecho ustedes aquí. Me refiero a la Villa.

—He olido humo y tenía preocupación.

—Sólo estamos encendiendo el fuego.

—Para los músculos doloridos no hay como el vapor —añadió su amigo.

Kohl echó un vistazo a la portezuela traslúcida de la estufa. Tenía el regulador bien abierto y las llamas eran muy altas. Dentro se rizaban algunas hojas de papel blanco.

—Señor —comenzó Janssen ásperamente en alemán—, ¿qué están...?

Pero su jefe lo interrumpió con una sacudida de cabeza. Luego miró al primero que había hablado.

—¿Usted es...? —Entornó los ojos; luego los abrió de par en par—. Sí, sí, usted es Jesse Owens, el gran corredor. —Con su fuerte acento alemán, el nombre sonó «Yessa Ovens».

El deportista, sorprendido, extendió la mano sudorosa. Mientras la estrechaba con firmeza, el inspector miró al otro.

—Ralph Metcalfte —se presentó el atleta. Un segundo apretón de manos.

—Él también está en el equipo —explicó Owens.

—Sí, sí, he oído de usted también. Usted ganó en Los Ángeles en el Estado de California en los últimos Juegos. Bienvenido usted también. —Kohl bajó la vista al fuego—. ¿Ustedes toman el baño de vapor antes del ejercicio?

—A veces antes, a veces después —dijo Owens.

—¿Le gusta el vapor, inspector? —preguntó Metcalfe.

—Sí, sí, de vez en cuando. Pero ahora mayormente hago baños de pies.

—¡Si sabré lo que es el dolor de pies! —comentó el corredor, haciendo una mueca—. Oiga, inspector, ¿por qué no salimos? Fuera se está mucho más fresco.

Y sostuvo la puerta para que salieran Kohl y Janssen. Después de una breve vacilación, los hombres de la Kripo siguieron a Metcalfe al prado que se extendía detrás de la residencia.

—Su país es muy bello, inspector —elogió Metcalfe.

—Sí, sí, es verdad. —El detective observaba el humo que surgía del conducto metálico, sobre la sala de vapor.

—Ojalá que encuentre al tipo que está buscando —añadió Owens.

—Sí, sí. Supongo que no es útil preguntar si conocen a alguien que usa sombrero Stetson y corbata verde. ¿Un hombre de gran tamaño?

—Lo siento, pero no conozco a nadie así. —Echó una mirada a Metcalfe, quien también meneó la cabeza.

Janssen preguntó:

—¿Saben de alguien que haya venido con el equipo y se haya marchado enseguida? ¿Para ir a Berlín o a algún otro lugar?

Los hombres intercambiaron una mirada.

—Pues no, me temo que no —respondió Owens.

—Yo tampoco, seguro —añadió Metcalfe.

—Ach, bien... ha estado un honor conocerlos.

—Gracias, señor.

—Yo seguía noticias de sus carreras en... ¿era el Estado de Michigan? ¿El año pasado, las pruebas?

—Ann Arbor. ¿Aquí se enteraron de eso? —Owens rió, otra vez sorprendido.

—Sí, sí. Récords mundiales. Triste, ahora no estamos recibiendo muchas noticias de América. No obstante tengo ansias de los Juegos. Pero tengo cuatro entradas y cinco hijos y mi esposa y mi yerno futuro. Estaremos presentes y asistiendo en... ¿turnos, se dice? ¿El calor no los molestará?

—Me crié corriendo en el Medio Oeste. Más o menos el mismo clima.

Con súbita seriedad, Janssen dijo:

—Les diré que en Alemania mucha gente desea que ustedes no ganen.

Metcalfe frunció el entrecejo.

—¿Por las gan... por lo que dice Hitler de la gente de color?

—No —dijo el joven asistente. Luego su cara se abrió en una sonrisa—. Porque si nuestros agentes apuestan a favor de extranjeros se los arresta. Sólo podemos apostar por los atletas alemanes.

Owens se mostró divertido.

—¿Conque apostáis contra nosotros?

—Apostaríamos por ustedes —dijo Kohl—. Pero no, no podemos.

—¿Porque es ilegal?

—No, porque somos sólo pobres policías sin dinero. Así, corran como el *Luft,* el viento, dicen ustedes los norteamericanos, ¿no? Corran como el viento, Herr Owens y Herr Metcalfe. Yo estaré en las gradas y animándolos, aunque tal vez en silencio... Vamos, Janssen. —Kohl se alejó varios pasos, pero regresó. —Debo preguntar otra vez: ¿están ustedes seguros que nadie ha usado el sombrero Stetson pardo...? No, no, claro que no, o me lo habrían decido. Buen día.

Rodearon el edificio hasta el frente y luego se dirigieron hacia la salida de la Villa.

—¿Era el listado del barco, con el nombre de nuestro asesino, señor, lo que esos negros quemaban en la estufa?

—Es posible. Pero recuerde decir «sospechoso», no asesino.

El olor a papel quemado flotaba en el aire caliente e irritaba la nariz de Kohl, de manera provocadora, aumentando su frustración.

—¿Y qué podemos hacer?

—Nada —respondió simplemente el jefe. Y suspiró con enfado—. No podemos hacer nada. Y ha sido culpa mía.

—¿Por qué culpa suya, señor?

—*Ach,* las sutilezas de nuestro oficio, Janssen... No quería revelar ni pizca de nuestro objetivo; por eso he dicho que deseábamos hablar con este hombre por un asunto de «seguridad de Estado», frase que en la actualidad utilizamos con demasiada facilidad. Esas palabras han dado a entender que el delito no era el homicidio de una víctima inocente, sino quizá una ofensa contra el Gobierno... que, naturalmente, hace menos de veinte años estaba en guerra con el país de esta gente. Sin duda muchos de estos atletas perdieron familiares, tal vez incluso al padre, a manos del Ejército del káiser; bien pueden sentir un interés patriótico en proteger a un hombre así. Y ahora ya es demasiado tarde para retirar lo que dije con tanto descuido.

Al llegar a la calle, frente a la Villa, Janssen giró hacia el sitio donde habían estacionado el DKW, pero su jefe preguntó:

—¿Adónde va?

—¿No regresamos a Berlín?

—Todavía no. Se nos ha negado el listado de pasajeros. Pero la destrucción de pruebas implica un motivo para destruirlas. Y ese motivo, lógicamente, se podría encontrar cerca del punto de su pérdida. Por lo tanto, continuaremos investigando. Debemos seguir la pista de la manera más difícil, utilizando nuestros pobres pies... *Ach,* qué bien huele esa comida, ¿no? Cocinan bien para los atletas. Recuerdo que hace años, cuando nadaba todos los días... ¡puff, podía comer cuanto se me antojaba y no aumentaba ni un gramo! Pero esos días han quedado muy atrás, por desgracia. Aquí a la derecha, Janssen, a la derecha.

Reinhard Ernst dejó caer el auricular en su horquilla y, cerrando los ojos, se reclinó en la pesada silla de su despacho de la Cancillería. Por primera vez en varios días se sentía contento; no: se sentía lleno de gozo. Lo invadía una sensación de victoria, tan potente como cuando, con sus sesenta hombres supervivientes, logró defender con éxito el reducto noroccidental contra trescientos de los Aliados, cerca de Verdún. Así había ganado la Cruz de Hierro de primera clase... y una mirada de admiración de Guillermo II (y si el káiser no le prendió personalmente la condecoración fue sólo por su brazo marchito). Pero el triunfo de ese día, a pesar de que no tendría el reconocimiento público, por supuesto, era mucho más dulce.

Uno de los grandes problemas a los que se había enfrentado al reconstruir la Marina del país era esa parte del Tratado de Versalles que prohibía a Alemania tener submarinos y limitaba el número de naves de combate a seis acorazados, seis cruceros, doce destructores y doce torpederos.

Absurdo, naturalmente, incluso para la defensa básica.

Pero el año anterior Ernst había orquestado un golpe. Junto con el audaz embajador Joachim von Ribbentrop, había negociado el Tratado Naval Anglogermano, que permitía la construcción de submarinos y elevaba el número de barcos alemanes al treinta y cinco por ciento de la Marina inglesa. Pero la parte más importante del pacto sólo ahora se ponía a prueba. Ernst había tenido la idea de hacer que Ribbentrop negociara el porcentaje, no en términos de números de barcos, como en Versalles, sino en tonelaje.

Ahora Alemania tenía legalmente derecho a construir aun más barcos que los que tenía Gran Bretaña, siempre que el tonelaje total no excediera ese mágico treinta y cinco por ciento. Más aún: durante todo ese tiempo Ernst y Erich Raeder, comandante en jefe de la Marina, habían tenido por objetivo la creación de naves de combate más livianas, más ágiles y mortíferas, a diferencia de los mastodontes que componían la mayor parte de la flota de guerra británica, barcos vulnerables al ataque de aviones y submarinos.

Sólo quedaba por ver si Inglaterra alzaba su protesta cuando, al estudiar los informes de construcción de los astilleros, cayera en la cuenta de que la Marina alemana sería mucho más grande de lo que se esperaba.

Pero el diplomático alemán que acababa de llamarlo desde Londres informaba que el Gobierno británico, vistas las cifras, las había aprobado sin pensarlo dos veces.

¡Qué éxito!

Escribió una nota para dar la buena noticia al Líder e hizo que un mensajero se la entregara en mano.

En el momento en que el reloj de pared daba las cuatro entró en su despacho un hombre de mediana edad y calvo, vestido con saco de *tweed* marrón y pantalones holgados.

—Coronel, he...

Ernst sacudió la cabeza y se llevó el dedo a los labios para acallar al doctor-profesor Ludwig Keitel. Luego giró en redondo para echar un vistazo por la ventana.

—Qué tarde tan bella, ¿verdad?

Keitel arrugó el entrecejo; era uno de los días más calurosos del año; hacía cerca de treinta y cuatro grados y el viento venía cargado de arenilla. Pero guardó silencio, con una ceja enarcada.

Al ver que el coronel señalaba la puerta, hizo un gesto de asentimiento y salió con él al pasillo; luego abandonaron la Cancillería. Giraron al norte por la calle Wilhelm y continuaron hasta Unter den Linden; luego viraron hacia el oeste, charlando sobre el tiempo, las Olimpíadas y una película estadounidense que, al parecer, se estrenaría pronto. Ambos, como el Líder, admiraban a Greta Garbo, la actriz del momento. En Alemania acababan de aprobar su película *Anna Karenina,* pese a estar ambientada en Rusia y ser de una moralidad cuestionable. Mientras discutían sus últimas actuaciones, entraron en el Tiergarten, cerca de la Puerta de Brandenburgo.

Por fin Keitel miró en derredor, por si los seguían o vigilaban.

—¿A qué viene esto, Reinhard?

—Hay locos entre nosotros, doctor. —Ernst suspiró.

—¡No! ¿Es una broma? —preguntó el profesor, sarcástico.

—Ayer el Líder me pidió un informe sobre el Estudio Waltham.

Keitel tardó un momento en asimilar esa información.

—¿El Líder? ¿En persona?

—Yo confiaba que se olvidaría, ocupado como ha estado con las Olimpíadas. Pero al parecer no ha sido así. —El coronel mostró la nota de Hitler; luego explicó de qué modo se había enterado el Líder de la existencia de ese estudio—. Gracias al hombre de muchos títulos y más kilos.

—Hermann el Gordo —completó Keitel en voz alta, con un suspiro de enfado.

—Chist —pidió Ernst—. Hable a través de flores. —En esos días era una expresión frecuente; significaba: «Cuando mencione públicamente el nombre de un funcionario del Partido, diga sólo cosas buenas».

El profesor se encogió de hombros, pero continuó en voz más baja:

—¿Qué interés puede tener en nosotros?

El coronel no tenía tiempo ni energías para explicar las maquinaciones del Gobierno nacionalsocialista a un hombre que llevaba una vida esencialmente académica.

—Pues bien, amigo mío —dijo Keitel—, ¿qué haremos?

—He decidido pasar a la ofensiva. Contraatacar con fuerza. Les entregaremos un informe. El lunes. Un informe detallado.

—¿Dos días? —bufó Keitel—. Sólo tenemos datos en bruto. Y aun eso es muy limitado. ¿Y si le dijera que dentro de unos meses tendremos un análisis mejor? Podríamos...

—No, doctor —aseguró Ernst, riendo. Si no era posible hablar entre flores, se recurría al susurro—. Al Líder no se le pide que espere unos meses. Ni unos días. Ni unos minutos. No, es mejor que actuemos ahora. Un golpe relámpago: eso es lo que debemos hacer. Göring continuará con sus intrigas; puede entrometerse hasta tal punto que el Líder profundice. Y si no le gusta lo que ve, parará el estudio por completo. La carpeta que robó era uno de los escritos de Freud. Eso es lo que mencionó en la reunión de ayer. Creo que su expresión fue «médico judío que se dedica a la mente». ¡Si hubiera visto usted la cara del Líder! Pensé que me enviaría a Oranienburg.

—Freud es brillante —susurró Keitel—. Las ideas son importantes.

—Podemos utilizar sus ideas. Y las de los otros psicólogos. Pero...

—Freud es un psicoanalista.

«*Ach*, estos académicos», pensó Ernst. Eran peor que los políticos.

—Pero en nuestro estudio no mencionaremos sus nombres.

—Eso es deshonestidad intelectual —protestó Keitel, disgustado—. Es importante mantener la integridad moral.

—En estas circunstancias no —fue la firme respuesta del coronel—. El trabajo no es para publicar en algún periódico universitario. No se trata de eso.

—Bueno, bueno —dijo el profesor, impaciente—. Pero mi objeción sigue en pie. No tenemos datos suficientes.

—Ya lo sé. He decidido que debemos conseguir más voluntarios. Diez o doce. Será el grupo más numeroso de todos, para impresionar al Líder y lograr que ignore a Göring.

—Es que no tenemos tiempo —descartó el doctor—. ¿Para el lunes por la mañana? No, no, no se puede.

—Sí que se puede. Es preciso. Nuestra obra es demasiado importante como para perderse en esta escaramuza. Mañana por la tarde habrá otra sesión en la universidad. Redactaré para el Líder nuestra magnífica visión del nuevo Ejército alemán. En mi mejor prosa diplomática. Sé qué palabras utilizar. —Miró a su alrededor. Luego, otro susurro—: Cortaremos las piernas a ese gordo ministro del Aire.

—Podemos intentarlo, supongo —dijo Keitel, inseguro.

—No: lo haremos —aseguró Ernst—. Eso de «intentar» no existe. Se triunfa o no se triunfa. —Al caer en la cuenta de que estaba hablando como oficial que sermonea a un subordinado, sonrió con melancolía—. Esto no me gusta más que a usted, Ludwig. Tenía esperanzas de pasar este fin de semana descansando. Quería dedicar algún tiempo a mi nieto. Íbamos a tallar juntos un barco. Pero ya habrá tiempo para recrearse. —Y el coronel añadió—: Cuando muramos.

Keitel no dijo nada, pero Ernst percibió que giraba la cabeza hacia él, inseguro.

—Es una broma, amigo mío —aseguró—. Y ahora permítame darle una noticia estupenda sobre nuestra Marina.

13

En la plaza Noviembre de 1923 se alzaba una estatua de bronce patinado que representaba a Hitler de pie y erguido entre soldados caídos, pero nobles. Era impresionante, pero estaba localizada en un vecindario muy diferente de los que Paul Schumann había visto en Berlín. El viento arenoso arrastraba papeles; en el aire pendía un acre olor a basura. Los vendedores ambulantes voceaban mercaderías y fruta barata; un pintor, con un carrito desvencijado, ofrecía a los viandantes hacerles un retrato por unas pocas monedas. En los portales holgazaneaban envejecidas prostitutas sin licencia o jóvenes rufianes. Por las aceras pasaban, cojeando o sobre ruedas, mendigos a los que les faltaba algún miembro, provistos de estrafalarias prótesis de metal y cuero. Uno de ellos tenía un letrero prendido al pecho: «Di mis piernas por mi país. ¿Qué puede darme usted?».

Era como si Paul hubiera atravesado la cortina tras la cual Hitler había barrido toda la basura, los indeseables de Berlín.

Después de franquear un herrumbroso portón de hierro, se sentó frente a la estatua del Líder; cinco o seis bancos estaban ya ocupados. Por una placa de bronce se enteró de que el monumento estaba dedicado al Putsch de la Cervecería en el cual, en el otoño de 1923, según la pesada prosa grabada en el metal, los nobles visionarios del nacionalsocialismo se habían hecho cargo heroicamente del corrupto Estado de Weimar, para intentar arrebatar el país de manos de los que-le-habían-apuñalado-por-la-espalda (el idioma alemán, como Paul bien sabía, era muy dado a combinar en una sola palabra tantas como fuera posible).

Muy pronto, aburrido por esos largos y apasionados elogios a Hitler y Göring, volvió a sentarse y se secó la cara. El sol ya estaba bajo, pero aún refulgente; el calor era inmisericorde. Apenas llevaba un par de minutos esperando cuando Reggie Morgan cruzó la calle y fue a reunirse con él.

—Ya veo que has encontrado el lugar sin dificultad. —Hablaba nuevamente en su impecable alemán. Señaló la estatua con un ademán, riendo, y bajó la voz—. Glorioso, ¿eh? La verdad es que un montón de borrachos trató de apoderarse de Múnich y los aplastaron como a moscas. Al primer disparo Hitler se arrojó a tierra; sólo sobrevivió porque se cubrió con el cuerpo de un «camarada». —Luego observó a Paul de arriba abajo—. Se te ve diferente. El pelo. La ropa. —Su mirada se centró en la tirita—. ¿Qué te ha pasado?

Él le explicó lo de la pelea con los Camisas Pardas. Morgan frunció el entrecejo.

—¿Fue por lo del pasaje Dresden? ¿Iban por ti?

—No. Estaban golpeando a los dueños de una librería. Yo no quería entrometerme, pero no podía permitir que los mataran. Me he cambiado de ropa y de peinado. Pero tendré que mantenerme lejos de los Camisas Pardas.

Morgan asintió.

—No creo que haya mucho peligro. No mencionarán el asunto a la SS ni a la Gestapo; prefieren buscar venganza por sí mismos. Pero los tipos con quienes te has liado se quedarán cerca de la calle Rosenthaler. Nunca se alejan mucho. ¿No tienes más lesión que ésa? La mano con que disparas... ¿está bien?

—Bien, sí.

—Me alegro. Pero anda con cuidado, Paul. Por algo así te matan. Sin preguntas, sin arresto. Podrían haberte ejecutado allí mismo.

El sicario bajó la voz.

—Tu contacto en el Ministerio de Información, ¿qué ha descubierto sobre Ernst?

Su compañero frunció las cejas.

—Está sucediendo algo raro. Me ha dicho que hay reuniones secretas por toda la calle Wilhelm. Por lo general los sábados está medio desierta, pero hoy hay gente de la SS y la SD por todas partes. Dice que necesitarás tiempo. Debemos llamarlo dentro de una hora, poco más o menos. —Consultó su reloj—. Pero por ahora debemos ver al hombre del rifle, que está calle arriba. Hoy ha cerrado su negocio para atendernos, pero vive cerca. Nos espera. Voy a llamarlo. —Se levantó para echar una mirada alrededor. De los bares y los restaurantes del lugar sólo uno, la cafetería Edelweiss, anunciaba tener teléfono público.

—Volveré enseguida.

Mientras Morgan cruzaba la calle Paul lo siguió con la vista. Uno de los veteranos mutilados cruzó la terraza del restaurante, mendigando limosnas. Un camarero fornido se acercó a la barandilla para ahuyentarlo.

Un hombre de mediana edad, que se había sentado varios bancos más allá, fue a sentarse junto a Paul, con una mueca que puso al descubierto dientes oscuros.

—¿Ha visto usted eso? —rezongó—. Es un crimen, el trato que reciben los héroes por parte de alguna gente.

—Sí, es cierto. —Paul se preguntó qué debía hacer. Quizá resultara más sospechoso levantarse y salir de allí. Ojalá ese hombre se callara.

Pero el alemán lo miró con atención.

—Usted tiene edad como para haber combatido.

No era una pregunta. Probablemente se habían requerido circunstancias extraordinarias para que los alemanes veinteañeros se libraran de combatir en la guerra.

—Sí, por supuesto —respondió, pensando a toda velocidad.

—¿En qué batalla le hicieron eso? —El hombre señalaba con un gesto la cicatriz que Paul tenía en la barbilla.

Esa herida no se debía a ninguna acción militar; el enemigo había sido un sádico sicario llamado Morris Starble, quien se la produjo con un puñal en la taberna de Hell's Kitchen, tras lo cual él mismo había muerto cinco minutos después.

El hombre lo miraba con aire de expectación. Como era preciso decir algo, Paul mencionó una batalla con la que estaba íntimamente familiarizado:

—En St. Mihiel. —Durante cuatro días, en septiembre de 1918, él y sus compañeros de la Primera División de Infantería, Cuarto Cuerpo, avanzaron lentamente entre la lluvia torrencial y una sopa de lodo, para atacar las trincheras alemanas, que tenían dos metros y medio de profundidad y estaban protegidas por alambres y nidos de ametralladoras.

—¡Sí, sí! ¡Yo estuve en ésa! —El hombre, radiante, le estrechó calurosamente la mano. —¡Qué coincidencia! ¡Camarada!

«He elegido muy bien», pensó Paul amargamente. ¿Cuántas eran las posibilidades de que ocurriera algo así? Pero trató de mostrarse agradablemente sorprendido por la casualidad. Y el alemán continuó diciendo a su compañero de armas:

—¡Conque formabas parte del Destacamento C! ¡Qué lluvia aquélla! Nunca antes ni después he visto llover así. ¿Dónde estabas?

—En la cara oeste del saliente.

—Yo me enfrenté al Segundo Cuerpo Colonial Francés.

—Nosotros a los norteamericanos —informó Paul, buscando velozmente entre los recuerdos de dos décadas atrás.

—¡Ah, el coronel George Patton! ¡Qué loco brillante era! Tenía a las tropas corriendo por todo el campo de batalla. ¡Y esos tanques suyos! Aparecían de improviso, como por arte de magia. Uno nunca sabía dónde atacaría la siguiente vez. Yo nunca me preocupaba por los de infantería, pero los tanques... —Meneó la cabeza con una mueca.

—Sí, fue una gran batalla.

—Pues ya tuviste suerte, si ésa fue tu única herida.

—Dios estaba conmigo, es cierto. —Paul preguntó—: Y tú, ¿saliste herido?

—Un poco de metralla en la pantorrilla. Todavía la tengo. Se la enseño a mi sobrino: una herida en forma de reloj de arena. Él toca la cicatriz brillante y ríe de placer. ¡Hombre, qué tiempos aquéllos! —Bebió un sorbo de una petaca—. Son muchos los que perdieron amigos en St. Mihiel. Yo no. Los míos ya habían muerto todos.

Se quedó en silencio. Luego ofreció la petaca a Paul, quien negó con la cabeza. Morgan, que salía de la cafetería, lo llamó con un gesto.

—Debo irme —dijo él—. Ha sido un placer encontrarme con un compañero veterano y compartir estas palabras.

—Sí.

—Buenos días, señor. *Heil* Hitler.

—*Ach*, sí, *Heil* Hitler.

Paul se reunió con Morgan, quien le dijo:

—Puede recibirnos ahora mismo.

—¿No le has mencionado para qué necesito el arma?

—No; al menos no le he dicho la verdad. Cree que eres alemán y que la quieres para matar al jefe de una banda de delincuentes de Francfort, que te engañó.

Los dos continuaron caminando calle arriba seis o siete cuadras más, por un vecindario cada vez más mísero, hasta llegar a la casa de empeño. Instrumentos musicales, maletas, navajas de afeitar, joyas, muñecas y otros cientos de artículos colmaban los sucios escaparates enrejados. En la puerta había un letrero, «Cerrado». Aguardaron en el vestíbulo sólo unos pocos minutos antes de que apareciera un hombre bajo, que se estaba quedando calvo. Saludó a Morgan con una inclinación de cabeza y miró de soslayo, sin prestar atención a Paul; luego los hizo pasar. Después de echar otra mirada hacia atrás, cerró la puerta con llave y bajó la cortina.

Se adentraron en aquella tienda mohosa, llena de polvo.

—Por aquí. —El tendero los condujo a través de dos gruesas puertas, a las que echó el cerrojo; luego, por una larga escalera que descendía hasta un sótano húmedo, iluminado sólo por dos pequeñas bombillas amarillentas. Cuando la vista se habituó a esa escasa luz, Paul notó que había veinte o veinticinco rifles puestos en armeros contra la pared.

El hombre le entregó uno que tenía mira telescópica.

—Es un máuser Karabiner, de 7.92 milímetros. Se desarma con facilidad, de modo que puedes llevarlo en una maleta. Mira la lente. No la hay mejor en el mundo.

Accionó un interruptor y se iluminó un túnel de unos treinta metros de longitud, en cuyo extremo había bolsas de arena, una de las cuales tenía prendido un blanco de papel.

—Este lugar está completamente insonorizado. Es un túnel de aprovisionamiento que se cavó en el suelo hace años.

Paul tomó el fusil. Percibió la suavidad de la culata, de madera pulida y barnizada, el aroma del aceite, la creosota y el cuero de la correa. Rara vez utilizaba rifles para su trabajo; esa combinación de olores, madera maciza y metal, lo llevó hacia atrás en el tiempo. Podía olfatear el barro de las trincheras, la mierda, los vapores del querosén. Y el hedor de la muerte, como de cartón mojado y podrido.

—Además, éstas son balas especiales, ahuecadas en el extremo, como puedes ver. Para matar son más efectivas que las comunes.

Paul disparó sin carga varias veces, para acostumbrarse al disparador. Luego puso balas en el cargador y se sentó en un banco, con el rifle apoyado en un bloque de madera cubierto de paño. Comenzó a disparar. El ruido era ensordecedor, pero apenas lo notó. No hacía más que mirar a través de la lente, concentrado en los puntos negros del blanco. Después de hacer algunos ajustes a la mira, disparó lentamente las veinte balas que quedaban en la caja.

—Bien —dijo a gritos, pues tenía el oído entumecido—. Buena arma.

Y se la devolvió al hombre, quien la desarmó para limpiarla y guardó el fusil y las municiones en una maltrecha maleta de cartón.

Morgan tomó el estuche y entregó un sobre al tendero, quien apagó las luces de la galería y los condujo arriba. Una mirada a la calle, una señal de que todo estaba despejado. Pronto estaban nuevamente fuera, caminando por la acera. Paul oyó una voz metálica que llenaba la calle y se echó a reír.

—No hay modo de escapar de ella. —Al otro lado de la calle, en la parada del tranvía, había un altavoz, por el cual una voz masculina hablaba y hablaba monótonamenente: más información sobre la salud pública—. ¿No se callan nunca?

—No —dijo Morgan—. Cuando se haga memoria, ésa será la contribución del nacionalsocialismo a la cultura: edificios feos, malas esculturas de bronce y discursos interminables. —Señaló con la cabeza la maleta que contenía el máuser—. Ahora volvamos a la plaza, que debo llamar a mi contacto. Veamos si tiene suficiente información para que puedas utilizar esta bonita muestra de maquinaria alemana.

El polvoriento DKW giró hacia la plaza Noviembre de 1923 y, al no hallar sitio para estacionar en esa calle frenética, esquivó por un pelo a un vendedor de fruta dudosa y subió a medias a la acera.

—Bien, ya hemos llegado, Janssen —dijo Willi Kohl, enjugándose la cara—. ¿Tiene la pistola a mano?

—Sí, señor.

—Pues salgamos de caza.

Y se apearon.

La finalidad de haberse desviado al salir de la residencia norteamericana era entrevistar a los conductores de taxis estacionados ante la Villa Olímpica. Con la previsión que caracterizaba a los nacionalsocialistas, sólo podían servir en esa zona los conductores que fueran multilingües; eso significaba que su número era limitado y, además, que cada uno regresaba a la parada tras dejar a un pasajero. Y esto, a su vez, según razonó Kohl, quería decir que alguno de ellos podía haber llevado al sospechoso a alguna parte.

Una vez que se hubieron repartido a los taxis y tras hablar con veinte o veinticinco conductores, Janssen descubrió a uno cuyo relato interesó mucho a Kohl. Poco antes un pasajero había abandonado la Villa Olímpica con una maleta y un viejo portafolio marrón. Era un hombre fornido, que hablaba con leve acento. Su pelo no parecía tan largo ni tenía tinte rojizo, sino oscuro y bien alisado hacia atrás; Kohl se dijo que eso podía deberse a aceites o lociones. El conductor explicó que no iba de traje, sino con ropa informal, de colores claros, que él no pudo describir en detalle.

El hombre se había apeado en la Lützowplatz, tras lo cual desapareció entre la multitud. Ésa era una de las intersecciones más congestionadas de la ciudad; cabían pocas esperanzas de encontrar allí el rastro del sospechoso. Sin embargo, el conductor añadió que su pasajero había pedido indicaciones para llegar a la plaza Noviembre de 1923; también quiso saber si se podía ir andando desde allí.

—¿Ha preguntado algo más sobre la plaza? ¿Algo específico? ¿Para qué iba? ¿Con quién esperaba encontrarse? ¿Algo?

—No, inspector. Nada. Le he dicho que la caminata hasta allí era muy larga. Él me ha dado las gracias y se ha bajado. Eso ha sido todo. Yo no lo he mirado a la cara —explicó—. Estaba atento a la calle.

«Ceguera, por supuesto», pensó Kohl con amargura.

De regreso en la sede central, habían recogido folletos sobre la víctima del pasaje Dresden. Luego fueron deprisa al monumento en honor del fracasado Putsch de 1923 (solamente los nacionalsocialistas podían convertir una derrota bochornosa como ésa en una gran victoria). Si la Lützowplatz era demasiado grande para realizar una búsqueda efectiva, ésta, en cambio, era mucho más pequeña y se la podía cubrir con más facilidad.

Kohl paseó una mirada por la gente: mendigos, vendedores ambulantes, prostitutas, compradores, hombres y mujeres sin empleo, en pequeñas cafeterías. Inhaló el aire penetrante, cargado de olor a basura, y preguntó:

—¿Percibe, Janssen, la proximidad de nuestra presa?

—Yo... —El ayudante pareció incómodo ante ese comentario.

—Es una sensación —dijo el inspector, mientras observaba la calle desde la sombra de un valeroso y desafiante Hitler de bronce—. Yo mismo no creo en el ocultismo. ¿Y usted?

—A decir verdad, no, señor. No soy religioso, si a eso se refiere.

—Bueno, yo no me he alejado por completo de la religión. Heidi no lo aprobaría. Pero me refiero a la ilusión de lo espiritual sobre la base de nuestras percepciones y experiencias. Ésa es la sensación que tengo en este momento: que él está cerca.

—Sí, señor —dijo el candidato a inspector—. ¿Por qué lo dice?

Una pregunta adecuada, pensó Kohl. Él era de la opinión de que los detectives jóvenes siempre debían interrogar a sus mentores. Explicó: porque ese vecindario formaba parte de Berlín Norte. Allí se encontraban en gran número heridos de guerra, pobres, parados, comunistas y socialistas clandestinos, bandas de adversarios del Partido, ladronzuelos y sindicalistas que se ocultaban desde que se habían prohibido los sindicatos. Los alemanes que lo poblaban echaban tristemente de menos los viejos tiempos: no los de Weimar, desde luego (a nadie le gustaba la República), pero sí la gloria de Prusia, de Bismarck, de Guillermo, del Segundo Imperio. Eso significaba que habría pocos miembros o simpatizantes del Partido. Por lo tanto, pocos dispuestos a correr con la denuncia a la Gestapo o al local de las Tropas de Asalto.

—Cualquiera sea su objetivo, es en lugares como éste donde hallará apoyo y camaradas. Retroceda un poco, Janssen. Siempre es más fácil reparar en una persona que busca a un sospechoso, como nosotros, que en el sospechoso mismo.

El joven se puso a la sombra de una pescadería, cuyas hediondas cubetas estaban casi vacías. Lo único que tenía a la venta eran esforzadas anguilas, carpas y enfermizas truchas de canal. Por algunos momentos los oficiales estudiaron las calles en busca de su presa.

—Pensemos un poco, Janssen. Él se ha bajado del taxi con su maleta (y el portafolio incriminatorio) en esta plaza. Si no ha hecho que el conductor lo trajera directamente hasta aquí puede ser porque ha dejado su equipaje en su alojamiento actual y ha venido aquí con alguna otra finalidad. ¡Para qué? ¿Para encontrarse con alguien? ¿Para entregar algo, tal vez el portafolio? ¿O para recoger algo o a alguien? Ha estado en la Villa Olímpica, en el pasaje Dresden, en el Jardín Estival, en la calle Rosenthaler, en la Lützowplatz y ahora aquí. ¿Qué vincula a todos estos sitios? Eso es lo que me pregunto.

—¿Inspeccionamos todas las tiendas?

—Creo que es necesario. Pero escuche, Janssen: el problema de la privación de comida se está tornando grave. Hasta me siento mareado. Buscaremos primero en las cafeterías y, al mismo tiempo, nos brindaremos algún sustento.

Kohl flexionó los dedos dentro de los zapatos para aliviar el dolor. La lana de cordero se había movido y nuevamente le ardían los pies. Señaló con la cabeza el restaurante más próximo, el mismo frente al cual habían estacionado: la cafetería Edelweiss. Allí entraron.

Era un sitio oscuro. Kohl notó que se desviaban las miradas, cosa que anunciaba típicamente la aparición de un funcionario. Cuando acabaron de observar a los parroquianos, por si acaso el sospechoso de Manny's Men's Wear pudiera estar allí, el inspector mostró su credencial a un camarero, quien se cuadró instantáneamente.

—*Heil* Hitler. ¿En qué puedo serles útil?

Era dudoso que en ese agujero lleno de humo conocieran siquiera la existencia de los jefes de camareros; por lo tanto, Kohl preguntó por el gerente.

—El señor Grolle, sí, señor. Lo traeré de inmediato. Por favor, señores, ocupen esta mesa. Y si desean café y algo para comer, no tienen más que pedírmelo.

—Tomaré un café y *strudel* de manzana. Doble porción, por favor. ¿Y mi colega? —Miró a Janssen con una ceja enarcada.

—Sólo una Coca-Cola.

—El *strudel*, ¿con crema? —preguntó el camarero.

—Por supuesto —exclamó Willi en tono de sorpresa, como si fuera un sacrilegio servirlo sin ella.

Mientras regresaban con el arma a la cafetería Edelweiss, desde donde Morgan llamaría a su contacto en el Ministerio de Información, Paul preguntó:

—¿Qué nos conseguirá sobre el paradero de Ernst?

—Me ha dicho que Goebbels siempre quiere saber en qué actos públicos se presentarán los mandamases principales. Así puede decidir si es importante enviar a un fotógrafo o un equipo de filmación para que registren el evento. —Soltó una risa agria—. Si vas a ver *Motín a bordo,* digamos, antes de ponerte siquiera una imagen de Mickey Mouse tendrás veinte minutos de aburridas filmaciones de Hitler acariciando bebés y Göring desfilando con sus ridículos uniformes ante un millar de hombres en el Servicio Laboral.

—¿Y Ernst estará en esa lista?

—Eso es lo que espero. Dicen que el coronel no tiene mucha paciencia para la propaganda y que detesta a Goebbels tanto como a Göring. Pero ha aprendido a seguir el juego. En estos tiempos, para triunfar en el Gobierno hay que saber jugarlo.

Al acercarse a la cafetería Edelweiss Paul reparó en un humilde coche negro detenido sobre el cordón, junto a la estatua de Hitler, frente al restaurante. Aunque se veían algunos bonitos modelos de Mercedes y BMW, la mayoría de los vehículos de Berlín eran como ése: cuadrados y maltrechos. Cuando regresara a Estados Unidos y cobrara sus diez de los grandes se compraría el automóvil de sus sueños: un Lincoln negro refulgente. Marion quedaría muy bien en un coche así.

De pronto Paul sintió mucha sed. Decidió que, mientras Morgan hacía su llamada, él ocuparía una mesa. El restaurante parecía estar especializado en café y pasteles, pero en un día tan caluroso eso no lo atraía. No: decidió continuar sus investigaciones en el bello arte de la cerveza alemana.

14

entado ante una desvencijada mesa de la cafetería Edelweiss, Willi Kohl acabó el *strudel* y el café. «Mucho mejor», pensó. El hambre había llegado a hacer que le temblaran las manos. No era saludable pasar tanto tiempo sin comer.

Ni el gerente ni nadie habían visto a ningún hombre que respondiera a la descripción del sospechoso. Pero Kohl tenía la esperanza de que alguien, en esa desdichada zona, hubiera visto a la víctima del pasaje Dresden.

—Janssen, ¿tiene usted las fotos de nuestro pobre muerto?

—En el DKW, señor.

—Pues bien, tráigalas.

—Sí, señor.

El joven terminó su Coca-Cola y se dirigió hacia el coche.

Kohl lo siguió afuera, dando golpecitos distraídos a la pistola que tenía en el bolsillo. Después de enjugarse la frente miró hacia la derecha, calle arriba, donde se oía sonar otra sirena. Al oír el portazo del DKW giró otra vez hacia Janssen. En ese momento el inspector detectó un movimiento rápido a su izquierda, más allá de su ayudante.

Al parecer, un hombre de traje oscuro, que llevaba una maleta o un estuche con algún instrumento musical, se había dado vuelta para entrar velozmente en el patio de un edificio grande y decrépito, vecino a la Edelweiss. Había algo antinatural en la brusquedad con que se apartó de la acera. También le resultó extraño ver a un hombre de traje en un lugar tan miserable.

—Janssen, ¿ha visto eso?

—¿Qué?

—Ese hombre que ha entrado en el patio.

—No muy bien. Sólo he visto unos hombres en la acera, por el rabillo del ojo.

—¿Más de uno?

—Eran dos, creo.

Kohl se dejó llevar por la intuición.

—¡Hay que investigar esto!

El edificio de departamentos estaba adosado al de la derecha; no se veían puertas laterales en el callejón.

—Sin duda hay una puerta de servicio en la parte trasera, como en el Jardín Estival. Cúbrala. Yo iré por el frente. Dé por seguro que esos hombres están armados y desesperados. Vaya pistola en mano. ¡Vamos, corra! Si se da prisa puede ganarles de mano.

El candidato a inspector partió a la carrera por el callejón. Kohl también se armó y, a paso lento, se aproximó al patio.

Atrapado.

Igual que en el departamento de Malone.

Paul y Reggie Morgan, jadeantes por la breve carrera, se detuvieron en el patio en penumbra, lleno de basura, donde pardeaban diez o doce arbustos. Dos adolescentes de ropas polvorientas arrojaban piedras a las palomas.

—¿Los mismos policías? —dijo Morgan—. ¿Los del Jardín Estival? Imposible.

—Los mismos. —Paul no estaba seguro de que los hubieran visto, pero el oficial más joven, el del traje verde, había mirado en su dirección justo en el momento en que él arrastraba a su compañero hacia el patio. Debían suponer que los había visto.

—¿Cómo nos han encontrado?

Paul, sin prestar atención a la pregunta, miró en derredor. Corrió hasta la puerta de madera que se abría en el centro de la U del edificio; estaba cerrada con llave. Las ventanas del primer piso estaban a una altura de dos metros y medio; trepar sería difícil. Casi todas estaban cerradas, pero Paul vio una abierta; el departamento al que daba parecía desierto.

Morgan siguió la dirección de su mirada.

—Podríamos escondernos allí, sí. Cerrar las persianas. Pero, ¿cómo trepamos?

El sicario llamó a uno de los chavales que estaban arrojando piedras.

—Por favor, ¿viven aquí?

—No, señor, sólo venimos a jugar.

—¿Quieren ganarse un marco?

—¡Madre mía! —exclamó uno, abriendo mucho los ojos. Se les acercó al trote—. Sí, señor.

—Bueno. Pero deben actuar rápido.

Willi Kohl se detuvo fuera de la entrada del patio.

Después de aguardar un momento, para que Janssen pudiera apostarse en la parte trasera, viró en la esquina. No había señales del sospechoso del pasaje Dresden ni del hombre de la maleta: sólo algunos muchachos, de pie entre un montón de cajones de madera, al otro lado del patio. Los chicos levantaron hacia él una mirada intranquila y echaron a andar hacia la salida.

—¡Eh, muchachos! —llamó Kohl.

Se detuvieron, intercambiando una mirada nerviosa.

—¿Diga?

—¿Han visto aquí a dos hombres hace un momento?

Otra mirada inquieta.

—No.

—Vengan aquí.

Hubo una breve pausa. Luego, simultáneamente, echaron a correr y desaparecieron del patio, levantando nubecillas de polvo bajo los pies. Kohl ni siquiera intentó perseguirlos. Con la pistola firme en la mano, paseó la mirada por el patio. Todos los departamentos del piso bajo tenían cortinas en las ventanas o plantas anémicas en los antepechos, lo cual hacía pensar que estaban ocupados. Uno, en cambio, se veía oscuro y sin cortinas.

Kohl se acercó lentamente. En el suelo polvoriento, bajo la ventana, vio unas marcas. De los cajones de leche, sin duda. El sospechoso y su compañero habían pagado a los niños para que llevaran los cajones hasta la ventana y los devolvieran a su sitio, una vez que ellos hubieran entrado en el departamento.

El inspector apretó con fuerza la pistola y pulsó el botón para llamar al encargado del edificio.

Un momento después, un hombre de aspecto atribulado, enjuto y encanecido, abrió la puerta y parpadeó con un gesto nervioso al ver la pistola.

Kohl entró y miró más allá del portero, hacia el corredor oscuro. En el otro extremo vio un movimiento. Ojalá Janssen se mantuviera alerta. Él, cuanto menos, se había probado en el campo de batalla; había recibido algún disparo y, según creía, liquidado a uno o dos enemigos. Janssen, en cambio... Aunque era un tirador aventajado, hasta entonces su discípulo sólo había disparado contra blancos de papel. ¿Qué haría si llegaba el caso de trenzarse a balazos?

—El departamento de este piso —susurró al encargado—, dos hacia la derecha, ¿está desocupado?

—Sí, señor.

Dio un paso atrás para seguir vigilando el patio, por si los sospechosos trataban de saltar por la ventana y huir.

—A la entrada trasera hay otro oficial. Vaya por él, de inmediato.

—Sí, señor.

Pero en el momento en que el hombre iba a obedecer, una anciana fornida, de vestido purpúreo y pañuelo azul en la cabeza, se les acercó caminando como un pato.

—¡Señor Greitel, señor Greitel! ¡Rápido, llame a la policía!

Kohl giró hacia ella. El encargado explicó:

—La policía ya está aquí, señora Haeger.

—*Ach,* ¿cómo puede ser? —se extrañó la mujer, que parpadeaba.

El inspector le preguntó:

—¿Para qué quiere a la policía?

—¡Hay ladrones!

La intuición dijo a Kohl que eso estaba relacionado con su persecución.

—Explíquese, señora. Rápido.

—Mi apartamento da al frente del edificio. Y desde mi ventana he visto a dos hombres escondidos tras ese montón de cajones que, dicho sea de paso, usted, señor Greitel, lleva diciendo que va retirar desde hace varias semanas.

—Continúe, por favor. Este asunto podría ser muy urgente.

—Esos dos estaban al acecho. Era obvio. Y hace apenas un momento los he visto incorporarse y agarrar dos bicicletas del soporte que está junto a la entrada principal. No sé de una, pero la otra era la de la señorita Bauer, que lleva dos años viviendo sola; estoy segura de que ella no se la ha prestado.

—¡No! —murmuró Kohl. Y salió precipitadamente. Ahora comprendía que el sospechoso había pagado a los chicos sólo para que dejaran caer un par de cajones bajo la ventana, a fin de dejar marcas en el polvo, y luego los devolvieran a la pila tras la cual ambos estaban escondidos. Probablemente había indicado a los chicos que se mostraran furtivos o nerviosos, a fin de hacerle pensar que los sospechosos habían entrado así en el edificio.

Salió velozmente a la calle y miró hacia ambos lados. Así pudo comprobar personalmente una estadística que, en su condición de policía diligente, conocía bien: el medio de transporte más utilizado en Berlín era la bicicleta; cientos de ellas atestaban esas calles, ocultando la fuga de los sospechosos con tanta efectividad como una nube de humo denso.

Habían abandonado las bicicletas e iban caminando por una calle transitada, a ochocientos metros de la plaza Noviembre de 1923.

Paul y Morgan buscaron otra cafetería o bar con teléfono.

—¿Cómo has sabido que estaban en la Edelweiss? —preguntó Morgan, con la respiración agitada por pedalear tan rápido.

—Por el coche, el que estaba estacionado sobre el cordón.

—¿El negro?

—Sí. Al principio no me llamó la atención, pero luego un resorte se ha activado en mi mente. He recordado algo que sucedió hace un par de años, cuando iba a hacer un trabajo. Resultó que yo no era el único visitante de Bo Gillette: unos policías de Brooklyn me ganaron de mano. Pero por pereza estacionaron afuera, medio sobre la acera, suponiendo que, como el coche no tenía identificación, nadie se percataría. Pero mira, Bo se percató. Llega a la casa, cae en la cuenta de que han venido por él y desaparece. Me llevó todo un mes volver a localizarlo. En el fondo de mi mente algo me ha dicho: «Este coche es de la policía». Y cuando he visto a ese tipo, el más joven, he caído en la cuenta de inmediato de que era el mismo que vi en la terraza del Jardín Estival.

—Nos han seguido desde el pasaje Dresden hasta el Jardín Estival y luego hasta aquí. ¿Cómo es posible?

Paul hizo memoria. No había dicho a Käthe Richter adónde iba; entre la pensión y la parada de taxis había comprobado diez o doce veces que nadie lo seguía. En la Villa Olímpica tampoco había dicho nada. En ese vecindario podía haberlos traicionado el de la casa de empeño, pero no podía saber lo del Jardín Estival. No: esos dos diligentes policías les habían seguido el rastro por sí solos.

—Los taxis —dijo Paul al fin.

—¿Qué dices?

—Es el único vínculo. Con el Jardín Estival y con este barrio. De ahora en adelante, si no podemos ir a pie, haremos que el conductor nos deje a dos o tres calles del sitio adonde vayamos.

Continuaron alejándose de la plaza. Algunas calles más allá encontraron una cervecería con teléfono público. Mientras Morgan entraba para llamar a su contacto, Paul pidió una cerveza y se quedó montando guardia fuera, nervioso y vigilante. No le había sorprendido ver que los dos policías aparecieran por la calle, siguiéndoles el rastro.

Pero, ¿quiénes eran?

Morgan regresó a la mesa con cara de preocupación.

—Tenemos un problema. —Bebió un sorbo de cerveza y, después de limpiarse el bigote, se inclinó hacia delante—. No se divulga ninguna información. Órdenes de Himmler o de Heydrich (mi agente no está seguro); hasta nuevo aviso, no se puede divulgar ninguna información sobre las apariciones públicas de los funcionarios del Gobierno o del Partido. No hay conferencias de prensa. Nada. El anuncio se hizo hace apenas unas horas.

Paul tragó de una vez la mitad de la cerveza.

—¿Y qué haremos? ¿Sabes algo sobre los horarios de Ernst?

—No sé siquiera dónde vive; sólo que es en algún lugar de Charlottenburg. Podríamos acecharlo hasta que salga de la Cancillería y seguirlo desde allí. Pero sería muy difícil. Si estás a menos de quince metros de un funcionario importante, es seguro que te pedirán los documentos. Y si no les gustan, te detendrán.

Paul reflexionó durante un momento. Luego dijo:

—Tengo una idea. Tal vez pueda conseguir alguna información.

—¿Sobre qué?

—Sobre Ernst.

—¿Tú? —se extrañó Morgan.

—Pero necesitaré unos doscientos marcos.

—Los tengo, sí. —Contó los billetes y se los entregó.

—Tu agente en el Ministerio de Información, ¿podría averiguar algo sobre una persona que no es funcionario?

Morgan se encogió de hombros.

—No puedo asegurártelo. Pero de algo no me cabe duda: si los nacionalsocialistas son hábiles en algo es para reunir información sobre sus ciudadanos.

Janssen y Kohl salieron del patio.

La señora Haeger no podía darles ninguna descripción de los sospechosos; resultaba irónico, pero su ceguera no era política, sino literal. Las cataratas habían permitido a esa entrometida ver a los hombres cuando se ocultaban y cuando huían con las bicicletas, pero le impedían ofrecer más detalles.

Los policías, desalentados, regresaron a la plaza Noviembre de 1923 para reanudar la búsqueda. Recorrieron la calle hacia arriba y hacia abajo para interrogar a vendedores y camareros, mostrar la foto de la víctima y preguntar por el sospechoso.

No tuvieron éxito alguno... hasta que llegaron a una panadería escondida a la sombra de la estatua de Hitler. Un hombre gordo, con un polvoriento delantal blanco, admitió ante Kohl que había visto detenerse un taxi al otro lado de la calle, hacía más o menos una hora. No era común ver taxis allí, según dijo, pues los vecinos no podían permitirse el gasto y nadie que no fuera del barrio tenía motivos para ir allí, al menos en taxi.

El dependiente había visto apearse a un hombre corpulento, peinado con fijador, que miró a su alrededor y luego se acercó a la estatua. Después de permanecer un breve rato sentado en un banco, se había ido.

—¿Cómo vestía?

—Ropa clara. No he visto bien.

—¿Algún otro detalle que le llamara la atención?

—No, señor. Estaba atendiendo a una clienta.

—¿Traía una maleta o un portafolio?

—Creo que no, señor.

Kohl se dijo que su deducción era correcta: lo más probable es que el hombre se hospedara cerca de la plaza Lützow y estuviera allí por alguna diligencia.

—¿Hacia dónde ha ido?

—No lo he visto, señor. Lo siento.

Ceguera, desde luego. Pero al menos eso confirmaba que el sospechoso había estado recientemente allí.

En ese momento un Mercedes negro viró en la esquina y frenó al lado,

—Vaya —murmuró Kohl, al ver que del vehículo se apeaba Peter Krauss, mirando en derredor. Sabía cómo lo había localizado: cada vez que uno salía del Alex en horas de trabajo, debía informar a los recepcionistas del departamento y especificar dónde estaría. Ese día él había estado a punto de no revelar esa información, pero le costaba desobedecer los reglamentos. Antes de salir había apuntado «Plaza Noviembre 1923» y la hora a la que pensaba regresar.

Krauss lo saludó con un gesto.

—Estoy haciendo la ronda, Willi. Sentía curiosidad por saber cómo marcha el caso.

—¿Qué caso? —preguntó Kohl, sólo por petulancia.

—El del cadáver del pasaje Dresden, claro.

—Ah, parece que nuestro departamento tiene menos recursos. —Y añadió en tono irónico—: Por motivos desconocidos. Pero creo que el sospechoso puede haber estado hace un rato aquí.

—He consultado con mis contactos, tal como te dije. Me complace confirmarte que, según datos dignos de toda confianza de mi informante, el asesino sí es extranjero.

Kohl sacó libreta y lápiz.

—¿Y cuál es el nombre del sospechoso?

—Eso no lo sabe.

—¿Su nacionalidad?

—No ha podido decírmela.

—Pues bien, ¿quién es ese informante? —interrogó Kohl, exasperado.

—Hombre, no puedo revelarlo.

—Necesito entrevistarlo, Peter. Si es testigo...

—No es testigo. Tiene sus propias fuentes, que son...

—... también confidenciales.

—Evidentemente. Te digo esto sólo porque ha sido alentador descubrir que tus sospechas eran acertadas.

—¿Mis sospechas?

—De que no era alemán.

—Yo nunca he dicho eso.

—¿Quién es usted? —preguntó Krauss, volviéndose hacia el panadero.

—El inspector, aquí presente, me interrogaba sobre un hombre que he visto.

—¿Tu sospechoso? —preguntó Peter.

—Podría ser.

—*Ach*, sí que eres bueno, Willi. Estamos a varios kilómetros del pasaje Dresden, pero has seguido al sospechoso hasta esta pocilga. —Echó un vistazo al testigo—. ¿Coopera éste?

El panadero aseguró con voz trémula:

—No he visto nada, señor. De verdad. Sólo a un hombre que bajaba de un taxi.

—¿Dónde estaba?

—No lo...

—¿Dónde? —bramó Krauss.

—Al otro lado de la calle. De verdad, señor. No he visto nada. Estaba de espaldas a mí. No...

—¡Mentiroso!

—Lo juro por... Lo juro por el Líder.

—Quien jura en falso sigue siendo mentiroso. —Peter señaló a uno de sus jóvenes ayudantes, un oficial carirredondo—. Lo llevaremos a la calle Príncipe Albrecht. Después de pasar un día allí nos dará la descripción completa.

—No, señor, por favor. Pero si quiero ayudar, se lo aseguro. Willi Kohl se encogió de hombros:

—El hecho es que no nos ha ayudado.

—Pero si le he dicho...

Kohl pidió al hombre su carné de identidad. El panadero se lo entregó con mano trémula; él lo abrió para examinarlo.

Krauss miró nuevamente a su ayudante.

—Espóselo. Llévelo a la sede central.

El joven oficial de la Gestapo cogió las manos del hombre y le puso las esposas a la espalda. Al testigo se le llenaron los ojos de lágrimas.

—He tratado de recordar. Con toda sinceridad...

—Pues ya recordará, se lo aseguro.

Kohl le dijo:

—Estamos atendiendo asuntos de gran importancia. Preferiría que usted colaborara ahora mismo. Pero si mi colega quiere llevarlo a la calle Príncipe Albrecht... —El inspector miró al aterrorizado hombre enarcando una ceja—. A usted le irá muy mal, señor Heydrich. Muy mal.

El panadero, parpadeando, se enjugó las lágrimas.

—Pero, señor...

—Sí, sí, ya lo creo... —Kohl dejó que su voz se apagara y volvió a estudiar el carné—. Usted es... ¿Dónde nació?

—En Göttburg, a las afueras de Múnich, señor.

—Ah. —Mantenía una expresión plácida y asentía con lentitud. Krauss le echó un vistazo.

—Pero señor, me parece que...

—¿Y la ciudad es pequeña?

—Sí, señor. Yo...

—Silencio, por favor. —Kohl seguía con la vista fija en el documento.

Por fin Krauss preguntó:

—¿Qué pasa, Willi?

Su colega se lo llevó aparte para susurrarle:

—Creo que la Kripo ya no tiene interés en este hombre. Puedes hacer lo que gustes con él.

Peter guardó silencio por un momento, tratando de encontrar sentido a ese repentino cambio de idea.

—¿Por qué?

—Y te lo pido por favor: no menciones que Janssen y yo lo hemos detenido.

—Debo preguntártelo otra vez: ¿por qué, Willi?

Después de una pausa, Kohl dijo:

—Heydrich, el de la SD, es también de Göttburg.

Reinhard Heydrich, jefe de la División de Inteligencia de la SS y número dos de Himmler, tenía fama de ser el hombre más implacable del Tercer Imperio. Era una máquina sin corazón; cierta vez había abandonado a una muchacha después de embarazarla, pues detestaba a las mujeres de moral laxa. Se decía que a Hitler le disgustaba infligir dolor, pero toleraba su empleo si convenía a sus fines. Heinrich Himmler, por su parte, disfrutaba al infligir dolor, pero era un completo inepto cuando se trataba de utilizarlo para lograr un objetivo. Heydrich, en cambio, disfrutaba al causarlo y era experto en su aplicación.

Krauss echó un vistazo al panadero y preguntó, inquieto:

—¿Son...? ¿Crees que puedan ser parientes?

—Prefiero no correr el riesgo. Ustedes, los de la Gestapo, se llevan mucho mejor con la SD que la Kripo. Pueden interrogarlo sin temer mucho las consecuencias. Pero si allí ven mi nombre relacionado con él en una investigación, eso bien podría ser el fin de mi carrera.

—Aun así... interrogar a un pariente de Heydrich... —Krauss bajó la vista a la acera—. ¿Crees que puede saber algo valioso?

Kohl estudió al miserable panadero.

—Creo que sabe algo más de lo que dice, pero nada que nos sea muy útil. Tengo la sensación de que si se muestra tan evasivo es sólo porque acostumbra mezclar aserrín con la harina o porque compra manteca en el mercado negro. —El inspector paseó una mirada por el vecindario—. Supongo que Janssen y yo, con un poco de empeño, podemos averiguar más detalles sobre el incidente del pasaje Dresden y al mismo tiempo —bajó la voz— conservar nuestro empleo.

Krauss se paseaba, quizá tratando de recordar si había mencionado su propio nombre ante ese hombre, quien a su vez podía revelarlo a su primo Heydrich.

—Quítele las esposas —dijo abruptamente. Mientras el joven oficial obedecía, añadió—: Necesitamos un informe sobre el asunto del pasaje Dresden, Willi; cuanto antes.

—Por supuesto.

—*Heil* Hitler.

—*Heil.*

Los dos oficiales de la Gestapo subieron al Mercedes y, después de rodear la estatua del Líder, se perdieron a gran velocidad en el tránsito.

Cuando el coche hubo desaparecido Kohl devolvió al panadero su carné.

—Tome usted, señor Rosenbaum. Ya puede volver a su trabajo. No lo molestaremos más.

—Gracias, muchísimas gracias —exclamó el hombre, efusivo. Le temblaban las manos y las lágrimas le corrían por las arrugas que rodeaban la boca—. Que Dios lo bendiga, señor.

—Chist —lo acalló el inspector, irritado por lo indiscreto de su gratitud—. Ahora regrese a su negocio.

—Sí, señor. ¿Una hogaza de pan? ¿Un poco de *strudel?*

—No, no. A su negocio, hombre.

El panadero entró precipitadamente. Mientras regresaban hacia el coche, Janssen preguntó:

—¿No se llamaba Heydrich? ¿Era Rosenbaum?

—Con respecto a este asunto, Janssen, es mejor que no haga preguntas. No le servirán para ser mejor inspector.

—Sí, señor. —El joven asintió con aire conspirador.

—Ahora bien: sabemos que nuestro sospechoso ha bajado de un taxi en este sitio y se ha sentado en la plaza durante un rato antes de continuar con su misión, cualquiera que fuese. Preguntemos a estos holgazanes si han visto algo.

No tuvieron suerte con la gente sentada en los bancos; tal como Kohl había explicado a su ayudante, allí había muchos que no simpatizaban en absoluto con el Partido ni con la policía. Es decir: no tuvieron suerte hasta que llegaron a un hombre sentado a la sombra del Líder de bronce. A la primera mirada Kohl lo reconoció como soldado, ya fuera del Ejército regular o del Cuerpo Libre, la milicia informal que se había formado después de la guerra.

Cuando le preguntó por el sospechoso el hombre asintió enérgicamente:

—Ah, sí, sí. Ya sé a quién se refiere.

—¿Cómo se llama usted, señor?

—Helmut Gershner. Fui cabo del Ejército del káiser Guillermo.

—¿Y qué puede decirnos, cabo?

—Hace escasamente tres cuartos de hora he estado hablando con ese hombre. Responde a su descripción.

Kohl sintió que se le aceleraba el corazón.

—¿Sabe usted si aún está por aquí?

—Por lo que he visto, no.

—Bien. Cuéntenos lo que sepa.

—Sí, inspector. Estábamos hablando de la guerra. Al principio me ha parecido que fuimos camaradas, pero luego he percibido que había algo extraño.

—¿Qué, señor?

—Ha mencionado la batalla de St. Mihiel. Pero sin afligirse.

—¿Sin afligirse?

El hombre meneó la cabeza.

—En esa batalla nos capturaron a quince mil hombres y tuvimos muchísimos muertos. Para mí fue el día más triste para mi unidad, el Destacamento C. ¡Qué tragedia! Los americanos y los franceses nos obligaron a retroceder hasta la Línea Hindenburg. Él parecía saber mucho del combate. Sospecho que estuvo allí. Sin embargo, para él la batalla no fue un horror. He visto por su mirada que recordaba esos días terribles como si tal cosa. Además... —Los ojos del hombre se dilataron de indignación— ... no ha querido compartir mi petaca en honor de los muertos. No sé por qué lo buscan, pero ha bastado esa reacción para que yo desconfiara. Sospecho que fue un desertor. O un cobarde. Hasta es posible que fuera un traidor.

«O tal vez el enemigo», pensó Kohl, irónico. Y preguntó:

—¿Ha dicho qué lo traía por aquí? ¿O donde fuera?

—No, señor, nada de eso. Sólo hemos conversado un momento.

—¿Estaba solo?

—Creo que no. Me parece que se le ha unido otro hombre, algo más bajo que él. Pero no he visto con claridad. Lo siento. No estaba prestando atención, señor.

—Está muy bien, soldado —dijo Janssen. Y agregó, dirigiéndose a su jefe—: tal vez el hombre que hemos visto en el patio era su colega. Traje oscuro, más bajo.

Kohl asintió.

—Posiblemente. Uno de los que lo acompañaban en el Jardín Estival. —Y preguntó al veterano—: ¿Qué edad tenía el hombrón?

—Unos cuarenta, año más, año menos. Igual que yo.

—¿Ha podido usted verlo bien?

—Pues sí, señor. Estaba tan cerca de él como de usted ahora. Puedo describirlo a la perfección.

«Bendito sea Dios», pensó Kohl, «ha acabado la plaga de la ceguera». Miró calle arriba, en busca de alguien a quien había visto al inspeccionar la zona, media hora antes. Luego cogió al veterano por un brazo y, con una mano en alto para detener el tránsito, lo condujo al otro lado de la calle.

—Señor —le dijo a un hombre cubierto con un delantal manchado de pintura, sentado junto a un carro barato donde exhibía algunos cuadros. El artista ambulante apartó la vista del bodegón de flores que estaba pintando. Al ver la credencial de Kohl dejó su pincel para levantarse, alarmado.

—Lo siento, inspector. Le aseguro que he intentado muchas veces obtener un permiso, pero...

Kohl le espetó:

—¿Sabe usar el lápiz o sólo pintura?

—Yo...

—¡El lápiz! ¿Sabe dibujar a lápiz?

—Sí, señor. A menudo comienzo por hacer un esbozo preliminar a lápiz y luego...

—Sí, sí, está bien. Veamos: tengo un trabajo para usted. —Kohl depositó al cabo cojo en la raída silla de lona y plantó un bloc de papel ante el artista.

—¿Quiere que retrate a este hombre? —preguntó el pintor, confundido aunque bien dispuesto.

—No: quiero que haga un dibujo del hombre que él va a describir.

15

El taxi pasó acelerando frente a un gran hotel, del que pendían banderas nazis negras, blancas y rojas.

—*Ach,* ése es el Metropol —informó el conductor—. ¿Sabe usted quién está allí en estos días? ¡Lillian Harvey, la gran actriz y cantante! La he visto con mis propios ojos. ¡Ya disfrutarán ustedes de sus musicales!

—Es buena, sí. —Paul no tenía ni idea de quién era esa mujer.

—Ahora está haciendo una película en Babelsberg, para los estudios UFA. Me encantaría tenerla como pasajera, pero tiene limusina, claro.

Paul echó una mirada distraída al lujoso hotel, justo del tipo donde solían hospedarse las estrellitas de cine. Luego el Opel giró hacia el norte y el vecindario cambió abruptamente; cada manzana era más ruinosa que la anterior. Cinco minutos después Paul dijo al conductor:

—Aquí, por favor.

El hombre lo dejó junto a la acera. Ya conocedor del riesgo que representaban los taxis, aguardó a que el vehículo desapareciera en el tránsito; luego caminó doscientos metros hasta la calle Dragoner y continuó hacia la Cafetería Aria.

Una vez dentro no le costó mucho localizar a Otto Webber. El alemán estaba sentado a una mesa del bar, discutiendo con un hombre que vestía un sucio traje azul claro y un sombrero de paja. Al verlo Webber irradió hacia Paul una gran sonrisa; luego se apresuró a despedir a su compañero.

—¡Venga, venga aquí, señor John Dillinger! ¿Cómo está usted, amigo? —Se había levantado para abrazarlo.

Se sentaron. Antes de que Paul hubiera tenido tiempo de desabrocharse siquiera el saco, Liesl, la atractiva camarera que los había atendido la vez anterior, avanzó hacia él por entre las mesas.

—Anda, has vuelto —anunció mientras apoyaba una mano en su hombro y se lo apretaba con fuerza—. ¡No has podido resistirte a mí! ¡Ya lo sabía! ¿En qué puedo servirte?

—Para mí, Pschorr —dijo Paul—. Para él una cerveza de Berlín.

Al apartarse ella le rozó con los dedos la parte posterior del cuello. Webber la siguió con los ojos.

—Parece que has hecho una amiga especial. Y a decir verdad, ¿qué te trae por aquí? ¿La atracción de Liesl? ¿O vapuleaste a otro grupo de Camisas de Estiércol y necesitas mi ayuda?

—He pensado que podríamos hacer negocios, después de todo.

—*Ach*, tus palabras son como la música de Mozart para mis oídos. Ya sabía que eras inteligente.

Liesl trajo las cervezas de inmediato. Paul notó que había dejado sin atender cuanto menos a dos clientes que habían pedido antes. Ella miró en derredor frunciendo el ceño.

—Tengo que trabajar. De otro modo me sentaría contigo y dejaría que me pagaras un *schnapps*. —Se alejó con aire resentido.

Webber chocó su vaso contra el de Paul.

—Gracias por esto. —Saludó con la cabeza al hombre del traje azul claro, que se había sentado ante la barra—. ¡Qué problemas los míos! Cuesta creerlo. El año pasado, en la Exposición Automotriz de Berlín, Hitler anunció un coche nuevo. Mejor que el Audi, más barato que el DKW. Se llamará Volks-Wagen. Al alcance de cualquiera. Puedes pagarlo en cuotas y retirarlo cuando hayas completado el precio. No es mala idea: la empresa puede utilizar el dinero y conservar el coche, por si no completas el pago. ¿No te parece brillante?

Paul asintió.

—*Ach*, tuve la suerte de conseguir millares de neumáticos.

—¿Conseguir?

Webber se encogió de hombros.

—Y ahora descubro que esos condenados ingenieros han cambiado el tamaño de las ruedas de ese cochecito miserable. Mi mercancía no sirve.

—¿Cuánto has perdido?

El alemán observó la espuma de su cerveza.

—En realidad no he perdido dinero. Pero tampoco tendré ganancia. Tan malo es lo uno como lo otro. Los automóviles son una de las cosas que este país ha hecho bien. El Hombrecito ha reconstruido todas las carreteras. Pero aquí circula un chiste: «Puedes viajar a cualquier parte del país cómodamente y a gran velocidad, pero, ¿para qué hacerlo? En el otro extremo del camino sólo encontrarás más nacionalsocialistas». —Y bramó de risa.

Desde el otro lado del salón Liesl miraba a Paul con aire de expectación. ¿Qué buscaba? ¿Que le pidiera otra cerveza, un revolcón o una propuesta de casamiento? Él se volvió hacia Webber.

—Admito que tenías razón, Otto. No soy un simple cronista de deportes.

—Ni simple ni complicado.

—Quiero hacerte una proposición.

—Estupendo. Pero hablemos entre cuatro ojos. ¿Sabes qué significa eso? A solas tú y yo. Hay un sitio mejor para eso. Y tengo que entregar algo.

Cuando acabaron la bebida Paul dejó algunos marcos sobre la mesa. Webber recogió una bolsa de compras de tela, que tenía impresas al costado las palabras *KaDeWe - La mejor tienda del mundo.* Escaparon sin despedirse de Liesl.

—Por aquí.

Ya fuera giraron hacia el norte para alejarse del centro de la ciudad, de las tiendas, del lujoso hotel Metropol, y se zambulleron en ese vecindario, cada vez más indigno. Allí había varios cabarés y clubes nocturnos, pero todos estaban clausurados.

—*Ach,* mira esto. Mi antiguo barrio. Todo ha desaparecido. Escuche, señor John Dillinger: he de contarle que yo era muy famoso en Berlín. Como esas mafias de las que hablan las novelas de crímenes, nosotros también teníamos nuestro *Ringvereine.*

Paul no conocía esa palabra, cuya traducción literal era «asociación del anillo», pero que, a tenor de las palabras de Webber, significaba en realidad «pandilla de delincuentes».

—Sí, teníamos muchas —continuó Webber—. Muy poderosas. La mía se llamaba Los Vaqueros, como en el Salvaje Oeste —dijo, utilizando la expresión inglesa—. Durante un tiempo yo fui el presidente. Presidente, sí. ¿Te sorprende? Es que elegíamos a nuestros jefes por votación.

—Una democracia.

Webber se puso serio.

—Debes recordar que en ese tiempo éramos una república. El Gobierno alemán tenía al presidente Hindenburg. Nuestras pandillas estaban muy bien dirigidas. Eran grandiosas. Poseíamos edificios y restaurantes; organizábamos fiestas elegantes, hasta bailes de disfraces. Invitábamos a políticos y a funcionarios de la policía. Éramos delincuentes, sí, pero respetables. Gente orgullosa. Y hábiles también. Algún día te contaré mis mejores estafas.

»No sé mucho de sus mafias, señor John Dillinger: ese Al Capone, ese Dutch Schultz. Pero las nuestras comenzaron como clubes de boxeo. Los obreros, después del trabajo, se reunían para boxear; luego organizaron pandillas de protección. Después de la guerra hubo años de rebelión y disturbios civiles; se luchaba contra los kosis. Una locura. Y luego esa temible inflación... Resultaba más barato calentarse quemando dinero en billetes que usarlos para comprar leña. Uno de sus dólares valía miles de millones de marcos. Fueron tiempos terribles. En este país tenemos una expresión: «En el bolsillo vacío juega el diablo». Y todos teníamos los bolsillos vacíos. Fue así como el Hombrecito subió al poder. Y así también fue como tuve éxito. El mundo era reventa y mercado negro. Ese clima me hizo florecer.

—Sí, está claro —dijo Paul. —Luego señaló un cabaré clausurado—. Pero los nacionalsocialistas lo han limpiado todo.

—Pues mira, eso depende de lo que signifique para ti «limpiar». El Hombrecito no está bien de la cabeza. No bebe, no fuma, no le gustan las mujeres. Ni los hombres. ¿Has visto que en los actos públicos se pone el sombrero contra la entrepierna? Aquí decimos que es para proteger al último desocupado alemán. —Webber rió con ganas. Luego la sonrisa se esfumó—. Pero esto no es broma. Gracias a él los prisioneros se han apoderado de la cárcel.

Por un rato caminaron en silencio. Luego Webber se detuvo y señaló orgullosamente un edificio decrépito.

—Hemos llegado, amigo mío. Mira ese nombre.

En el letrero descolorido decía en inglés «The Texas Club».

—Ésta era la sede central. De mi pandilla, Los Vaqueros, como te decía. En aquellos tiempos las cosas eran muchísimo mejores. Mira bien dónde pisas, señor John Dillinger. A veces hay gente que duerme la mona en el portal. *Ach,* ¿te he dicho ya cómo han cambiado los tiempos?

Webber entregó al camarero su misteriosa bolsa de tela y recibió a cambio un sobre.

La sala estaba llena de humo y apestaba a basura y a ajo. El suelo se encontraba sembrado de colillas de cigarros y cigarrillos consumidos hasta dejar sólo un resto diminuto.

—Aquí pide sólo cerveza —advirtió Webber—. Es imposible adulterar los toneles, que vienen sellados por la fábrica. En cuanto a lo demás... Pues mira, mezclan el *schnapps* con alcohol etílico y restos de comida. El vino... *Ach,* no quieras saberlo. Y en cuanto a la comida... —Señaló con un gesto los juegos de cuchillos, tenedores y cucharas encadenados a la pared, junto a cada mesa. Un joven de ropa andrajosa caminaba por la sala, enjuagando los usados en un balde grasiento—. Es mucho mejor salir de aquí con hambre que no salir nunca más.

Pidieron las bebidas y buscaron asiento. El camarero trajo cervezas, sin dejar de mirar tenebrosamente a Paul. Los dos hombres limpiaron el borde del vaso antes de beber. Webber, por casualidad, miró hacia abajo y, ceñudo, apoyó una pierna maciza en la otra rodilla para examinar los pantalones. El bajo estaba completamente raído, con hilachas colgando.

—*Ach*. ¡Y estos pantalones eran ingleses! ¡De Bond Street! Bueno, haré que una de mis chicas los arregle.

—¿Qué chicas? ¿Tienes hijas?

—Tal vez. Varones también, quizá. No sé. Pero me refería a una de las mujeres con quienes vivo.

—¿Mujeres? ¿Todas juntas?

—No, hombre —dijo Webber—. A veces estoy en el departamento de una, a veces en el de otra. Una semana aquí, otra allá. Una de ellas es una cocinera que parece poseída por el espíritu de Escoffier; otra cose tal como Miguel Ángel esculpía; otra es muy experimentada en la cama. Sí, son perlas, cada una a su modo.

—¿Y cada una sabe...?

217

—¿... que hay otras? —El alemán se encogió de hombros—. Puede que sí, puede que no. Ellas no preguntan, yo no digo nada. —Se inclinó hacia adelante—. Pero veamos, señor John Dillinger, ¿qué puedo hacer por usted?

—Voy a decirte algo, Otto. Puedes levantarte y salir de aquí. Si lo haces lo entenderé. O puedes quedarte y escucharme hasta el final. En ese caso, y si puedes ayudarme, habrá una buena suma de dinero para ti.

—¡Qué intriga! Continúa.

—En Berlín tengo un socio. Él ha hecho que un contacto suyo te investigara un poco.

—¿A mí? ¡Qué honor! —Y en verdad parecía tomarlo así.

—Naciste en Berlín en 1886; cuando tenías doce años te mudaste a Colonia y luego aquí, tres años después, cuando te expulsaron de la escuela.

Webber frunció las cejas.

—Me salí voluntariamente, aunque a menudo ese episodio se cuenta mal.

—Por robar cosas de la cocina y enredarte con una camarera.

—La seductora fue ella y...

—Te han arrestado siete veces y has cumplido un total de trece meses en Moabit.

Sonrió, radiante:

—Sentencias muy cortas para tantos arrestos. Eso demuestra los buenos contactos que tengo con el poder.

Paul concluyó:

—Y los británicos no están muy contentos contigo, por ese aceite rancio que le vendiste el año pasado a la cocinera de la Embajada. Los franceses tampoco, pues les hiciste pasar carne de caballo por cordero. Han puesto un letrero prohibiendo volver a negociar contigo.

—*Ach,* los franceses —se burló él—. Bien, lo que dices es que quieres asegurarte de poder confiar en mí, saber que soy un delincuente sagaz, tal como me presento, y no un delincuente estúpido, un espía nacionalsocialista. No es más que prudencia por tu parte. No tengo por qué sentirme insultado.

—No, pero podrías sentirte insultado porque mi socio ha hecho que cierta gente de Berlín, gente del Gobierno, sepa de tu existencia. Si decides no tener nada más que ver conmigo, para mí será una desilusión, pero lo comprenderé. Pero si decides ayudarnos y me traicionas esta gente te buscará. Y las consecuencias serán muy desagradables. ¿Comprendes lo que te digo?

Soborno y amenaza: las piedras fundamentales de la confianza en Berlín, tal como había dicho Reggie Morgan.

Webber se limpió la cara y bajó la vista, murmurando:

—Te salvo la vida, ¿y así me tratas?

Paul suspiró. Ese hombre imposible no sólo le gustaba, sino que además no veía otro medio de saber dónde encontrar a Ernst. De cualquier manera no había podido evitar que los contactos de Morgan investigaran los antecedentes de Webber y tomaran medidas para evitar que los traicionara. Eran precauciones vitales en una ciudad tan peligrosa.

—Bueno. Supongo que acabaremos la cerveza en silencio y luego cada uno seguirá su camino.

No obstante, un momento después la cara de Webber se abrió en una sonrisa.

—Admito que no me siento tan insultado como correspondería, señor Schumann.

Paul parpadeó. Nunca había revelado su nombre a Webber.

—Mira, es que yo también tenía mis dudas. En la Cafetería Aria, durante nuestro primer encuentro, cuando te alejaste para retocarte el maquillaje, como dirían mis chicas, te birlé el pasaporte para echarle un vistazo. *Ach,* no parecías nacionalsocialista, pero tal como has dicho, en esta ciudad de locos la prudencia nunca es demasiada. Ya ves, yo también he hecho averiguaciones sobre ti. Mi propio contacto no ha podido descubrir nada que te vincule con la calle Wilhelm. A propósito, ¿qué tal lo hice? No sentiste nada, ¿verdad? Cuando te quité el pasaporte.

—No —reconoció Paul con una sonrisa melancólica.

—Pues bien, ahora que hemos alcanzado un mutuo respeto —el alemán rió irónicamente—, creo que podemos analizar esa proposición comercial. Continúe, señor John Dillinger, por favor. Dígame qué es lo que tiene en mente.

Paul contó cien de los marcos que le había dado Morgan y se los pasó. Webber enarcó una ceja.

—¿Qué quieres comprar?

—Necesito información.

—Ah, información. Sí, sí. Eso podría costar cien marcos. O mucho más. ¿Información sobre qué o sobre quién?

Paul estudió los ojos oscuros del hombre que tenía enfrente.

—Sobre Reinhard Ernst.

Webber proyectó el labio inferior, con la cabeza inclinada hacia un lado.

—Por fin la cosa cobra sentido. Has venido para un nuevo deporte olímpico, muy interesante. Caza mayor. Y has elegido bien la presa, amigo mío.

—¿Sí?

—Sí, sí. El coronel está haciendo aquí muchos cambios. Y no en bien del país. Nos está preparando para una diablura. El Hombrecito está loco, pero se rodea de gente muy sagaz. Y Ernst es uno de los más sagaces.

Webber encendió uno de sus horribles puros. Paul, un Chesterfield; esta vez rompió sólo dos cerillas baratas antes de obtener una llama. Su compañero tenía la mirada perdida.

—Serví al káiser durante tres años, hasta la rendición. Créeme que estuve en cosas heroicas. Una vez mi compañía avanzó más de cien metros contra los británicos en sólo dos meses. Con eso ganamos algunas medallas... los que logramos sobrevivir, claro. En algunas aldeas han puesto placas que sólo dicen: «A los caídos»; no tenían con qué pagar tanto bronce como para poner los nombres de todos los muertos —meneó la cabeza—. Ustedes, los yanquis, tenían esos Maxim. Nosotros, la ametralladora. Era igual que el Maxim; no recuerdo si les robamos el diseño o si nos lo robaron ustedes. Pero los británicos, *ach,* ellos tenían el Vicker, refrigerado por agua. Eso sí que era una picadora de carne. ¡Qué máquina...! No, no queremos otra guerra. El Hombrecito puede decir otra cosa, pero nadie la quiere. Sería el final de todo. Y eso es lo que el coronel se trae entre manos. —Webber se guardó los cien marcos en el bolsillo y dio una pitada a su horrible puro *ersatz*—. ¿Qué quieres saber?

—Sus horarios en la calle Wilhelm: a qué hora llega, cuándo sale, qué tipo de coche conduce, dónde lo estaciona, si estará allí mañana, el lunes o el martes, qué ruta toma, qué cafeterías prefiere en esa zona.

—Todo eso se puede averiguar. Sólo hace falta tiempo. Y huevo.

—¿Huevo?

Se tocó el bolsillo:

—Dinero. Seré franco, señor John Dillinger. Aquí no estamos hablando de vender trucha de canal pasada, como si fuera de lago y fresca. Este asunto requerirá que me retire por un tiempo. Habrá graves represalias y tendré que desaparecer. Habrá...

—Dime simplemente cuánto, Otto.

—Muy peligroso... Además, ¿qué es un poco de dinero para ustedes, los americanos? Tienen a ese Roosevelt. —Y añadió en inglés—: Tienen pasta ganso.

—Gansa —corrigió Paul—. ¿Cuánto?

—Mil dólares.

—¡Qué!

—Nada de marcos. Dicen que la inflación se ha acabado, pero eso no se lo cree nadie que haya vivido en esos tiempos. Hombre, si en el año veintiocho un litro de gasolina costaba quinientos mil marcos. Y en...

Paul sacudió la cabeza.

—Es demasiado.

—En realidad no, si te consigo la información. Y te aseguro que la conseguiré. Sólo tendrás que pagarme la mitad por adelantado.

El sicario señaló el bolsillo de Webber, donde había guardado los marcos.

—Ahí tienes el pago adelantado.

—Pero...

—Se te pagará el resto cuando saquemos provecho de la información, si acaso sirve. Y siempre que me autoricen.

—Tendré gastos.

Paul le entregó los cien restantes.

—Ahí tienes.

—Apenas es suficiente, pero ya me arreglaré. —Luego miró al norteamericano con atención—. Siento curiosidad.

—¿Sobre qué?

—Sobre ti, señor John Dillinger. ¿Cuál es tu historia?

—No hay ninguna historia.

—*Ach,* siempre la hay. Vamos, cuéntale la tuya a Otto. Ahora somos socios. Más íntimos que si nos acostáramos juntos. Y recuerda que él lo ve todo: la verdad y las mentiras. No pareces buen candidato para este trabajo. Pero tal vez por eso te han elegido para visitar nuestra bella ciudad: porque no lo pareces. ¿Cómo te has metido en esa noble profesión?

Por un momento Paul no dijo nada. Luego contestó:

—Mi abuelo emigró a Estados Unidos hace años. Había combatido en la guerra franco-prusiana y no quería más luchas. Allí fundó una imprenta.

—¿Cómo se llamaba?

—Wolfgang. Decía que por las venas le corría tinta en vez de sangre. Aseguraba que sus antepasados eran de Maguncia y que allí habían trabajado con Gutenberg.

—Batallitas del abuelo —asintió Webber—. El mío decía ser primo de Bismarck.

—La empresa estaba en el Lower East Side de Nueva York, en la zona germanoamericana de la ciudad. En 1904 hubo una tragedia: se incendió un barco que hacía excursiones por el río East, el *General Slocum,* y murieron más de un millar de personas.

—Uf, qué triste.

—Mis abuelos iban en ese barco. No murieron, pero él sufrió quemaduras graves por rescatar a otra gente y ya no pudo continuar trabajando. Entonces la mayor parte de la comunidad alemana se mudó a Yorkville, más hacia el norte de Manhattan. Con tanto dolor no querían quedarse en la Pequeña Alemania. La imprenta empezó a decaer, pues el abuelo estaba muy enfermo y había menos vecinos que encargaran trabajos. Entonces mi padre se hizo cargo. Él no quería ser impresor: quería jugar al béisbol. ¿Sabes qué es el béisbol?

—Sí, desde luego.

—Pero no había otra opción. Tenía que alimentar a una esposa, tres hijos y ahora también a sus padres. Pero se puso a la altura de las circunstancias. Se mudó a Brooklyn, comenzó a imprimir también en inglés y expandió la empresa. La convirtió en un gran éxito. Durante la guerra, mi hermano no pudo ingresar en el Ejército y trabajó con él mientras yo estaba en Francia. A mi regreso me uní a ellos y dimos un gran impulso a la empresa. —Paul rió—. Mira, no sé si estás enterado de esto, pero en nuestro país hubo algo que se llamó Prohibición...

—Sí, sí, claro. Recuerda que leo novelas de crímenes. ¡Beber licor era ilegal! ¡Qué locura!

—La imprenta de mi padre estaba en Brooklyn, junto al río; tenía muelle y un depósito grande para el papel y para guardar los trabajos terminados. Una de las pandillas quería utilizarla para almacenar el whisky con el que hacían contrabando desde el puerto. Mi padre dijo que no. Un día vinieron un par de matones y golpearon a mi hermano. Como mi padre aún se resistía, le pusieron los brazos en la prensa grande.

—¡Mierda!

Paul continuó:

—Quedó gravemente mutilado y murió pocos días después. Al día siguiente, mi hermano y mi madre vendieron la planta a la pandilla, por cien dólares.

—Y así, al quedarte sin trabajo, te enredaste con los chicos malos —adivinó Weber.

—No, no fue así —dijo Paul en voz baja—. Fui a la policía. No tenían ningún interés en ayudarme a encontrar a esos asesinos. ¿Comprendes?

—¿Me preguntas si sé lo que es la corrupción policial? —Weber rió con ganas.

—Entonces agarré mi vieja Colt del Ejército, mi pistola. Averigüé quiénes eran los asesinos. Los seguí durante toda una semana. Cuando lo supe todo sobre ellos, los despaché.

—¿Los qué?

Paul había traducido literalmente la expresión; en alemán no tenía sentido.

—Les metí una bala en la nuca.

—*Ach*, sí —susurró su compañero, ya sin sonreír—. Aquí diríamos «apagar».

—Bueno. También sabía para quién trabajaban, quién era el contrabandista que había mandado torturar a mi padre. También lo despaché.

Webber se quedó en silencio. Paul cayó en la cuenta de que nunca hasta entonces había contado aquella historia.

—¿Recuperaste tu empresa?

—No. Los federales, el Gobierno, ya habían invadido y confiscado el local. En cuanto a mí, desaparecí en Hell's Kitchen, un barrio de Manhattan, y me preparé para morir.

—¿Para morir?

—Había matado a un hombre muy importante, un jefe de la mafia. Sabía que sus socios o algún otro vendrían por mí para matarme. Había cubierto muy bien mi rastro; la policía no pudo descubrirme. Pero las pandillas sabían que había sido yo. No quería poner en peligro a mi familia. Aunque por entonces mi hermano había instalado su propia imprenta, en vez de asociarme con él conseguí empleo en un gimnasio, donde servía de *sparring* y hacía la limpieza a cambio de alojamiento.

—Y esperabas que te mataran. Pero veo que aún estás vivito y coleando, señor John Dillinger. ¿Cómo sucedió?

—Otros hombres...

—Jefes de banda.

—... se enteraron de lo que yo había hecho. No estaban de acuerdo con el tipo al que yo había matado; no les gustaba su manera de trabajar, como lo de torturar a mi padre y matar policías. Ellos pensaban que los criminales debían ser profesionales, caballeros.

—Como yo —dijo Webber, dándose una palmada en el pecho.

—Sabían cómo había matado a ese mafioso y a sus hombres. Limpiamente, sin dejar pruebas. Sin que saliera herido un solo inocente. Me pidieron que hiciera lo mismo con otro hombre, que también era muy malo. Yo no quería, pero me enteré de lo que había hecho: había matado a un testigo y a toda su familia, incluidos dos niños. Entonces acepté. Y lo despaché a él también. Me pagaron muchísimo dinero. Después maté a alguien más. Con lo que me pagaron compré un pequeño gimnasio. Quería dejar aquello. Pero, ¿sabes lo que significa «quedar encasillado»?

—Sí, desde luego.

—Pues esa casilla ha sido mi vida desde hace años. —Paul calló—. Bueno, ésa es mi historia. La pura verdad, sin mentiras.

Por fin Webber preguntó:

—¿Te molesta? ¿Ganarte la vida así?

Hubo una pausa.

—Creo que debería molestarme más. Me sentía peor durante la guerra, cuando despachaba a sus chicos. En Nueva York sólo liquido a otros asesinos. A los malos, los que actúan como aquellos otros con mi padre —rió—. Suelo decir que sólo corrijo los errores de Dios.

—Eso me gusta, señor John Dillinger —asintió Webber—. Los errores de Dios. Pues mira, aquí tenemos unos cuantos de ésos, ya lo creo. —Acabó su cerveza—. Oye, hoy es sábado, día difícil para conseguir información. Espérame mañana por la mañana en el Tiergarten. Al final del pasaje Stern hay un lago pequeño, en el lado del sur. ¿A qué hora te va bien?

—Temprano. A las ocho, digamos.

—Muy bien. —Webber arrugó la frente—. Sí que es temprano. Pero seré puntual.

—Necesito algo más —dijo Paul.

—¿Qué? ¿Whisky, tabaco? Puedo conseguirte hasta algo de cocaína, aunque no queda mucha en la ciudad.

—No es para mí. Es para una mujer. Un regalo.

Webber sonrió ampliamente.

—*Ach,* señor John Dillinger, ¡enhorabuena! Con tan poco tiempo como llevas en Berlín y tu corazón ya ha hablado. O tal vez la voz proviene de otra parte de tu cuerpo. Oye, ¿le gustaría a tu amiga un bonito portaligas, con medias a juego? Francesas, por supuesto. ¿Un sostén rojo y negro? O quizás es más recatada. Un suéter de cachemira. Algunos bombones belgas, tal vez. O encaje. Perfume: eso siempre viene bien. Y por ser para ti, amigo mío, te haré un precio muy especial, desde luego.

16

Eran días de mucho trajín.

Había muchos asuntos que podrían estar ocupando la mente de ese hombre enorme y sudoroso que, ya avanzada la tarde del sábado, seguía en su oficina, tan amplia como correspondía a su categoría, dentro del Ministerio del Aire, cuarenta mil metros cuadrados recientemente completados en el edificio de la calle Wilhelm, más grande aún que la Cancillería y las habitaciones de Hitler juntas.

Hermann Göring podría, por ejemplo, continuar trabajando en la creación del enorme imperio industrial que planeaba en esos días (y que llevaría su nombre, desde luego). Podría haber estado redactando un memorándum para las gendarmerías rurales de todo el país, a fin de recordarles que debían imponer estrictamente la Ley Estatal para la Protección de los Animales, creada por él mismo, y castigar severamente a quien pescaran cazando zorros con galgos.

También estaba ese vital asunto de su propia fiesta para celebrar las Olimpíadas, para la cual estaba construyendo su villa particular dentro del Ministerio; había logrado echar un vistazo a los planes de Goebbels para ese evento, tras lo cual se empeñó en mejorar los suyos a fin de superar a ese gusano en muchos miles de marcos. Y además, por supuesto, estaba el importantísimo problema de qué ponerse para la fiesta. Hasta podía estar reunido con sus ayudantes para tratar su actual cometido dentro del Tercer Imperio: construir la mejor fuerza aérea del mundo.

Pero Hermann Göring, que por entonces tenía cuarenta y tres años, estaba en esos momentos concentrado en una viuda que le doblaba la edad y vivía en una cabaña pequeña, a las afueras de Hamburgo.

Desde luego, no era él en persona, con la retahíla de cargos que ostentaba, quien andaba de acá para allá haciendo averiguaciones sobre la señora Ruby Kleinfeldt. Tenía a decenas de lacayos y oficiales de la Gestapo yendo y viniendo de la calle Wilhelm a Hamburgo, investigando en los archivos y entrevistando a gente.

Göring, mientras tanto, miraba por la ventana de su opulenta oficina y comía un enorme plato de espaguetis. Era la comida favorita de Hitler; el día anterior él había visto al Líder picotear un cuenco de esa pasta, lo que le había provocado un ansia interna que fermentó hasta convertirse en un deseo potentísimo; durante ese día ya se había comido tres raciones grandes.

«¿Qué descubriremos sobre ti?», preguntó silenciosamente a la anciana, que nada sabía de esa intensa pesquisa sobre su persona. Aquella investigación parecía una digresión absurda si se tenía en cuenta la cantidad de proyectos importantísimos que tenía en su agenda. Pero ése tenía una importancia vital, pues podía conducir a la caída de Reinhard Ernst.

En el fondo, Hermann Göring era un militar; a menudo recordaba los días felices de la guerra, cuando volaba con su biplano Fokker D-7, completamente blanco, sobre Francia y Bélgica, listo para lanzarse en combate con cualquier piloto aliado que cometiera la estupidez de estar cerca (una cifra confirmada de veintidós habían pagado con la vida ese error, aunque Göring estaba convencido de haber matado a muchos más). Con el tiempo se había convertido en un mastodonte que no habría cabido siquiera en la cabina de su viejo avión; su vida se componía de calmantes, comida, dinero, obras de arte y poder. Pero si se le hubiera preguntado qué era en el fondo, su respuesta habría sido: «Soy un militar».

Y un militar que sabía cómo transformar nuevamente a su país en una nación de guerreros. Había que mostrar los músculos. Nada de negociar, nada de andarse con rodeos, como el muchacho que se escabulle tras el cobertizo para fumar en secreto la pipa de su padre: tal era la conducta del coronel Reinhard Ernst.

Ese hombre manejaba las cosas con mano de mujer. Hasta el marica de Roehm, el jefe de las Tropas de Asalto que Göring y Hitler habían matado en el Putsch, dos años atrás, parecía un bulldog si se le comparaba con Ernst. Tratos secretos con Krupp, pero manteniendo la distancia; nerviosas transferencias de recursos de un astillero a otro; obligar al «Ejército» actual, si así podía llamarse, a entrenarse con artillería de madera, en pequeños grupos, para no llamar la atención. Y tantas otras tácticas remilgadas.

¿Por qué esa vacilación? Porque, según creía Göring, ese hombre era sospechoso en su lealtad a las opiniones del nacionalsocialismo. El Líder y Göring no eran ingenuos: sabían que no contaban con un apoyo universal. Con puños y pistolas se pueden ganar elecciones, pero no corazones. Y muchos corazones del país no eran devotos del nacionalsocialismo; entre ellos había personas que ocupaban los principales puestos de las Fuerzas Armadas. Ernst bien podía estar aplicando intencionadamente el freno para impedir que Hitler y Göring tuvieran esa institución que tan desesperadamente necesitaban: un Ejército fuerte. Hasta parecía que tenía esperanzas de ocupar él mismo el trono, si los dos gobernantes resultaban destituidos.

Gracias a su voz suave, su actitud razonable, sus modales elegantes, esas dos puñeteras Cruces de Hierro y otras diez o doce condecoraciones, Ernst gozaba actualmente del favor del Lobo (para sentirse más unido al Líder, a Göring le gustaba utilizar el apodo con que las mujeres solían referirse a Hitler, aunque el ministro lo hacía sólo en la intimidad de sus pensamientos).

¡Pero si bastaba ver cómo lo había atacado el coronel el día anterior, por el asunto del avión de combate Me 109 y las Olimpíadas! El ministro del Aire había pasado la mitad de la noche desvelado, enfurecido por ese diálogo, viendo una y otra vez al Lobo, que volvía sus ojos azules hacia Ernst y se mostraba de acuerdo con él!

Lo invadió otro ataque de ira.

—¡Mierda! —Empujó el plato de espaguetis, que cayó al suelo y se hizo trizas. Uno de sus ordenanzas, veterano de la guerra, acudió corriendo.

—¿Sí, señor?

—¡Limpie eso!

—Iré por un balde...

—No le he dicho que limpie el suelo. Basta con que recoja los fragmentos. Ya limpiarán esta noche. —El gordo bajó la vista a su camisa ablusada; al ver que estaba manchada de tomate, su enojo se multiplicó—. Quiero una camisa limpia. La vajilla es demasiado pequeña para esas raciones. Diga al cocinero que busque platos más grandes. El Líder tiene un juego de porcelana de Meissen verde y blanco. Quiero platos como ésos.

—Sí, señor. —El hombre ya estaba agachado junto a los añicos.

—No. Primero mi camisa.

—Sí, ministro del Aire. —El ordenanza se escabulló y regresó un momento después, trayendo una percha con una camisa verde oscuro.

—¡Ésa no! Ya le dije el mes pasado que con ésa parezco Mussolini.

—Ésa era la negra, señor. Ya la he tirado. Ésta es verde.

—Pues quiero una blanca. ¡Tráigame una camisa blanca! ¡De seda!

El hombre salió una vez más y trajo una del color correcto.

Un momento después entró uno de los asistentes de Göring.

El ministro cogió la camisa y la dejó a un lado; su obesidad le inspiraba timidez; jamás se habría desvestido delante de un subordinado. Sintió otro fogonazo de cólera contra Ernst, esta vez por su físico esbelto. Mientras el ordenanza recogía los fragmentos de porcelana, el asistente dijo:

—Creo que tenemos buenas noticias, ministro del Aire.

—¿Qué pasa?

—Nuestros agentes en Hamburgo han hallado ciertas cartas que hablan de la señora Kleinfeldt. Insinúan que es judía.

—¿Lo insinúan?

—Lo prueban, señor ministro, lo prueban.

—¿Judía pura?

—No. Mestiza. Pero por la rama materna, o sea que es indiscutible.

Las Leyes de Núremberg sobre Ciudadanía y Raza, promulgadas el año anterior, retiraban la ciudadanía alemana a los judíos y los convertían en «súbditos», además de sancionar como delito el matrimonio o la relación sexual entre judíos y arios. También definían con exactitud quién era judío en caso de matrimonio interracial de los ancestros. La señora Kleinfeldt, con dos abuelos judíos y dos no judíos, se consideraba mestiza.

Eso no era tan condenatorio, pero el descubrimiento encantó a Göring pues la señora Kleinfeld era la abuela del doctor-profesor Ludwig Keitel, socio de Reinhard Ernst en el Estudio Waltham. Göring aún no sabía de qué trataba ese misterioso informe, pero los hechos resultaban suficientemente condenatorios: Ernst trabajaba con un hombre de ascendencia judía y ambos utilizaban los escritos del doctor judío Freud. Aún peor era el hecho de que el coronel hubiera ocultado la investigación a las dos personas más importantes del Gobierno: él mismo y el Lobo.

A Göring le sorprendía que Ernst lo hubiera subestimado al suponer que el ministro del Aire no tenía pinchados los teléfonos de las cafeterías que rodeaban el edificio de la calle Wilhelm. ¿No sabía el plenipotenciario que, en ese distrito donde más que en ningún otro lugar reinaba la paranoia, ésos eran justamente los aparatos de los que se sacaba la mejor información? Göring tenía en su poder la transcripción de la llamada que Ernst había hecho esa mañana a Keitel para solicitarle urgentemente una entrevista.

Lo que sucediera en ese encuentro no tenía importancia. Lo fundamental era que Göring había descubierto el nombre del buen profesor y, ahora, que tenía sangre judía en las venas. ¿Las consecuencias de todo aquello? Dependían en gran parte de lo que Göring deseara. Keitel, intelectual medio judío, sería enviado al campo de Oranienburg; sobre eso no cabían dudas. Pero Ernst... El ministro del Aire decidió que sería mejor mantenerlo visible. Sería expulsado de los estratos superiores del Gobierno, pero retenido en algún puesto servil. Sí: hacia la próxima semana el hombre podría sentirse agradecido si se le utilizaba para corretear tras el ministro de Defensa, llevándole la cartera al calvo Von Blomberg.

Ya eufórico, Göring tragó varios calmantes más, pidió a gritos otro plato de espaguetis y se premió por tan victoriosa intriga volviendo a concentrarse en su fiesta olímpica. Se preguntó si aparecería disfrazado de cazador alemán, de jeque árabe o de Robin Hood, con carcaj y arco al hombro.

A veces decidirse resultaba casi imposible.

Reggie Morgan estaba preocupado.

—No tengo autoridad para aprobar un pago de mil dólares. ¡Hombre! ¿Mil?

Caminaban por el Tiergarten; dejaron atrás a un Camisa Parda que, subido a una caja a modo de tarima, sudaba abundantemente mientras arengaba a un pequeño grupo con voz ronca. Era obvio que algunos habrían preferido estar en cualquier otro lugar; otros lo miraban con desdén. Pero algunos estaban hechizados. Paul recordó a Heinsler, el del barco.

«Quiero al Führer y haría cualquier cosa por él y por el Partido...»

—¿La amenaza ha dado resultado? —preguntó Morgan

—Oh, sí. De hecho creo que me respeta más por haberlo amenazado.

—¿Y puede conseguirnos información útil?

—Si no puede él, no podrá nadie. Conozco a los de su clase. En cuanto les pones delante un billete demuestran tener unos recursos asombrosos.

—Bien, ya veremos si se puede conseguir algo de dinero.

Al salir del parque giraron al sur por la Puerta de Brandenburgo. Varias calles más allá pasaron junto al recargado palacio que, reparados los daños del incendio, se convertiría en la Embajada de Estados Unidos.

—Mira eso —dijo Morgan—. Es magnífico, ¿verdad? O lo será.

Aunque el edificio no albergaba aún oficialmente la Embajada, en la fachada pendía una bandera estadounidense. Paul, al verla, se sintió conmovido, más tranquilo y a gusto.

Pensó en las Juventudes Hitlerianas, allá en la Villa Olímpica.

«Y el negro... la cruz gamada. Esvástica, diría usted... *Ach*, sin duda usted sabe... Sin duda usted sabe...»

Morgan giró hacia una callejuela; luego por otra; después de echar una mirada atrás, sacó la llave para abrir la puerta. Penetraron en el edificio, silencioso y oscuro. Tras recorrer varios pasillos entraron por una puerta pequeña, junto a la cocina. La habitación en penumbra contenía poca cosa: un escritorio, varias sillas y un gran transmisor de radio, el más grande que Paul hubiera visto nunca. Morgan lo encendió; al calentarse los tubos la unidad comenzó a zumbar.

—Se escuchan todas las transmisiones transatlánticas de onda corta —advirtió Morgan—. Por eso transmitiremos por medio de relés: a Ámsterdam y luego a Londres; desde allí nos conectarán por línea telefónica con Estados Unidos. Los nazis tardarán un rato en localizar la frecuencia. —Se puso los auriculares—. Pero por si tuvieran suerte, debes suponer que te están escuchando. No olvides eso, digas lo que digas.

—Vale.

—Tendremos que ser rápidos. ¿Listo?

Paul hizo un gesto afirmativo y cogió los auriculares que Morgan le ofrecía. Luego conectó el grueso enchufe al sitio que él le indicaba. Por fin se encendió una luz verde en la parte frontal de la unidad. Morgan fue hacia una ventana y, tras echar un vistazo al callejón, dejó caer la cortina. Con el micrófono bien cerca de la boca, oprimió el botón del mango.

—Necesito una conexión transatlántica con nuestro amigo del sur. —Lo dijo dos veces; luego soltó el botón de transmisión y explicó a Paul—: «Nuestro amigo del sur» es Bull Gordon. Por Washington, ¿sabes? «Nuestro amigo del norte» es el senador.

—Afirmativo —dijo una voz joven. Era la de Avery—. Un momento. Espere. Efectuando la llamada.

—Cómo estás —saludó Paul.

Una pausa.

—Hola —respondió Avery—. ¿Cómo te trata la vida?

—Oh, bastante bien. Me alegra oírte. —A Paul le parecía increíble haberse despedido de él sólo el día anterior. Parecía que hubiesen pasado ya varios meses—. ¿Cómo está tu otra mitad?

—No se ha metido en problemas.

—Me cuesta creerlo. —Paul se preguntó si Manielli sería tan bocazas entre los soldados holandeses como en Estados Unidos.

—Estás saliendo por un altavoz —se oyó la voz irritada de Manielli—. Sólo para que lo sepas.

El sicario se echó a reír.

Luego, silencio lleno de interferencias.

—¿Qué hora es en Washington? —preguntó Paul a Morgan.

—Hora de almorzar.

—Es sábado. ¿Dónde está Gordon?

—No te preocupes por eso. Ya lo localizarán.

Por el auricular, una voz de mujer dijo:

—Un momento, por favor. Paso la llamada.

Segundos después Paul oyó el sonido de un teléfono. Luego, otra voz de mujer:

—¿Diga?

—Con su esposo, por favor —dijo Morgan—. Disculpe la molestia.

—No cuelgue —contestó ella, como si supiera que no debía preguntar quién llamaba.

Un momento después, Gordon inquirió:

—¿Sí?

—Somos nosotros, señor —dijo Morgan.

—Adelante.

—Inconvenientes en lo dispuesto. Hemos debido pedir información a alguien del lugar.

Gordon calló durante un momento.

—¿Quién es? En términos generales.

El agente hizo un gesto a Paul, quien intervino:

—Conoce a alguien que puede acercarnos a nuestro cliente.

Su compañero aprobó con una inclinación de cabeza las palabras utilizadas. Luego agregó:

—Mi proveedor se ha quedado sin mercancía.

El comandante preguntó:

—Ese hombre, ¿trabaja para la otra empresa?

—No. Es independiente.

—¿Qué otras opciones tenemos?

—Sólo sentarnos a esperar y rezar para que todo salga bien.

—¿Confían en él?

Tras un momento Paul respondió:

—Sí. Es de los nuestros.

—¿De los nuestros?

—Como yo. Trabaja en lo mismo. Hemos... hum... alcanzado cierta confianza mutua.

—¿Hace falta dinero?

Morgan explicó:

—Por eso llamamos. Quiere mucho. De inmediato.

—¿Cuánto es mucho?

—Mil. De los de ustedes.

Una pausa.

—Ahí podría haber un problema.

—No tenemos alternativa —dijo Paul—. Tendrá que resolverlo usted.

—Podríamos hacer que regresaras anticipadamente.

—No, no conviene —le aseguró el sicario, rotundo.

El ruido de la radio podía ser una interferencia o un suspiro de Bull Gordon.

—Esperen. Me pondré en contacto con ustedes en cuanto pueda.

—¿Y qué recibiríamos a cambio de mi dinero?

—No conozco los detalles —dijo Bull Gordon a Cyrus Adam Clayborn, quien estaba en Nueva York, en el otro extremo de la línea—. No pudieron dármelos. Temían que alguien estuviera escuchando, ¿comprende? Pero al parecer los nazis han cortado el acceso a la información que Schumann necesita para localizar a Ernst. Eso es lo que interpreto.

Clayborn gruñó.

Gordon se descubrió asombrosamente tranquilo, teniendo en cuenta que el hombre con quien estaba hablando era el cuarto o quinto en el orden de las grandes fortunas del país. (Había ocupado el segundo puesto, pero el derrumbe bursátil lo bajó un par de puntos en la lista.) Ambos eran muy diferentes, pero compartían dos características vitales: llevaban el Ejército en la sangre y eran patriotas. Eso compensaba la gran distancia en cuanto a sus bienes y posición social.

—¿Mil? ¿En efectivo?

—Sí, señor.

—Ese Schumann me agrada. Su comentario sobre la reelección fue bastante agudo. Roosevelt está más asustado que un conejo. —Clayborn rió entre dientes—. Pensé que el senador se cagaría allí mismo.

—Eso parecía, sí.

—De acuerdo. Dispondré los fondos.

—Gracias, señor.

Clayborn se adelantó a la siguiente pregunta de Gordon.

—Pero en el país de los hunos es sábado y ya tarde. Y él necesita el dinero ahora mismo, ¿verdad?

—En efecto.

—No corte.

Tres largos minutos después el magnate reapareció en la línea.

—Dígales que vean a nuestro hombre en el sitio de entrega habitual para Berlín. Morgan sabe cuál es. El Maritime Bank of the Americas, en la calle Unten den Linden o como diablos se llame. Nunca lo digo bien.

—Unter den Linden. Significa «bajo los tilos».

—Sí, sí. El guardia llevará el paquete.

—Gracias, señor.

—Oiga, Bull...

—¿Diga, señor?

—A este país le faltan héroes. Quiero que ese muchacho vuelva sano y salvo. Teniendo en cuenta nuestros recursos... —Los hombres como Clayborn nunca decían «mi dinero». El empresario continuó—: ...teniendo en cuenta nuestros recursos, ¿qué podemos hacer para mejorar sus posibilidades?

Gordon estudió la pregunta. Sólo se le ocurrió una cosa:

—Rezar —respondió. Y apretó la horquilla del teléfono. Luego esperó un segundo antes de soltarla otra vez.

1 7

El inspector Willi Kohl, sentado ante su escritorio en el sombrío Alex, intentaba comprender lo inexplicable, un juego practicado muy a menudo en los departamentos policiales del mundo entero.

Siempre había sido curioso por naturaleza; lo intrigaba, digamos, por qué la mezcla del simple carbón con azufre y nitrato producía la pólvora, cómo funcionaban los submarinos, por qué las aves se arracimaban en determinados sectores de las líneas telegráficas, qué ocurría dentro del corazón humano como para que cualquier taimado nacionalsocialista, hablando en un acto público, provocara el frenesí en ciudadanos por lo demás normales.

La cuestión que ocupaba su mente en esos momentos era qué clase de hombre podía quitar la vida a otro. Y por qué.

Y desde luego, «¿quién?», tal como susurraba ahora, pensando en el dibujo hecho por el pintor ambulante de la plaza Noviembre de 1923. Janssen estaba ahora abajo, haciéndolo imprimir, tal como habían hecho con la foto de la víctima. El boceto no era nada malo, se dijo Kohl. Había algunos borrones, restos del primer esbozo y las correcciones, pero la cara se veía con claridad: una apuesta mandíbula cuadrada, cuello grueso, pelo algo ondulado, una cicatriz en el mentón y una tirita en la mejilla.

—¿Quién eres? —susurró.

Willi Kohl tenía los datos: el tamaño y la edad de ese hombre, el color de su pelo, su posible nacionalidad y hasta la ciudad en que debía de residir. Pero en sus años de investigador había descubierto que para hallar a ciertos criminales se necesitaba de mucho más que de ese tipo de detalles. Para entenderlos de verdad se requería otra cosa: una penetración psicológica intuitiva. Y ése era uno de los mayores talentos de Kohl. Su mente hacía conexiones y daba saltos que a veces resultaban sorprendentes incluso para él mismo. Pero ahora no surgía nada de eso. Algo en aquel caso no encajaba.

Se reclinó en la silla para examinar sus notas, mientras chupaba la pipa caliente (una de las ventajas de pertenecer a la excluida Kripo era que hasta allí, hasta aquellas destartaladas oficinas, no llegaba el desprecio de Hitler por los fumadores).

Aún no había obtenido resultados de sus solicitudes anteriores. El técnico del laboratorio no había podido hallar ninguna huella digital en el folleto de la Villa Olímpica encontrado en la escena de la pelea con los Camisas Pardas; el del archivo (Kohl, enfadado, recordó que aún contaba con un solo examinador) no había hallado equivalentes para las huellas del pasaje Dresden. Y del forense aún no se sabía nada. ¿Cuánto podía tardar uno en abrir a un difunto y analizarle la sangre?

Ese día la Kripo había recibido un torrente de denuncias sobre personas desaparecidas, pero ninguna correspondía a la descripción de ese hombre que, por cierto, debía de ser hijo de alguien, quizá padre, esposo, amante...

De los distritos circundantes habían llegado algunos telegramas con los nombres de compradores de pistolas Spanish Star modelo A o municiones Largo, pero la lista aún estaba tristemente incompleta. Para Kohl fue un desencanto descubrir que se había equivocado: el arma asesina no era tan rara como él pensaba. Quizá por la estrecha vinculación con las fuerzas de Franco en la guerra de España, en Alemania se habían vendido muchas de esas pistolas, potentes y efectivas. Por el momento la lista incluía a cincuenta y seis personas en Berlín y sus alrededores, aunque todavía faltaba consultar a varias armerías. Además la policía informaba que algunos negocios no conservaban registros o estaban cerrados por ser fin de semana.

Por otra parte, si el hombre había llegado a la ciudad justo el día anterior, como ahora parecía, era muy probable que no hubiera comprado personalmente el arma. (Sin embargo esa lista aún podía resultar valiosa: el asesino podía haber usado la pistola de la misma víctima o de un camarada que llevara algún tiempo en Berlín).

Entender lo inexplicable...

Kohl todavía esperaba conseguir el listado de los pasajeros del *Manhattan:* había telegrafiado a las autoridades portuarias de Hamburgo y a la United States Lines, propietaria y operadora del barco, solicitando una copia del documento. Pero no tenía esperanzas: ni siquiera estaba seguro de que el jefe de puerto tuviera un ejemplar. En cuanto a la línea marítima, tendrían que localizar el documento, hacer una copia y luego enviarla por correo o teletipo a la sede de la Kripo; eso podía requerir varios días. De cualquier modo, hasta el momento no había recibido ninguna respuesta.

Incluso había enviado un telegrama a Manny's Men's Wear de Nueva York preguntando quiénes habían comprado recientemente un Stetson Mity-Lite. También esa solicitud permanecía sin respuesta.

Echó una mirada impaciente al reloj de bronce que tenía en el escritorio. Se estaba haciendo tarde y estaba hambriento. Deseaba hacer una pausa en el caso, o regresar a su casa, a cenar con su familia.

Konrad Janssen apareció en el vano de la puerta.

—Ya las tengo, señor.

Mostraba una hoja impresa con la obra del artista callejero, fragante de tinta.

—Bien... Lo siento, Janssen, pero esta noche aún tendrá que llevar a cabo otra tarea.

—Sí, señor, lo que usted mande.

Otra cualidad del formal Janssen era que nunca ponía reparos a trabajar mucho.

—Tome el DKW y regrese a la Villa Olímpica. Enseñe el retrato del artista a todos los que encuentre, norteamericanos o no; veamos si alguien lo reconoce. Deje allí algunos ejemplares, junto con nuestro número de teléfono. Si no hay suerte allí, lleve algunas copias al distrito de la plaza Lützow. Dígales que si por casualidad encuentran al sospechoso, deberán detenerlo sólo en calidad de testigo y llamarme de inmediato. Aunque sea a mi casa.

—Sí, señor.

—Gracias, Janssen... Espere. Ésta es la primera vez que usted participa en la investigación de un homicidio, ¿verdad?

—Sí, señor.

—Pues no la olvidará jamás. Está haciendo un buen trabajo.

—Se lo agradezco, señor.

Kohl le entregó las llaves del DKW.

—Mano suave con el cebador. El aire le gusta tanto como la gasolina, si no más.

—Sí, señor.

—Si hay alguna novedad, telefonéeme a casa.

Cuando el joven se hubo ido Kohl se quitó los zapatos. Luego extrajo de un cajón del escritorio una caja con vellón de cordero y usó varios trozos para acolchar las zonas sensibles de los pies. Después de poner algunos parches estratégicos en los zapatos, volvió a calzárselos con una mueca de dolor.

Apartó la vista del retrato del sospechoso, hacia las lúgubres fotografías de los asesinatos de Gatow y Charlottenburg. No había sabido nada más sobre el informe de la escena del crimen ni sobre las entrevistas a los testigos. Probablemente no había logrado ningún efecto con el relato de esa ficticia conspiración kosi que había urdido para el inspector en jefe Horcher.

Contempló las fotos: un chico muerto, una mujer que trataba de asir la pierna a un hombre tendido casi a su alcance, un trabajador aferrado a una pala muy usada... Partían el corazón. Las miró durante algunos momentos. Sabía que era peligroso continuar con el caso. Peligroso para su carrera, desde luego, si no para su vida. Aun así no tenía opción.

Por qué, se preguntaba. Por qué sentía invariablemente esa compulsión de resolver los casos de homicidio.

Probablemente porque, aunque pareciera irónico, en la muerte encontraba su cordura. Mejor dicho, en el proceso de poner ante la justicia a quienes causaban la muerte. Sentía que ésa era su misión en la vida; ignorar un homicidio, ya fuera el del gordo del callejón o el de una familia judía, era ignorar su naturaleza y, por lo tanto, pecado.

El inspector apartó las fotografías, tomó su sombrero y salió al pasillo del viejo edificio. Recorrió toda la longitud de baldosas prusianas, piedra y madera gastada por los años, pero aun así impecable y lustrada hasta el brillo. Atravesaba cuñas de sol bajo y rojizo, que a esa altura del año era la principal fuente lumínica de la sede; con la llegada de los nacionalsocialistas, Berlín, esa gran dama, se había vuelto tacaña («Antes armas que manteca», proclamaba Göring una y otra vez), y los constructores de edificios hacían todo lo posible para conservar los recursos.

Puesto que había cedido su coche a Janssen y debía regresar a su casa en tranvía, Kohl descendió dos tramos de escaleras hasta una puerta trasera de la sede, un atajo hacia la parada. Al pie de la escalera había letreros indicando la dirección de las celdas, a la izquierda, y del archivo de casos antiguos, de frente. Se dirigió hacia allí, recordando que en sus tiempos de asistente había pasado mucho tiempo allí, leyendo los expedientes, no sólo para aprender lo que pudiera de los grandes detectives prusianos del pasado, sino también porque le gustaba ver la historia de Berlín narrada por sus fuerzas policiales.

Heinrich, el prometido de su hija, era funcionario civil, pero le apasionaba la labor policial. Kohl decidió traerlo algún día; así podrían hojear juntos aquellas carpetas. Quizá le mostrara algunos de los casos en que había trabajado años atrás.

Pero al cruzar la puerta se detuvo en seco: los archivos habían desaparecido. Kohl se sorprendió al encontrarse en un corredor muy iluminado en el que montaban guardia seis hombres armados. Sin embargo no vestían el uniforme verde de la Schupo, sino el negro de la SS. Casi al unísono se volvieron hacia él.

—Buenas noches, señor —dijo uno, el más próximo a Kohl. Era flaco y tenía la cara asombrosamente larga. Lo miraba con atención—. ¿Su nombre?

—Detective inspector Kohl. Y usted, ¿quién es?

—Si busca los archivos, ahora están en el segundo piso.

—No. Sólo quiero utilizar la salida trasera.

Kohl iba a avanzar, pero el de la SS dio un sutil paso hacia él.

—Lamento informarle que ya no está habilitada.

—No lo sabía.

—¿No? Pues así es desde hace varios días. Tendrá que volver a subir.

Kohl oyó un ruido extraño. ¿Qué era? Un *clap clap* mecánico.

El corredor se llenó con un estallido de sol: dos hombres de la SS habían abierto la puerta más alejada y se acercaban con carritos cargados de cajas. Ambos entraron en una de las habitaciones, al final del pasillo.

Él dijo al guardia:

—Me refería a esa puerta. Parece que sí está habilitada.

—Para uso general, no.

Los ruidos...

Clap, clap, clap. Y, por debajo, el ronroneo de un motor o una máquina.

Echó un vistazo a la derecha, a través de una puerta entreabierta, donde se veían varios aparatos grandes. Una mujer de chaquetilla blanca iba poniendo hojas de papel en una de ellas. Al parecer allí funcionaba una parte del departamento de Impresiones de la Kripo. Pero luego observó que no se trataba de hojas de papel, sino de tarjetas llenas de agujeros; el aparato las clasificaba.

«Ah...», comprendió Kohl. Acababa de encontrar la solución a un viejo misterio. Poco tiempo atrás le habían dicho que el Gobierno alquilaba grandes máquinas de calcular y clasificar, llamadas DeHoMags, como la empresa que las fabricaba, subsidiaria alemana de International Business Machines, una compañía norteamericana. Estos aparatos utilizaban tarjetas perforadas para analizar y comparar información. La noticia había alegrado mucho a Kohl, pues esas máquinas resultarían valiosísimas para la investigación criminalística: podían reducir cien veces el tiempo necesario para localizar categorías de huellas digitales o información balística. También podían comparar referencias de *modus operandi* para relacionar al criminal con el crimen y llevar un registro de reincidentes o de quienes estaban en libertad condicional.

Pero el entusiasmo del inspector se agrió muy pronto al saber que los aparatos no estarían a disposición de la Kripo. Entonces se preguntó quién los habría comprado y dónde estaban. Ahora descubría, con desagradable sorpresa, que al menos dos o tres estaban a cien metros escasos de su despacho, custodiados por la SS.

¿Qué finalidad tenían?

Se lo preguntó al guardia.

—No sabría decírselo, señor —respondió el hombre con voz seca—. No estoy informado.

La mujer de blanco miró desde adentro. Se detuvo y habló con alguien. Kohl no pudo oír lo que decía ni ver a la otra persona. La puerta se cerró lentamente, como por arte de magia.

El guardia de la cara alargada pasó junto a Kohl para abrir la que conducía a la escalera.

—Le repito, inspector, que por aquí no se puede salir. Si sube un tramo de escaleras encontrará otra puerta por donde...

—Conozco bien el edificio —replicó Kohl, irritado. Y regresó a la escalera.

—Le he traído algo —dijo él.

De pie en el salón de Paul, en la pensión del pasaje Magdeburger, Käthe Richter tomó el pequeño paquete con curiosidad y un sobrecogimiento cauteloso, como si llevara años sin recibir un regalo. Frotó los pulgares en el papel castaño que Otto Webber le había conseguido.

—¡Oh! —Hubo una leve exhalación al ver el volumen encuadernado en piel, en cuya cubierta ponía: *Obra poética completa de Johann Wolfgang von Goethe*.

—Mi amigo me ha dicho que no es ilegal, pero tampoco legal. Eso significa que lo prohibirán pronto.

—Está en el limbo —asintió ella—. Lo mismo sucedió durante un tiempo con el jazz norteamericano; ahora está prohibido. —Sin dejar de sonreír, Käthe dio vueltas al libro entre las manos.

—No sabía que en mi familia usábamos los nombres de Goethe.

La mujer levantó una mirada de interrogación.

—Mi abuelo se llamaba Wolfgang. Mi padre, Johann.

Käthe, sonriendo ante la coincidencia, se puso a hojear el libro. Él dijo:

—Estaba pensando... Si no está muy ocupada, ¿podríamos cenar?

Ella se puso muy seria.

—Ya le he explicado que sólo puedo servir el desayuno...

Paul se echó a reír.

—No, no. Quiero invitarla a cenar. Podríamos visitar algunos lugares de Berlín.

—Usted quiere...

—Me gustaría salir con usted.

—Yo... No, no, no puedo.

—Ah, está casada... tiene un amigo... —Él no había visto que llevara anillo, pero no sabía cómo se manifestaba el compromiso en Alemania—. Invítelo también, por favor.

Käthe se había quedado sin palabras. Por fin dijo:

—No, no, no tengo a nadie, pero...

—Nada de peros —replicó él con firmeza—. No me quedaré mucho tiempo en Berlín. Me gustaría que alguien me enseñara la ciudad. —Con una sonrisa añadió en inglés—: Y sepa, señorita, que no acepto negativas.

—Hace mucho tiempo que no entro en un restaurante —reconoció ella—. Tal vez sería agradable.

Paul frunció el entrecejo.

—Ha conjugado mal un verbo.

—¿Sí? ¿Cuál? —preguntó ella.

—Ha debido decir «será agradable», no «sería».

Ella rió con suavidad y aceptó reunirse con él en media hora. Regresó a su cuarto, mientras Paul se duchaba y se vestía.

Treinta minutos después, un toque a la puerta. Al abrirla él parpadeó: Käthe era una persona muy diferente.

Lucía un vestido negro que hasta Marion, la diosa de la moda, habría aprobado. Ceñido, hecho de una tela brillante, con una audaz abertura al costado y mangas diminutas que apenas le cubrían los hombros. La prenda olía vagamente a naftalina. Ella parecía algo incómoda, casi abochornada por vestir con tanta elegancia, como si en tiempos recientes no hubiera usado más que batas de andar por casa. Pero le brillaban los ojos. Como antes, él notó cuánta belleza sutil, cuánta pasión contenida irradiaba de su interior, contradiciendo por completo la piel mate, los nudillos huesudos, la tez pálida y la frente surcada de arrugas.

En cuanto a Paul, mantenía el pelo oscurecido con loción, pero se había hecho otro peinado (y cuando salieran lo ocultaría con un sombrero muy diferente de su Stetson pardo: un sombrero de fieltro oscuro, de ala ancha, que había comprado esa tarde, tras separarse de Morgan). Vestía un traje de lino azul marino, de saco cruzado, y una corbata plateada sobre la camisa blanca Arrow. Junto con el sombrero había comprado también más maquillaje para cubrir el moretón y el corte. Ya no llevaba la tirita.

Käthe recogió el libro de poemas, que había dejado en el cuarto de Paul para ir a cambiarse, y lo hojeó.

—Éste es uno de mis favoritos. Se llama *Proximidad del amado cerca de la amada.* —Lo leyó en voz alta.

Pienso en ti cuando el brillo del sol
refulge sobre el mar;
pienso en ti cuando en la fuente
riela el resplandor lunar.
A ti te veo cuando allá en el camino,
el polvo se levanta;
y cuando en la campiña todo está silencioso,
algún viandante pasa.

Oigo tu voz cuando en quedo murmullo
las olas se alborotan;
y cuando en la campiña todo está silencioso,
tu voz acecho grata.

Leía en voz baja; Paul la imaginó frente a su clase, hechizados los estudiantes por su evidente amor por las palabras.

Käthe, riendo, alzó los ojos brillantes.

—Ha sido usted muy amable. —Luego tomó el libro con manos fuertes, le arrancó la cubierta de piel y la arrojó a la papelera.

Él la miraba con el ceño fruncido. La mujer sonrió con tristeza.

—Conservaré los poemas, pero debo eliminar la parte donde el título y el nombre del poeta son más evidentes. De esa manera ningún visitante o huésped podrá ver por casualidad quién lo escribió y no sentirá la tentación de denunciarme. ¡Qué tiempos los que estamos viviendo! Y por ahora lo dejaré en su cuarto, señor Schumman. Es mejor no llevar estas cosas por la calle, aunque sea un libro desnudo. ¡Bien, vamos! —añadió con entusiasmo juvenil. Y pasó al inglés para decir—: Vamos a gozar de la ciudad. Es así como se dice, ¿no?

—Sí. Gozar de la ciudad. ¿Adónde quiere ir...? Pero tengo dos condiciones.

—¿Cuáles, por favor?

—En primer lugar, tengo hambre y como mucho. Segundo, me gustaría ver esa famosa calle Wilhelm.

Ella quedó inexpresiva durante un instante.

—*Ach*, la sede de nuestro Gobierno.

Paul supuso que, perseguida como estaba por los nacionalsocialistas, no disfrutaría mucho de ese panorama. Pero él necesitaba buscar el mejor lugar para despachar a Ernst y sabía que un hombre solo despierta muchas más sospechas que si lleva del brazo a una mujer. Ésa había sido la segunda misión cumplida ese día por Reggie Morgan: no sólo investigar el pasado de Otto Webber, sino también el de Käthe Richter. Era cierto que la habían expulsado de su cátedra y que estaba marcada como intelectual y pacifista. No había evidencias de que hubiera sido nunca informante de los nacionalsocialistas.

Al verla contemplar el libro de poesía sintió remordimientos por utilizarla así, pero se consoló pensando que ella no sentía ningún afecto por los nazis y, al colaborar con él sin saberlo, colaboraría en impedir la guerra que Hitler planeaba.

Ella dijo:

—Sí, por supuesto. Se la mostraré. Y en cuanto a la primera condición, sé cuál es el mejor restaurante. Le gustará. —Y agregó con una sonrisa misteriosa—: Es el lugar perfecto para gente como usted y yo.

«Usted y yo»...

Paul se preguntó qué querría decir.

Salieron a la noche cálida. A él le divirtió notar que, en cuanto dieron el primer paso en la acera, ambos giraron la cabeza de un lado a otro para ver si alguien los vigilaba.

Mientras caminaban conversaron sobre el vecindario, el clima, la escasez de cosas, la inflación. Sobre la familia de Käthe: sus padres habían fallecido y tenía una sola hermana, casada y con cuatro hijos, que vivía cerca de Spandau. Ella también le hizo preguntas sobre su vida, pero el cauteloso sicario sólo daba respuestas vagas y desviaba la conversación hacia ella.

La calle Wilhelm, según explicó Käthe, quedaba demasiado lejos como para ir caminando. Paul lo sabía, pues recordaba el mapa. Aún desconfiaba de los taxis, pero resultó que no había ninguno disponible: era el fin de semana previo al comienzo de las Olimpíadas y estaba llegando gente a raudales. Ella sugirió tomar un autobús de dos pisos. Subieron al vehículo y se sentaron muy juntos en un inmaculado asiento de piel del piso superior. Paul miró atentamente en derredor, pero nadie les prestaba atención en especial (aunque casi esperaba ver aparecer a los dos policías que lo habían estado buscando todo el día, el gordo del traje blanco y el delgado de verde).

Al cruzar la Puerta de Brandenburgo el autobús se bamboleó hasta casi tocar los costados de piedra; muchos de los pasajeros soltaron una exclamación divertida de alarma, como en la montaña rusa de Coney Island; probablemente esa reacción era una tradición berlinesa.

Käthe tiró de la cuerda para bajarse en Unter den Linden a la altura de la calle Wilhelm; desde allí caminaron con rumbo sur a lo largo de la amplia avenida, centro del Gobierno nazi. Era un lugar sin estilo, con monolíticos bloques de piedra gris a cada lado. La calle, limpia y aséptica, exudaba un poder inquietante. Paul había visto fotos de la Casa Blanca y el Congreso: parecían edificios pintorescos y amistosos, mientras que en aquella calle berlinesa, las fachadas y los ventanucos, en hileras y más hileras de oficinas de piedra y cemento, resultaban lúgubres.

Y algo que esa noche resultaba más importante: estaban fuertemente custodiadas. Él nunca había visto tanta seguridad.

—¿Dónde está la Cancillería? —preguntó.

—Allí. —Käthe señaló un edificio viejo y ornamentado, la mayor parte de cuya fachada estaba cubierta de andamios.

Paul, desalentado, estudió el lugar con ojos rápidos. Guardias armados al frente. Patrullaban la calle decenas de hombres de la SS y de lo que parecía ser el Ejército regular, deteniendo a los transeúntes para pedirles los papeles. En lo alto de cada edificio había más soldados armados con pistolas. Debía de haber un centenar de uniformados en las cercanías. Hallar un sitio para disparar sería virtualmente imposible. Y aun si pudiera hacerlo, sin duda lo capturarían o lo matarían cuando tratara de escapar.

Aminoró el paso.

—Creo que ya he visto bastante. —Miraba de reojo a varios tipos corpulentos de uniforme negro, que exigían la documentación a dos hombres, de pie en la acera.

—¿No es tan pintoresco como usted esperaba? —Ella, riendo, iba a decir algo más; tal vez: «Se lo dije», pero lo pensó mejor—. Si tiene tiempo, no se preocupe; puedo mostrarle muchas partes de nuestra ciudad que son muy bellas. ¿Vamos ya a cenar?

—Sí, vamos.

Lo condujo hasta una parada de tranvías en Under den Linden. Se subieron a uno y, después de un breve trayecto, ella indicó que debían bajar.

Käthe le preguntó qué le había parecido Berlín en el poco tiempo que llevaba allí. Nuevamente Paul dio algunas respuestas inocuas y desvió la conversación hacia ella:

—¿Sales con alguien?

—¿Que si salgo?

Había traducido literalmente.

—Es decir, ¿tienes alguna relación romántica?

Ella respondió con sinceridad:

—Hasta hace muy poco tenía un amante. Ya no estamos juntos. Pero gran parte de mi corazón sigue perteneciéndole.

—¿En qué trabaja? —preguntó él.

—Es periodista. Como tú.

—En realidad yo no soy periodista. Escribo artículos y trato de venderlos. Temas de interés humano, digamos.

—¿Y escribes sobre política?

—¿Sobre política? No. Deportes.

—Deportes. —La voz de Käthe era algo despectiva.

—¿No te gustan los deportes?

—Lamento decir que me disgustan.

—¿Por qué?

—Porque hay tantas cuestiones importantes a las que debemos enfrentarnos... No sólo aquí, sino en el mundo entero. Y los deportes son... bueno, son frívolos.

Paul replicó:

—También lo es pasear por las calles de Berlín en una bonita noche de verano. Pero es lo que estamos haciendo.

—*Ach* —exclamó ella, irritada—. Actualmente, en Alemania, la educación sólo busca fortalecer el cuerpo, no la mente. Nuestros muchachos practican juegos de guerra, se pasan las horas muertas desfilando. ¿Sabes que se ha iniciado el reclutamiento?

Paul recordó que Bull Gordon le había hablado del nuevo reclutamiento de los alemanes, pero respondió que no.

—De cada tres muchachos, uno es rechazado porque tiene pies planos, de tanto como los hacen desfilar en la escuela. Es una vergüenza.

—Bueno, todo tiene su medida —señaló él—. A mí me gustan los deportes.

—Sí, pareces atlético. ¿Sueles entrenarte?

—Un poco. Sobre todo practico boxeo.

—¿Boxeo? ¿Del tipo en que se golpean unos a otros? Él rió:

—Es el único tipo de boxeo que existe.

—Cosa de bárbaros.

—Puede serlo... si bajas la guardia.

—Bromeas, pero, ¿cómo les puede gustar a dos personas golpearse mutuamente?

—No podría explicártelo. Pero me gusta. Es divertido.

—¡Divertido! —bufó ella.

—Divertido, sí. —Paul también empezaba a enfadarse—. La vida es difícil. A veces uno necesita aferrarse a algo divertido, si el resto del mundo se está haciendo mierda a tu alrededor. ¿Por qué no vas a ver una pelea alguna vez? Ve a ver a Max Schmeling, bebe un poco de cerveza, grita hasta quedar ronca. Tal vez te guste.

—*Kakfif* —replicó ella, sin rodeos.

—¿Qué?

—*Kakfif* —repitió Käthe—. Es apócope de «absolutamente imposible».

—Como te parezca.

Por un momento ella guardó silencio. Luego dijo:

—Como te decía hoy, soy pacifista. Todos los amigos que tengo en Berlín son pacifistas. No podemos casar la idea de diversión con la de hacer daño a la gente.

—Yo no voy por ahí como los Camisas Pardas, golpeando a inocentes. Los tipos con los que entreno lo hacen por voluntad propia.

—Pero ayudas a que se cause dolor.

—No: impido que alguien me lo cause a mí. De eso se trata el boxeo.

—Como niños —murmuró ella—. Son como niños.

—Tú no lo comprendes.

—¿Por qué lo dices? ¿Porque soy mujer? —le espetó ella.

—Tal vez. Sí, tal vez sea por eso.

—No soy estúpida.

—No he hablado de inteligencia. Sólo he querido decir que a las mujeres no les gusta luchar.

—No nos gusta agredir. Pero luchamos cuando se trata de proteger el hogar.

—A veces el lobo no está dentro de tu casa. ¿No sales a matarlo primero?

—No.

—¿Lo ignoras, con la esperanza de que se vaya?

—Sí. Exactamente. Y le enseñas que no tiene por qué ser destructivo.

—Eso es ridículo —adujo Paul—. No se puede convencer al lobo de que se convierta en oveja.

—Yo creo que sí se puede, si se quiere. Y si se pone empeño en lograrlo. Sin embargo hay muchos hombres que no quieren eso. Quieren pelear. Quieren destruir porque eso les produce placer.

Durante un largo momento se hizo entre ellos un silencio denso. Luego ella dijo, suavizando la voz:

—*Ach*, perdona, Paul, por favor. Estás conmigo, me acompañas a gozar de la ciudad, después de tantos meses... Y yo te pago comportándome como una fiera. ¿Las norteamericanas son tan fieras como yo?

—Algunas sí, otras no. Pero tú no lo eres.

—Soy una compañía difícil. Debes comprender, Paul, que en Berlín muchas somos así. No nos queda otro remedio. Después de la guerra no quedaban hombres en el país. Tuvimos que convertirnos en hombres y ser tan duras como ellos. Te pido perdón.

—No tienes por qué. Me gusta discutir. Es otra manera de boxear.

—¡*Ach*, boxear! ¡Y yo, pacifista! —Käthe rió con aire juvenil.

—¿Qué dirían tus amigos?

—Sí, qué dirían. —Y lo tomó del brazo para cruzar la calle.

18

Aunque Willi Kohl era «tibio» (políticamente neutral, no afiliado al Partido), disfrutaba de ciertos privilegios reservados a los nacionalsocialistas devotos.

Uno de ésos era que, cuando un alto funcionario de la Kripo se mudó a Múnich, le habían ofrecido la posibilidad de ocupar su gran departamento de cuatro dormitorios, situado en un antiguo callejón que desembocaba en la calle Berliner, cerca de Charlottenburg. Desde la guerra había en Berlín una grave escasez de viviendas; la mayoría de los inspectores de la Kripo, incluso muchos de su mismo rango, se veían relegados a departamentos corrientes, apretados en edificios cuadrados y anodinos.

Kohl no sabía con certeza a qué se debía esa recompensa. Muy probablemente a que siempre estaba dispuesto a ayudar a otros funcionarios a analizar la información recogida en la escena del crimen, a extraer deducciones de la evidencia o interrogar a un testigo, a un sospechoso. Sabía que, en cualquier puesto, el hombre más valioso es el que permite que sus colegas (especialmente sus superiores) parezcan también muy valiosos.

Esas habitaciones eran su santuario, tan privadas como público era su despacho. Las habitaban aquellos que estaban más cerca de su corazón: su esposa, sus hijos y, en ocasiones, Heinrich, el novio de Charlotte (quien, por supuesto, dormía siempre en el salón).

El departamento estaba en el segundo piso. Mientras subía las escaleras, haciendo muecas de dolor, le llegó un olor a cebolla y carne. Heidi no tenía un menú fijo para cada día. Algunos colegas de Kohl declaraban solemnemente que sábado, lunes y miércoles, por ejemplo, eran días sin carne por lealtad al Estado. La familia de Kohl, que incluía al menos a siete personas, pasaba a menudo sin carne, tanto debido a la escasez como a su coste, pero Heidi se resistía a atarse a un rito. Esa noche de sábado podía haber preparado berenjenas con panceta y salsa de crema, o budín de riñones, o *sauerbraten,* y hasta un plato de pasta con tomates a la italiana. Y siempre algo dulce, desde luego. A Willi Kohl le gustaban la *linzertorte* y el *strudel.*

Abrió la puerta, jadeante por el esfuerzo de subir las escaleras, justo en el momento en que Hanna, su hija de once años, corría hacia él: una rubia doncellita nórdica de pies a cabeza, aunque los padres eran morenos. Le envolvió el corpachón con los brazos.

—¡Papá! ¿Puedo llevarte la pipa?

Él sacó la *meerschaum.* La niña la llevó hasta el portapipas de la sala de estar, donde había varias decenas más.

—Ya he llegado —anunció en voz alta.

Heidi salió al vano de la puerta para besarlo en ambas mejillas. Era unos cuantos años más joven que su esposo; en el curso de su matrimonio se había redondeado con una suave papada y amplio busto; cada hijo le agregó unos kilos. Pero así debía ser; Kohl pensaba que uno debía crecer con su pareja en cuerpo y alma. Por sus cinco hijos Heidi había obtenido un certificado del Partido. Las mujeres con más prole recibían mejores premios; con nueve hijos se obtenía una estrella de oro; en realidad, una pareja con menos de cuatro hijos no podía presentarse como «familia». Pero Heidi había relegado furiosamente el pergamino al fondo de su escritorio. Tenía hijos porque disfrutaba de ellos en todos los sentidos: al darles vida, al criarlos y al educarlos, no porque el Hombrecito quisiera aumentar la población de su Tercer Imperio.

Su esposa desapareció y regresó un momento después con un pequeño vaso de *schnapps.* Sólo le permitía beber una copita de ese potente licor antes de la cena. Él solía rezongar por el racionamiento, pero secretamente lo agradecía; eran demasiados los policías que no sabían detenerse en la segunda copa. Ni en la segunda botella.

Saludó a Hilde, su hija de diecisiete años que, como siempre, estaba perdida entre las páginas de un libro. Ella se levantó para abrazarlo y regresó al diván. La esbelta muchacha era la erudita de la familia, pero últimamente lo tenía difícil. Goebbels en persona decía que el único objetivo de una mujer era ser hermosa y poblar el Tercer Imperio. Las universidades estaban ya casi cerradas para las chicas; las que ingresaban eran admitidas tan sólo para dos carreras: la Ciencia Doméstica (que otorgaba lo que se denominaba despectivamente «el diploma budín») y la Docencia. Hilde quería estudiar Ciencias Exactas para ser profesora universitaria, pero sólo le permitirían matricularse en los cursos inferiores. Kohl estaba convencido de que sus dos hijas mayores eran inteligentes por igual, pero Hilde aprendía con más facilidad que la vivaz y atlética Charlotte, de veintiún años. A menudo se asombraba de que él y Heidi hubieran producido seres humanos tan similares y, al mismo tiempo, tan diferentes entre sí.

El inspector salió a su pequeño balcón, donde a veces se sentaba a fumar su pipa, ya avanzada la noche. Como daba al oeste, pudo contemplar fieras nubes rojas y anaranjadas, encendidas por el sol ya desaparecido. Bebió un pequeño sorbo del fuerte *schnapps*. El segundo fue más amable. Cómodamente sentado en la silla, se esforzó por no pensar en gordos asesinados, en las trágicas muertes de Gatow y Charlottenburg, en Pietr (perdón: Peter), en el misterioso ajetreo de las DeHoMags en el sótano de la Kripo. Trató de no pensar tampoco en su inteligente sospechoso, el de Manny's Men's Wear.

«¿Quién eres?».

Un clamor en el vestíbulo de entrada: regresaban los muchachos. Fuerte ruido de pisadas en las escaleras. Herman, el menor, fue el primero en cruzar la puerta y la cerró en las narices de Günter, quien la frenó e inició un forcejeo con su hermano. Al reparar en la presencia de su padre la lucha quedó interrumpida.

—¡Papá! —exclamó Herman. Y abrazó a su padre.

Günter levantó la cabeza a modo de saludo. Ya tenía dieciséis años y hacía exactamente dieciocho meses que ya no abrazaba a sus padres. Probablemente los hijos varones respondían a esa planificación desde los tiempos del Sacro Imperio, si no desde siempre.

—Vayan a lavarse para cenar —ordenó Heidi.

—¡Pero si hemos estado nadando! En la piscina de la calle Wilhelm Marr.

—Pues entonces —apuntó su padre— vayan a lavarse el agua de la piscina.

—¿Qué hay para cenar, *Mutti?* —preguntó Herman.

—Cuanto antes se laven —anunció ella—, antes lo sabrán.

Los dos salieron en estampida por el pasillo, con toda su energía adolescente en marcha.

Pocos momentos después llegó Heinrich con Charlotte. A Kohl le gustaba ese chico (jamás habría permitido que una hija suya se casara con alguien que no le mereciera respeto). Pero ese apuesto rubio sentía fascinación por los asuntos policiales, lo cual lo inducía a interrogar extensamente y con entusiasmo a Kohl sobre los casos recientes. Por lo general el inspector disfrutaba con eso, pero esa noche nada deseaba menos que hablar de su jornada de trabajo. Mencionó las Olimpíadas, tema que seguro acapararía la conversación. Todo el mundo había escuchado rumores diferentes sobre los equipos, los atletas favoritos, las muchas naciones representadas.

Pronto estuvieron sentados a la mesa del comedor. Kohl descorchó dos botellas de vino Saar-Ruwer y sirvió un poco a cada uno; también a los niños, en pequeña cantidad. Como sucedía siempre en esa casa, la conversación tomó varios rumbos diferentes. Para Kohl era uno de los mejores momentos del día: estar con sus seres queridos... y poder hablar con libertad. Mientras charlaban, reían y discutían, el inspector iba estudiando cara por cara, con la mirada rápida, atento a las voces, reparando en gestos y expresiones. Cualquiera habría pensado que lo hacía automáticamente, por su experiencia de policía, pero en realidad no era así: observaba a su prole y sacaba sus conclusiones porque eso formaba parte de la paternidad. Esa noche notó algo que lo preocupó, pero lo archivó en su mente, como habría podido hacerlo con algún detalle clave visto en la escena de un crimen.

La cena acabó relativamente temprano, poco más o menos en una hora; el calor mermaba el apetito de todos, salvo de Kohl y sus hijos varones. Heinrich propuso jugar a las cartas, pero el inspector negó con la cabeza.

—Yo no. Voy a fumar —anunció—. Y me remojaré los pies, creo. Günter, por favor, tráeme un hervidor con agua caliente.

—Sí, padre.

Kohl fue a buscar la palangana y las sales. Luego se dejó caer en el sillón de piel de la sala de estar, el mismo que antes usaba su padre, tras una larga jornada en los campos. Cargó una pipa y la encendió. Pocos minutos después entró su hijo mayor, llevando fácilmente con una mano un hervidor humeante que bien debía de pesar diez kilos. Mientras éste llenaba la palangana, Kohl se arremangó, se quitó los calcetines y, evitando mirar los juanetes torcidos y los callos amarillentos, introdujo los pies en el agua caliente, en la que echó algunas sales.

—*Ach,* sí.

El chico se volvió para retirarse, pero él le dijo:

—Espera un momento, Günter.

—Sí, padre.

—Siéntate.

El chico obedeció, cauteloso, y dejó el hervidor en el suelo. En sus ojos había un destello de culpa adolescente. Kohl se preguntó, divertido, qué transgresiones aleteaban en la mente de su hijo: ¿un cigarrillo, un poco de *schnapps,* alguna torpe exploración entre las prendas interiores de la joven Lisa Wagner?

—¿Qué te pasa, Günter? Te he visto preocupado durante la cena.

—Nada, padre.

—¿Nada?

—No.

Con voz suave pero firme, Willi Kohl dijo:

—Dime.

El chico examinó el suelo. Por fin respondió:

—Pronto comenzarán las clases.

—Falta un mes.

—Aun así... Me gustaría, padre... ¿Podría cambiarme a otra escuela?

—Pero, ¿por qué? La Hindenburg es una de las mejores de la ciudad. Al director Muntz se lo respeta mucho.

—Por favor.

—¿Cuál es el problema?

—No sé, pero no me gusta.

—Tienes buenas notas. Tus profesores dicen que eres buen estudiante.

El chico no dijo nada.

—¿Es por algo que no tiene relación con los estudios?

—No sé.

¿Qué podría ser?

Günter se encogió de hombros.

—Por favor, ¿no me permitirías ir a otra escuela hasta diciembre?

—¿Por qué hasta entonces?

El chico, sin responder, evitó mirar a su padre.

—Dímelo —insistió Kohl, amable.

—Porque...

—Continúa.

—Porque en diciembre todo el mundo debe incorporarse a las Juventudes Hitlerianas. Y entonces... bueno, tú no me lo permitirás.

Ah, eso otra vez. Un problema recurrente. Pero, ¿sería verdad esa nueva información? ¿Sería obligatorio asociarse? La idea daba miedo. Los nacionalsocialistas, al asumir el poder, habían unificado a los numerosos grupos juveniles en las Juventudes Hitlerianas; ahora los otros estaban prohibidos. Kohl era partidario de que los chicos se organizaran (en su adolescencia le había encantado pertenecer a clubes de natación y montañismo), pero el de Hitler no era más que un organismo para el entrenamiento militar, manejado por los mismos jóvenes; cuanto más rabiosamente nacionalsocialistas fueran los líderes, tanto mejor.

—¿Y tú quieres participar?

—No sé. Todo el mundo se burla de mí por no ser miembro. Hoy, en el partido de fútbol, estaba Helmut Gruber, que es nuestro líder de las Juventudes Hitlerianas. Me dijo que haría bien en afiliarme pronto.

—Pero no debes de ser el único que no se ha incorporado.

—Cada día son más los que se les unen —replicó Günter—. A los que no somos miembros nos tratan mal. Cuando jugamos a arios y judíos, en el patio de la escuela, siempre me toca ser judío.

—¿A qué dices que juegan? —Kohl frunció el entrecejo. Nunca había oído hablar de eso.

—Pues a eso, padre, a arios y judíos. Ellos nos persiguen. Se supone que no deberían hacernos daño; el doctor-profesor Klindst dice que no nos hacen nada. Se supone que es como jugar al pilla pilla. Pero cuando él no mira nos empujan y nos tiran al suelo.

—Tú eres un chico fuerte y te he enseñado a defenderte. ¿No contraatacas?

—A veces sí. Pero los que hacen de arios son muchos más.

—Pues mira, me temo que no puedes ir a otra escuela —dijo Kohl.

Su hijo contempló la nube de humo que se elevaba desde la pipa al techo. De pronto le brillaron los ojos.

—Podría denunciar a alguien. Tal vez así me permitirían hacer de ario.

Él hizo un gesto ceñudo. La denuncia: otra de las plagas nacionalsocialistas.

—No denunciarás a nadie —dijo con firmeza—. El denunciado iría a la cárcel. Podrían torturarlo. O matarlo.

Günter frunció el ceño ante la reacción de su padre.

—Pero sólo denunciaría a un judío, padre.

Kohl se encontró sin palabras, con las manos trémulas y el corazón acelerado. Por fin preguntó, con calma forzada:

—¿Denunciarías a un judío sin motivo alguno?

El chico pareció confundido.

—No, por supuesto. Lo denunciaría por ser judío. He estado pensando... El padre de Helen Morrell trabaja en los grandes almacenes de Karstadt. Su jefe es judío, aunque lo niega. Habría que denunciarlo.

Kohl aspiró hondo y sopesó las palabras como un carnicero en tiempos de racionamiento:

—Vivimos una época muy difícil, hijo. Todo es muy confuso. Si lo es para mí, para ti ha de serlo mucho más. Lo único que no debes olvidar jamás, pero tampoco decirlo a nadie, es que cada uno decide por sí mismo lo que está bien y lo que está mal. Lo sabe por lo que ve de la vida, de cómo vive y actúa la gente, por lo que siente. En el fondo uno siempre sabe lo que es bueno y lo que es malo.

—Pero los judíos son malos. Si eso no fuera verdad no nos lo enseñarían en la escuela.

Al inspector se le estremeció el alma de ira y dolor al oír eso.

—No denunciarás a nadie, Günter —dijo con severidad—. Eso es lo que espero de ti.

—De acuerdo, padre. —El chico se alejó.

—Günter. —Se detuvo ante la puerta—. ¿Cuántos hay en tu escuela que no se hayan afiliado a las Juventudes?

—No sé, padre. Pero cada día son más los que se apuntan. Pronto sólo quedaré yo para hacer de judío.

El restaurante que Käthe había elegido era el Lutter y Wegner; según explicó, tenía más de cien años y era toda una institución en Berlín. Los salones, medio en penumbra, eran íntimos y acogedores y estaban llenos de humo. Y el lugar se encontraba libre de Camisas Pardas, agentes de la SS y hombres de traje con brazaletes rojos y la temible cruz gamada.

—Te he traído aquí porque, como te he dicho, solía ser el refugio de gente como tú y yo.

—¿Tú y yo?

—Sí. Bohemios. Pacifistas, pensadores. Y escritores, como tú.

—Ah, escritores. Sí.

—Aquí buscaba inspiración E. T. A. Hoffmann. Bebía champán copiosamente, botellas enteras. Y luego se pasaba toda la noche escribiendo. Habrás leído su obra, por supuesto.

No era así, pero Paul hizo un gesto afirmativo.

—¿Sabes de algún otro mejor entre los escritores del romanticismo alemán? Yo no. *El cascanueces y el rey de los ratones...* mucho más tenebroso y real que lo que hizo Tchaikovsky después con el cuento. El ballet es pura espuma, ¿no te parece?

—Claro que sí —convino Paul. Lo había visto una vez en Navidad, de niño. Lamentó no haber leído el libro para poder hablar del tema con inteligencia. ¡Cómo le gustaba conversar con ella! Mientras bebían los cócteles a pequeños sorbos, reflexionó sobre el *sparring* que había hecho con Käthe en el trayecto hacia allí. Había sido sincero al decir que le gustaba discutir con ella. Era estimulante. En tantos meses como llevaba saliendo con Marion no recordaba un solo desacuerdo entre ellos. Ni siquiera recordaba que ella se hubiera enfadado alguna vez. En ocasiones, al descubrir una carrera en el par de medias nuevas, dejaba escapar un «¡Caramba!»; luego se llevaba los dedos a la boca, como si fuera a lanzar un beso... y se disculpaba con una risita.

El camarero les trajo la carta. Ordenaron patitas de cerdo, coles, *spaetzle* y pan («¡*Ach,* manteca de verdad!», susurró ella, atónita, fija la vista en los diminutos rectángulos amarillos). Para beber ella eligió un vino dulce y dorado. Comieron sin prisa, sin dejar de conversar y reír. Cuando hubieron terminado Paul encendió un cigarrillo. Notó que ella parecía estar indecisa. Al fin dijo, como si se dirigiera a sus estudiantes:

—Hoy estamos demasiado serios. Te contaré un chiste. —Su voz se redujo a un susurro—. ¿Sabes quién es Hermann Göring?

—¿Algún funcionario del Gobierno?

—Sí, sí, el más íntimo de los camaradas de Hitler. Es un hombre extraño. Muy obeso. Y se exhibe por allí con disfraces ridículos, en compañía de famosos y mujeres hermosas. Pues bien, el año pasado se casó, por fin.

—¿Ése es el chiste?

—No, todavía no. Se casó de verdad. El chiste es éste —Käthe hizo un mohín exagerado—: ¿Te has enterado de que la esposa de Göring ha abandonado la religión, pobrecita? Debes preguntarme por qué.

—Dime, por favor: ¿por qué ha abandonado la religión la señora Göring?

—Porque tras la noche de bodas perdió la fe en la resurrección de la carne.

Los dos rieron con ganas. Él notó que Käthe se había ruborizado hasta el carmesí.

—Ay, Paul, qué cosa. Yo contando chistes verdes a un hombre que no conozco. Y por un chascarrillo así podríamos acabar los dos en la cárcel.

—Los dos no —corrigió él, muy serio—. Sólo tú. No he sido yo quien lo ha contado.

—Pues sólo por haberte reído te arrestarían.

Él pagó la cuenta y salieron. En vez de tomar el tranvía regresaron a la pensión a pie, a lo largo de una acera que bordeaba el Tiergarten por el lado sur. Paul estaba algo achispado por el vino, que rara vez bebía. La sensación era agradable, mejor que la del whisky. La brisa cálida resultaba agradable. Y también la presión del brazo de Käthe contra el suyo.

Mientras caminaban hablaron sobre libros y política, un poco discutiendo y un poco riendo; eran una rara pareja paseando por las calles de esa ciudad inmaculada.

Paul oyó voces de hombres que se acercaban. Unos treinta metros más adelante vio a tres Camisas Pardas. Bromeaban ruidosamente. Con los uniformes marrones y las caras juveniles parecían traviesos escolares. A diferencia de los belicosos matones con quienes se había enfrentado en la librería, ese trío sólo parecía pensar en disfrutar de la noche. No prestaban atención a nadie.

Al sentir que Käthe aminoraba el paso se volvió a mirarla. Su cara era una máscara, su brazo comenzaba a temblar.

—¿Qué sucede?

—No quiero pasar junto a ellos.

—No tienes nada que temer.

Käthe lanzó una mirada a la izquierda, presa del pánico. El tránsito era denso y el cruce para peatones estaba a varios cientos de metros. Para evitar a los Camisas Pardas sólo tenían una opción: el Tiergarten.

—¡Pero si no corres ningún peligro! —insistió él—. No tienes por qué preocuparte.

—Siento tu brazo, Paul. Siento que estás listo para pelear con ellos.

—Por eso no corres peligro.

—No. —Ella miró hacia el portón que conducía al parque—. Por aquí.

Entraron. El denso follaje apagaba en gran parte el ruido del tránsito; pronto llenaron la noche el cric-cric de los insectos y la voz de barítono de las ranas. Los Camisas Pardas continuaron por la acera, ajenos a todo lo que no fuera su bulliciosa conversación y sus cantos. Pasaron sin echar siquiera una mirada al interior del parque. Aun así Käthe mantuvo la cabeza gacha. La rigidez con que caminaba hizo que Paul recordara sus propios movimientos después de haberse roto una costilla en un entrenamiento de boxeo.

—¿Te sientes bien? —preguntó.

Silencio. Ella miró a su alrededor, estremecida.

—¿Te da miedo este lugar? ¿Quieres que salgamos?

Seguía sin decir nada. Llegaron a un cruce de caminos; el de la izquierda los conduciría hacia el sur, fuera del parque y de regreso a la pensión. Käthe se detuvo. Pasado un momento dijo:

—Ven. Por aquí. —Y lo condujo hacia el norte, por senderos serpenteantes que se adentraban en el parque. Por fin llegaron a un estanque donde había decenas de botes para alquilar, boca abajo y alineados uno contra otro. En esa noche calurosa la zona estaba desierta.

—Hacía tres años que no entraba en el Tiergarten —susurró ella. Paul no dijo nada. Por fin ella continuó.

—Ese hombre, el dueño de mi corazón...

—Sí, tu amigo, el periodista.

—Michael Klein. Era cronista del *Munich Post*. Hitler comenzó en Múnich. Michael cubrió su ascenso y escribió mucho sobre él y sus tácticas: la intimidación, las palizas, los asesinatos. Llevaba la cuenta de los homicidios no resueltos de quienes se oponían al Partido. Hasta creía que Hitler había hecho matar a su propia sobrina, en el año treinta y dos, pues estaba obsesionado por ella y la chica amaba a otro.

»El Partido y los Camisas Pardas lo amenazaron, a él y también a todos los que trabajaban en el *Post*. Decían que el periódico era «una cocina de veneno». Pero mientras los nacionalsocialistas no asumieron el poder no sufrió ningún daño. Luego se produjo el incendio del Reichstag... Mira, allí se ve. —Señaló hacia el nordeste. Paul distinguió un edificio alto, acabado en una cúpula—. Nuestro Parlamento. Alguien lo incendió desde el interior, apenas unas semanas después de que Hitler fuera nombrado canciller. Él y Göring culparon a los comunistas y detuvieron a varios millares, tanto entre ellos como entre los socialdemócratas. Los arrestaron basándose en un decreto de emergencia. Entre ellos estaba Michael. Lo enviaron a una de las cárceles provisonales instaladas en los alrededores de la ciudad; allí lo retuvieron durante semanas enteras. Yo estaba desesperada. Nadie me decía qué pasaba, dónde lo retenían. Era terrible. Más adelante él me dijo que lo golpeaban, le daban de comer a lo sumo una vez al día y lo obligaban a dormir desnudo en el suelo de cemento. Por fin un juez lo dejó en libertad, puesto que no había cometido ningún delito.

»Cuando lo liberaron me reuní con él en su departamento, no lejos de aquí. Fue en un bello día de mayo, a las dos de la tarde. Íbamos a alquilar un bote aquí mismo, en este lago. Yo había traído un poco de pan duro para dar de comer a los pájaros. Mientras estábamos aquí vinieron cuatro Camisas Pardas y me arrojaron al suelo. Nos habían seguido. Dijeron que lo vigilaban desde que había salido. Que el juez había actuado ilegalmente al liberarlo y que iban a ejecutar la sentencia. —Por un momento se sofocó—. Lo mataron a golpes delante de mí. Aquí mismo. Yo oía el ruido de sus huesos al quebrarse. ¿Ves...?

—Ah, Käthe, no...

—¿...ves esa baldosa de cemento? Allí cayó. En ésa, la cuarta a partir del césped. Allí quedó la cabeza de Michael mientras moría.

Él la rodeó con un brazo. Käthe no se resistió, pero tampoco encontró ningún consuelo en el contacto: estaba petrificada.

—Ahora mayo es el peor de los meses —susurró. Luego contempló el dosel de los árboles estivales—. Este parque se llama Tiergarten.

—Sí, lo sé.

Ella explicó en inglés:

—*Tier* significa «animal», «fiera». Y *Garten* es «jardín», por supuesto. Esto es el Jardín de las Fieras, el sitio donde cazaban las familias reales de la Alemania imperial. Pero en nuestra jerga *Tier* también significa «matón», «criminal». Eso eran los que mataron a mi amante: criminales. —Su voz se tornó fría—. Aquí mismo, en el Jardín de las Fieras.

Él ciñó su abrazo. Käthe miró una vez más hacia el estanque y el cuadrado de cemento. El cuarto a partir del césped. A continuación dijo:

—Llévame a casa, Paul, por favor.

Se detuvieron en el pasillo, frente a la puerta de Paul.

Él deslizó la mano en el bolsillo en busca de la llave. Käthe mantenía la vista clavada en el suelo.

—Buenas noches —susurró el norteamericano.

—He olvidado tantas cosas... —Ella alzó los ojos—. Pasear por la ciudad, ver parejas de enamorados en las cafeterías, contar chistes verdes, sentarme en las sillas que antes ocupaban escritores y pensadores famosos... El placer de esas cosas. He olvidado cómo es. He olvidado tanto...

La mano de Paul fue hacia la diminuta pieza de tela que le cubría el hombro; luego le tocó el cuello; sintió moverse la piel contra sus huesos. «Qué delgada», pensó. «Qué delgada».

Con la otra mano le apartó el pelo de la cara. Luego la besó.

Käthe se puso tensa repentinamente. Paul comprendió que había cometido un error. Ella estaba vulnerable; acababa de ver el sitio donde había muerto su amante, de caminar por el Jardín de las Fieras. Iba a apartarse, pero de pronto ella lo abrazó para besarlo con violencia; sus dientes le golpearon el labio; sintió sabor a sangre.

—Oh, perdona —dijo, espantada.

Pero Paul rió con suavidad. Entonces ella lo imitó.

—He olvidado mucho, como te decía —susurró—. Parece que ésta es otra cosa que mi memoria ha perdido.

Él la atrajo hacia sí. Seguían de pie en el pasillo, a oscuras, frenéticos los labios y las manos. Las imágenes pasaban como destellos: un halo alrededor de su pelo dorado, creado por la lámpara de atrás; el encaje color crema de la enagua sobre el encaje más claro del sostén; su mano al descubrir la cicatriz dejada por la bala del Derringer de Albert Reilly: sólo una 22 milímetros, pero al tocar el hueso se había desviado y acabó saliendo por el costado del bíceps; su gemido agudo, su aliento caliente, el roce de la seda, del algodón; la mano de Paul que se deslizaba hacia abajo y encontraba los dedos de ella, listos para guiarlo entre complicadas capas de tela y tirantes; el portaligas raído y vuelto a coser.

—A mi cuarto —susurró él. En pocos segundos abrieron la puerta y entraron a tropezones. El aire parecía aún más caldeado que en el corredor.

La cama estaba a kilómetros de distancia, pero de pronto encontraron bajo ellos el sofá color rosa, de altos apoyabrazos. Él cayó hacia atrás contra los cojines; se oyó un crujido de madera. Käthe estaba sobre él y lo sujetaba por los brazos con la fuerza de una morsa; se habría dicho que, si lo soltaba, él se hundiría en el agua oscura del canal Landwehr.

Un beso feroz; luego la cara de Käthe buscó su cuello. Paul la oyó susurrar para él, para sí misma, para nadie:

—¿Cuánto tiempo ha pasado? —Comenzaba a desabrocharle frenéticamente la camisa—. *Ach,* años y años.

Bueno, en el caso de Paul no era tanto tiempo, pensó él. Pero mientras le quitaba el vestido con un solo movimiento, deslizando la mano hacia la cintura sudorosa, cayó en la cuenta de que, si bien había estado con otras mujeres no hacía mucho, hacía años que no sentía algo así.

Luego le sujetó la cara entre las manos para acercarla más y más; al perderse por completo en ella se corrigió una vez más.

Tal vez hacía una eternidad.

19

En la casa de Kohl se habían completado los ritos nocturnos. Los platos estaban secos, los manteles guardados, la ropa lavada.

El inspector sentía los pies más aliviados; después de vaciar el recipiente lo secó y lo dejó en su sitio. Cerró el paquete de sales y lo guardó nuevamente bajo el lavabo.

Regresó a la sala de estar, donde le esperaba su pipa. Un momento después Heidi ocupó su propio sillón, con su labor de punto. Kohl le contó su conversación con Günter. Ella meneó la cabeza.

—Conque era eso. Ayer, cuando volvió del campo de fútbol, también estaba nervioso, pero no quiso decirme nada. A la madre no se le habla de esas cosas.

—Tenemos que hablar con ellos. Alguien debe enseñarles lo que aprendimos nosotros. El bien y el mal.

Arenas movedizas morales...

Heidi hacía repiquetear las gruesas agujas de madera con movimientos expertos; estaba tejiendo una manta para el primer hijo de Charlotte y Heinrich, que supuestamente llegaría unos nueve meses y medio después de la boda; se casarían en mayo próximo.

—¿Y luego qué? —preguntó en un susurro áspero—. En el patio de la escuela Günter comenta con sus amigos que, según dice su padre, quemar libros está mal, o que se debería permitir que se vendieran periódicos norteamericanos en el país. *Ach,* entonces te llevan y no volvemos a saber de ti. O me envían tus cenizas en una caja con una esvástica grabada.

—Les diremos que no repitan lo que les decimos. Como en un juego. Debe ser secreto.

Una sonrisa de su esposa:

—Son niños, querido. No saben guardar secretos.

«Es verdad», pensó Kohl, «una gran verdad. Qué criminales tan brillantes son el Líder y su gente. Al apoderarse de nuestros hijos secuestran a toda la nación. Hitler dijo que su imperio duraría mil años. Es así como lo conseguirá». Pero dijo:

—Hablaré con...

En el vestíbulo retumbaron fuertes golpes: el llamador de bronce en forma de oso que pendía en la puerta de entrada.

—¡Dios mío! —Heidi se levantó, dejando caer el tejido, y echó un vistazo hacia las habitaciones de sus hijos.

Willi Kohl comprendió de pronto que la SD o la Gestapo debían de tener un micrófono en su casa y habían escuchado muchos diálogos entre él y su esposa. Era la técnica de la Gestapo: reunir pruebas en secreto para luego arrestarte en tu hogar, ya fuera temprano por la mañana, durante la cena o inmediatamente después, cuando menos lo esperabas.

—Rápido, enciende la radio, busca una emisora —dijo. Como si la policía política se dejara disuadir por el hecho de que ellos escucharan las divagaciones de Goebbels.

Ella obedeció. En el dial se encendió la luz amarilla, pero aún no surgía sonido alguno de los altavoces. Los tubos tardaron unos segundos en calentarse.

Más golpes.

Kohl pensó en su pistola, pero la dejaba siempre en el despacho; no quería tenerla cerca de sus hijos. Y de cualquier manera, ¿de qué le habría servido contra una brigada de la Gestapo o de la SS? Entró en la sala; allí estaban Charlotte y Heinrich, de pie y mirándose con inquietud. Hilde apareció en el vano de la puerta, con el libro en la mano.

De la radio comenzó a surgir la apasionada voz de barítono de Goebbels, hablando de infecciones, enfermedades y salud.

Mientras iba hacia la puerta Kohl se preguntó si Günter ya habría hecho algún comentario casual sobre sus padres a algún amigo.

Tal vez el niño había denunciado a alguien, sí: a su padre, aun sin saberlo. Echó otra mirada a Heidi, que rodeaba con un brazo a su hija menor. Luego descorrió el cerrojo y abrió la pesada puerta de roble.

Allí estaba Konrad Janssen, fresco como un niño en su primera comunión. Miró más allá del inspector para disculparse con Heidi:

—Perdone la intromisión, señora Kohl. Imperdonable venir tan tarde.

«Madre de Dios», pensaba Kohl. Le temblaban las manos y el corazón le latía con fuerza. Se preguntó si el candidato a inspector oiría el palpitar de su pecho.

—Sí, sí, Janssen. No se preocupe por la hora. Pero la próxima vez llame con más suavidad, por favor.

—Por supuesto. —La cara juvenil, habitualmente tan serena, resplandecía de entusiasmo—. He mostrado el retrato del sospechoso por toda la Villa Olímpica, señor, y por media ciudad, por lo que parece.

—¿Y...?

—Y encontré a un cronista británico. Ha venido desde Nueva York en el *S.S. Manhattan.* Está escribiendo una historia de los campos de atletismo del mundo entero y...

—¿Ese británico es nuestro sospechoso, el hombre del retrato?

—No, pero...

—Pues entonces esa parte del relato no nos interesa, Janssen.

—Claro que no, señor. Perdone. Baste decir que este periodista ha reconocido a nuestro hombre.

—Ah, Janssen, buen trabajo. Cuénteme qué ha dicho.

—No mucho. Sólo sabía que el hombre era norteamericano.

¿Y esa mísera confirmación merecía que casi le hubiera reventado el corazón del susto? Kohl suspiró.

Pero el candidato a inspector, al parecer, sólo había hecho una pausa para tomar aliento. Ya continuaba:

—Y que se llama Paul Schumann.

Palabras dichas en la oscuridad.

Palabras dichas como en sueños.

Estaban juntos; cada uno encontraba en el otro un cómodo punto opuesto: rodilla contra cara posterior de la rodilla, vientre contra espalda, mentón contra hombro. La cama ayudaba: el colchón de plumas formaba una V bajo el peso sumado de ambos y los cobijaba con firmeza. Si hubieran querido separarse no habrían podido haberlo hecho.

Palabras dichas en el anonimato de un romance nuevo, al dejar atrás la pasión, aunque sólo por el momento.

Sintiendo el perfume de Käthe, que era, de hecho, el origen de las lilas que él había olfateado al conocerla.

Le besó la nuca.

Palabras dichas entre amantes al hablar de todo y de nada. Caprichos, bromas, anécdotas, especulaciones, esperanzas... un torrente de palabras.

Käthe le estaba contando su vida de casera. Calló. Por la ventana abierta les llegó una vez más la música de Beethoven, más potente al subir alguien el volumen de la radio en un departamento vecino. Un momento después una voz firme resonaba en la noche húmeda.

—*Ach* —dijo ella, meneando la cabeza—. Habla el Líder. Ése es Hitler en persona.

Más cháchara sobre gérmenes, agua estancada e infecciones. Paul se echó a reír.

—¿Por qué lo obsesiona tanto la salud?

—¿La salud?

—Todo el día han estado hablando de gérmenes y de higiene. No puedes escapar del dichoso tema.

Ella reía.

—¿Qué gérmenes?

—¿Dónde está la gracia?

—¿No entiendes lo que dice?

—Eh... no.

—No habla de gérmenes, sino de judíos. Ha cambiado todos sus discursos mientras duren las Olimpíadas. No dice «judíos», pero se refiere a ellos. No quiere ofender a los extranjeros, pero tampoco puede permitir que olvidemos el dogma nacionalsocialista. ¿No sabes qué está pasando aquí, Paul?: en los sótanos de la mitad de los hoteles y las pensiones de Berlín hay letreros que se han retirado mientras se celebren las Olimpíadas, pero que se volverán a poner el día en que partan los extranjeros. Dicen: «Prohibida la entrada a judíos», o «Los judíos no son bienvenidos». En la carretera que lleva a Spandau, donde vive mi hermana, hay una curva cerrada. El letrero advierte: «Curva peligrosa. Treinta kilómetros por hora. Judíos, setenta». ¡Y no es algo que hayan pintado los vándalos! ¡Es una señal de tráfico, puesta allí por nuestro Gobierno!

—¿Hablas en serio?

—En serio, Paul, sí. Al venir aquí has visto las banderas en las casas del pasaje Magdeburger. Al llegar has comentado que la nuestra era diferente.

—La bandera olímpica.

—Sí, sí, en vez de la nacionalsocialista, como en la mayoría de las casas. ¿Sabes por qué? Porque este edificio es propiedad de un judío. A él le está prohibido enarbolar la enseña alemana. Él quiere enorgullecerse de su patria, como todo el mundo, pero no puede. Y de cualquier manera, ¿cómo podría colocar en su fachada la bandera nacionalsocialista, con la esvástica, la cruz gamada, que representa el antisemitismo?

Ah, conque ésa era la respuesta.

«Sin duda usted sabe...».

—¿Has oído hablar de la arianización?

—No.

—El Gobierno requisa la casa o el negocio de los judíos. Es robo puro y simple. Lo maneja Göring.

Paul recordó las casas desiertas que había visto esa mañana, camino a su encuentro con Morgan, en el pasaje Dresden; los letreros decían que el contenido estaba a la venta.

Käthe se le acercó un poco más. Tras un largo silencio añadió:

—Hay un hombre que trabaja en un restaurante. «Fantasía», se llama. Es el nombre del establecimiento. Pero también es una fantasía, algo muy bonito. Una vez fui a ese restaurante. En medio del comedor había una jaula de cristal con un hombre. ¿Sabes qué era? Un artista del hambre.

—¿Qué dices?

—Un artista del hambre, como en el cuento de Kafka. Había subido a esa jaula algunas semanas atrás y sobrevivía sin ingerir más que agua. Estaba allí a la vista de todos. No comía nunca.

—¿Pero cómo...?

—Le permiten ir al baño, pero alguien lo acompaña siempre para verificar que no ha comido nada. Día tras día...

Palabras dichas en la oscuridad, palabras entre amantes.

A menudo no importa qué significan esas palabras. Pero a veces sí. Paul susurró:

—Continúa.

—Cuando lo conocí llevaba cuarenta y ocho días en la jaula de cristal.

—¿Sin comer? Sería un esqueleto.

—Estaba muy flaco, sí. Parecía enfermo. Pero salió de la jaula durante algunas semanas. Lo conocí a través de un amigo. Le pregunté por qué había decidido ganarse la vida de ese modo. Me explicó que durante algunos años había trabajado para el Gobierno, en algo relacionado con el transporte. Pero bajo el gobierno de Hitler perdió su trabajo.

—¿Lo despidieron por no ser nacionalsocialista?

—No: renunció porque no podía aceptar sus principios ni trabajar para ese régimen. Pero tenía un hijo y necesitaba ingresos.

—¿Un hijo?

—Y necesitaba ingresos. Pero no pudo encontrar ningún puesto que no estuviera contaminado por el Partido. Lo único que podía hacer con integ... ¿Cómo es la palabra?

—Integridad.

—Sí, integridad, era ser artista del hambre. Eso era puro. No se podía corromper. ¿Y sabes cuántas personas van a verlo? Millares. Millares de personas van a verlo porque es honesto. Hay tan poca honestidad en nuestra vida actual...

Un leve estremecimiento reveló a Paul que ella estaba temblando por el llanto.

Palabras entre amantes...

—¿Käthe?

—¿Qué han hecho? —Tomó aliento con dificultad. —¿Qué han hecho? No comprendo lo que ha sucedido. Somos un pueblo amante de la música, de la conversación; gozamos al dar la puntada perfecta en la camisa de nuestros hombres, al fregar los adoquines del callejón hasta dejarlos limpios. Nos gusta tomar el sol en la playa de Wannsee, comprar ropa y dulces para nuestros hijos. Nos conmovemos hasta las lágrimas con la sonata *Claro de luna*, con las palabras de Goethe y de Schiller. Pero ahora estamos poseídos. ¿Por qué? —Se le apagó la voz—. ¿Por qué? —Un momento después susurró—: *Ach,* temo que ésa es una pregunta cuya respuesta llegará demasiado tarde.

—Vete del país —murmuró Paul.

Käthe se giró para mirarlo. Él sintió que sus brazos fuertes, fortalecidos por tanto fregar platos y suelos, se enroscaban a su cuerpo; sintió que los talones subían hasta hallar la cara posterior de su cintura, para acercarlo más y más.

—Vete —repitió él.

Los temblores cesaron. La respiración de Käthe se tornó más regular.

—No puedo.

—¿Por qué?

—Éste es mi país —susurró ella con sencillez—. No puedo abandonarlo.

—Pero ya no es tu país. Ahora es de ellos. Tú lo has dicho; *Tier:* bestias, matones. Ha sido invadido por las bestias. Vete. Vete antes de que las cosas empeoren.

—¿Crees que puedan empeorar? Dime, Paul, por favor. Tú eres escritor. El mundo funciona de una forma y yo de otra. No consiste en enseñar, ni en Goethe, ni en la poesía. Tú eres inteligente. ¿Qué piensas?

—Pienso que empeorará. Debes salir de aquí en cuanto puedas.

Ella aflojó su desesperada presión.

—Aun cuando quisiera hacerlo, no puedo. Cuando me despidieron, pusieron mi nombre en una lista. Me quitaron el pasaporte. Jamás obtendré papeles para salir. Temen que trabajemos contra ellos desde Inglaterra o París. Por eso nos retienen.

—Ven conmigo. Yo puedo sacarte de aquí.

Palabras entre amantes...

—Ven a América. —¿Acaso ella no le había oído? ¿O ya estaba decidida a negarse?—. Tenemos escuelas estupendas. Podrías enseñar. Dominas mi idioma tan bien como una americana.

Ella inhaló profundamente.

—¿Qué me estás pidiendo?

—Que vengas conmigo.

Una risa áspera.

—La mujer llora y el hombre dice cualquier cosa para que cesen las lágrimas. *Ach,* ¡pero si no te conozco!

Paul respondió:

—Ni yo tampoco a ti. No te estoy proponiendo que te cases conmigo. No digo que vivamos juntos. Sólo digo que debes salir de aquí cuanto antes. Y que yo puedo arreglarlo.

En el silencio que siguió a esas palabras, Paul se dijo que no, que eso no era una declaración. Nada de eso. Pero a decir verdad, no podía menos que preguntarse si estaba ofreciendo algo más que ayudarla a escapar de ese terrible lugar. Claro que había tenido unas cuantas mujeres: chicas buenas, chicas malas y chicas buenas que jugaban a ser malas. De algunas había creído que estaba enamorado; de otras había tenido la certeza de estarlo. Pero nunca había sentido por ellas lo que sentía por esa mujer, y menos después de haber estado juntos un tiempo tan breve. A Marion la quería, sí, en cierto modo. De vez en cuando pasaba la noche con ella en Manhattan, o ella con él en Brooklyn. Compartían la cama, compartían palabras: sobre películas, sobre la longitud de las faldas para el año siguiente, el restaurante de Luigi, la madre de Marion, la hermana de Paul. Sobre los Dodgers. Pero no eran palabras de amantes; ahora lo comprendía. No como las que intercambiaba ahora con esa mujer compleja y apasionada.

Por fin ella negó con la cabeza, irritada:

—No, no puedo ir. ¿Cómo, dime, si me quitaron el pasaporte y los papeles para salir?

—Es lo que te digo: eso no será problema. Tengo contactos.

—¿De veras?

—En Estados Unidos hay gente que me debe favores. —Eso, al menos, era cierto. Pensó en Avery y Manielli, que estarían en Ámsterdam, listos para enviarle el avión al primer aviso. Luego le preguntó—: ¿Tienes vínculos aquí? ¿Tu hermana?

—*Ach*, mi hermana... Su marido es leal al Partido. Ella ni siquiera se trata conmigo. Soy una vergüenza para la familia. —Pasado un momento añadió—: No; aquí sólo tengo fantasmas. Y los fantasmas no son motivo para quedarse, sino para partir.

Fuera, risas y gritos de borrachos. Una voz masculina cantaba, gangosa: «Cuando acaben los Juegos Olímpicos, los judíos sabrán de nuestros puñales y pistolas...». Luego, ruido de cristales rotos. Otra canción; esta vez las voces eran varias: «Sostened alto el estandarte; cerrad filas. La SA marcha con paso firme... Abrid paso, abrid paso a los batallones pardos, que las Tropas de Asalto limpian el país».

Reconoció lo que los chicos de las Juventudes Hitlerianas habían cantado el día anterior, al arriar la bandera en la Villa Olímpica. La enseña roja, blanca y negra, con la cruz gamada.

«*Ach,* sin duda usted sabe...»

—Oye, Paul, ¿de verdad puedes sacarme del país sin papeles?

—Sí, pero me iré pronto. Si todo sale bien, mañana por la noche. O a la noche siguiente.

—¿Cómo?

—Deja los detalles a mi cuenta. ¿Estás dispuesta a partir de inmediato?

Tras un momento de silencio:

—Sí. Puedo.

Ella le tomó la mano para acariciarle la palma y entrelazó los dedos a los suyos. Era, de hecho, el momento más íntimo de aquella noche.

Paul la estrechó con fuerza; al estirar el brazo tocó algo duro bajo la almohada. Por el tamaño y la textura comprendió que era el volumen de poemas de Goethe que le había regalado horas antes.

—No te...

—Chist —susurró él. Y le acarició el pelo.

Paul Schumann sabía que hay momentos entre los amantes en los que las palabras sobran.

PARTE
cuatro

DE SEIS, CINCO EN CONTRA

Desde el domingo 26 de julio al lunes 27 de julio de 1936

2 0

Había llegado a su despacho del Alex una hora antes, a las cinco de la mañana, y había pasado todo ese tiempo redactando penosamente el telegrama en inglés que había compuesto mentalmente en la cama, mientras yacía insomne junto a la apacible Heidi y la fragancia de la crema de noche que ella se había puesto antes de acostarse.

Willi Kohl repasó su obra.

ESTOY SIENDO DETECTIVE JEFE INSPECTOR WILLI KOHL DE KRIMINALPOLIZEI (POLICIA DEL CRIMEN) BERLÍN STOP BUSCAMOS INFORMACIÓN RESPECTO NORTEAMERICANO POSIBLEMENTE DE NUEVA YORK AHORA EN BERLÍN PAUL SCHUMANN EN RELACIÓN HOMICIDIO STOP LLEGÓ CON EQUIPO OLÍMPICO NORTEAMERICANO STOP FAVOR REMITIRME INFORMACIÓN SOBRE ESTE HOMBRE A KRIMINALPOLIZEI ALEXANDERPLATZ BERLÍN DIRIGIDO INSPECTOR WILLI KOHL STOP MUY URGENTE STOP GRACIAS SALUDOS

Había luchado arduamente con las palabras y la gramática. El departamento tenía traductores, pero ninguno que trabajara en domingo, y él quería enviar ese telegrama de inmediato. En Estados Unidos sería más temprano; aunque no estaba seguro del huso horario, calculaba que sería cerca de medianoche. Sólo esperaba que los encargados de hacer cumplir la ley tuvieran allá turnos tan largos como la mayoría de las organizaciones policiales del mundo.

Después de leer el telegrama una vez más decidió que, si bien tenía fallas, serviría. En una hoja aparte apuntó instrucciones para enviarlo al Comité Olímpico Internacional, al Departamento de Policía de Nueva York y al FBI. Luego bajó a la oficina de telégrafos. Fue una desilusión descubrir que aún no había nadie allí. Regresó furioso a su despacho.

Tras unas pocas horas de sueño, Janssen iba ya camino a la Villa Olímpica, para ver si encontraba alguna otra pista. ¿Qué otra cosa podía hacer Kohl? No se le ocurría nada, salvo acosar al médico forense para que le entregara el informe de la autopsia y al laboratorio por los análisis de huellas digitales. Claro que ellos tampoco habían llegado a sus oficinas y era posible que, por ser domingo, no aparecieran.

La frustración se acentuaba.

Bajó la vista al telegrama escrito con tanto trabajo.

—*Ach,* esto es absurdo.

No esperaría más: manejar un teletipo no podía ser tan difícil. Se levantó para regresar precipitadamente al telégrafo, decidido a esmerarse cuanto pudiera para transmitir él mismo el telegrama a Estados Unidos. Y si la torpeza de sus dedos hacía que acabara enviado a cien ciudades norteamericanas diferentes, pues bien: tanto mejor.

Ella había regresado a su propio cuarto poco antes, a las seis de la mañana, y ahora estaba de nuevo en el de Paul, con un vestido de andar por casa azul oscuro, el pelo sujeto con horquillas y un leve rubor en la cara. Él, de pie en el vano de la puerta, se limpió los restos de espuma de afeitar. Luego cerró la navaja y la dejó caer en la manchada bolsa de lona.

Käthe había traído café y tostadas, junto con un poco de margarina pálida, queso, embutido seco y mermelada acuosa. Cruzó el torrente de luz polvorienta que entraba por la ventana frontal de la sala y puso la bandeja en la mesa, cerca de la cocina.

—Listo —anunció, señalando el desayuno con un gesto—. No hace falta que vengas al comedor. —Le echó una mirada rápida y apartó la cara—. Tengo cosas que hacer.

—Dime, ¿te la juegas entonces? —preguntó él en inglés.

—¿Qué es «jugarse»?

Paul la besó.

—Me refiero a lo que te propuse anoche. ¿Sigues dispuesta a venir conmigo?

Ella arregló la vajilla en la bandeja, aunque ya parecía perfectamente ordenada.

—Me la juego. ¿Y tú?

Él se encogió de hombros.

—No te habría permitido cambiar de idea. Sería *Kakfif*, ni pensarlo.

Ella rió. Luego frunció el entrecejo.

—Sólo quiero decirte una cosa.

—¿Dime?

—Expreso mis opiniones muy a menudo. —Bajó la vista—. Y con mucha pasión. Michael decía que yo era un ciclón. Quiero decir, con respecto al tema de los deportes, que podría aprender a disfrutarlos.

Paul negó con la cabeza.

—Preferiría que no.

—¿No?

—Si te gustaran me sentiría obligado a disfrutar de la poesía.

Ella apretó la cabeza contra su pecho. Paul tuvo la sensación de que sonreía.

—Estados Unidos te gustará —aseguró—. Pero si no te agrada, cuando pase todo esto podrás regresar. No tienes por qué abandonar el país para siempre.

—Ah, mi sabio escritor. ¿Crees que esto... cómo dices... se irá al demonio?

—Sí. No creo que detenten el poder mucho tiempo más. —Miró el reloj. Eran casi las siete y media—. Debo ir a reunirme con mi socio.

—¿Un domingo por la mañana? *Ach,* al fin entiendo tu secreto.

Paul la miró con una sonrisa cautelosa.

—¡Escribes sobre los sacerdotes que hacen deporte! —rió Käthe—. ¡Ése es tu famoso artículo! —De inmediato se esfumó la sonrisa—. ¿Y por qué debes volver a América tan rápido, si has venido a escribir sobre deportes o sobre los metros cúbicos de cemento utilizados para construir el estadio?

—No es que deba partir apurado, pero en Estados Unidos me esperan varias reuniones importantes. —Paul bebió su café rápido y comió una tostada con embutido—. Acaba tú con lo que queda. En este momento no tengo hambre.

—Vale. Vuelve pronto. Prepararé el equipaje. Pero una sola maleta, creo. Si llevo muchas, tal vez en alguna se me esconda algún fantasma. —Una risa—. *Ach,* parezco salida de un cuento de nuestro macabro amigo E. T. A. Hoffmann.

Él le dio un beso y salió de la pensión; a esa temprana hora, el calor ya pintaba una capa húmeda en la piel. Tras echar una mirada a ambos lados de la calle desierta, Paul marchó hacia el norte y, después de cruzar el canal, se adentró en el Tiergarten, el Jardín de las Fieras.

Paul encontró a Reggie Morgan sentado en un banco, frente al mismo estanque donde tres años antes habían matado a golpes al amante de Käthe Richter.

Aunque era muy temprano ya había allí decenas de personas. Varios montaban en bicicleta o caminaban por los senderos. Morgan se había quitado el saco y tenía la camisa arremangada. Cuando Paul se sentó a su lado, él dio un golpecito al sobre que tenía en el bolsillo de la chaqueta.

—He conseguido el dinero sin problemas —susurró en inglés.

Acto seguido volvieron al alemán.

—¿Hicieron efectivo el cheque un sábado por la noche? —se extrañó Paul, riendo—. Éste sí que es un mundo nuevo.

—¿Aparecerá ese Webber? —preguntó su compañero, escéptico.

—Claro que sí. Si hay dinero de por medio, vendrá. Pero no sé si podrá sernos útil. Anoche estuve en la calle Wilhelm; hay guardias por decenas, quizá por centenares. Hacer el trabajo allí sería demasiado peligroso. Veremos qué dice Otto. Tal vez haya encontrado otro lugar.

Durante un momento guardaron silencio. Paul observaba a su compañero, que recorría el parque con la vista. Parecía melancólico.

—Echaré mucho de menos este país —dijo. Por un momento su cara perdió la vivacidad; los ojos oscuros se entristecieron—. Aquí hay gente buena. Me resulta más buena que los parisinos, más abierta que los londinenses. Y dedican mucho más tiempo que los neoyorquinos a disfrutar de la vida. Si tuviéramos tiempo te llevaría al Lustgarten y al Luna Park. Y me encanta caminar por aquí, por el

Tiergarten. Me gusta observar los pájaros. —Eso pareció avergon-
zarlo—. Una diversión tonta.

Paul rió para sus adentros al recordar los modelos de aviones
que tenía en su estantería de Brooklyn. La tontería está muchas veces en el ojo del que mira.

—¿Te irás? —preguntó.

—No puedo quedarme. Llevo demasiado tiempo aquí. Cada
día que pasa hay más posibilidades de que se produzca un error, algún descuido que los ponga sobre mi pista. Y después de lo que vas
a hacer investigarán con mucha atención a todos los extranjeros que
hayamos trabajado aquí en los últimos tiempos. Pero ya podré volver cuando la vida retorne a la normalidad y hayan desaparecido los
nacionalsocialistas.

—¿Qué harás cuando vuelvas?

Morgan se animó.

—Me gustaría ser diplomático. Para eso trabajo. Después de
lo que vi en las trincheras... —Señaló con un gesto una cicatriz de bala que tenía en el brazo—. Después de eso decidí hacer todo lo posible para evitar más guerras. Lo lógico era ingresar en el cuerpo
diplomático. Escribí al senador y él me aconsejó Berlín. Un país en
movimiento, lo definió. Y aquí estoy. Tengo la esperanza de llegar
en pocos años a oficial de enlace. Después, a embajador o cónsul.
Como nuestro embajador Dodd, el que tenemos aquí. Es un genio,
un verdadero estadista. Está claro que al principio no me enviarán
justamente aquí. Es un país demasiado importante. Podría comenzar por Holanda. O tal vez España, cuando haya terminado la guerra civil, desde luego. Si queda algo de España. Franco es tan malo
como Hitler. Será brutal. Pero sí, me gustaría volver aquí cuando retorne la cordura.

Un momento después Paul vio que Otto Webber venía por
el sendero, a paso lento, algo inseguro y entrecerrando los ojos para
protegerlos del potente sol.

—Aquí está.

—¿Ése? Parece un *Bürgermeister*... después de haber pasado
la noche bebiendo. ¿Podemos confiar en él?

Webber se acercó al banco y se sentó, jadeante.

—Qué calor, qué calor. Ignoraba que pudiera hacer tanto calor
por la mañana. Rara vez me levanto a estas horas. Pero los Camisas

de Estiércol tampoco; podremos conversar sin peligro. ¿Usted es el socio del señor John Dillinger?

—¿Qué Dillinger? —preguntó Morgan.

—Me llamo Otto Webber. —El alemán le estrechó vigorosamente la mano—. ¿Y usted?

—Si no le molesta, prefiero mantener mi nombre en reserva.

—*Ach,* por mí está bien. —Webber examinó a Morgan con más atención—. Oiga, tengo pantalones buenos, varios. Puedo vendérselos baratos. Muy baratos, sí. De la mejor calidad. Importados de Inglaterra. Una de mis chicas puede retocarlos para que le queden perfectos. Ingrid, que es muy habilidosa. Y bonita, además. Una verdadera joya.

Morgan bajó la vista a sus pantalones de franela gris.

—No, no necesito ropa.

—¿Champán? ¿Medias?

—Otto —intervino Paul—, creo que la única transacción que nos interesa es aquella de la que hablábamos ayer.

—Ah, sí, señor John Dillinger. Pero tengo algunas noticias que no te gustarán. Todos mis contactos informan que sobre la calle Wilhelm ha caído un velo de silencio. Algo los ha puesto en guardia. La seguridad es más severa que nunca. Y todo esto apenas ayer. Nadie tiene información sobre la persona que mencionabas.

Paul torció la cara en un gesto de desencanto. Morgan murmuró:

—Y yo que me he pasado la noche en vela para conseguir el dinero.

—Bien —exclamó Webber, alegremente—. Dólares, ¿verdad?

—Amigo mío —aclaró el esbelto norteamericano en tono cáustico—, si no obtenemos resultados, usted no cobra.

—Pero la situación no es desesperada. Aún puedo ser de utilidad.

—Continúe —lo instó Morgan, impaciente. Volvió a observar sus pantalones y les sacudió una mancha de polvo.

El alemán prosiguió:

—No puedo informar dónde está el pollo, pero ¿qué dirían si les hiciera entrar en el gallinero para que pudieran buscarlo?

—En el...

Bajó la voz.

—Puedo hacerte entrar en la Cancillería. Ernst es la envidia de todos los ministros. Todo el mundo trata de arrimarse al Hombrecito y conseguir despachos en ese edificio, pero la mayoría apenas logra acercarse un poco. El hecho de que Ernst se aloje allí es motivo de angustia para mucha gente.

Paul observó, desdeñoso:

—Anoche fui a echar un vistazo. Hay guardias por todas partes. No podrías hacerme entrar.

—Pues yo opino otra cosa, amigo mío.

—¿Cómo harías? —Paul había vuelto al inglés, pero repitió la pregunta en alemán.

—Debemos agradecérselo al Hombrecito. Obsesionado como está con la arquitectura, no ha hecho otra cosa que renovar la Cancillería desde que llegó al poder. Allí hay obreros siete días a la semana. Te proporcionaré un mono, una credencial falsificada y dos pases para que puedas entrar al edificio. Uno de mis contactos está allí, es yesero, y tiene acceso a toda la documentación.

Morgan, después de reflexionar, asintió con la cabeza, ya menos cínico.

—Mi amigo me dice que Hitler quiere poner alfombras en todos los despachos de los pisos importantes. Eso incluye el de Ernst. Los proveedores de alfombras están midiendo los despachos. Algunos ya están medidos, otros no. Confiemos en que el de Ernst esté entre los últimos. Si acaso ya lo han medido, puedes inventar alguna excusa para hacerlo otra vez. El pase que te daré es de una empresa famosa por lo fino de sus alfombras, entre otras cosas. También te proporcionaré un metro y una libreta.

—¿Cómo sabes que ese hombre es de confianza? —preguntó Paul.

—Porque ha estado empleando yeso barato y embolsándose la diferencia entre el coste real y lo que el Estado le paga. Cuando se trata de construir la sede del poder para Hitler, eso es un crimen capital. Por eso tengo cierto control sobre él; no me mentirá. Además, cree que sólo se trata de una maniobra para reducir el precio de las alfombras. Desde luego, le he prometido un poco de huevo.

—¿Huevo? —repitió Morgan.

A Paul le tocó servir de intérprete:

—Dinero.

«Si de su pan como, su canción canto».

—Dáselo de los mil dólares.

—Quiero señalar que no tengo esos mil dólares.

Morgan, meneando la cabeza, hundió la mano en el bolsillo y contó cien.

—Con eso basta. Ya ven que no soy codicioso.

El norteamericano miró a Paul de reojo.

—¿No? ¡Pero si es como Göring!

—*Ach*, lo considero un cumplido, señor. Nuestro ministro del Aire es un empresario muy hábil. —Webber se volvió hacia Paul—. Ahora bien: aunque sea domingo, habrá algunos funcionarios en el edificio. Pero mi contacto me dice que serán de alto rango; en su mayoría estarán en la parte del edificio que ocupa el Líder, a la izquierda, donde no se te permitirá el paso. A la derecha se encuentran las oficinas de los funcionarios de segundo rango; allí está Ernst. Es muy probable que no estén ni ellos ni sus secretarios y ayudantes. Tendrás tiempo para revisar su despacho; con suerte hallarás su agenda, un memorándum, una anotación sobre sus compromisos de los próximos días.

—No está mal —reconoció Morgan.

—Tardaré una hora en prepararlo todo. Recogeré el mono, los papeles y un camión. Los esperaré a las diez junto a esa estatua, la de la mujer de pechos grandes. Y traeré unos pantalones para usted —añadió, dirigiéndose a Morgan—. Veinte marcos. Es muy buen precio. —Luego sonrió a Paul—. Este amigo tuyo me mira de una manera muy especial, señor John Dillinger. Me parece que no confía en mí.

Reggie Morgan se encogió de hombros.

—Pues escucha, Otto Wilhelm Friedrich Georg Webber. —Un vistazo a Paul—. Mi colega, aquí presente, ya te ha explicado qué precauciones tomamos para asegurarnos de que no nos traiciones. No, amigo mío, aquí no se trata de confianza. Te miro así porque me gustaría saber qué demonios les ves a mis pantalones.

En la cara del niño veía la cara de Mark.

Era natural, desde luego, ver al padre en el hijo. Pero aun así lo ponía nervioso.

—Ven, Rudy —dijo Reinhard Ernst a su nieto.

—Sí, *Opa*.

Era domingo, temprano todavía; el ama de llaves retiraba los platos del desayuno; el sol caía sobre la mesa, amarillo como el polen. Gertrud, en la cocina, examinaba un ganso desplumado que constituiría la cena del día. Su nuera estaba en la iglesia, encendiendo velas a la memoria de Mark Albrecht Ernst, el mismo joven que el coronel veía ahora repetido en su nieto.

Le ató los cordones de los zapatos. Echó otra mirada a la cara del niño y vio nuevamente a Mark, aunque esta vez detectó una expresión diferente: curiosa, perspicaz.

Era verdaderamente escalofriante.

Oh, cómo extrañaba a su hijo.

Dieciocho meses atrás, Mark, a los veintisiete años, se había despedido de sus padres, su esposa y Rudy, que quedaron tras la barandilla de la estación Lehrter. Ernst le hizo el saludo militar, el de verdad, no el fascista. Su hijo subía al tren de Hamburgo para asumir el mando de su buque.

El joven oficial conocía muy bien los peligros de ese navío maltrecho, pero los aceptaba de todo corazón.

Para eso están los soldados y los marinos.

Ernst lo recordaba todos los días, pero nunca hasta entonces había sentido su espíritu tan cerca como en ese momento, al ver sus mismas expresiones, tan familiares para él, en la cara del nieto, tan directa, tan confiada, tan curiosa. ¿Eran la evidencia de que el niño tenía el carácter de su padre? Dentro de una década Rudy tendría que enrolarse. ¿Dónde estaría Alemania por entonces? ¿En guerra? ¿En paz? ¿De nuevo en posesión de las tierras que le habían robado con el Tratado de Versalles? ¿Habría desaparecido Hitler, ese motor tan poderoso que se encendía y se quemaba velozmente? ¿O estaría aún en el poder, puliendo su visión de la Nueva Alemania? A Ernst le decía el corazón que esas cuestiones tenían tremenda importancia. Pero no podía preocuparse por ellas. Concentraba toda la atención en su deber.

Cada uno debía cumplir con su deber.

Aunque eso significara comandar un viejo buque de entrenamiento, que no había sido creado para transportar pólvora y granadas; un barco cuyo polvorín, mal construido, estaba demasiado cerca de la cocina, de la sala de máquinas o de algún cable (nadie podía ya saberlo). Como consecuencia, mientras la nave practicaba maniobras de guerra en el frío Báltico, en un segundo se convirtió en una nube de humo acre sobre el agua; el casco destrozado se hundió en la negrura del mar hasta llegar al fondo.

El deber...

Aunque eso significara pasarse la mitad del día batallando en las trincheras de la calle Wilhelm si era necesario, hasta conseguir llegar al Líder, para hacer lo que más beneficiara a Alemania.

Ernst dio un último tirón a los cordones de Rudy, para asegurarse de que no se desataran y lo hicieran tropezar. Luego se incorporó y bajó la vista hacia esa diminuta versión de su hijo. De pronto se dejó llevar por un impulso, algo muy poco habitual en él.

—Rudy, hoy por la mañana debo visitar a alguien. Pero más tarde, ¿te gustaría venir conmigo al Estadio Olímpico? ¿Te agrada?

—¡Claro, *Opa!* —La cara del niño floreció en una enorme sonrisa—. Podríamos correr por las pistas.

—Eres rápido para correr.

—Gunni y yo, en la escuela, corrimos una carrera desde el roble hasta el porche. Él es dos años mayor, pero gané yo.

—Bien, bien. Entonces disfrutarás de la tarde. Vendrás conmigo y podrás correr por las mismas pistas que usarán nuestros campeones. Así la semana próxima, cuando veamos los Juegos, podrás decir a todos que corriste por allí. ¿Verdad que será divertido?

—Claro que sí, *Opa.*

—Ahora debo irme. Pero vendré por ti a mediodía.

—Iré a entrenar para la carrera.

—Eso, sí.

Ernst entró en su estudio para recoger varias carpetas sobre el Estudio Waltham; luego fue a la despensa en busca de su esposa y le dijo que más tarde se llevaría a Rudy. ¿Le quedaba algo por hacer? Sí, sí, era domingo por la mañana, pero debía atender algunos asuntos importantes. No, no podían esperar.

De Hermann Göring se podían decir muchas cosas, pero nadie podía negar que era incansable.

Ese día, por ejemplo, llegó a su despacho del Ministerio a las ocho de la mañana. En domingo, nada menos. Y en el trayecto había hecho una parada.

Media hora antes, sudando furiosamente, había entrado en la Cancillería y se había dirigido directamente hacia el despacho de Hitler. Era posible que el Lobo estuviera despierto... todavía. Era insomne y a menudo se quedaba levantado hasta después del amanecer. Pero no: el Líder estaba acostado. El guardia informó que se había retirado alrededor de las cinco, después de ordenar que no lo molestaran.

Göring reflexionó por un momento. Luego escribió una nota y se la dejó al guardia:

Mi Líder:

He sabido de un preocupante asunto en el más alto nivel. Podría tratarse de una traición. Están en juego proyectos importantes para el futuro. Le transmitiré personalmente esta información en cuanto me lo permita.

Göring

Bien escogidas, las palabras. «Traición» era siempre un disparador. Al terminar la guerra, los judíos, los comunistas, los socialdemócratas, los republicanos (los traidores, en una palabra) habían vendido el país a los Aliados. Y aún amenazaban con hacer de Pilatos contra el Jesús de Hitler.

¡Cómo se excitaba el Lobo cuando oía esa palabra!

«Planes futuros» era otro acierto. Cualquier cosa que amenazara con estorbar la visión que Hitler tenía del Tercer Imperio recibía su inmediata atención.

Aunque la Cancillería estaba apenas a la vuelta de la esquina, para un hombre corpulento no había sido agradable llegar hasta allí en una mañana tan calurosa. Pero Göring no tenía opción. No era posible telefonear ni enviar a un mensajero; aunque Reinhard Ernst no dominaba el juego de la intriga hasta el punto de tener su propia red de inteligencia para espiar a los colegas, había muchos otros a quienes les habría encantado robar a Göring su revelación sobre los antecedentes judíos de Ludwig Keitel para ofrecérsela al Líder como si la hubieran descubierto ellos mismos. Por ejemplo, el mismo Goebbels, que era quien más rivalizaba con él por la atención de Hitler, lo habría hecho en un abrir y cerrar de ojos.

Ahora, ya cerca de las nueve de la mañana, el ministro fijó su atención en una carpeta desalentadoramente grande, referida a la arianización de una gran empresa química del oeste, a fin de añadirla a los Talleres Hermann Göring. Sonó su teléfono.

Su asistente atendió desde la antesala:

—Despacho del ministro Göring.

Él se inclinó hacia delante para mirar. El hombre se había cuadrado mientras hablaba. Al cortar se acercó a la puerta.

—El Líder lo recibirá dentro de media hora, señor.

Göring hizo un gesto de asentimiento y cruzó el despacho para sentarse a la mesa. Se sirvió comida de una bandeja muy cargada. El asistente le llenó una taza de café, mientras el ministro del Aire hojeaba la información financiera de la empresa química. Pero tenía dificultades para concentrarse: una y otra vez, de entre las columnas de números emergía la cara de Reinhard Ernst, retirado de la Cancillería por dos oficiales de la Gestapo; la expresión del coronel pasaba de su irritante placidez habitual al desconcierto y la derrota.

Una fantasía frívola, sin duda, pero que le proporcionó una diversión agradable en tanto devoraba un plato enorme de salchichas y huevo.

21

A medio kilómetro de los edificios oficiales, en la calle Krausen, había un departamento espacioso, pero polvoriento y desordenado, que databa de los tiempos de Bismarck y el káiser Guillermo. Dos hombres jóvenes, sentados ante una ornamentada mesa de comedor, llevaban horas enteras enzarzados en una discusión. El debate había sido largo y ardiente, pues el tema era, ni más ni menos, la supervivencia de ambos. Como sucedía a menudo en esos tiempos, en definitiva se enfrentaban a una cuestión de confianza.

¿Ese hombre los llevaría a la salvación? ¿O serían traicionados y esa credulidad acabaría costándoles la vida?

Tinc, tinc, tinc...

Kurt Fischer, el mayor de los dos rubios hermanos, dijo:

—Deja ya de hacer ese ruido.

Hans tocaba con el cuchillo el plato que contenía un corazón de manzana y algunas cortezas de queso, restos del patético desayuno. Continuó con el tintineo durante un momento más, pero al fin dejó el cubierto.

Su hermano le llevaba cinco años, pero entre ellos había abismos mucho más vastos. Hans dijo:

—Podría denunciarnos por dinero. Podría denunciarnos por estar ebrio de nacionalsocialismo. O porque es domingo y se le ha antojado denunciar a alguien.

Eso era verdad, desde luego.

—Y te lo pregunto una vez más, ¿a qué tanta prisa? ¿Por qué ha de ser hoy? Me gustaría ver de nuevo a Ilsa. La recuerdas, ¿verdad? ¡Es tan hermosa como Marlene Dietrich!

—Bromeas, ¿no? —replicó Kurt, exasperado—. Nuestra vida corre peligro y tú languideces por una chica tetuda que conociste el mes pasado.

—Podemos irnos mañana. O después de las Olimpíadas, ¿por qué no? Habrá quienes salgan temprano de los Juegos y tiren las entradas que han comprado para todo el día. Podemos ver los de la tarde.

Muy posiblemente ése era el quid de la cuestión: las Olimpíadas. A un muchacho tan guapo como Hans no le faltarían otras Ilsas; ésta no era especialmente bonita ni inteligente (aunque sí bastante fácil, según los criterios nacionalsocialistas). Pero lo que más preocupaba a Hans, si habían de huir de Alemania, era que se perdería los Juegos.

Kurt lanzó un suspiro de frustración. Su hermano tenía diecinueve años; a esa edad muchos tenían ya puestos de responsabilidad en el Ejército o en un oficio. Pero Hans siempre había sido impulsivo, soñador y también algo perezoso.

¿Qué hacer? Kurt reanudó el debate consigo mismo, en tanto mascaba un trozo de pan seco. Hacía una semana que se les había acabado la manteca. De hecho les quedaba muy poco para comer. Pero él detestaba salir a la calle. Resultaba irónico que se sintiera más vulnerable fuera, cuando en realidad debía de ser mucho más peligroso quedarse en el departamento, indudablemente vigilado de tanto en tanto por la Gestapo o la SD.

Volvió a pensar que todo se reducía a confiar o no confiar.

—¿Qué has dicho? —preguntó Hans enarcando una ceja.

Kurt meneó la cabeza. Lo había dicho en voz alta sin darse cuenta, dirigiendo la pregunta a las únicas personas del mundo entero que le habrían sabido responder con franqueza y buen criterio: sus padres. Pero Albrecht y Lotte Fischer no estaban allí. Dos meses atrás, esa pareja de socialdemócratas pacifistas había viajado a Londres para asistir a un congreso sobre la paz mundial. Pero justo antes del regreso un amigo les advirtió que sus nombres figuraban en una lista de la Gestapo. La policía secreta planeaba arrestarlos en Tempelhof en cuanto llegaran. Albrecht hizo dos intentos de entrar subrepticiamente en el país para sacar a los hijos: uno, a través de Francia; el otro, por los Sudetes. Las dos veces se le negó el ingreso y la segunda estuvo a punto de ser arrestado.

Los afligidos padres se refugiaron en Londres, alojados por profesores de ideas similares y trabajando como traductores y maestros; habían logrado hacer llegar a sus hijos varios mensajes en los cuales los instaban a partir. Pero a los muchachos les habían retirado el pasaporte y sellado los carnés de identidad, no sólo por ser hijos de socis ardientes y pacifistas, sino porque la Gestapo también les había abierto expedientes. Ambos compartían las creencias políticas de los padres; además, la policía los había visto asistir a esos clubes prohibidos donde se tocaba jazz y swing, la música de los negros norteamericanos, donde las chicas fumaban y se añadía vodka ruso al ponche; también tenían amigos activistas.

Difícilmente se los hubiera podido tachar de subversivos. Pero no pasaría mucho tiempo antes de que los arrestaran. O de que pasaran hambre. A Kurt lo habían despedido de su empleo. Hans, después de completar los seis meses obligatorios de Servicio Laboral, estaba de nuevo en casa. Había sido expulsado de la universidad (también por obra de la Gestapo) y, al igual que su hermano, estaba en paro. En el futuro ambos bien podían acabar mendigando en la Alexanderplatz o la Oranienburger.

Y así había surgido la cuestión de la confianza. Albrecht Fischer logró ponerse en contacto con Gerhard Unger, un ex colega de la universidad de Berlín, también soci y pacifista. No mucho después de que los nacionalsocialistas asumieran el poder, Unger había renunciado a su cátedra para regresar a la empresa familiar, una fábrica de dulces. Puesto que en sus viajes cruzaba a menudo las fronteras y se oponía firmemente a Hitler, se declaró muy dispuesto a sacar a los muchachos de Alemania en uno de los camiones de la fábrica. Todas las mañanas de domingo viajaba hasta Holanda para entregar sus dulces y proveerse de ingredientes. Se pensaba que, con tantos visitantes como llegarían al país para las Olimpíadas, los guardias de frontera tendrían mucho que hacer y no prestarían atención a un vehículo comercial que abandonara el país en un viaje rutinario.

Pero, ¿podían ellos confiarles la vida?

No había motivos visibles para no hacerlo. Unger y Albrecht eran amigos. Pensaban lo mismo. Odiaban a los nacionalsocialistas.

Pero en esos días había tantas excusas para traicionar...

«Podría denunciarnos porque es domingo...»

Y tras la vacilación de Kurt Fischer había otro motivo. El joven era pacifista y socialdemócrata sobre todo porque lo eran sus padres y sus amigos, pero nunca se había metido mucho en política. Vivir, para él, era hacer excursiones a pie, salir con chicas, viajar y esquiar. Pero ahora que los nacionalsocialistas detentaban el poder, le sorprendía descubrir dentro de sí un extraño deseo de pelear contra ellos, de abrirle los ojos a la gente en cuanto a la intolerancia y la malignidad de sus gobernantes. Tal vez debía quedarse y trabajar para derrocarlos.

Pero tenían tanto poder, eran tan insidiosos... y tan mortíferos...

Kurt miró el reloj de la repisa. Estaba parado. Él y Hans siempre se olvidaban de darle cuerda; antes era su padre quien lo hacía. Al verlo inmóvil se le oprimió el corazón. Sacó su reloj de bolsillo para ver la hora.

—Tenemos que salir ahora mismo o llamarlo para decirle que no iremos.

Tinc, tinc, tinc... El cuchillo reanudó su trabajo de címbalo contra el plato.

Luego, un largo silencio.

—Yo creo que debemos quedarnos —dijo Hans. Pero miró con expectación a su hermano. Aunque siempre había existido cierta rivalidad entre los dos, el menor se atenía a todas las decisiones del otro.

«Pero mi decisión ¿será la correcta?».

Sobrevivir...

Por fin Kurt Fischer dijo:

—Vamos. Recoge tu mochila.

Tinc, tinc...

Mientras se cargaba la mochila al hombro clavó en su hermano una mirada desafiante. Pero el humor de Hans cambiaba como el tiempo en primavera: de pronto se echó a reír y mostró la ropa. Ambos vestían pantalones cortos, camisas de manga corta y borceguíes.

—Mira qué aspecto. Si nos pintan de pardo pareceremos de las Juventudes Hitlerianas.

Kohl no pudo evitar una sonrisa.

—Arriba, vamos, camarada —dijo, utilizando con sarcasmo el término con que las Tropas de Asalto y los de las Juventudes se referían a sus compañeros.

Sin echar una última mirada al departamento, por miedo a romper en llanto, abrió la puerta y ambos salieron al corredor.

Al otro lado del pasillo, la señora Lutz limpiaba su felpudo; era una viuda de guerra, corpulenta y de mejillas como manzanas. La mujer solía mantenerse aparte, pero a veces llamaba a las puertas de ciertos vecinos (sólo las de aquellos que respondían a sus estrictas normas de vecindad, cualesquiera que fuesen) para obsequiarles con alguno de sus maravillosos platos. Tenía a los Fischer por amigos y, en el curso de esos años, les había regalado budines de carne, buñuelos de ciruela, queso casero, pepinillos en vinagre, salchichas al ajo y fideos con callos. A Kurt le bastó verla para que se le hiciera la boca agua.

—¡*Ach,* los hermanos Fischer!

—Buenos días, señora Lutz. ¿Trabajando ya, tan temprano?

—Han dicho que hoy volverá a hacer mucho calor. *Ach,* si lloviera un poco...

—Vaya, es mejor que nada estropee las Olimpíadas —dijo Hans con un dejo de ironía—. Tenemos muchos deseos de ver los Juegos.

Ella rió.

—Tontos que corren y saltan en ropa interior. ¿A quién le interesa todo eso, cuando mis pobres plantas se mueren de sed? Mirad esas barbas de chivo, junto a la puerta. ¡Y las begonias! Ahora díganme, ¿dónde están sus padres? ¿Todavía de viaje?

—En Londres, sí. —Las dificultades políticas del matrimonio no eran del dominio público; naturalmente, los muchachos se resistían a mecionarlas.

—Pero si ya han pasado varios meses. Será mejor que regresen pronto o no podrán reconoceros. ¿Adónde van?

—De excursión. Por el Grünewald.

—Ah, aquello es muy bonito. Y se está mucho más fresco que en la ciudad. —La viuda continuó fregando con diligencia.

Mientras bajaban la escalera, Kurt echó un vistazo a su hermano y notó que había vuelto a ponerse mohíno.

—¿Qué te pasa?

—Tú pareces pensar que esta ciudad es el patio del infierno, pero no es así. Hay millones de personas como ella. —Señaló con la cabeza hacia arriba—. Gente buena, amable. Y ahora vamos a abandonarlos a todos, ¿para ir adónde? A un lugar donde no conocemos a nadie, donde apenas entenderemos el idioma, donde no tendremos trabajo. A un país con el que estuvimos en guerra hace apenas veinte años. ¿Cómo crees que nos recibirán?

Kurt no supo qué responder. Su hermano tenía razón al cien por cien. Y probablemente había diez o doce argumentos más para quedarse.

Ya afuera miraron a ambos lados de la caldeada calle. De las pocas personas que andaban por allí a esas horas, ninguna les prestaría atención.

—Vamos —dijo el mayor.

Mientras marchaba por la acera se dijo que, en cierto modo, había dicho la verdad a la señora Lutz: salían de excursión, pero no hacia algún albergue rústico en los fragantes bosques que crecían al oeste de Berlín, sino hacia una vida nueva, incierta, en una tierra completamente extraña.

El zumbido del teléfono le hizo dar un respingo.

Levantó el auricular con la esperanza de que fuera el médico forense que tenía el caso del pasaje Dresden.

—Aquí Kohl.

—Venga a verme, Willi.

Clic.

Un momento después, con el corazón palpitando con fuerza, caminaba por el pasillo hacia el despacho de Friedrich Horcher.

¿Y ahora qué pasaba? ¿El jefe de inspectores en su despacho, una mañana de domingo? ¿Acaso Peter Krauss estaba enterado de que Kohl había inventado aquella historia de Reinhard Heydrich y Göttburg (el hombre procedía en realidad de Halle) para salvar a aquel testigo, el panadero Rosenbaum? ¿O quizás alguien habría oído alguno de sus comentarios imprudentes a Janssen? ¿Habría órdenes de reprender al inspector por interesarse por los judíos muertos de Gatow?

Kohl entró en el despacho de Horcher.

—¿Sí, señor?

—Pase, Willi. —El jefe se levantó para cerrar la puerta y le ofreció asiento.

El inspector se sentó. Miraba a su interlocutor a los ojos, como enseñaba a sus hijos que debían hacer al tratar con alguien con quien pudieran tener dificultades.

Se hizo el silencio. Horcher ocupó nuevamente el suntuoso sillón de cuero; se mecía en él, jugando distraídamente con el brazalete rojo intenso que le ceñía el bíceps izquierdo. Era uno de los pocos altos funcionarios de la Kripo que usaba el suyo cuando estaba en el Alex.

—El caso del pasaje Dresden... le está dando trabajo, ¿verdad?

—Es interesante.

—Echo de menos mis tiempos de investigación, Willi.

—Sí, señor.

Horcher ordenó minuciosamente los papeles de su escritorio.

—¿Irá a ver los Juegos?

—Compré las entradas hace ya un año.

—¿Sí? Sus hijos lo estarán deseando, ¿no?

—Desde luego. Y también mi esposa.

—*Ach,* bien, bien. —Horcher no había escuchado una sola de las palabras de Kohl. Por un momento, más silencio. Se acarició el bigote encerado, como acostumbraba hacer cuando no jugueteaba con el brazalete carmesí. Luego dijo:

— A veces es necesario hacer cosas difíciles, Willi. Sobre todo en este tipo de trabajo, ¿no le parece?

Horcher lo dijo sin mirarlo a los ojos. A pesar de su preocupación, Kohl pensó: «He aquí por qué este hombre no llegará muy lejos dentro del Partido: le molesta dar malas noticias».

—Sí, señor.

—Dentro de nuestra estimada organización hay gente que lo observa a usted desde hace tiempo.

Horcher, como Janssen, no sabía mostrarse sarcástico. Era sincero al decir «estimada», aunque dada la incomprensible jerarquía policial, determinar a qué organización se refería era todo un misterio. Para asombro de Kohl, esta cuestión tuvo respuesta cuando su jefe continuó:

—La SD ha registrado sus antecedentes, aparte de la Gestapo.

Eso le heló la sangre en las venas. Todos los que trabajaban para el Gobierno estaban seguros de tener un expediente en la Gestapo; no tenerlo habría sido un insulto. Pero, ¿en la SD, el servicio especial

de inteligencia de la SS? Y su jefe era Reinhard Heydrich en persona. Conque habían sabido del cuento inventado para Krauss sobre
la ciudad natal de Heydrich. ¡Y todo por salvar a un panadero judío
a quien ni siquiera conocía!

Con la respiración agitada y las palmas sudorosas mojando los
pantalones, Willi Kohl se limitó a asentir torpemente; ante él se des-
plegaba ya el fin de su carrera, quizá de su vida.

—Al parecer han hablado de usted en las altas esferas.

—Sí, señor. —Ojalá no le temblara la voz. Clavó los ojos en
los de Horcher, quien apartó los suyos, después de algunos segundos eléctricos, para examinar un busto de Hitler de baquelita que de-
coraba una mesa cerca de la puerta.

—Ha salido a relucir cierto asunto. Y por desgracia no puedo
hacer nada.

Desde luego, no recibiría ninguna ayuda de Friedrich Horcher: el hombre no sólo formaba parte de la Kripo, el último peldaño de la Sipo, sino que además era cobarde.

—Sí, señor. ¿Qué asunto es ése?

—Se desea... o se ordena, en realidad, que usted represente a la
CIPC en Londres el próximo febrero.

Kohl asintió con lentitud, a la espera de más. Pero no: al parecer ésa era toda la descarga de malas noticias.

La Comisión Internacional de Policía Criminal, fundada en
Viena en la década de 1920, era una red cooperativa de fuerzas policiales de todo el mundo. Compartían información sobre delitos,
delincuentes y técnicas de investigación a través de publicaciones,
telegramas y radio. Alemania era uno de los miembros; para Kohl
había sido un placer enterarse de que, aunque Estados Unidos no lo
era, enviaría al congreso a representantes del FBI, con miras a incorporarse.

Horcher estudiaba la superficie de su escritorio, tal como lo
hacían Hitler, Göring y Himmler desde sus marcos colgados en la
pared. Kohl inspiró varias veces para calmarse. Luego dijo:

—Sería un honor.

—¿Qué honor? —exclamó su jefe, ceñudo. Y se inclinó hacia
delante para agregar con suavidad—: Qué generosidad la suya.

El inspector comprendió aquella mofa. Asistir al congreso sería una pérdida de tiempo. Como el caballo de batalla del nacional-

socialismo era construir una Alemania autosuficiente, lo último que Hitler deseaba era compartir información con una alianza internacional de fuerzas policiales. No era casual que «Gestapo» fuera el acrónimo de «policía estatal secreta».

Kohl iría como figura decorativa, sólo para salvar las apariencias. Nadie de más jerarquía se atrevería a ir: cuando un funcionario nacionalsocialista abandonaba el país durante dos semanas, era muy posible que al regresar su puesto no estuviera esperándole. Pero Kohl, que era una simple abeja obrera, sin intenciones de ascender por las filas del Partido, podía desaparecer durante una quincena y regresar sin más pérdidas que diez o doce casos retrasados y algunos violadores o asesinos en libertad, lo cual era una pequeñez.

Eso no era asunto de ellos, por supuesto.

Horcher, aliviado por la reacción del detective, preguntó con animación:

—¿Cuándo fue la última vez que salió de viaje, Willi?

—Heidi y yo vamos con frecuencia a Wannsee y a la Selva Negra.

—Me refiero al extranjero.

—Ah... pues... hace ya varios años. A Francia. Y una vez a Brighton, Inglaterra.

—Debería llevar a su esposa a Londres.

A Horcher le bastó esa propuesta para expiar su culpa; después de una pausa razonable añadió:

—Dicen que, en esta temporada, los pasajes de *ferry* y de tren son bastante razonables. —Otra pausa—. Desde luego, los pasajes y el alojamiento corren por nuestra cuenta.

—Cuánta generosidad.

—Le repito que lamento cargarlo con esta cruz, Willi. Al menos podrá comer y beber bien. La cerveza británica es mucho mejor de lo que dicen. ¡Y verá la Torre de Londres!

—Sí, será un placer.

—Qué maravilla, la Torre de Londres —repitió el jefe de inspectores con entusiasmo—. Bueno, Willi, que pase un buen día.

—Buen día, señor.

A través de pasillos fantasmagóricos y lúgubres, pese a los rayos de sol que caían sobre el roble y el mármol, Kohl regresó a su despacho, calmándose poco a poco después del susto.

Mientras se dejaba caer en el asiento echó un vistazo a la caja de pruebas y a sus notas sobre el incidente del pasaje Dresden. Luego sus ojos buscaron la carpeta puesta a un lado. Cogió el auricular del teléfono para hacer una llamada al operador de Gatow y le pidió que lo comunicara con un domicilio particular.

—¿Sí? —respondió cautelosamente la voz de un hombre joven, que quizá no estaba habituado a recibir llamadas en la mañana del domingo.

—¿Es usted el gendarme Raul? —preguntó Kohl.

Una pausa.

—Sí.

—Soy el inspector Willi Kohl.

—Ah, sí, inspector. *Heil* Hitler. Me ha telefoneado a casa. En domingo.

Kohl rió entre dientes.

—Sí, es cierto. Perdone la molestia. Lo llamo por el informe sobre las escenas de los crímenes de Gatow y los trabajadores polacos.

—Perdone, señor. Es que no tengo experiencia. Supongo que mi informe era muy deficiente comparado con los que usted suele recibir. Y muy lejos de la calidad que han de tener los suyos. Pero hice lo que pude.

—¿Me está diciendo que el informe está hecho?

Otra vacilación, más larga que la primera.

—Sí, señor. Fue enviado al comandante de Gendarmería Meyerhoff.

—De acuerdo. ¿Cuándo fue eso?

—El miércoles pasado, si no me equivoco. Sí, así fue.

—Y él ¿ya lo ha examinado?

—El viernes por la noche vi una copia en su escritorio, señor. También había pedido que le enviaran una a usted. Me sorprende que aún no la haya recibido.

—Bien, ya aclararé este asunto con su superior, Raul. Dígame, ¿quedó usted satisfecho con lo que hizo en la escena del crimen?

—Creo haber hecho un trabajo concienzudo, señor.

—¿Y extrajo alguna conclusión?

—Pues...

—A estas alturas de la investigación las suposiciones son perfectamente aceptables.

El joven dijo:

—¿El motivo no parecía ser el robo?

—¿Me lo pregunta a mí?

—No, señor. Le expreso mi conclusión. Bueno, mi suposición.

—Bien. ¿Las víctimas tenían todas sus pertenencias?

—Faltaba el dinero, pero no les quitaron las joyas ni otros efectos. Algunos parecían ser bastante valiosos, aunque...

—Continúe.

—Las víctimas conservaban esos efectos cuando llegaron al depósito. Lamento decir que posteriormente han desaparecido.

—Eso no me interesa ni me sorprende. ¿Descubrió usted algún indicio de que tuvieran enemigos? ¿Alguno de ellos?

—No, señor, al menos en el caso de las familias de Gatow. Gente tranquila, trabajadora, al parecer honrada. Judíos, sí, pero no practicaban su religión. No pertenecían al Partido, desde luego, pero tampoco eran disidentes. En cuanto a los trabajadores polacos, apenas tres días antes de morir habían venido desde Varsovia a plantar árboles para las Olimpíadas. Hasta donde se sabe no eran comunistas ni agitadores.

—¿Alguna otra idea?

—Participaron cuanto menos dos o tres asesinos. Observé las huellas de pisadas, tal como usted me indicó. En los dos incidentes eran las mismas.

—¿El tipo de arma utilizada?

—No tengo ni idea, señor. Cuando llegué los casquillos habían desaparecido.

—¿Cómo que habían desaparecido? —Una epidemia de asesinos concienzudos, al parecer—. Bueno, las balas pueden servir de pista. ¿Recuperó usted alguna en buen estado?

—Revisé atentamente el suelo, pero no hallé ninguna.

—El forense debe de haber recuperado algunas.

—Se lo pregunté, señor. Dijo que no había ninguna.

—¿Ninguna?

—Lo siento, señor.

—Si me irrito no es contra usted, gendarme Raul. Usted hace honor a su profesión. Y perdóneme por incomodarlo en su casa. ¿Tiene hijos? Me ha parecido oír a un bebé. ¿Lo he despertado?

—Es una niña, señor. Pero cuando tenga edad suficiente le contaré que ha tenido el honor de que un investigador tan afamado la arrancara de sus sueños.

—Que tenga un buen día.

—*Heil* Hitler.

Kohl dejó caer el auricular en su horquilla. Estaba confundido. Los datos de los homicidios sugerían que era una matanza de la SS, la Gestapo o las Tropas de Asalto. Pero en ese caso se habría ordenado inmediatamente a Kohl y al gendarme que cesaran en la investigación, tal como había sucedido en un caso reciente de alimentos vendidos en el mercado negro, cuando la investigación de la Kripo descubrió pistas que apuntaban hacia el almirante Raeder, de la Marina, y Walter von Brauchitsch, alto oficial del Ejército.

No se les impedía continuar investigando el caso, pero encontraban reticencias. ¿Cómo interpretar esa ambigüedad?

Era casi como si utilizaran esos asesinatos, fuera cual fuera su causa, para incitar a Kohl como prueba de su lealtad. ¿Habría llamado el comandante Meyerhoff a la Kripo, a instancias de la SD, para ver si el inspector rehusaba atender un caso donde las víctimas eran judíos y polacos? ¿Podía tratarse de eso?

Pero no, no, eso era demasiado paranoico. Si lo pensaba era sólo porque había sabido lo del expediente de la SD sobre él.

Como no hallaba respuesta a esas preguntas, Kohl se levantó para recorrer nuevamente los pasillos silenciosos hacia la sala de los teletipos, por si se hubiera producido otro milagro y su urgente consulta a los colegas de Estados Unidos hubiera recibido respuesta.

El maltrecho camión, caliente como un horno, llegó a la plaza Wilhelm y estacionó en un callejón.

—¿Cómo debo dirigirme a la gente? —preguntó Paul.

—«Señor» —respondió Webber—. Di siempre «señor».

—¿No habrá mujeres?

—*Ach,* buena pregunta, señor John Dillinger. Sí, puede haber algunas, pero no en puestos de importancia, desde luego. Secretarias, limpiadoras, archivistas, mecanógrafas. Serán todas solteras, pues las casadas no pueden trabajar; debes decirles «señorita». Y puedes flirtear un poco, si quieres. Es lo que cabe esperar de un obrero, pero no les parecerá extraño que no les prestes atención, que sólo quieras cumplir con tu tarea lo mejor posible y volver a tu casa para almorzar.

—¿Llamo a las puertas o simplemente entro?

—Llama siempre —aconsejó Morgan. Webber asintió.

—¿Y debo decir «*Heil* Hitler»?

El alemán bufó:

—Tantas veces como quieras. Nunca han encarcelado a nadie por decirlo.

—¿Y ese saludo suyo, con el brazo en alto?

—Tratándose de un obrero, no es necesario —dijo Morgan. Y recordó—: No olvides las ges. Debes suavizarlas. Habla como berlinés. Así tranquilizarás las sospechas antes de que surjan.

En la parte trasera del sofocante camión, Paul se quitó la ropa y se puso el traje de mecánico que le había dado Webber.

—Te queda bien —dijo el alemán—. Si lo quieres, puedo vendértelo.

—Otto —suspiró Paul. Examinó el maltrecho carné de identidad, que contenía la foto de un hombre que se le parecía—. ¿Quién es éste?

—Existe un depósito, poco utilizado, donde la Weimar archivaba expedientes de soldados que lucharon en la guerra. Son millones, desde luego. De vez en cuando los utilizo para falsificar pases y otros documentos. Busco una foto que se parezca al comprador del documento. Las fotografías son más viejas y están gastadas, pero lo mismo sucede con nuestras credenciales, puesto que debemos llevarlas encima en todo momento. —Estudió la foto; luego, a Paul—. Ésta es de un hombre que mataron en Argonne-Meuse. Según su expediente ganó varias medallas antes de morir. Pensaban darle una Cruz de Hierro. No se te ve tan mal, para estar muerto.

Luego Webber le entregó los dos permisos de trabajo que le permitirían el acceso a la Cancillería. Paul había dejado en la pensión su pasaporte auténtico y el ruso falsificado; también había comprado un atado de cigarrillos alemanes y llevaba consigo las cerillas baratas, sin marca, de la Cafetería Aria. El alemán le había advertido de que lo registrarían minuciosamente a la entrada del edificio.

—Toma. —Le dio una libreta, un lápiz y una maltrecha vara de medir. También una regla corta de acero, que podría utilizar para abrir la cerradura del despacho de Ernst, si era necesario.

Paul observó bien aquellos objetos. Luego preguntó a Webber:

—¿Crees que se tragarán esto?

—*Ach,* señor John Dillinger; si lo que buscas es certeza, ¿no te has equivocado de oficio? —El hombre sacó uno de sus puros de hojas de repollo.

—¿Piensas fumar eso aquí? —protestó Morgan.

—¿Dónde pretendes que lo fume? ¿En el umbral de la morada del Líder? ¿Y que encienda la cerilla en el trasero de un SS? —Encendido el cigarro, despidió a Paul con una inclinación de cabeza—. Te esperaremos aquí.

Hermann Göring caminaba a través del edificio de la Cancillería como si fuera su propietario.

Y así había de ser algún día; él estaba convencido.

El ministro amaba a Adolf Hitler como Pedro a Cristo.

Pero Jesús acabó clavado a una cruz de madera y Pedro se hizo cargo de la operación.

Eso era lo que sucedería en Alemania; Göring lo sabía. Hitler era una creación ultraterrena, única en la historia del mundo. Hipnótico, brillante hasta lo inexpresable. Y justamente por eso no llegaría a viejo. El mundo no puede aceptar a los visionarios y a los mesías. El Lobo moriría antes de que pasaran cinco años; Göring lloraría y se golpearía el pecho, atravesado por un dolor agudo y sincero. Oficiaría durante el prolongado duelo. Y luego conduciría al país hasta el puesto que le correspondía: el de la nación más grande del mundo. Hitler decía que ese imperio duraría mil años. Pero Hermann Göring guiaría su propio régimen rumbo a la eternidad.

Por ahora, empero, tenía metas más sencillas: medidas tácticas para asegurarse de ser él quien asumiera el papel de Líder.

Terminados los huevos con salchichas, el ministro había vuelto a cambiarse de ropa (normalmente lo hacía cuatro o cinco veces al día). Ahora lucía un vistoso uniforme militar verde, cargado de galones, cintas y condecoraciones, algunas ganadas, muchas compradas. Se había vestido como para representar un papel, pues tenía la sensación de estar cumpliendo una misión. ¿Y su objetivo? Clavar la cabeza de Reinhard Ernst en la pared (después de todo, Göring era montero mayor del Imperio).

Con la carpeta donde se establecía la herencia judía de Keitel bajo el brazo, como si fuera un látigo, caminaba por los corredores en penumbra. Al girar en un recodo hizo una mueca de dolor: la herida de bala que había recibido en la entrepierna durante el Putsch de la Cervecería, en noviembre del año veintitrés. Apenas una hora antes había tomado las píldoras, que nunca le faltaban, pero el efecto ya comenzaba a ceder. *Ach,* el farmacéutico debía de haberlas hecho menos potentes. Más tarde montaría un escándalo a ese hombre. Después de saludar a los guardias de la SS con una inclinación de cabeza, entró en el antedespacho del Líder y sonrió al secretario.

—Ha pedido que pase usted de inmediato, señor ministro.

Göring cruzó la alfombra a grandes pasos y entró en el despacho del Líder. Hitler estaba apoyado contra el borde del escritorio, según su costumbre. El Lobo nunca podía estarse sentado y quieto. Se paseaba, se encaramaba, se mecía, miraba por las ventanas. En ese momento bebió un sorbo de chocolate y, mientras dejaba la taza y el platillo en el escritorio, dirigió una grave inclinación de cabeza a alguien que estaba sentado en el sillón de respaldo alto. Luego levantó la vista.

—Ah, señor ministro del Aire. Pase, pase. —Levantó la nota que Göring había escrito algo antes—. Quiero detalles de esto. Es interesante que usted mencione una conspiración. Parece que nuestro camarada, aquí presente, también trae noticias parecidas.

Al otro lado del gran despacho, Göring parpadeó y se detuvo abruptamente al ver que el otro visitante del Líder se levantaba del sillón. Era Reinhard Ernst, quien lo saludó con una inclinación de cabeza y una sonrisa:

—Buenos días, señor ministro.

Göring, sin prestarle atención, preguntó a Hitler:

—¿Una conspiración?

—Así es —confirmó el Líder—. Estábamos discutiendo el proyecto del coronel, ese Estudio Waltham. Al parecer, ciertos enemigos han falsificado información sobre su colaborador, el doctor-profesor Ludwig Keitel. Imagínese, han llegado al extremo de insinuar que el profesor tiene sangre judía. Siéntese, Hermann, por favor, y cuénteme qué es esa otra conspiración que ha descubierto usted.

Reinhard Ernst se decía que en toda su vida jamás podría olvidar la expresión de la cara mofletuda de Hermann Göring en aquel momento.

En esa rojiza y sonriente luna de carne los ojos expresaron una conmoción total. Un matón derribado.

No obstante, aquel golpe no le dio ningún placer a Ernst, pues en cuanto se esfumó la sorpresa su semblante reflejó puro odio.

El Líder, sin que pareciera reparar en ese diálogo silencioso, dio unos golpecitos a varios documentos que tenía en el escritorio.

—He pedido al coronel Ernst información sobre el estudio que está realizando actualmente sobre nuestros militares. Me lo entregará mañana...

Una penetrante mirada a Ernst, quien le aseguró:

—Por supuesto, mi Líder.

—Y mientras lo preparaba descubrió que alguien ha alterado ciertos datos de los parientes del doctor-profesor Keitel y otros que trabajan para el Gobierno en Krupp, Farben, Siemens...

—Además —murmuró Ernst—, fue una sorpresa descubrir que el asunto va más allá. Han llegado a alterar registros de los parientes y antepasados de muchos miembros importantes del mismo Partido. Sobre todo han introducido informaciones en Hamburgo y alrededores. Me pareció conveniente eliminar gran parte de lo que descubrí. —Ernst miró a Göring de arriba abajo—. Algunas de esas mentiras se referían a gente que ocupa cargos bastante altos. Insinúan vínculos con judíos hojalateros, existencia de hijos bastardos y cosas así.

Göring frunció el entrecejo.

—Terrible. —Tenía los dientes apretados; estaba furioso, no sólo por la derrota, sino por la insinuación de Ernst en cuanto a que también en el pasado del ministro del Aire podía haber ancestros judíos—. ¿Quién puede haber hecho semejante cosa? —Y comenzó a juguetear con la carpeta que traía.

—¿Quién? —murmuró Hitler—. Los comunistas, los judíos, los socialdemócratas. Últimamente me preocupan también los católicos. No debemos olvidar que se oponen a nosotros. Es fácil bajar la guardia, puesto que compartimos con ellos el odio por los judíos. Pero quién sabe... Tenemos muchos enemigos.

—Sí, desde luego. —Göring echó otra mirada a Ernst, quien preguntó si podía servirle café o chocolate—. No, gracias, Reinhard —fue la glacial respuesta.

En su vida de soldado Ernst había aprendido muy temprano que, de todas las armas del arsenal militar, la más efectiva era una buena información. Insistía en saber exactamente qué se traía el enemigo entre manos. Había cometido un error al pensar que los espías de Göring no controlaban la cabina telefónica instalada a varias calles de la Cancillería. A través de ese descuido suyo, el ministro del Aire había descubierto el nombre del coautor del Estudio Waltham. Por suerte Ernst, aunque parecía ingenuo en el arte de la intriga, tenía buenos colaboradores instalados en lugares en que le eran muy útiles. El hombre que lo informaba regularmente sobre lo que sucedía en el Ministerio del Aire le había advertido la noche anterior, después de recoger del suelo un plato roto lleno de espaguetis, que Göring había desenterrado información sobre la abuela de Keitel.

Disgustado por verse forzado a ese juego, pero consciente del peligro mortal que presentaba la situación, Ernst fue inmediatamente en busca de Keitel. El doctor-profesor suponía que el parentesco judío de su abuela era verdad, pero llevaba años sin mantener relaciones con esa rama de la familia. Ambos habían dedicado horas enteras, esa noche, a crear documentos falsificados donde se insinuaba que comerciantes y funcionarios del Gobierno, de pura sangre aria, tenían raíces judías.

La única parte difícil de esa estrategia era asegurarse de llegar a Hitler antes que Göring. Pero una de las técnicas bélicas que Ernst cultivaba al planificar la estrategia militar era lo que denominaba «ataque relámpago». Consistía en actuar con tanta celeridad que el enemigo no tuviera tiempo para preparar una defensa, aunque fuera más poderoso que uno. A primera hora de la mañana, el coronel se había abierto paso hasta el despacho del Líder para presentarle su propia conspiración y mostrar las falsificaciones.

—Llegaremos al fondo de esto —dijo Hitler. Y se apartó del escritorio para servirse más chocolate caliente y tomar varias *zwiebacken* de un plato—. Y ahora, Hermann, ¿qué decía usted en su nota? ¿Qué es lo que ha descubierto usted?

El hombrón miró a Ernst con una sonriente inclinación de cabeza, negándose a reconocer la derrota. Luego meneó la cabeza, con el ceño muy fruncido, y dijo:

—He sabido que en Oranienburg hay inquietud. Falta de respeto por los guardias. Me preocupa que haya posibilidad de rebeliones. Recomendaría aplicar represalias. Enérgicas represalias.

Eso era absurdo. Ese campo de concentración, rebautizado Sachsenhausen, se estaba reconstruyendo ampliamente con mano de obra esclava y era completamente seguro; no existía la menor posibilidad de que hubiera rebeliones. Los prisioneros eran como animales enjaulados y sin garras. Los comentarios de Göring sólo tenían una finalidad: venganza; quería depositar la muerte de personas inocentes a los pies de Ernst.

Mientras Hitler reflexionaba, el coronel dijo con tranquilidad.

—No sé gran cosa sobre ese campo, mi Líder, y el ministro del Aire tiene razón: debemos asegurarnos de que no haya ninguna disensión.

—Pero... percibo cierta vacilación, coronel —observó Hitler.

Ernst se encogió de hombros.

—Sólo me decía que tal vez sería mejor aplicar esas represalias después de las Olimpíadas. Al fin y al cabo ese campo no está lejos de la Villa Olímpica. Con tanto periodista extranjero en la ciudad, sería muy molesto que se filtraran noticias. Se me ocurre que sería mejor ocultar en lo posible la existencia de Oranienburg hasta más adelante.

La idea no agradó a Hitler; Ernst lo notó inmediatamente. Pero antes de que Göring pudiera protestar, el Líder dijo:

—Estoy de acuerdo. Dentro de uno o dos meses nos ocuparemos de ese asunto.

Ernst esperaba que, por entonces él y Göring se hubieran olvidado de aquello.

—Pero el coronel ha traído buenas noticias, Hermann. Los británicos han aceptado por completo nuestras cuotas de buques de combate y submarinos, según el tratado del año pasado. El plan de Reinhard ha tenido éxito.

—Qué suerte —murmuró Göring.

—¿Esa carpeta contiene algo que yo deba atender, ministro del Aire? —Los ojos del Líder, a los que rara vez se les escapaba algo, se desviaron hacia los documentos que el hombrón traía bajo el brazo.

—No, señor, nada.

El Líder se sirvió más chocolate y se acercó a la maqueta del Estadio Olímpico.

—Vengan a ver los nuevos añadidos, caballeros. Son muy bonitos, ¿no les parece? Elegantes, diría yo. Me gusta el estilo moderno. Mussolini cree que lo inventó él. Pero es un ladrón, desde luego, como todos sabemos.

—Desde luego, mi Líder —dijo Göring.

Ernst también murmuró unas palabras de aprobación. Los ojos danzarines de Hitler se parecían a los de Rudy en la playa, el año anterior, al mostrar a su *Opa* un complejo castillo de arena que había construido.

—Dicen que hoy podría refrescar. Ojalá sea así, pues tenemos una sesión de fotos. ¿Vendrá de uniforme, coronel?

—Creo que no, mi Líder. Después de todo, ahora soy un simple funcionario civil. No quiero parecer ostentoso en compañía de mis distinguidos colegas. —Ernst, con algún esfuerzo, mantuvo la vista fija en la maqueta del estadio en vez de desviarla hacia el elaborado uniforme de Göring.

El despacho del plenipotenciario para la Estabilidad Interior (así rezaba el letrero pintado en severos caracteres) estaba en el tercer piso de la Cancillería. En esa planta las renovaciones parecían en buena parte acabadas, aunque en el aire pendía un fuerte olor a pintura, yeso y barniz.

Paul había entrado en el edificio sin dificultad, aunque fue minuciosamente registrado por dos guardias de uniforme negro, armados con fusiles provistos de bayonetas. Los papeles de Webber pasaron la inspección, pero en el tercer piso fue nuevamente detenido y cacheado.

Esperó a que una patrulla hubiera desaparecido por el pasillo para tocar respetuosamente en el cristal de la puerta que conducía al despacho de Ernst.

No hubo respuesta.

Probó el pomo; no estaba cerrado con llave. Cruzó la antesala a oscuras rumbo a la puerta que conducía al despacho privado de Ernst. De pronto se detuvo, alarmado por la posibilidad de que el hombre estuviera allí, puesto que por debajo de la puerta se veía una luz intensa. Pero tocó otra vez y no oyó nada. Al abrir descubrió que el fulgor se debía al sol: la oficina daba al este y la luz de la mañana entraba en la habitación con encarnizamiento. Decidió no cerrar la puerta; probablemente hacerlo iba contra las reglas y, si los guardias hacían la ronda, sería sospechoso.

Lo primero que lo impresionó fue lo atestado que estaba el despacho de papeles, folletos, planillas de cuentas, informes, mapas, cartas. Cubrían todo el escritorio de Ernst y la gran mesa del rincón. En los estantes había muchos libros, casi todos sobre historia militar; parecían dispuestos en orden cronológico, a partir de *Las guerras de las Galias* de César. Considerando lo que Käthe le había dicho sobre la censura alemana, le sorprendió ver allí libros de y sobre norteamericanos e ingleses: Pershing, Teddy Roosevelt, Lord Cornwallis, Ulysses S. Grant, Abraham Lincoln, Lord Nelson.

Había una chimenea, que esa mañana estaba vacía y prístina, desde luego. En la repisa de mármol blanco y negro se veían condecoraciones de guerra, una bayoneta, banderas de combate, fotos de Ernst, más joven y de uniforme, con un hombre fornido de bigote feroz y casco con pinchos.

Paul abrió su libreta, en la cual había esbozado diez o doce planos de la habitación; luego recorrió el perímetro del despacho, lo dibujó y añadió las dimensiones. No se molestó en utilizar la vara de medir: no necesitaba exactitud, sino credibilidad. Echó un vistazo al escritorio. Había allí varias fotos enmarcadas del coronel con su familia; otras, de una morena bonita, probablemente su esposa, y de un trío: un joven de uniforme con los que parecían ser su esposa y su hijo pequeño. También había dos de esa misma joven con el niño, más recientes y tomadas con varios años de diferencia.

Paul apartó la vista de las fotos para leer someramente las docenas de papeles que cubrían el escritorio. Cuando estaba a punto de excavar en una de esas pilas se detuvo: había captado un ruido... o quizá la ausencia de ruido. Sólo una atenuación de los ruidos sueltos que flotaban en derredor. De inmediato se dejó caer de rodillas y puso la vara de medir en el suelo. Luego comenzó a llevarla de un lado a otro. Levantó la vista hacia el hombre que entraba a paso lento, mirándolo con curiosidad.

Las fotografías de la repisa y las de Max, el contacto de Morgan, databan de varios años atrás, pero sin duda alguna el hombre que tenía de pie ante sí era Reinhard Ernst.

22

Heil Hitler —dijo Paul—. Perdóneme si lo molesto, señor.

—*Heil* —respondió el hombre sin energía—. ¿Quién es usted?

—Soy Fleischman. He venido a tomar las medidas para las alfombras.

—Ah, las alfombras.

Otra figura echó un vistazo dentro: un guardia corpulento, de uniforme negro. Pidió a Paul sus credenciales y, después de leerlas con atención, regresó al antedespacho y acercó una silla a la puerta.

Ernst preguntó.

—¿Y qué medidas tiene este cuarto?

—Nueve y medio por ocho metros. —A Paul se le aceleró el corazón: había estado a punto de decir «yardas».

—Yo habría dicho que era más grande.

—Claro que es más grande, señor. Me refería al tamaño de la alfombra. Por lo general, cuando el suelo es de madera tan fina como ésta, nuestros clientes quieren dejar un borde a la vista.

Ernst miró el roble del suelo como si nunca lo hubiera visto. Después de quitarse el saco y colgarlo del perchero, se sentó en el sillón y se frotó los ojos. Por fin se inclinó hacia delante y se puso los anteojos para leer unos documentos.

—¿Trabaja en domingo, señor? —preguntó Paul.

—Igual que usted —respondió Ernst, riendo, pero sin levantar la vista.

—Es que el Líder está ansioso por acabar con la remodelación del edificio.

—Sí, es verdad.

Mientras se inclinaba para medir un pequeño recoveco, Paul le echó una mirada de reojo; reparó en la cicatriz de la mano, las arrugas que le rodeaban la boca, los ojos enrojecidos y la actitud: era la de quien tiene un millar de ideas madurando en la mente, la de quien lleva un millar de cargas.

Hubo un leve chirrido: Ernst había girado la silla hacia la ventana y se estaba quitando los anteojos. Parecía devorar el brillo y el calor del sol, con placer, pero también con un dejo de pena, como si estuviera habituado al aire libre y no disfrutara de los deberes que lo mantenían atado al escritorio.

—¿Hace mucho tiempo que trabaja en esto, Fleischman? —preguntó sin volverse.

Paul se puso de pie, con la libreta apretada contra el costado.

—Desde siempre, señor. Desde la guerra.

Ernst continuaba disfrutando del sol, algo reclinado en la silla y con los ojos cerrados. Paul se acercó silenciosamente a la repisa. La bayoneta era larga. Estaba opaca y no había sido afilada en tiempos recientes, pero aún podía matar.

—¿Y le gusta? —preguntó Ernst.

—Me va bien.

Podía arrebatar de allí esa arma espeluznante, acercarse al hombre por detrás y matarlo en un segundo. Tenía experiencia en armas blancas. Usar un puñal no es como las escenas de esgrima que uno veía en las películas de Douglas Fairbanks. El acero es sólo una mortífera extensión del puño. El buen boxeador también es bueno con el cuchillo.

Tocar el hielo...

Pero, ¿qué hacer con el guardia apostado ante la puerta? Ese hombre también tendría que morir. Paul nunca mataba a los guardaespaldas de sus despachados; ni siquiera se ponía en situaciones donde quizá debiera hacerlo. Podía matar a Ernst con la bayoneta y luego desmayar al guardia de un golpe. Pero con tantos soldados como había por allí, alguien podía oír el alboroto; entonces lo arrestarían. Además tenía órdenes de que la muerte fuera pública.

—Le va bien —repitió Ernst—. Una vida sencilla, sin conflictos ni decisiones difíciles.

Sonó el teléfono. El coronel atendió.

—¿Diga...? Sí, Ludwig, la reunión resultó ventajosa para nosotros... Sí, sí... Oye, ¿has conseguido algunos voluntarios? *Ach,* bien... Pero quizá dos o tres más... Sí, nos veremos allí. Buenos días.

Al cortar la comunicación miró a Paul; luego hacia la repisa.

—Son algunos recuerdos míos. A juzgar por los militares con los que he tratado toda mi vida, somos como urracas cuando se trata de acumular este tipo de objetos. En casa tengo muchos más. ¿No es raro que nos guste conservar recuerdos de hechos tan horrendos? A veces me parece una locura. —Echó un vistazo al reloj de su escritorio—. ¿Ha terminado, Fleischman?

—Sí, señor.

—Tengo trabajo que hacer a solas.

—Perdone la molestia, señor. *Heil* Hitler.

—Oiga, Fleischman...

Paul se volvió desde la puerta.

—Usted es hombre de suerte. Es muy raro que las obligaciones concuerden con las circunstancias y el propio carácter.

—Supongo que sí, señor. Buenos días.

—Sí. *Heil* Hitler.

Salió al pasillo.

Con la cara y la voz de Ernst grabados en la mente, Paul bajó la escalera, la vista fija adelante, a paso lento, pasando invisiblemente entre hombres de uniforme negro o gris, de traje, con ropas de trabajo. Y por doquier, los ojos severos, bidimensionales, que lo miraban desde los cuadros colgados en las paredes: la trinidad cuyos nombres se leían en las placas de bronce: *A. Hitler, H. Göring* y *P. J. Goebbels.*

Ya en la planta baja giró hacia la refulgente entrada principal que daba a la calle Wilhelm; sus pisadas resonaban con fuerza. Webber le había conseguido botas usadas; eran un buen toque final al disfraz, pero una de las tachuelas asomaba a través del cuero y repiqueteaba audiblemente a cada paso, por mucho que Paul torciera el pie.

Estaba a quince metros de la entrada, que era un estallido de sol rodeado por un halo.

Diez metros.

Tap, tap, tap.

Cinco metros.

En el exterior, torrentes de coches pasaban por la calle.

Tres metros.

Tap... tap...

—¡Alto, usted!

Paul se detuvo en seco. Al girar vio a un hombre de mediana edad, de uniforme gris, que se acercaba a grandes pasos.

—Ha bajado por esa escalera. ¿De dónde viene?

—Sólo estaba...

—Sus documentos.

—Estaba tomando medidas para las alfombras, señor —explicó Paul, mientras desenterraba de su bolsillo los papeles de Webber.

El de la SS les echó una mirada rápida, lo comparó con la foto y leyó la orden de trabajo. Luego cogió la vara de medir que Paul llevaba en la mano, como si fuera un arma. Por fin le devolvió la orden de trabajo.

—¿Dónde está su permiso especial?

—¿Qué permiso especial? No sabía que fuera necesario.

—Para el acceso a los pisos altos, sí.

—Mi jefe no me ha dicho nada.

—Eso no es asunto nuestro. Para ir más allá de la planta baja se requiere un permiso especial. ¿Su carné del Partido?

—Eh... no lo he traído.

—¿No es miembro del Partido?

—Claro que sí, señor. Soy un nacionalsocialista de ley, se lo aseguro.

—Si no trae el carné del Partido no es nacionalsocialista de ley.

El oficial lo revisó; luego hojeó la libreta y echó un vistazo a los bocetos y las medidas de las habitaciones. Meneaba la cabeza. Paul dijo:

—Dentro de unos pocos días tendré que venir otra vez, señor. Entonces le traeré ese permiso especial y el carné del Partido. —Y añadió—: Podría aprovechar la ocasión para medir también su despacho.

—Mi despacho está en la parte trasera de la planta baja. Un sector donde no se harán renovaciones —aclaró, agrio, el oficial de la SS.

—Mayor razón para tener una buena alfombra persa. Casualmente, tenemos más de las que se necesitan. Es una pena que vayan a pudrirse en algún depósito.

El hombre reflexionó. Luego echó un vistazo a su reloj.

—No tengo tiempo para continuar con este asunto. Soy el sub-jefe de Seguridad Schechter. Encontrará mi despacho bajando la escalera, a la derecha. Mi nombre está en la puerta. Listo, váyase. Pero no olvide traer el permiso especial cuando regrese, si no quiere acabar en la calle Príncipe Albrecht.

Mientras los tres hombres se alejaban a buena velocidad de la plaza Wilhelm, a poca distancia sonó una sirena. Paul y Reggie Morgan, intranquilos, miraron por las ventanillas del camión, que apestaba a sudor y repollo quemado. Webber se echó a reír.

—Tranquilos. Es una ambulancia. —Un momento después apareció una rodeando la esquina—. Conozco el ruido de todos los vehículos oficiales. Es algo que resulta muy útil en Berlín en estos tiempos.

Pasados algunos segundos Paul dijo en voz baja:

—Lo he visto personalmente.

—¿A quién? —preguntó Morgan.

—A Ernst.

El otro dilató los ojos.

—¿Estaba allí?

—Ha entrado en el despacho un momento después que yo.

—*Ach,* ¿qué hacemos? —exclamó Webber—. No podemos entrar de nuevo en la Cancillería. ¿Cómo haremos para saber dónde encontrarlo?

—Pero si ya lo sé —dijo Paul.

—¿Sí? —inquirió Morgan.

—Antes de que llegara he tenido tiempo de echar un vistazo a su escritorio. Hoy irá al estadio.

—¿A qué estadio? En la ciudad hay muchos.

—El Estadio Olímpico. He visto un memorándum. Hitler quiere que los altos dignatarios del Partido se fotografíen allí. —Echó un vistazo al reloj de una torre cercana—. Pero sólo dispongo de unas pocas horas para instalarme en el lugar. Creo que necesitaremos nuevamente tu ayuda, Otto.

—*Ach,* puedo hacerte entrar donde quieras, señor John Dillinger. Yo hago los milagros... y vosotros pagáis. Por eso nos llevamos tan bien, claro. A propósito: mis dólares, por favor. —Dejó que la transmisión del vehículo chillara en segunda para extender la mano derecha, con la palma hacia arriba, hasta que Morgan puso allí el sobre.

Un momento después Paul cobró conciencia de que Morgan lo miraba.

—¿Cómo es Ernst? —preguntó—. ¿Se nota que es el hombre más peligroso de Europa?

—Fue cortés. Estaba preocupado. Y cansado. Y triste.

—¿Triste? —repitió Webber.

Paul asintió con un gesto. Recordaba los ojos del hombre, vivaces pero con el peso de la responsabilidad; eran los ojos de alguien que espera pasar por pruebas difíciles.

El sol al fin se pone...

Morgan miró de reojo las tiendas, los edificios, las banderas de la amplia avenida Unter den Linden.

—¿Eso dificulta las cosas?

—¿Que si las dificulta?

—Haberlo conocido, ¿te hará vacilar cuando llegue el momento de... hacer aquello para lo que has venido? ¿Cambia las cosas?

Paul Schumann habría deseado responder que sí. Que ver a alguien de cerca, hablar con él, derretía el hielo, hacía que dudara en quitarle la vida. Pero respondió con la verdad:

—No, no cambia nada.

Sudaban por el calor y Kurt Fischer, cuanto menos, también por el miedo.

Los hermanos estaban ahora a dos calles de la plaza donde se encontrarían con Unger, el hombre que los sacaría de ese país medio hundido para reunirlos con sus padres.

El hombre al que confiaban la vida.

Hans se agachó para recoger una piedra y la lanzó a las aguas del canal Landwehr.

—¡No! —susurró Kurt con aspereza—. No llames la atención.

—Tranquilízate, hermano. Esto no llama la atención. Lo hace todo el mundo. Madre mía, qué calor hace. ¿No podemos detenernos a tomar una cerveza?

—*Ach,* ¿crees que vamos de vacaciones? —Kurt miró en derredor. No había mucha gente. Aún era temprano, pero el calor ya era intenso.

—¿Alguien nos sigue? —preguntó su hermano con cierta ironía.

—¿Quieres quedarte en Berlín? ¿Has considerado las cosas?

—Sólo sé que si abandonamos la casa no volveremos a verla.

—Y si no la abandonamos no volveremos a ver a mamá y a papá. Probablemente no volveremos a ver a nadie.

Hans, ceñudo, recogió otra piedra. En esa ocasión logró hacerla rebotar tres veces.

—¡Hey! ¿Has visto?

—Date prisa.

Giraron hacia una calle de mercado, donde los vendedores estaban instalando sus puestos. Había varios camiones estacionados en las calzadas y las aceras. Estaban cargados de rábanos, remolachas, manzanas, papas, truchas de canal, carpas, aceite de bacalao. Naturalmente, no se veían los productos de mayor demanda, como carne, aceite de oliva, manteca y azúcar. Aun así la gente ya estaba haciendo cola para conseguir las cosas mejores o, siquiera, las menos desagradables.

—Mira, allí está. —Kurt cruzó la calle en dirección a un viejo camión estacionado a un lado de la plaza. Un hombre de rizos castaños, apoyado contra él, fumaba y leía un periódico. Al levantar la vista vio a los muchachos y asintió sutilmente con la cabeza. Luego arrojó el periódico a la cabina del camión.

Todo se reduce a una cuestión de confianza.

Y a veces no se produce el desencanto: Kurt había pensado que el hombre podía no aparecer.

—¡Señor Unger! —dijo al llegar. Se estrecharon calurosamente la mano—. Le presento a mi hermano Hans.

—*Ach,* cómo se parece a su padre.

—¿Usted vende chocolate? —preguntó el chico, mientras observaba el camión.

—Fabrico y vendo dulces. Antes era profesor, pero eso ya no es lucrativo. El deseo de aprender y la necesidad de enseñar son esporádicos, pero comer dulces es constante y no hay peligro político. Ya hablaremos de eso. Ahora debemos salir de Berlín. Pueden viajar conmigo en la cabina, pero cuando nos acerquemos a la frontera entrarán en un espacio que hay en la parte trasera. En días como éste llevo hielo para impedir que se derrita el chocolate; estarán tendidos bajo tablas cubiertas de hielo. Pero no teman, que no morirán congelados. He abierto agujeros en el flanco del camión para que entre un poco de aire caliente. Cruzaré la frontera como todas las semanas. Conozco a los guardias; les regalo chocolate y nunca me revisan.

Unger fue hacia la parte trasera del camión para cerrar las puertas.

Hans subió a la cabina y se puso a leer el periódico. Kurt se enjugó la frente y giró para echar una última mirada a la ciudad en la que había pasado toda su vida. El calor, la potencia del sol, hacían que pareciera Italia; le hizo pensar en un viaje a Bolonia que habían hecho cuando su padre impartió un curso de quince días en aquella antigua universidad.

Cuando el joven iba a subir junto a su hermano, la multitud dejó escapar una exclamación colectiva.

Kurt se quedó inmóvil, con los ojos muy abiertos.

Tres coches negros se detuvieron bruscamente rodeando el camión de Unger. De ellos bajaron seis hombres con el uniforme negro de la SS.

¡No!

—¡Huye, Hans! —gritó Kurt.

Pero dos de los SS corrieron al lado del pasajero y, después de abrir violentamente la portezuela, tiraron de su hermano para sacarlo a la calle. Él se resistió hasta que uno lo golpeó en el vientre con una cachiporra. Hans lanzó un chillido y rodó por el suelo, apretándose la barriga. Los soldados lo levantaron por la fuerza.

—¡No, no, no! —exclamó Unger.

Tanto él como Kurt fueron empujados contra el flanco del camión.

—¡Papeles! Vaciad los bolsillos.

Los tres cautivos hicieron lo que se les ordenaba.

—Los Fischer —dijo el comandante al ver los carnés de identidad, indicando con un gesto que los reconocía.

Unger, con lágrimas en las mejillas, dijo a Kurt:

—No los he traicionado. ¡Te lo juro!

—No, no ha sido él —dijo el oficial de la SS. Luego desenfundó su Luger, la amartilló y disparó al profesor en la cabeza.

Unger cayó a la acera. Kurt ahogó una exclamación de horror.

—Ha sido ella —añadió el de la SS, señalando con la cabeza a una mujerona madura, asomada a la ventanilla del vehículo oficial.

Ésta, con la voz cargada de furia, increpó a los muchachos:

—¡Traidores! ¡Cerdos!

Era la señora Lutz, la viuda de guerra que vivía en el mismo piso, la mujer que acababa de desearles un buen día.

Horrorizado, fija la vista en el cuerpo sin vida de Unger, que manaba sangre copiosamente, Kurt oyó su grito apasionado:

—¡Cerdos desagradecidos! Los he estado observando. Bien sé lo que han hecho, quién ha estado en su departamento. Apunto todo lo que veo. ¡Han traicionado a nuestro Líder!

El comandante de la SS la miró con una mueca de irritación. Luego hizo un gesto a un oficial más joven, quien la empujó hacia el interior del coche.

—Hace tiempo que los tenemos en la lista.

—¡Pero si no hemos hecho nada! —susurró Kurt, sin poder apartar los ojos del charco carmesí que crecía junto a Unger—. Nada, lo juro. Sólo tratábamos de reunirnos con nuestros padres.

—Escapar ilegalmente del país, pacifismo, actividades contra el Partido... Son todos delitos capitales.

Tiró de Hans para acercarlo y le apuntó a la cabeza con la pistola. El muchacho gimoteó:

—No, por favor, no...

Kurt se adelantó velozmente. Un guardia lo golpeó en el vientre. Doblado por la mitad, vio que el comandante apoyaba la pistola contra la nuca de su hermano.

—¡No!

El comandante entrecerró los ojos y se inclinó hacia atrás para evitar el rocío de sangre y carne.

—¡Por favor, señor!

Pero otro oficial susurró:

—Esas órdenes que tenemos, señor. Moderación durante las Olimpíadas. —Señaló con la cabeza a la multitud que se había reunido a mirar en el mercado—. Allí podría haber extranjeros, quizá periodistas.

El comandante vaciló un instante. Luego murmuró, impaciente:

—De acuerdo. Llévenlos a la Casa Columbia.

Aunque se prefería el campo de Oranienburg, más implacable en su eficiencia y menos visible, la Casa Columbia era todavía la cárcel más famosa de Berlín. El hombre apuntó al cadáver con un gesto.

—Y arrojad eso en cualquier parte. Averiguad si está casado. En ese caso enviad a su mujer la camisa ensangrentada.

—Sí, señor. ¿Con qué mensaje?

—El mensaje será la camisa.

El comandante enfundó la pistola y volvió a su coche, desviando una breve mirada hacia los hermanos Fischer. Pero en realidad no los vio; era como si ya hubieran muerto.

—¿Dónde estás, Paul Schumann?

Tal como el día anterior («¿Quién eres?»), Willi Kohl hizo esa pregunta en voz alta, lleno de frustración, sin esperanzas de respuesta inmediata. El inspector había creído que, al conocer el nombre del homicida, se aceleraría la solución del caso. Pero no era así.

No había recibido respuesta del FBI ni de la Comisión Internacional Olímpica. Sólo un breve mensaje del Departamento de Policía de Nueva York diciendo que se ocuparían del asunto cuando fuera «practicable».

No era una palabra con la que Kohl estuviera familiarizado, pero arrugó el entrecejo al ver lo que decía el diccionario inglés-alemán de su departamento. Durante el último año había percibido cierta reticencia de la policía norteamericana en cuanto a cooperar con la Kripo. Eso se debía en parte a la antipatía que despertaba en Estados Unidos el nacionalsocialismo, pero también podía arraigar, según creía él, en el secuestro del bebé Lindbergh. Bruno Hauptmann, detenido por la policía alemana, se había fugado a América y asesinado al niño.

Kohl envió un segundo y breve telegrama, en su vacilante inglés, para dar las gracias a la policía neoyorquina y recordarles la urgencia del asunto. Había puesto sobreaviso a los guardias de frontera para que detuvieran a Schumann si intentaba abandonar el país, pero la orden llegaría sólo a las salidas principales.

La segunda visita de Janssen a la Villa Olímpica también había resultado infructuosa. Paul Schumann no tenía ningún vínculo oficial con el equipo norteamericano. Había llegado a Berlín como escritor sin afiliación conocida, y nadie lo había visto desde que abandonara la Villa Olímpica, el día anterior, ni se sabía dónde podía estar.

Su nombre no figuraba entre los recientes compradores de municiones Largo ni de pistolas Modelo A, pero eso no era ninguna sorpresa, puesto que había llegado el viernes.

Kohl, meciéndose hacia atrás en la silla, revisó la caja de pistas y sus propias notas. Al levantar la vista vio a Janssen en el vano de la puerta; charlaba con otros ayudantes y aspirantes a inspector.

Willi, ceñudo, miró aquel ruidoso *klatch* de café.

Los jóvenes le presentaron sus respetos:

—*Heil* Hitler

—*Heil,* inspector Kohl.

—Sí, sí.

—Vamos a la conferencia. ¿Viene usted?

—No —murmuró él—. Tengo trabajo.

Desde la ascensión al poder del Partido, en el año treinta y tres, todas las semanas había en el salón de asambleas una charla de una hora sobre la doctrina nacionalsocialista. Eran obligatorias para todos los oficiales de la Kripo, pero el poco entusiasta Willi Kohl rara vez asistía. La última que la había escuchado, dos años atrás, se titulaba «Hitler, el pangermanismo y las raíces del cambio social fundamental». Se había dormido.

—Puede venir el líder Heydrich en persona.

—No es seguro —añadió otro con entusiasmo—, pero podría venir. ¿Os imagináis? ¡Estrecharle la mano!

—Como ya he dicho, tengo trabajo. —Kohl miró más allá de esas caras juveniles y excitadas—. ¿Qué novedades tiene, Janssen?

—Buenos días, inspector —saludó uno de los jóvenes oficiales, eufórico. Y todos se alejaron ruidosamente por el pasillo.

Kohl fijó una mirada ceñuda en su asistente, que hizo una mueca de sufrimiento.

—Perdone, señor. Se pegan a mí porque estoy pegado a...

—¿A mí?

—Sí, señor.

El inspector señaló con la cabeza el lado por donde se había ido el grupo.

—¿Son miembros?

—¿Del Partido? Unos cuantos sí.

Antes de que Hitler asumiera el poder, los policías tenían prohibido afiliarse a un partido político. Kohl comentó:

—No se deje tentar, Janssen. No crea que afiliándose podrá progresar más en su carrera. Sólo conseguirá enredarse más en la telaraña.

—Las arenas movedizas morales. —El joven citaba las palabras de su jefe.

—Exactamente.

—De cualquier manera no podría. —Le ofreció una de sus raras sonrisas—. Trabajar con usted no me deja tiempo para los actos políticos.

Kohl sonrió a su vez. Luego preguntó:

—Bueno, ¿qué me trae?

—El informe de la autopsia del caso del pasaje Dresden.

—¡Por fin! —Veinticuatro horas para realizar una autopsia. Imperdonable.

El candidato a inspector entregó a su jefe una carpeta fina que contenía sólo dos páginas.

—¿Qué es esto? ¿Ese forense hizo la autopsia mientras dormía?

—Bueno...

—No importa —murmuró Kohl.

Y de un tirón leyó el documento de cabo a rabo. Comenzaba por establecer lo obvio, desde luego, como todos los informes, en el denso lenguaje de la fisiología y la morfología: que la causa de la muerte se debía a un fuerte traumatismo cerebral debido al impacto de una bala. No había enfermedades sexuales, algo de gota, un poco de artritis, ninguna herida de guerra. El muerto tenía algo en común con Kohl: los juanetes; también las callosidades de sus pies insinuaban que había sido muy aficionado a caminar.

Janssen miraba sobre su hombro.

—Mire, señor: tenía en una mano un dedo roto que soldó mal.

—Eso no nos interesa, Janssen. Es el meñique, un dedo propenso a quebrarse en muchas circunstancias, no una lesión rara que pudiera ayudarnos a conocer mejor al muerto. Una fractura reciente sería más útil: podríamos llamar a los médicos del noroeste de Berlín por si hubiera pistas entre sus pacientes; pero ésta es antigua.

Volvió al informe.

El contenido de alcohol en la sangre hacía pensar que había ingerido algún licor poco antes de morir. El contenido del estómago incluía pollo, ajo, hierbas, cebolla, zanahoria, papas, alguna salsa rojiza y café; el grado de digestión de todo eso revelaba que la comida había sido disfrutada media hora antes de la muerte, poco más o menos.

—¡Ah! —Kohl, animado, apuntó esos datos a lápiz en su maltrecha libreta.

—¿Qué pasa, señor?

—Aquí hay algo que sí nos interesa, Janssen. No se puede afirmar con seguridad, pero al parecer la víctima comió un plato sublime en su última comida. Probablemente sea *coq au vin,* una exquisitez francesa que hace un extraño casamiento entre el pollo y el vino tinto, por lo general un Borgoña tipo Chambertin. Aquí no se encuentra fácilmente, Janssen, ¿y sabe usted por qué? Porque los vinos tintos de los alemanes son horrorosos; los austríacos los hacen estupendos, pero no nos envían mucho. ¡Esto es bueno, ya lo creo!

Después de reflexionar por un momento, se acercó a un mapa de Berlín que tenía en la pared; buscó una chincheta y la clavó en el pasaje Dresden.

—Murió aquí, a mediodía, y había almorzado en un restaurante una media hora antes. Recordará usted que era buen caminador, Janssen: comparados con los músculos de sus piernas los míos no son nada, y tenía callos en los pies. Es posible que haya tomado un taxi o un tranvía para ir a su encuentro fatídico, pero podemos suponer que fue caminando. Si calculamos que después de comer dedicó algunos minutos para fumar un cigarrillo... ¿recuerda que tenía los dedos manchados de amarillo?

—No recuerdo bien, señor.

—Tiene que ser más observador, hijo. Calculado el tiempo para fumar un cigarrillo, pagar la cuenta y saborear su café, supondremos que usó esas fuertes piernas para caminar unos veinte minutos antes de llegar al pasaje Dresden. ¿Qué distancia podría recorrer en ese tiempo un buen caminador?

—Un kilómetro y medio, diría yo.

Kohl frunció el entrecejo.

—Sí, yo también. —Después de examinar la escala del mapa, trazó un círculo en torno al lugar del homicidio.

Janssen meneó la cabeza.

—Señor, eso es enorme. ¿Tendremos que llevar la fotografía de la víctima a todos los restaurantes incluidos en ese círculo?

—No: sólo a los que sirvan *coq au vin*. Y de ésos, sólo a aquellos que lo sirvieron el sábado a la hora del almuerzo. Bastará echar
un vistazo a los horarios y a la carta de la fachada para saber si debemos entrar. Pero aun así será una tarea ímproba. Y debemos rea-
lizarla inmediatamente.

El joven miró el mapa.

—¿Debemos hacerlo usted y yo, señor? ¿Podremos visitar-
los todos? ¿Cómo? —Y meneó la cabeza, desalentado.

—No podemos, por supuesto.

—Pues entonces...

Willi Kohl se echó hacia atrás en el asiento y dejó que sus ojos
flotaran por la habitación. Momentáneamente se fijaron en el escritorio. Luego dijo:

—Quédese aquí, Janssen, por si llegan telegramas o mensajes
sobre el caso. —Luego cogió su sombrero de paja, que pendía del
perchero del rincón—. Yo... tengo una idea.

—¿Adónde va, señor?

—Tras la pista de un pollo francés.

23

La atmósfera de nerviosismo que rodeaba a los tres hombres, en la pensión, era como humo frío.

Paul Schumann conocía bien aquella sensación; era la de esos momentos en que esperaba para entrar al ring, tratando de recordar cuanto sabía sobre su adversario: visualizaba las defensas del tipo en cuestión, planeaba el mejor momento de bailar bajo ellas, de ponerse de puntillas para aplicar un derechazo, o imaginaba cómo aprovechar sus debilidades... y la mejor manera de compensar las propias.

La conocía también por aquellas ocasiones en que planeaba despachar a alguien. Miraba los mapas trazados cuidadosamente por su propia mano, revisaba nuevamente la Colt y la segunda pistola, repasaba las notas que había reunido sobre los horarios de su víctima, sus preferencias, sus rutinas, sus relaciones.

Eso era el antes.

El dificilísimo antes. La inmovilidad que precede a la ejecución. El momento en que se mastican los hechos entre sensaciones de impaciencia y nerviosismo. También de miedo, claro. De eso no te libras nunca. El buen sicario no, en ningún caso.

Y siempre esa creciente insensibilidad, el corazón que se va cristalizando.

Comenzaba a tocar el hielo.

En la habitación en penumbra, con las ventanas cerradas y las persianas bajadas (el teléfono desconectado, por supuesto), Paul y Morgan estudiaban un mapa y unas veinticinco fotos publicitarias del Estadio Olímpico desenterradas por Webber junto con un par de pantalones de franela gris para Morgan, con la raya bien marcada (que el norteamericano, después de examinar con escepticismo inicial, había decidido conservar).

Morgan dio un golpecito en una de las fotos.

—¿Dónde vas a...?

—Un momento, por favor —interrumpió Webber. Y se levantó para cruzar el cuarto, silbando. Estaba de buen humor; tenía mil dólares en el bolsillo; durante un tiempo no tendría que preocuparse por la grasa y el colorante amarillo.

Morgan y Paul se miraron con la frente fruncida. El alemán se dejó caer de rodillas y comenzó a sacar discos de un armario bajo un gramófono maltrecho. Hizo una mueca.

—*Ach,* no hay ninguno de John Philip Sousa. Los busco siempre, pero son difíciles de conseguir. —Levantó la vista hacia Morgan—. Oiga, el señor John Dillinger, aquí presente, dice que Sousa es norteamericano. Pero creo que es una broma, ¿no? ¿Verdad que ese director de orquesta es inglés?

—No. Es americano —confirmó el flaco.

—Pues no es eso lo que me han dicho.

Morgan enarcó una ceja.

—Puede que tengas razón. Podríamos hacer una apuesta. ¿Cien marcos?

Webber reflexionó. Luego dijo:

—Prefiero seguir investigando.

—Mira, no tenemos tiempo para la música —añadió Morgan, viendo que el alemán seguía examinando la pila de discos.

Paul dijo:

—Pero hay tiempo para cubrir el sonido de nuestra conversación, ¿no?

—Exactamente —dijo Webber—. Y utilizaremos... —Examinó una etiqueta—. Una colección de nuestras imperturbables canciones de caza. —Encendió el aparato y puso la aguja en el disco. Una melodía enérgica, cargada de chirridos, llenó la habitación. Él rió—. Esto es *El cazador de venados.* Muy adecuado para nuestra misión.

En Estados Unidos los mafiosos Luciano y Lansky hacían exactamente lo mismo: generalmente encendían la radio para disimular la conversación, por si los muchachos de Dewey o de Hoover hubieran puesto un micrófono en el lugar de la reunión.

—Bueno, ¿qué decían?

Morgan preguntó:

—¿Dónde se hará la sesión de fotos?

—Según el memorándum de Ernst, en la sala de prensa.

—O sea, aquí —indicó Webber.

Paul examinó atentamente el dibujo y no quedó complacido. El estadio era enorme y la sala de prensa debía de medir unos sesenta metros de longitud. Estaba cerca del extremo del edificio, por la zona sur. Era posible instalarse en los puestos del lado norte, pero eso requeriría un disparo a gran distancia, a todo lo ancho del lugar.

—Demasiado lejos. Un poco de brisa, la distorsión de la ventana... No, no podría asegurar que el tiro fuera letal. Y podría herir a otra persona.

—¿Y qué? —preguntó Webber sin energía—. Podrías acertarle a Hitler. O a Göring: es un blanco más grande que un dirigible; hasta un ciego podría acertarle. —Estudió el mapa una vez más—. Podrías disparar cuando Ernst baje del coche. ¿Qué le parece, señor Morgan? —El hecho de que, gracias a Webber, Paul hubiera podido entrar y salir de la Cancillería sano y salvo había dado al alemán suficiente credibilidad como para que le revelaran el nombre de Morgan.

—Pero no sabemos exactamente cuándo y adónde llegará —señaló él. Había diez o doce senderos y pasillos por los que podía arribar—. Tal vez no utilicen la entrada principal. No podemos adivinarlo. Y Paul debería estar escondido antes de que él llegue. Allí se reunirá todo el panteón nacionalsocialista; habrá grandes medidas de seguridad.

Paul continuaba estudiando el mapa. Morgan tenía razón. Notó también que en el plano figuraba una ruta subterránea que parecía rodear todo el estadio; probablemente era para que los líderes llegaran a entradas y salidas protegidas. Era posible que Ernst nunca estuviera en el exterior del edificio.

Durante un rato examinaron el mapa en silencio. Por fin Paul tuvo una idea y la explicó, tocando las fotos. Los senderos de la parte trasera del estadio estaban abiertos. Al salir de la sala de prensa uno podía ir hacia el este o hacia el oeste a lo largo de un corredor; luego se bajaban varios tramos de escalera hasta la planta baja, donde había una zona de estacionamiento, una calzada amplia y aceras que conducían a la estación de ferrocarril. A unos treinta metros del estadio había un grupo de edificios pequeños, que el mapa denominaba «Depósitos», desde donde se veía el estacionamiento y la calzada.

—Si Ernst saliera por ese camino y bajara la escalera, yo podría disparar desde ese cobertizo. Éste.

—¿Podrías acertar?

Paul asintió:

—Sí; sería fácil.

—Pero como decíamos, no sabemos si Ernst llegará o saldrá por allí.

—Quizá podamos obligarlo a salir por ese lugar. Levantarlo como a una perdiz.

—¿Cómo? —preguntó Morgan.

—Se lo pediremos.

—¿Cómo que se lo pediremos? —Morgan frunció el entrecejo.

—Se le hace llegar un mensaje a la sala de prensa: que se lo requiere con urgencia. Alguien necesita hablar con él en privado sobre un asunto importante. Y él sale por el corredor a la galería, donde lo tengo en la mira.

Webber encendió uno de sus puros de hojas de repollo.

—Pero, ¿qué mensaje podría ser tan urgente como para que interrumpiera una reunión con el Líder, Göring y Goebbels?

—Por lo que he sabido es un hombre obsesionado por el trabajo. Le diremos que hay un problema relacionado con la Armada o la Marina. A eso le prestará atención. Ese Krupp, el fabricante de armas del que hablaba Max... un mensaje de Krupp, ¿sería urgente?

Morgan asintió:

—Krupp. Sí, creo que sí. Pero, ¿cómo le hacemos llegar el mensaje en plena sesión de fotos?

—Eso es fácil —dijo Webber—. Le telefonearé.

—¿Cómo?

El hombre chupó su puro *ersatz*.

—Averiguaré el número de teléfono de la sala de prensa y haré una llamada. Personalmente. Pediré que me comuniquen con Ernst y le diré que abajo hay un conductor que le trae un mensaje. Que sólo se lo entregará a él. De Gustav Krupp von Bohlen en persona. Llamaré desde una oficina de correos; así, cuando la Gestapo marque el siete para buscar el origen de la llamada, no habrá pistas que conduzcan a mí.

—¿Y cómo conseguirás el número? —preguntó Morgan.

—Por contactos.

Paul preguntó cínicamente:

—¿Tienes que sobornar a alguien para conseguir ese número, Otto? Sospecho que lo sabe la mayoría de los cronistas de deportes de Berlín.

—*Ach* —exclamó Webber, sonriendo con placer—. Has dado en el clavo. Es cierto, claro. Pero el aspecto más importante de cualquier empresa es saber a qué individuo recurrir y cuánto cobra.

—De acuerdo —dijo Morgan exasperado—. ¿Cuánto? Y recuerda que no somos un pozo sin fondo.

—Otros doscientos. En marcos, simplemente. Y por ese precio añadiré, sin más cargos, un medio para entrar y salir del estadio, señor John Dillinger. Un uniforme de la SS, completo. Puedes colgarte el rifle del hombro y entrar directamente como si fueras Himmler en persona; nadie te detendrá. Practica bien el *Heil* y el saludo hitleriano, levantando el brazo, como el cabrón de nuestro Líder.

Morgan arrugó las cejas.

—Pero si lo pescan disfrazado de militar lo fusilarán por espía.

Paul echó un vistazo a Webber y los dos estallaron en una carcajada. Fue el alemán quien dijo:

—Por favor, señor Morgan: nuestro amigo está a punto de matar al zar de los militares. Si lo pescan, aunque estuviera disfrazado de George Washington y silbando el himno norteamericano, lo fusilarán bien fusilado, ¿no le parece?

—Yo buscaba maneras de que fuera menos obvio —gruñó el otro.

—No, Reggie, es un buen plan —adujo Paul—. Después del disparo se llevarán a todos los funcionarios a Berlín, muy rápidamente. Yo iré con los guardias que los protejan. Una vez en la ciudad me perderé entre la multitud.

Después entraría en el edificio de la Embajada para comunicarse por radio con Andrew Avery y Vince Manielli, que estaban en Ámsterdam, para pedirles que le enviaran el avión al aeródromo.

Los tres volvieron la mirada a los mapas del estadio. Entonces Paul decidió que había llegado el momento.

—Tengo algo que decirles —informó—: conmigo vendrá otra persona.

Morgan echó un vistazo a Webber, que reía.

—*Ach*, ¿qué estás pensando? ¿Crees que podría vivir fuera de este edén prusiano? No, no, sólo abandonaré Alemania para ir al paraíso.

—Una mujer —aclaró Paul.

Su compatriota apretó los labios.

—La de aquí. —Señaló el pasillo de la pensión.

—Así es. Käthe. Ya la has investigado. Sabes que está limpia.

—¿Qué le has dicho? —preguntó Morgan, preocupado.

—La Gestapo le ha quitado el pasaporte. Tarde o temprano la arrestarán.

—Tarde o temprano arrestarán a medio mundo. Pero, ¿qué le has dicho, Paul?

—Nada, sólo que escribo sobre deportes.

—Pero...

—Viene conmigo.

—Debería consultar a Washington. O al senador.

—Consulta con quien quieras, pero ella viene.

Morgan miró al alemán.

—*Ach*, me he casado tres veces, quizá cuatro. Y ahora tengo un... arreglo complicado. No seré yo quien dé consejos sobre asuntos sentimentales.

—Joder —murmuró Morgan, meneando la cabeza—, esto ya parece un servicio de transporte aéreo.

Paul clavó la mirada en su compatriota.

—Otra cosa: al estadio sólo llevaré el pasaporte ruso. Si no logro escapar ella no podrá saber qué me ha pasado. Le dirás que he tenido que partir. No quiero que se crea abandonada. Y haz lo que sea necesario para sacarla de aquí.

—Por supuesto.

—¡*Ach*, pero si escaparás, señor John Dillinger! Eres el vaquero americano, el de cojones bien grandes, ¿verdad?

Webber se enjugó la frente sudorosa y fue al armario en busca de tres vasos. Echó en ellos el líquido claro que llevaba en una petaca y los distribuyó:

—*Obstler* austríaco. ¿Lo han oído mencionar? Es el mejor de todos los licores. Hace bien a la sangre y al alma. Ahora beban, caballeros. Luego iremos a cambiar el destino de mi pobre nación.

—Necesitaré todos los que se puedan conseguir —dijo Willi Kohl.

El hombre asintió, cauto.

—En realidad no es cuestión de conseguirlos. Eso siempre es fácil. El problema es que este asunto sale de lo común. No tiene precedentes.

—Sale de lo común, sí —convino el inspector—. Eso es cierto. Pero el jefe de policía Himmler ha catalogado este caso como extraordinario e importante. Los otros oficiales están distribuidos por toda la ciudad, ocupados en asuntos urgentes, y él me ha encomendado conseguir los recursos. Por eso recurro a usted.

—¿Himmler? —repitió Johann Muntz, de pie en el umbral de una pequeña casa de Charlottenburg, en la calle Grün. Era un hombre maduro; iba bien afeitado, pulcro y de traje. Se habría dicho que acababa de asistir al oficio religioso dominical: una salida peligrosa, sin duda, si quería seguir siendo el director de una de las mejores escuelas de Berlín.

—Pues... ya sabe usted, son autónomos. tienen independencia total. Yo no puedo ordenarles nada. Podrían decir que no y yo tendría que aceptarlo.

—Ah, doctor Muntz, sólo le pido la oportunidad de hablar con ellos. Tengo la esperanza de que se ofrezcan voluntariamente para colaborar con la justicia.

—Pero hoy es domingo. ¿Cómo puedo contactar con ellos?

—Creo que bastará con que llame al Líder a su casa. Él organizará una asamblea.

—Muy bien, inspector, lo haré.

Tres cuartos de hora después Willi Kohl se encontraba en el patio trasero de Muntz, frente a veinte o veinticinco chicos; muchos de ellos vestían la camisa parda, pantalones cortos, calcetines blancos y una corbata negra que pendía de una trenza de nudos atada al cuello. Los muchachos eran, en su mayoría, miembros de la brigada de las Juventudes Hitlerianas de la escuela Hindenburg. Tal como el director había recordado a Kohl, la organización funcionaba con total independencia de cualquier supervisión adulta. Los miembros escogían a sus propios líderes y eran ellos quienes decidían las actividades del grupo, ya fuera una excursión a pie, un partido de fútbol o la denuncia de algún traidor.

—*Heil* Hitler—dijo el inspector. Le respondieron varias manos alzadas y un eco de asombrosa potencia—. Soy el detective inspector Kohl, de la Kripo.

En algunas caras apareció en una expresión de admiración. Otras permanecieron tan impertérritas como la del gordo muerto en el pasaje Dresden.

—Necesito de su ayuda para el progreso del nacionalsocialismo. Es un asunto de absoluta prioridad.

Miró a un joven rubio, que le habían presentado como Helmut Gruber, el líder de la brigada. Era más bajo que la mayoría, pero estaba dotado de cierto aplomo adulto. Sostuvo la mirada a aquel hombre, treinta años mayor, con firmeza de acero en los ojos.

—Señor, haremos lo que sea necesario para ayudar al Líder y a nuestro país.

—Bien, Helmut. Ahora escuchen todos. Quizá mi petición les parezca extraña. Tengo aquí dos fajos de documentos. Uno es un mapa de la zona que rodea al Tiergarten. El otro, la foto de un hombre que tratamos de identificar. Al pie de la foto figura el nombre de un plato especial que se puede comer en un restaurante. Se llama *coq au vin,* un término francés. No hace falta que sepan pronunciarlo. Bastará con que entren a todos los restaurantes de la zona señalada por este círculo y averigüen si el establecimiento estuvo abierto ayer y si este plato figuraba en la carta del almuerzo. En caso afirmativo, pregunten al gerente del restaurante si conoce a la persona de esta fotografía o si recuerda haberlo visto comer allí en tiempos recientes. Y si es así, llámenme inmediatamente a la sede de la Kripo. ¿Lo harán?

—Sí, inspector Kohl, lo haremos —anunció el líder de brigada Gruber, sin molestarse en consultar con su tropa.

—Bien. Serán un orgullo para el Líder. Ahora distribuiré estas hojas. —Hizo una pausa para cruzar una mirada con un estudiante de la última fila, uno de los pocos que no vestía uniforme—. Hay algo más: es necesario que todos mantengan en reserva lo que voy a decirles.

—¿En reserva? —repitió el chico, arrugando la frente.

—Sí. Eso significa que no deben comentar lo que voy a revelarles. Si he recurrido a ustedes en busca de ayuda es por mi hijo Günter, que está allí atrás.

Varias decenas de ojos giraron hacia el muchacho, a quien Kohl había llamado poco antes para que acudiera a casa del director. Günter enrojeció y bajó la vista, mientras su padre continuaba:

—Probablemente ignoran que mi hijo, en el futuro, colaborará conmigo en importantes asuntos de seguridad estatal. Les diré, de paso, que por eso no puedo autorizarlo a incorporarse a su gran organización. Prefiero que permanezca entre bambalinas, por así decirlo. De ese modo podrá continuar ayudándome a trabajar por la gloria de la patria. Por favor, que este dato quede entre vosotros. ¿Cuento con eso?

Los ojos de Helmut perdieron brillo al mirar nuevamente a Günter. Quizá se acordaba de algún juego reciente de arios y judíos al que habría sido mejor no jugar.

—Por supuesto, señor inspector Kohl —dijo.

El detective vio la sonrisa de alegría que su hijo reprimía. Luego concluyó:

—Ahora formen en fila india para que les distribuya los papeles. Mi hijo y el líder de brigada Gruber decidirán cómo se repartirán el trabajo.

—Sí, señor. *Heil* Hitler.

—*Heil*. —Kohl se obligó a hacer un firme saludo con el brazo extendido. Luego entregó las hojas a los dos chicos y añadió—: Escuchen, caballeros.

—¿Sí, señor? —Helmut se cuadró.

—Tengan cuidado con el tránsito. Miren a ambos lados antes de cruzar la calle.

24

Llamó a la puerta y Käthe lo hizo pasar a su cuarto.

Parecía abochornada por el espacio que ocupaba dentro de la pensión. Paredes desnudas, muebles desvencijados, ninguna planta; ella o el propietario habían trasladado las cosas buenas a las habitaciones que se alquilaban. Tampoco había allí nada que pareciera personal. Tal vez había ido empeñando sus posesiones. El sol caía sobre la alfombra descolorida, pero era un trapezoide pequeño, solitario y pálido: luz reflejada por una ventana, al otro lado del callejón.

De pronto rió como una niña y lo rodeó con los brazos para besarlo con fuerza.

—Hueles diferente. Me gusta. —Le olfateó la cara.

—¿Jabón de afeitar?

—Puede ser, sí.

En vez del Burma Shave, Paul había usado una marca alemana que encontró en el lavabo, pues temía que algún guardia, en el estadio, detectara el perfume desconocido del jabón norteamericano y sospechara algo.

—Es agradable.

Él vio una sola maleta en la cama. En la mesa desnuda yacía el libro de Goethe, junto a una taza de café aguado. En la superficie flotaban grumos blancos; él preguntó si existía algo así como leche hitleriana de vacas hitlerianas.

Ella respondió, riendo, que entre los nacionalsocialistas había asnos de sobra, pero no se sabía que hubieran creado vacas *ersatz*.

—Hasta la leche de verdad se corta cuando es vieja.

Luego él anunció:

—Nos iremos esta noche.

Käthe frunció el entrecejo.

—¿Esta noche? No exagerabas al decir que sería inmediatamente.

—Nos encontraremos aquí a las cinco.

—Y ahora, ¿adónde vas?

—Debo hacer una última entrevista.

—De acuerdo, Paul. Buena suerte. Tengo muchos deseos de leer tu artículo, aunque trate de... no sé, quizá sobre el mercado negro y no sobre deportes.

Lo miraba con aire conspirador. Käthe era sagaz, desde luego, y sospechaba que él no había venido a escribir artículos, sino por otra cosa; probablemente, como media ciudad, para organizar alguna empresa semilegal. Eso lo indujo a pensar que ella ya había aceptado la idea de que él tenía un lado más oscuro; talvez no se alteraría mucho si, a su debido tiempo, le decía la verdad sobre lo que había ido a hacer allí. Al fin y al cabo, ambos tenían el mismo enemigo.

La besó una vez más, disfrutando de su sabor, el perfume de lilas, la presión de su piel. Pero descubrió que, a diferencia de la noche anterior, eso no lo excitaba en absoluto. No se preocupó; así debía ser. El hielo ya lo había invadido por completo.

—¿Cómo pudo traicionarnos esa mujer?

Kurt Fischer respondió a la pregunta de su hermano con un desesperado meneo de cabeza.

Él también se angustiaba al pensar en lo que les había hecho su vecina. ¡Ella, la señora Lutz! La misma a quien, cada Nochebuena, llevaban un pedazo caliente del *stollen* que horneaba su madre, lleno de fruta confitada; la misma a quien sus padres consolaban cuando lloraba en el aniversario de la rendición de Alemania, día que reemplazaba al de la muerte de su esposo, puesto que nadie sabía exactamente cuándo lo habían matado durante la guerra.

—¿Cómo ha podido hacernos esto? —susurró Hans otra vez.

Pero Kurt Fischer no fue capaz de encontrar una explicación.

Habría podido comprender que los denunciara porque planeaban pegar carteles disidentes o atacar a alguno de las Juventudes Hitlerianas. Pero ellos sólo querían abandonar un país cuyo Líder había dicho: «El pacifismo es el enemigo del nacionalsocialismo». Cabía suponer que la señora Lutz, como tantos otros, estaba intoxicada por Hitler.

La celda, en la prisión de Columbia, medía unos tres metros de lado y estaba hecha de piedra toscamente tallada; no tenía ventanas; la puerta eran unos barrotes metálicos que daban al corredor. Caían gotas de agua y a poca distancia se oían correteos de ratas. En lo alto pendía una sola bombilla, desnuda y cegadora, pero como no había luz en el corredor apenas se veía algún detalle de las siluetas oscuras que pasaban de vez en cuando. A veces los guardias lo cruzaban solos; otras, escoltando a prisioneros descalzos, sin más ruido que un sollozo ocasional, una súplica, un jadeo. A veces el silencio de su miedo era más escalofriante que cualquier sonido que hubieran podido pronunciar.

El calor era insoportable; les provocaba escozores. Kurt no entendía por qué; aquel lugar debería estar fresco, puesto que estaban bajo el nivel del suelo. Luego vio que en el rincón había un tubo. Por allí salía un chorro de aire caliente: los carceleros lo bombeaban desde una caldera, para que los prisioneros no tuvieran ni el más pequeño alivio en su incomodidad.

—No deberíamos haber salido —mumuró Hans—. Te lo dije.

—Sí, deberíamos habernos quedado en el departamento. Eso nos habría salvado. —El mayor hablaba con áspera ironía—. ¿Hasta cuándo? ¿Hasta la semana que viene? ¿Hasta mañana? ¿No entiendes que ella nos ha estado observando? Ha visto las fiestas, ha oído lo que decíamos.

—¿Cuánto tiempo nos tendrán aquí?

«¿Y cómo responde uno a esa pregunta?», se dijo Kurt; en el lugar en el que estaban, cada momento era una eternidad. Se sentó en el suelo, puesto que no había otro sitio al que encaramarse, y perdió la vista en la celda de enfrente, oscura y vacía.

Se abrió una puerta y resonaron las botas contra el cemento.

Kurt comenzó a contar los pasos: uno, dos, tres.

A los veintiocho el guardia estaría frente a su celda. Eso de contar pasos era algo que ya había aprendido de la vida del prisionero:

los cautivos están siempre desesperados por alguna información, por cualquier certidumbre.

Veinte, veintiuno, veintidós...

Los hermanos se miraron. Hans apretó los puños.

—Que sufran —murmuró—. Que traguen sangre.

—No —dijo Kurt—. No hagas tonterías.

Veinticinco, veintiséis...

Las pisadas se hicieron más lentas.

Parpadeando por el fulgor de la bombilla, Kurt vio aparecer a dos hombres corpulentos de uniforme pardo. Miraron a los hermanos.

Luego les volvieron la espalda.

Uno de ellos abrió la celda de enfrente y llamó con aspereza:

—Grossman, sal.

La oscuridad de la celda se movió. Para Kurt fue una sorpresa descubrir que había estado mirando a otro ser humano. El hombre se levantó, tambaleante, y se adelantó utilizando los barrotes como apoyo. Estaba hecho una pena. Si le habían encerrado cuando acababa de afeitarse, la barba crecida revelaba que había estado en esa celda cuanto menos una semana.

El prisionero, parpadeando, miró a los dos guardias; luego a Kurt, al otro lado del pasillo.

Uno de los guardias echó un vistazo a una hoja de papel.

—Ali Grossman, has sido sentenciado a cinco años en el campo de Oranienburg por crímenes contra el Estado. Sal.

—Pero si yo...

—Calla. Se te preparará para el viaje al campo.

—¿Cómo? Ya me despiojaron.

—¡Que calles, he dicho!

Un guardia susurró algo a su compañero. El otro le dijo:

—¿No has traído los tuyos?

—No.

—Pues toma, usa los míos.

Y le entregó unos guantes de cuero de color claro. El otro guardia se los puso. Luego, con el gruñido del tenista que ejecuta un poderoso servicio, clavó el puño en el vientre del flaco prisionero. Grossman lanzó un grito y comenzó a tener arcadas.

Los nudillos del guardia lo golpearon silenciosamente en el mentón.

—No, no, no...

Más golpes; encontraban el blanco en la ingle, la cara, el abdomen. Manaba sangre por la nariz y la boca, lágrimas por los ojos. Se ahogaba, jadeaba:

—¡Por favor, señor!

Los hermanos, horrorizados, vieron que el ser humano se iba convirtiendo en un muñeco roto. El guardia que descargaba los golpes miró a su camarada, diciendo:

—Disculpa lo de los guantes. Pediré a mi esposa que te los limpie y arregle.

—Si no te importa.

Recogieron al hombre y se lo llevaron a rastras por el pasillo. La puerta resonó ruidosamente.

Kurt y Hans miraban fijamente la celda vacía. El mayor estaba mudo; no recordaba haber tenido tanto miedo en toda su vida. Por fin su hermano preguntó:

—Debe de haber hecho algo terrible, ¿no te parece? Para que lo traten así...

—Sabotaje, supongo —dijo Kurt, con voz trémula.

—Me han dicho que hubo un incendio en un edificio del Gobierno. El Ministerio de Transporte. ¿Lo sabías? Quizá fue éste.

—Sí. Un incendio. Éste debe de haber sido el incendiario.

Estaban paralizados por el terror; el hirviente chorro de vapor, detrás de ellos, continuaba caldeando la celda.

Apenas un minuto después la puerta volvió a abrirse y a cerrarse. Ellos se miraron.

Comenzaron las pisadas resonantes, suela contra cemento.

... seis, siete, ocho...

—Yo mataré al que estaba a la derecha —susurró Hans—. El más grande. Ya verás. Tomaremos las llaves y...

Kurt se inclinó hacia él y le sostuvo la cara entre las manos.

—¡No! —susurró, con tanta fiereza que su hermano ahogó una exclamación de sorpresa—. No harás nada. No te resistas, no les contestes. Haz exactamente lo que te digan. Y si te golpean, aguanta el dolor en silencio. —Todas sus intenciones de pelear contra los nacionalsocialistas, de intentar que las cosas cambiaran, habían desaparecido.

—Pero...

Kurt tiró de Hans para acercarlo más:

—¡Harás lo que te he dicho!

... trece, catorce...

Las pisadas eran como un mazazo contra la campana de las Olimpíadas: cada una hacía vibrar una descarga de miedo en el alma de Kurt Fischer.

... diecisiete, dieciocho...

A las veintiséis se harían más lentas.

A las veintiocho se detendrían.

Y comenzaría a correr la sangre.

—¡Me haces daño! —Pero ni los fuertes músculos de Hans lograron desprender los dedos de su hermano.

—Si te rompen los dientes, no dirás nada. Si te quiebran los dedos puedes gemir, llorar y aullar, pero no les digas nada. Vamos a sobrevivir a esto. ¿Me entiendes? Para sobrevivir es necesario no resistirse.

Veintidós, veintitrés, veinticuatro...

En el suelo, frente a los barrotes, apareció una sombra.

—¿Entendiste?

—Sí —susurró Hans.

Kurt le rodeó los hombros con un brazo y ambos se volvieron hacia la puerta.

Las pisadas se detuvieron ante la celda.

Pero no eran los guardias. Uno era un hombre delgado, de pelo gris, que vestía traje. El otro, más pesado y medio calvo, llevaba un saco de *tweed* pardo y chaleco. Ambos miraron a los hermanos.

—¿Ustedes son los Fischer? —preguntó el canoso.

Hans miró a su hermano. Él asintió.

El hombre sacó una hoja del bolsillo.

—Kurt —leyó. Levantó la vista—. Tú debes de ser Kurt. Y tú Hans.

—Sí.

¿Qué significaba eso?

El hombre miró a lo largo del pasillo.

—Abra la celda.

Más pisadas. Apareció el guardia, echó un vistazo dentro y abrió la cerradura. Luego dio un paso atrás, con la mano en la cachiporra que le colgaba del cinturón.

Los dos hombres entraron.

El de pelo gris dijo:

—Soy el coronel Reinhard Ernst.

Kurt reconoció el nombre. Ernst ocupaba algún puesto en el gobierno de Hitler, aunque él no sabía exactamente cuál. El otro fue presentado como doctor Keitel, profesor de alguna academia militar de las afueras de Berlín. El coronel preguntó:

—El parte de arresto dice que han cometido «delitos contra el Estado». Pero todos dicen lo mismo. ¿Cuáles han sido esos delitos exactamente?

Kurt explicó lo de sus padres y el intento de abandonar ilegalmente el país.

Ernst, con la cabeza inclinada a un costado, los observaba con atención.

—Pacifismo —murmuró.

Luego se volvió hacia Keitel, quien preguntó:

—¿Han cometido actividades contra el Partido?

—No, señor.

—¿Son piratas Edelweiss?

Se refería a los clubes informales de gente joven (bandas, según algunos) que se oponían al nacionalsocialismo, surgidos como reacción a la insensible disciplina de las Juventudes Hitlerianas. Se reunían clandestinamente para hablar de política y arte... y para probar ciertos placeres de la vida que el Partido condenaba, al menos en público: el alcohol, el tabaco y el sexo extramatrimonial. Los hermanos conocían a algunos miembros, pero no formaban parte de ninguno de ellos. Eso fue lo que Kurt respondió.

—El delito puede parecer menor, pero... —Ernst mostró una hoja—. Han sido sentenciados a tres años en el campo de Oranienburg.

Hans ahogó una exclamación. Kurt, atónito, pensó en la terrible paliza que acababan de ver, en el pobre señor Grossman sometido a golpes. También sabía que algunos iban a Oranienburg o a Dachau para cumplir sentencias breves, pero nunca se los volvía a ver.

—¡Pero si no ha habido juicio! —balbuceó—. Nos arrestaron hace una hora. Y hoy es domingo. ¿Cómo pueden habernos sentenciado?

El coronel se encogió de hombros.

—Ya ven que hubo juicio.

Y le entregó el documento, que contenía decenas de nombres de prisioneros; entre ellos los de Kurt y Hans. Junto a cada uno se veía la duración de la sentencia. El encabezamiento decía, simplemente: «Tribunal del Pueblo». Ese infame tribunal se componía de dos jueces verdaderos y cinco hombres del Partido, la SS o la Gestapo. Sus resoluciones eran inapelables.

El joven miró aquel papel, atónito.

El profesor dijo:

—¿Gozan de buena salud general?

Los hermanos intercambiaron una mirada. Luego asintieron.

—¿Judíos en algún grado?

—No.

—¿Y han hecho el Servicio Laboral?

—Mi hermano sí —respondió Kurt—. Yo ya no estaba en edad de hacerlo.

—Vamos a la cuestión —dijo el profesor Keitel—. Hemos venido a ofrecerles una opción. —Parecía impaciente.

—¿Cuál?

Ernst bajó la voz para continuar:

—Algunas personas de nuestro Gobierno creen que ciertos individuos no deberían integrar nuestras Fuerzas Armadas, bien porque pertenecen a determinada raza o nacionalidad, porque son intelectuales, o porque tienden a criticar las decisiones de nuestros gobernantes. Yo, en cambio, creo que ninguna nación puede ser más grande que su Ejército. Y para que éste sea grande debe representar a todos sus ciudadanos. El profesor Keitel y yo estamos realizando un estudio que, según creemos, respaldará algunos cambios en la visión que el Gobierno tiene de nuestras Fuerzas Armadas. —Miró hacia el pasillo otra vez para decir al guardia de la SA—: Puede retirarse.

—Pero señor...

—Puede retirarse —repitió Ernst, con voz serena. Sin embargo a Kurt le sonó tan fuerte como el acero de Krupp.

El hombre echó otro vistazo a los hermanos. Luego se alejó por el pasillo. El coronel continuó:

—Y este estudio bien podría determinar la evaluación que el Gobierno hace de los ciudadanos en general. Buscamos hombres que estén en sus circunstancias para que nos ayuden.

El profesor añadió:

—Necesitamos jóvenes saludables que estén excluidos del servicio militar por motivos políticos o de otro orden.

—¿Y qué deberíamos hacer?

Ernst rió brevemente.

—Pues convertirse en soldados, por supuesto. Servirían en el Ejército, la Marina o las Fuerzas Aéreas durante un año, llevando a cabo tareas normales.

Miró al profesor, quien continuó:

—El servicio será como el de cualquier otro soldado. La única diferencia es que su desempeño será monitorizado y registrado por sus oficiales. Nosotros analizaremos la información compilada.

Ernst dijo:

—Si cumplen el año de servicio se les borrarán los antecedentes criminales. —Señaló con la cabeza la lista de cargos—. Quedaran en libertad de emigrar, si ése es su deseo. Pero se mantendrán las normas referidas al dinero: sólo podran llevar una suma limitada en marcos y no se les permitirá reingresar en el país.

Kurt pensaba en algo que había escuchado un momento antes: «Bien porque son de determinada raza o nacionalidad...». ¿Acaso Ernst preveía que en el futuro los judíos y otros no arios ingresarían en el Ejército alemán? Y en ese caso, ¿qué significaba eso para el país en general? ¿Qué cambios planeaban estos hombres?

—Ustedes son pacifistas —continuó el coronel—. Nuestros otros voluntarios han tenido menos dificultades para elegir. ¿Puede un pacifista incorporarse a una organización militar? Es una decisión difícil. Pero nos gustaría que participaran. Tienen aspecto nórdico, son muy sanos y su porte es de soldado. Si participa gente como ustedes, creo que ciertos elementos del Gobierno se sentirán más inclinados a aceptar nuestras teorías.

—Con respecto a esas creencias suyas —añadió Keitel— tengo algo que decir. Puesto que soy profesor de una academia militar e historiador especializado en las guerras, me parecen ingenuas. Pero tendremos en cuenta sus sentimientos y se les asignarán tareas adecuadas a ellos. Nadie pretendería convertir en aviador a un hombre que tuviera terror a la altura; tampoco pondríamos en un submarino a quien tuviera claustrofobia. En el Ejército hay muchas tareas que un pacifista puede realizar. Por ejemplo, el servicio médico.

Ernst continuó:

—Y como he dicho, pasado algún tiempo tal vez descubrirán que sus ideas sobre la paz y la guerra se han vuelto más realistas. Para convertirse en hombre no hay nada mejor que el Ejército.

«Imposible», pensó Kurt. Pero no dijo nada.

—No obstante, si sus creencias les impiden prestar servicio —prosiguió el coronel—, tienen otra opción. —Y señaló con un gesto el documento de la sentencia.

Kurt desvió una mirada hacia su hermano.

—¿Podemos discutirlo a solas?

—Sí, cómo no. Pero sólo podemos concederles unas pocas horas. A última hora de la tarde trasladaremos a un grupo que iniciará el adiestramiento básico mañana mismo. —Consultó su reloj—. Ahora tengo un compromiso. Regresaré entre las dos y las tres para saber qué han decidido.

Kurt le devolvió la lista de cargos, pero el coronel negó con la cabeza:

—Quédense. Puede ayudarles a decidir.

25

A veinticinco minutos del centro de Berlín, apenas pasado Charlottenburg, el camión blanco viró hacia el norte a la altura de la plaza Adolf Hitler, con Reggie Morgan al volante y Paul Schumann a su lado. Ambos contemplaron el estadio, que estaba a la izquierda. Al frente se elevaban dos grandes columnas rectangulares, con los cinco aros olímpicos suspendidos entre ellas.

Al girar hacia la izquierda para entrar en la calle Olímpica, Paul reparó de nuevo en el enorme tamaño del complejo. Según los letreros de señalización, además del estadio en sí había piscinas, una cancha de hóckey, teatro, campo de deportes y muchos cobertizos y zonas de estacionamiento. El estadio era blanco, altísimo y largo; a Paul no le hizo pensar en un edificio, sino en un inexpugnable buque de guerra.

Los terrenos estaban muy concurridos, sobre todo por obreros y proveedores, pero también había muchos soldados de uniforme gris o negro y guardias de seguridad para los líderes nacional-socialistas que asistirían a la sesión fotográfica. Si Bull Gordon y el senador querían que Ernst muriera en público, ése era el lugar indicado.

Al parecer, era posible llegar en coche justo hasta la plaza que se abría frente al estadio. Pero sería sospechoso, desde luego, que un teniente de la SS (el nombramiento era cortesía de Otto Webber, sin coste adicional) bajara de un camión particular. Por lo tanto decidieron rodear el edificio. Morgan lo dejaría entre unos árboles, cerca de un estacionamiento, para que él «patrullara» examinando camiones y obreros, en tanto avanzaba poco a poco hacia el cobertizo desde donde se veía la sala de prensa, en el lado sur del estadio.

El camión se desvió de la carretera hacia un sector de césped y se detuvo, renqueando, invisible desde el estadio. Paul se apeó y armó el máuser. Retiró del fusil la mira telescópica, pues no era el tipo de accesorio que podía tener un oficial, y se la guardó en el bolsillo. Luego se colgó el arma del hombro y se puso el casco negro en la cabeza.

—¿Cómo estoy? —preguntó.

—Tan auténtico que me asustas. Buena suerte.

«La necesitaré», se dijo Paul, ceñudo, mientras espiaba por entre los árboles a las veintenas de obreros que poblaban los terrenos, capaces de señalar a cualquier intruso, y a los cientos de guardias que con gusto lo abatirían a balazos.

De seis, cinco en contra...

¡Compañero...! Al mirar a Morgan sintió el impulso de levantar la mano en el saludo norteamericano de los veteranos, pero era muy consciente de su papel.

—*Heil* Hitler —dijo, y alzó el brazo.

Morgan, conteniendo una sonrisa, hizo otro tanto. Cuando Paul giraba para alejarse dijo en voz baja:

—Ah, Paul, espera. Esta mañana, cuando hablé con Bull Gordon y el senador, los dos te desearon buena suerte. Y el comandante me pidió que te dijera que puedes imprimir las invitaciones a la boda de su hija como primer trabajo. ¿Sabes qué quiere decir?

Paul respondió con un gesto afirmativo y echó a andar hacia el estadio, sujetando la correa del máuser. Pasó entre la línea de árboles hacia un estacionamiento enorme, que debía de tener capacidad para veinte mil coches. Marchaba con autoridad y decisión, clavando miradas enérgicas en los vehículos allí estacionados, como la personificación del guardia diligente.

Diez minutos después, tras haber atravesado el estacionamiento, se encontraba ante la altísima entrada del estadio. Allí había soldados de guardia que verificaban minuciosamente los documentos y revisaban a todo el que deseara entrar, pero en los terrenos circundantes Paul era un soldado más; nadie le prestó atención. Entre ocasionales «*Heil*

Hitler» y saludos de cabeza, fue rodeando el edificio rumbo al cobertizo. Pasó junto a una enorme campana de hierro, que tenía grabada una inscripción a un lado: «Convoco a la juventud del mundo».

Al aproximarse al cobertizo advirtió que no tenía ventanas ni puertas traseras; sería difícil huir después de disparar. Tendría que salir por delante, a la vista de todo el estadio. Pero sospechaba que la acústica haría muy difícil determinar de dónde había provenido el disparo. Además había muchos ruidos de construcción (martinetes, sierras, remachadoras y cosas así) que cubrirían el del fusil. Después de disparar Paul saldría del cobertizo caminando con lentitud y se detendría a mirar en derredor; hasta podría gritar pidiendo ayuda, si podía hacerlo sin despertar sospechas.

Era la una y media. Otto Webber, que estaba en la oficina de correos de la Potsdamer Platz, haría su llamada alrededor de las dos y cuarto. Había tiempo de sobra.

Continuó a paso lento, examinando el terreno y mirando dentro de los vehículos estacionados.

—*Heil* Hitler —dijo a unos obreros que pintaban una cerca a pecho descubierto—. Hace calor para trabajar así.

—*Ach,* no es nada —replicó uno—. Y en todo caso, ¿qué importa? Trabajamos por el bien de la patria.

—Sois el orgullo del Líder —dijo Paul. Y continuó caminando hacia su escondrijo de cazador.

Echó un vistazo curioso al cobertizo, como preguntándose si ofrecía algún peligro para la seguridad. Después de enfundarse los guantes de piel negra que formaban parte del uniforme, abrió la puerta y entró. El interior estaba lleno de cajas de cartón atadas con cordeles. Paul reconoció inmediatamente ese olor, que le recordaba sus tiempos en la imprenta: el aroma amargo del papel, el dulce de la tinta. Ese cobertizo se utilizaba para almacenar programas o folletos de los Juegos. Dispuso algunas cajas de manera que formaran un puesto de tiro en la parte delantera. Luego extendió la chaqueta abierta a la derecha del sitio donde tenía previsto colocarse, para que cayeran allí los cartuchos cuando operara el cerrojo del arma. Estos detalles (recoger los casquillos y no dejar huellas) probablemente no tenían importancia. Allí no tenía antecedentes y al caer la noche estaría fuera del país. Aun así se tomaba esa molestia, sólo porque formaba parte de su oficio.

Uno debe asegurarse de que no queden cabos sueltos.

Uno tenía que andar con mucho cuidado.

De pie, bien dentro del pequeño edificio, recorrió el estadio con la mira telescópica del fusil. Reparó en el corredor descubierto, detrás de la sala de prensa, por donde Ernst pasaría para llegar a la escalera y bajar al encuentro del mensajero o conductor que Webber le anunciaría. En cuanto el coronel saliera por la puerta, Paul tendría un blanco perfecto. También había grandes ventanas a través de las cuales podía disparar, si el hombre se detenía frente a alguna de ellas.

Era la una y cincuenta.

Paul se sentó, con las piernas cruzadas y el arma en el regazo. El sudor le corría por la frente en gotas cada vez más gruesas. Después de enjugarse la cara con la manga de la camisa, comenzó a montar la mira telescópica del fusil.

—¿Qué opinas, Rudy?

Pero Reinhard Ernst no esperaba respuesta. Su nieto miraba con sonriente admiración la amplitud del Estadio Olímpico. Estaban en el largo sector para la prensa, en el costado sur del edificio, encima del palco del Líder. Ernst lo alzó para que pudiera mirar por la ventana. El niño prácticamente bailaba de entusiasmo.

—Ah, ¿quién es éste? —preguntó una voz.

Ernst, al volverse, vio entrar a Adolf Hitler y a dos de sus SS.

—Mi Líder.

Hitler se adelantó con una sonrisa para el niño.

—Éste es Rudy, el hijo de mi muchacho.

Una leve expresión de simpatía en la cara del Líder reveló a Ernst que pensaba en la muerte de Mark, en ese accidente durante unas maniobras. Por un momento le sorprendió que lo recordara, pero comprendió que no debía asombrarse: la mente de Hitler era tan amplia como el campo olímpico, aterradoramente veloz, y retenía cuanto deseaba retener.

—Saluda a nuestro Líder, Rudy. Haz como te he enseñado.

El niño hizo un enérgico saludo nacionalsocialista. Hitler, riendo de placer, le revolvió el pelo. Luego se acercó unos pasos a la ventana para señalar algunos detalles del estadio. Hablaba con entusiasmo. Se interesó por los estudios del niño y le preguntó qué asignaturas prefería, qué deportes le gustaban.

Más voces en el pasillo. Llegaban juntos los dos rivales: Goeb-bels y Göring. Qué viaje habría sido ése, pensó Ernst, sonriendo para sí.

Tras su derrota en la Cancillería, esa mañana, Göring parecía distraído. Ernst lo notó claramente, a pesar de su sonrisa. ¡Qué diferencias había entre los dos hombres más poderosos de Alemania! Las rabietas de Hitler, aunque sin duda extremadas, rara vez tenían su origen en motivos personales; si no se conseguía su chocolate favorito o si se golpeaba la espinilla contra una mesa, se encogía de hombros sin enojarse. En cuanto a los reveses en cuestiones de Estado, realmente tenía un mal genio que podía aterrorizar a sus amigos más íntimos, pero una vez resuelto el problema pasaba a otra cosa. Göring, por el contrario, era como un niño codicioso: todo lo que se opusiera a sus deseos lo enfurecía y lo enconaba hasta que daba con una venganza adecuada.

Hitler estaba explicando al niño a qué juegos estaba destinada cada zona del estadio. A Ernst lo divirtió notar que Göring, bajo su amplia sonrisa, se enfurecía aún más por el hecho de que el Líder prestara tanta atención al nieto de su rival.

En el curso de los diez minutos siguientes fueron llegando otros funcionarios: Von Blomberg, el ministro de Defensa del Estado, y Hjalmar Schacht, jefe del Banco Nacional, con quien Ernst había desarrollado un complejo sistema para financiar los proyectos de rearme, mediante la utilización de fondos imposibles de rastrear, conocidos como «billetes Mefo». Los otros nombres de Schacht eran Horace y Greeley, en honor del norteamericano, y Ernst bromeaba con aquel brillante economista, diciéndole que tenía raíces de vaquero. Allí estaban también Himmler, Rudolf Hess, el de la cara de piedra, y Reinhard Heydrich, el de los ojos de serpiente, quien lo saludó con aire distraído, tal como hacía con todo el mundo.

El fotógrafo instaló meticulosamente su Leica y otros equipos, a fin de poder captar tanto el sujeto en primer plano como el estadio en el fondo, sin que las luces se reflejaran en las ventanas. Ernst se interesaba por la fotografía; poseía varias Leica y había pensado comprar una Kodak para Rudy; esa cámara, importada de Norteamérica, era más fácil de utilizar que las máquinas de precisión alemanas. El coronel había tomado muchas fotografías durante algunos de los viajes que había hecho con su familia; en particular tenía buenos documentos gráficos de París y Budapest, así como de una caminata por la Selva Negra y un viaje en barco por el Danubio.

—Bien, bien —anunció el fotógrafo—. Ya podemos comenzar.

Primero Hitler insistió en que lo fotografiaran con Rudy sentado en sus rodillas, riendo y charlando con él como un tío bueno. Después comenzaron las fotografías previstas.

Aunque Ernst se alegraba de que el niño se estuviera divirtiendo, comenzaba a impacientarse. La publicidad le parecía absurda. Más aún: era un grave error táctico, al igual que toda esa idea de celebrar las Olimpíadas en Alemania. Había demasiados aspectos del rearme que se debían mantener en secreto. ¿Qué visitante extranjero no vería que ésa era una nación cada día más militar?

Se dispararon los fogonazos, en tanto las celebridades del Tercer Imperio se mostraban alegres, reflexivas u ominosas para las lentes. Entre una y otra foto, Ernst conversaba con Rudy o se apartaba; mentalmente estaba componiendo la carta que debía escribir al Líder sobre el Estudio Waltham; estaba ponderando qué decir y qué no.

A veces no es posible revelarlo todo...

En el vano de la puerta apareció un guardia de la SS, quien buscó a Ernst con la vista y lo llamó:

—Señor ministro.

Se giraron varias cabezas.

—Señor ministro Reinhard.

Al coronel eso le resultó tan divertido como a Göring irritante: oficialmente no era ministro de Estado.

—¿Diga?

—Tiene una llamada telefónica, señor. Del secretario de Gustav Krupp von Bohlen. Necesita informarle inmediatamente sobre un asunto muy importante. Con relación a su última entrevista con usted.

¿Qué habían discutido que pudiera ser tan urgente? Uno de los temas había sido el blindaje para los buques de guerra. No parecía tan crítico, pero ahora que Inglaterra había aceptado las nuevas cifras de construcción de barcos, tal vez Krupp tuviera dificultades para cumplir con las expectativas de producción. De inmediato se dijo que no podía ser: el barón no estaba informado de la victoria relacionada con el tratado. Krupp era brillante como capitalista y como técnico, pero también era un cobarde que, pese a haber despreciado al Partido antes de la subida al poder de Hitler, a partir de entonces era un converso fanático. Ernst sospechaba que la crisis no tenía nada de grave, pero Krupp y su hijo eran muy importantes para los planes de rearme y no se los podía ignorar.

—Puede tomar la llamada en uno de esos teléfonos, señor. Haré que se la pasen.

—Discúlpeme un momento, mi Líder.

Hitler hizo un gesto afirmativo y continuó debatiendo con el fotógrafo el ángulo de la cámara. Un momento después sonó uno de los muchos teléfonos instalados en la pared. Una luz encendida indicó cuál era. Ernst descolgó el auricular.

—¿Diga? Soy el coronel Reinhard.

—Coronel, soy Stroud, asistente del barón Von Bohlen. Le pido disculpas por la molestia, pero él le ha enviado algunos documentos para que los examine. Un conductor los tiene allí, en el estadio donde usted se encuentra.

—¿De qué se trata?

Una pausa.

—El barón me ha ordenado que no mencionara el tema por teléfono.

—Sí, sí, bien. ¿Dónde está ese conductor?

—En la calzada del costado sur del estadio. Lo esperará a usted allí. Es mejor ser discreto. Lo que quiero decirle, señor, es que se presente solo. Así lo indican mis instrucciones.

—Sí, desde luego.

—*Heil* Hitler.

—*Heil*.

Ernst colgó el auricular en su horquilla. Göring lo observaba como un obeso halcón.

—¿Algún problema, ministro?

El coronel decidió ignorar tanto la fingida solidaridad como la ironía del título. En vez de mentir prefirió admitirlo:

—Krupp tiene un problema. Me ha enviado un mensaje.

Puesto que Krupp fabricaba principalmente blindados, artillería y municiones, trataba más con Ernst y los comandantes de la Marina y el Ejército que con Göring, cuyo territorio era el aire.

—*Ach*. —El gordo se volvió hacia el espejo provisto por el fotógrafo y comenzó a pasarse un dedo por la cara, para distribuir mejor el maquillaje.

Ernst se dirigió hacia la puerta.

—¿Puedo ir contigo, *Opa*?

—Sí, Rudy, por supuesto. Por aquí.

El niño correteó tras su abuelo y ambos salieron al pasillo interior que conectaba todas las salas de prensa. Ernst le apoyó una mano en el hombro. Después de orientarse, se dirigió hacia una puerta que debía de conducir a una escalera del lado sur. Al principio había restado importancia al tema, pero en realidad comenzaba a preocuparse. El acero Krupp estaba considerado como el mejor del mundo. El chapitel del magnífico edificio Chrysler, en Nueva York, estaba hecho con el famoso Enduro KA-2, de esa compañía. Pero eso también hacía que los logistas militares extranjeros vigilaran muy cuidadosamente la producción de la empresa. Tal vez los británicos o los franceses habían descubierto que gran parte de ese acero no se utilizaba para vías de ferrocarril, lavadoras ni automóviles, sino para blindados.

Abuelo y nieto se abrieron paso entre una multitud de obreros y capataces que trabajaban enérgicamente en esa planta: cortaban puertas para ajustar el tamaño, montaban maquinaria, lijaban y pintaban paredes. Al rodear una mesa de carpintero Ernst se miró la manga del traje e hizo una mueca.

—¿Qué pasa, *Opa*? —gritó Rudy para hacerse oír sobre el alarido de una sierra.

—Rudy mira esto. Mira lo que me ha pasado.

Tenía una salpicadura de yeso en la manga. La sacudió como pudo, pero quedó un resto. Pensó mojarse los dedos para limpiarla, pero tal vez de ese modo el yeso se fijara definitivamente en la tela. Y eso no le haría ninguna gracia a Gertrud. Era mejor dejar las cosas así por el momento. Cuando apoyaba la mano en el picaporte para salir al pasillo exterior, camino a la escalera, una voz sonó junto a su oído:

—¡Coronel!

Ernst se volvió. El guardia de la SS había corrido hasta alcanzarlo y gritaba para hacerse oír sobre el gañido de la sierra:

—Han llegado los perros del Líder, señor, y él me ha mandado preguntar si su nieto no querría posar con ellos.

—¿Con los perros? —preguntó Rudy entusiasmado.

A Hitler le gustaban los pastores alemanes y tenía varios. Eran animales mansos, mascotas domésticas.

—¿Te gustaría? —preguntó Ernst.

—¡Claro que sí, *Opa!* ¡Por favor!

—Pero no juegues bruscamente con ellos.

—No, *Opa*.

Ernst lo acompañó nuevamente por el pasillo y lo vio correr hacia los animales, que olfateaban la sala, explorando. Hitler rió al ver que el pequeño abrazaba al más grande y le daba un beso en la testuz. El animal lo lamió con su enorme lengua. También Göring, con cierta dificultad, se inclinó para acariciar a los perros, con una sonrisa infantil en la cara redonda. Aunque era cruel en muchos aspectos, amaba con devoción a los animales.

Luego el coronel regresó al corredor y volvió a dirigirse hacia la puerta exterior, soplando el polvo que le manchaba la manga. Se detuvo frente a una de las grandes ventanas que daban al sur para mirar afuera. El sol caía con fiereza sobre él. Había dejado el sombrero en la cabina telefónica. ¿Convendría ir por él?

No, se dijo. Sería...

Un fuerte golpe en el cuerpo le quitó el aire de los pulmones. Se descubrió cayendo a la lona que cubría el mármol, con una exclamación agónica... confuso, asustado... Pero al chocar con el suelo el pensamiento que llenaba su mente era: «¡Ahora también me mancharé el traje de pintura! ¿Qué dirá Gertrud?».

26

El Munich House era un restaurante pequeño, diez calles al noroeste del Tiergarten y a cinco del pasaje Dresden. Willi Kohl había comido allí varias veces; recordaba haber disfrutado del *goulash* húngaro, al que agregaban semillas de alcaravea y uvas pasas, nada menos. Con la comida había bebido un estupendo vino tinto Blaufrankisch, de Austria.

Él y Janssen estacionaron el DKW frente al lugar; Kohl plantó la credencial de la Kripo en el tablero, para ahuyentar a los ansiosos Schupo, siempre armados de multas. Luego caminó a paso rápido hacia el restaurante, vaciando en el trayecto su pipa de *meerschaum,* seguido por Konrad Janssen.

El decorado del interior era de estilo bávaro: madera oscura y estucado amarillento; por doquier, bordes de gardenias de madera, torpemente talladas y pintadas. El salón olía gratamente a especias agrias y a carne asada. Inmediatamente Kohl sintió hambre; esa mañana sólo había tomado un desayuno ligero, de café y galletitas. El humo era denso, pues ya casi había pasado la hora del almuerzo y la gente cambiaba los platos vacíos por café y cigarrillos.

Kohl vio a su hijo Günter junto a Helmut Gruber, el líder de las Juventudes Hitlerianas, y otros dos adolescentes que también vestían el uniforme del grupo; a pesar de estar bajo techo no se habían quitado las gorras de oficial del Ejército, ya fuera por falta de respeto o por ignorancia.

—He recibido su mensaje, muchachos.

El líder de las Juventudes Hitlerianas, con el brazo extendido en saludo, dijo:

—*Heil* Hitler, detective-inspector Kohl. Hemos identificado al hombre que usted busca. —Y mostró en alto la foto del cadáver hallado en el pasaje Dresden.

—¿De verdad?

—Sí, señor.

Kohl echó un vistazo a Günter y detectó sentimientos contradictorios en la cara de su hijo. Estaba orgulloso de ver elevada su categoría frente a la Juventud, pero no le gustaba que Helmut hubiera acaparado el liderazgo de la búsqueda por los restaurantes. El inspector se preguntó si este incidente rendiría un doble beneficio: la identificación del cadáver para él y, para su hijo, una lección sobre las realidades de la vida entre los nacionalsocialistas.

El propietario o jefe de camareros, un hombre fornido y medio calvo, de polvoriento traje negro y chaleco raído con rayas doradas, se cuadró ante él. Cuando habló lo hizo con obvio desasosiego: los de las Juventudes Hitlerianas figuraban entre los denunciantes más enérgicos.

—Inspector: su hijo y estos amigos suyos preguntaban por este individuo.

—Sí, sí. ¿Y usted, señor, es...?

—Gerhard Klemp. Soy el gerente desde hace dieciséis años.

—Este hombre ¿almorzó ayer aquí?

—Sí, señor, en efecto. Viene casi tres veces por semana. La primera vez fue hace varios meses. Dijo que le gustaba comer aquí porque preparábamos algo más que comida alemana.

Como Kohl prefería que los muchachos supieran lo menos posible sobre ese homicidio, dijo a su hijo y a los Jóvenes Hitlerianos:

—Pues... gracias, hijo. Gracias, Helmut. —Y saludó con la cabeza a los otros—. Ahora nos haremos cargo nosotros. Sois un orgullo para esta nación.

—Estoy dispuesto a todo por nuestro Líder, detective-inspector —aseguró Helmut en el tono adecuado a su declaración—. Buenos días, señor. —Y volvió a levantar el brazo.

Kohl vio que su hijo extendía el suyo en un gesto similar y, a manera de respuesta, él también hizo un enérgico saludo nacionalsocialista, pasando por alto la expresión levemente divertida de Janssen:

—*Heil.*

Los chicos salieron, parloteando y riendo; por una vez se los veía normales: juveniles y alegres, libres de esa habitual expresión de autómatas sin cerebro, como salidos de *Metrópolis,* la película de ciencia ficción de Fritz Lang. Él cruzó una mirada con su hijo, que agitó la mano con una sonrisa, en tanto el grupo desaparecía por la puerta. Kohl rezó por no haberse equivocado al tomar esa decisión por su hijo; Günter bien podía acabar seducido por el grupo. Luego se volvió hacia Klemp y dio un golpecito a la foto.

—¿A qué hora almorzó ayer?

—Vino temprano, a eso de las once, cuando acabábamos de abrir. Se fue treinta o cuarenta minutos después.

El inspector notó que Klemp, aunque atribulado por esa muerte, no se atrevía a demostrarlo, por si el hombre resultara ser enemigo del Estado. También estaba lleno de curiosidad, pero temía hacer preguntas sobre la investigación o revelar voluntariamente más de lo que se le preguntara, como la mayoría de los ciudadanos en esos tiempos. Al menos no padecía de ceguera.

—¿Estaba solo?

—Sí.

Janssen preguntó:

—Por casualidad, ¿no vio usted si había venido acompañado o si se reunió con alguien al salir? —Señaló con la cabeza las grandes ventanas sin cortinas.

—No vi a nadie, no.

—¿Comía habitualmente con alguien?

—No. Por lo general estaba solo.

—Y ayer, ¿hacia dónde fue al terminar? —preguntó Kohl, que iba apuntando todo en su libreta, después de tocar la mina del lápiz con la lengua.

—Hacia el sur, creo. Es decir, hacia la izquierda.

En dirección al pasaje Dresden.

—¿Qué sabe usted de él?

—*Ach,* algunas cosas. Para empezar, tengo su dirección, si les sirve.

—Desde luego que sí —exclamó Kohl entusiasmado.

—Cuando comenzó a venir con regularidad le aconsejé que abriera una cuenta. —Se volvió hacia una caja de archivo, llena de tarjetas pulcramente escritas, y apuntó una dirección en un trozo de papel.

Janssen la leyó.

—Queda a dos calles de aquí, señor.

—¿Sabe algo más de ese hombre?

—Temo que no mucho. Era reservado. Rara vez hablábamos. Y no era por el idioma, no. Era por sus preocupaciones. Por lo general leía un periódico, un libro o algún documento de negocios y no quería conversar.

—¿Por qué ha dicho usted que no era por el idioma?

—Bueno, es que era norteamericano.

Kohl miró a su asistente con una ceja enarcada.

—¿De verdad?

—Sí, señor —aseguró el hombre echando otro vistazo a la foto del muerto.

—¿Y cómo se llamaba?

—Reginald Morgan, señor.

—¿Y quién es usted?

Como respuesta a la pregunta de Reinhard Ernst, Robert Taggert levantó un dedo en señal de advertencia; luego miró atentamente por la ventana frente a la cual estaba el coronel cuando él lo había derribado, un momento antes, para quitarlo del campo visual del edificio anexo donde esperaba Paul Schumann.

Vislumbró la negra entrada del cobertizo y, vagamente, la boca del máuser, que se movía de un lado a otro.

—¡Que nadie salga! —ordenó a los obreros—. ¡No se acerquen a las ventanas ni a las puertas!

Luego se volvió hacia Ernst, que estaba sentado en una caja llena de latas de pintura. Varios de los obreros, que lo habían ayudado a levantarse, esperaban a poca distancia.

Taggert había llegado tarde al estadio, al volante del camión blanco. Tuvo que dar un gran rodeo hacia el norte y el oeste para asegurarse de que Schumann no lo viera. Después de mostrar sus credenciales a los guardias, había subido corriendo hasta la sala de prensa, en el momento en que Ernst se detenía frente a la ventana. Los fuertes ruidos de la construcción impidieron que el coronel oyera su grito sobre el rugido de las sierras. El norteamericano tuvo que correr a lo largo del pasillo, frente a diez o doce trabajadores atónitos, y arrojarse contra él para apartarlo de la ventana.

El coronel se sujetaba la cabeza, que se había golpeado contra el suelo cubierto de lona. No tenía sangre en el cuero cabelludo y no parecía haber sufrido mucho daño, aunque el golpe de Taggert lo había dejado aturdido y sin aire en los pulmones.

En respuesta a su pregunta el norteamericano dijo:

—Trabajo para el personal diplomático de Washington D.C. —Mostró sus papeles: una tarjeta de identificación del Gobierno y un pasaporte estadounidense auténtico, extendido bajo su verdadero nombre; no era la falsificación a nombre de Reginald Morgan, el agente de Inteligencia Naval que había matado el día anterior en el pasaje Dresden, frente a Paul Schumann, para hacerse pasar por él.

—He venido a advertirle de que hay una conspiración contra su vida —dijo—. En este momento hay un asesino allí fuera.

—Pero Krupp... ¿El barón Von Bohlen está involucrado?

—¿Krupp? —Taggert, fingiendo sorpresa, escuchó la explicación de Ernst sobre la llamada telefónica—. No; ése debió de ser uno de los conspiradores, para hacer que usted saliera. —Señaló hacia afuera—. El asesino está en uno de los almacenes, al sur del estadio. Hemos sabido que es ruso, aunque viste el uniforme de la SS.

—¿Ruso? Sí, sí, hubo una alerta de seguridad sobre un hombre así.

De hecho, Ernst no habría corrido peligro si se hubiera quedado ante la ventana o hubiera salido a la galería. El fusil que Schumann tenía ahora era el mismo que había probado el día anterior, en la plaza Noviembre de 1923, pero esa noche Taggert había bloqueado con plomo el cañón del arma. Aunque el sicario hubiera disparado, la bala no habría salido por la boca. Pero entonces, al comprender que le habían tendido una emboscada, quizá habría escapado, aun herido por la explosión del rifle.

—¡Nuestro Líder puede estar en peligro!

—No —aseguró Taggert—. Sólo usted.

—¿Yo? —Ernst giró la cabeza—. ¡Mi nieto! —Se levantó abruptamente—. He traído a mi nieto. Él también podría estar en peligro.

—Debemos advertir a todos que se mantengan lejos de las ventanas —dijo Taggert— y evacuar el área. —Los dos hombres se dirigieron apresuradamente por el corredor—. ¿Hitler está en la sala de prensa?

—Allí estaba hace unos minutos.

Aquello estaba resultando mucho mejor de lo que Taggert podía esperar. En la pensión había disimulado su entusiasmo al saber por Schumann que Hitler y los otros líderes estarían reunidos allí.

—Necesito informarle de lo que hemos sabido. Debemos actuar rápido para que el asesino no escape.

Entraron en la sala de prensa. El norteamericano parpadeó por la impresión de encontrarse entre los hombres más poderosos de Alemania, que se volvían a mirarlo con curiosidad. Los únicos que le ignoraban eran dos alegres pastores alemanes y un hermoso niño de unos seis o siete años.

Adolf Hitler reparó en Ernst, que aún se apretaba la nuca y traía el traje sucio de pintura y yeso.

—Reinhard —exclamó, alarmado—, ¿está usted herido?

—*Opa!* —El niño corrió hacia él.

Ernst lo rodeó con los brazos para llevarlo rápidamente hacia la entrada de la sala, lejos de puertas y ventanas.

—No ha pasado nada, Rudy. Ha sido sólo una caída. ¡Todo el mundo, lejos de las ventanas! —Llamó con un gesto a un guardia de la SS—. Llévese a mi nieto al pasillo y quédese con él.

—Sí, señor. —El hombre hizo lo que se le ordenaba.

—¿Qué ha sucedido? —preguntó Hitler.

Ernst respondió:

—Este hombre es un diplomático estadounidense. Dice que allí fuera hay un ruso con un rifle. En uno de los almacenes, al sur del estadio.

Himmler ordenó a un guardia:

—¡Traiga inmediatamente a algunos hombres! Y reúna un destacamento abajo.

—Sí, mi jefe de policía.

Ernst explicó lo de Taggert. El Líder alemán se acercó al norteamericano, que estaba casi sofocado de emoción por verse en presencia de Hitler. El dictador era tan bajo como él, pero más ancho y de facciones más marcadas. Con un gesto severo en la cara pálida, examinó con atención los papeles de Taggert. Sus ojos estaban encerrados entre los párpados caídos y las bolsas, pero tenían, sin duda, ese azul pálido y penetrante del que tanto le habían hablado. Ese hombre podía hipnotizar a cualquiera, se dijo Taggert; él mismo percibía su fuerza.

—¿Me permite, mi Líder, por favor? —pidió Himmler. Hitler le entregó los documentos. Después de estudiarlos preguntó—: ¿Habla usted alemán?

—Sí, señor.

—Con todo respeto, señor, ¿está armado?

—Lo estoy —dijo Taggert.

—Puesto que aquí están el Líder y estas otras personas, me haré cargo de su arma hasta que sepamos qué está pasando.

—Por supuesto. —El norteamericano se abrió la chaqueta y permitió que uno de los SS le retirara la pistola. Esperaba algo así. Después de todo Himmler era el jefe de la SS, cuya misión principal era custodiar a Hitler y a los líderes del Gobierno.

El jefe de policía ordenó a otro de sus hombres que echara un vistazo a los cobertizos y tratara de descubrir al posible asesino.

—Y dése prisa.

—Sí, mi jefe de policía.

Mientras este último salía de la sala de prensa, diez o doce guardias armados entraron en fila y se distribuyeron de manera que pudieran proteger a los presentes. Taggert se volvió hacia Hitler con una respetuosa inclinación de cabeza.

—Señor canciller presidente: hace varios días supimos de una posible conspiración de los rusos.

Himmler asintió:

—La información que nos llegó el viernes desde Hamburgo apuntaba a que los rusos querían hacer algún «daño».

Hitler lo acalló con un ademán e indicó a Taggert que continuara.

—No dimos mucha importancia a esa información. Nos llegan muy a menudo, de esos malditos rusos. Pero hace algunas horas nos hemos enterado de algunos datos: el blanco era el coronel Ernst y el asesino podría venir esta tarde al estadio. He supuesto que vendría a examinar el lugar para atentar contra el coronel durante los Juegos y he venido personalmente a ver qué ocurría. Y he reparado en un hombre que entraba en un cobertizo, al sur del estadio. Luego me ha espantado enterarme de que el coronel y el resto de ustedes estaban aquí.

—¿Cómo ha entrado ese asesino en el recinto? —bramó Hitler.

—Con uniforme de la SS y credenciales falsas, según creemos —explicó el norteamericano.

—Yo estaba a punto de salir —apuntó Ernst—. Este hombre me ha salvado la vida.

—¿Y Krupp? ¿Y esa llamada telefónica? —preguntó Göring.

—Krupp no tiene nada que ver con esto, sin duda —aseveró Taggert—. Debe de ser un cómplice quien ha hecho esa llamada para que el coronel saliera.

Himmler hizo un gesto a Heydrich, quien marchó hacia el teléfono y, después de marcar un número, habló durante unos instantes. Luego levantó la vista.

—No, no era Krupp quien ha llamado. A menos que ahora utilice el teléfono de la oficina de correos de Potsdamer Platz.

Hitler murmuró a Himmler con aire ominoso:

—¿Cómo es posible que nosotros no supiéramos nada de esto?

Taggert, sabedor de que en la cabeza de Hitler danzaba constantemente la paranoia de la conspiración, acudió en defensa de Himmler:

—Los rusos fueron muy astutos. Nosotros lo supimos por casualidad, a través de nuestras fuentes en Moscú. Pero le ruego, señor: debemos actuar rápido. Si él se percata de que lo hemos descubierto, escapará y volverá a intentarlo.

—¿Por qué a Ernst? —preguntó Göring.

Eso debía de significar «por qué no a mí», se dijo el norteamericano. Respondió directamente a Hitler:

—Señor Líder del Estado: tenemos entendido que el coronel Ernst participa en el rearme. Eso no nos preocupa: en Estados Unidos consideramos a Alemania nuestro mejor aliado europeo y queremos que tenga poderío militar.

—¿Eso piensan sus compatriotas? —preguntó Hitler. En los círculos diplomáticos era bien sabido que el sentimiento antinazi de los norteamericanos lo tenía muy preocupado.

Ahora que podía prescindir de la molestia de simular la plácida personalidad de Reggie Morgan, Taggert afiló la voz:

—No siempre se sabe toda la verdad. Los judíos meten mucha bulla, en su país y en el mío, y los elementos izquierdistas se pasan el día gimoteando: el periodismo, los comunistas, los socialistas...

Pero son sólo una pequeña parte de la población. No: nuestro gobierno y la mayoría de los estadounidenses estamos firmemente decididos a aliarnos con ustedes y a ayudarles para que se liberen del yugo de Versalles. Son los rusos a quienes más preocupa el rearme alemán. Pero escuche, señor: disponemos de pocos minutos. El asesino...

En ese momento regresó el guardia de la SS.

—Es como él ha dicho, señor. Junto al estacionamiento hay algunos cobertizos. Uno tiene la puerta abierta. Y sí, se ve asomar el cañón de un rifle que busca un blanco aquí, en el estadio.

Varios de los hombres presentes ahogaron un murmullo de indignación. Joseph Goebbels se pellizcaba la oreja con nerviosismo. Göring había desenfundado su Luger y la meneaba cómicamente de un lado a otro, como un niño con una pistola de juguete.

La voz de Hitler, sus manos, temblaban de ira:

—¡Esos judíos comunistas, esos animales! ¡Venir a mi país a hacerme esto! Traidores... ¡Y con nuestras Olimpíadas a punto de comenzar! Son... —Pero estaba tan furioso que no pudo continuar con su diatriba.

Taggert se dirigió a Himmler:

—Sé hablar ruso. Rodee el cobertizo y permítame que trate de persuadir a ese hombre para que se rinda. Sin duda la Gestapo o la SS podrán hacer que nos revele quiénes son los otros conspiradores y dónde están.

Himmler asintió y se volvió hacia Hitler.

—Mi Líder, es importante que usted y los demás partan de inmediato. Por la ruta subterránea. Puede que el asesino sea uno solo, pero también es posible que haya otros y este señor no lo sepa.

Como cualquiera que hubiera leído los informes de inteligencia sobre Himmler, Taggert pensaba que ese antiguo vendedor de fertilizantes estaba medio loco y que era un adulador incurable. Pero como tenía un claro papel que desempeñar, dijo sumisamente:

—El jefe de policía Himmler tiene razón. No estoy seguro de que nuestra información sea completa. Pónganse a salvo. Yo ayudaré a las tropas a capturar a ese hombre.

Ernst le estrechó la mano.

—Le estoy muy agradecido.

Taggert asintió. Siguió con la vista a Ernst, que salía al corredor a buscar a su nieto; luego lo vio reunirse con los otros, que bajaban por una escalera interior hacia la calzada subterránea, rodeados por una brigada de guardias. Sólo cuando Hitler y los demás hubieron desaparecido le devolvió Himmler su pistola. Luego el jefe de policía llamó al oficial de la SS a quien había ordenado reunir un destacamento abajo.

—¿Dónde están sus hombres?

El guardia explicó que había veinticinco desplegados hacia el este, fuera de la vista del cobertizo. Himmler dijo:

—El líder Heydrich y yo permaneceremos aquí y convocaremos una alerta general en la zona. Tráiganos a ese ruso.

—*Heil.*

El hombre giró sobre sus talones y bajó apresuradamente la escalera, seguido por Taggert. Ambos trotaron hacia el costado este del estadio; allí se reunieron con las tropas y, describiendo un amplio arco hacia el sur, se aproximaron al cobertizo.

Los hombres corrían veloces, rodeados por los guardias impávidos, entre el ruido de los cerrojos y los seguros de las pistolas, cargando las balas. Sin embargo, en medio de ese aparente dramatismo, Robert Taggert estaba sereno por primera vez en varios días. Tal como el hombre que había matado en el pasaje Dresden (Reggie Morgan), él era una de esas personas que viven a la sombra del Gobierno, la diplomacia y los negocios, cumpliendo lo que se les manda por caminos a veces legítimos, a menudo ilegales. De todo lo que había dicho a Schumann, una de las pocas cosas ciertas era que deseaba con pasión un cargo diplomático, ya fuera en Alemania, ya en otro país; le habría gustado España, desde luego. Pero esas metas no se consiguen con facilidad: es preciso ganarlas, con frecuencia en situaciones descabelladas y peligrosas. Tal como el plan que involucraba a ese pobre bobo de Paul Schumann.

Las instrucciones recibidas de Estados Unidos eran sencillas: habría que sacrificar a Reggie Morgan. Taggert lo mataría para asumir su identidad. Ayudaría a Paul Schumann a planificar la muerte de Reinhard Ernst y, en el último instante, «rescataría» dramáticamente al coronel alemán, como prueba de la firmeza con que Estados Unidos apoyaba a los nacionalsocialistas. Hasta Hitler llegarían noticias del rescate y los comentarios de Taggert sobre ese apoyo. Pero todo resultó muchísimo mejor: él había representado su papel directamente ante Hitler y Göring.

La suerte que corriera Schumann no tenía ninguna importancia; moriría en ese momento, lo cual sería más limpio y conveniente, o sería atrapado y torturado. En este último caso Schumann acabaría por hablar... y contaría algo increíble: que había sido contratado por el Departamento de Inteligencia Naval norteamericano para matar a Ernst. Los alemanes no le harían el menor caso, puesto que el asesino había sido denunciado por Taggert y los norteamericanos. ¿Y si resultaba que no era ruso, sino un pistolero germanoamericano? Pues... probablemente lo habrían reclutado los rusos.

El plan era sencillo.

Sin embargo, hubo inconvenientes desde un principio. Él tenía pensado matar a Morgan varios días antes, para reemplazarlo en su primer encuentro con Schumann. Pero Morgan era un hombre muy cauto e inteligente, que sabía llevar una vida encubierta. Taggert no había hallado ninguna oportunidad para matarlo antes de la escena en el pasaje Dresden. ¡Y qué tensa había sido la situación!

Reggie Morgan sólo conocía la contraseña antigua, no la del tranvía para ir a Alexanderplatz; por ende, cuando se encontró con Schumann en el callejón cada uno de ellos creyó que el otro era el enemigo. Taggert había logrado matarlo justo a tiempo para convencer a Schumann de que él era, en verdad, el agente norteamericano, puesto que sabía la frase correcta, tenía el pasaporte falso y pudo hacer una descripción exacta del senador. Además procuró ser el primero en registrar los bolsillos del muerto. Así fingió encontrar pruebas de que Morgan pertenecía a las Tropas de Asalto, aunque el carné que mostró a Schumann sólo certificaba, en realidad, que el portador había donado una suma de dinero a un fondo para los veteranos de guerra. En Berlín medio mundo tenía esas tarjetas, puesto que los Camisas Pardas eran muy hábiles cuando se trataba de solicitar «contribuciones».

El mismo Schumann le causó algunos quebraderos de cabeza. Era sagaz, sí, mucho más de lo que Taggert esperaba de un matón. Era desconfiado por naturaleza y nunca revelaba lo que estaba pensando. Taggert había tenido que vigilar lo que decía y hacía, recordar constantemente que él era Reginald Morgan, un funcionario civil tenaz y mediocre. Le horrorizó, por ejemplo, que Schumann insistiera en registrar el cadáver de Morgan por si tuviera tatuajes. Si tenía alguno, probablemente diría «U. S. Navy», o quizás el nombre del barco donde había servido durante la guerra. Pero el destino le sonrió: ese hombre nunca había estado bajo una aguja.

Taggert llegó al cobertizo con los guardias uniformados de negro. Allí asomaba el cañón del máuser, como si Paul Schumann buscara su blanco. Los soldados se desplegaron en silencio; el oficial dirigía a sus hombres con ademanes de la mano. El norteamericano quedó más impresionado que nunca por las brillantes tácticas alemanas.

Ya se acercaban, cada vez más.

Schumann continuaba apuntando al balcón, detrás del palco de la prensa. Debía de estar preguntándose qué pasaba, por qué Ernst tardaba tanto en salir. ¿Le habrían transmitido la llamada de Webber?

Mientras los hombres de la SS rodeaban el cobertizo, eliminando cualquier posibilidad de que Schumann pudiera escapar, Taggert recordó que, cuando hubiera acabado allí, debía regresar a Berlín y buscar a Otto Webber para matarlo. También a Käthe Richter.

Cuando los jóvenes soldados estuvieron apostados alrededor del cobertizo, el norteamericano susurró:

—Iré a hablarle en ruso para que se rinda.

El comandante de la SS asintió. Taggert sacó la pistola del bolsillo. No corría ningún peligro, desde luego, pues el máuser tenía el cañón bloqueado. Aun así avanzó con lentitud, fingiendo cautela y nerviosismo.

—No se muevan —susurró—. Yo entraré primero.

El de la SS enarcó las cejas, impresionado por su valentía.

Taggert levantó la pistola y avanzó hacia el vano de la puerta. La boca del rifle continuaba moviéndose de lado a lado. Era palpable la frustración del sicario al no hallar un blanco.

Con un movimiento veloz, Taggert abrió una de las puertas de par en par y levantó la pistola, aplicando presión al gatillo.

Dio un paso adentro.

Y ahogó una exclamación. Lo recorrió un escalofrío.

El máuser continuaba su recorrido por el estadio, moviendo lentamente el cañón de un lado a otro. Pero no eran las manos del asesino las que sostenían el mortífero rifle, sino unos trozos de cordel arrancados de las cajas y atados a una viga del techo.

Paul Schumann había desaparecido.

27

Corría.

No era, en absoluto, su ejercicio favorito, aunque Paul solía correr o trotar en el gimnasio, a fin de mantener las piernas en forma y eliminar del organismo el tabaco, la cerveza y el whisky. Y ahora corría como Jesse Owens.

Corría para salvar la vida.

A diferencia del pobre Max, muerto a disparos en plena calle mientras huía de la SS, Paul no llamaba la atención: vestía ropas y zapatillas de gimnasia que había robado de los vestuarios del Estadio Olímpico; parecía uno entre tantos miles de atletas que, en Charlottenburg y sus alrededores, se entrenaban para los Juegos. Ya estaba a unos cuatro kilómetros y medio del estadio; iba de regreso a Berlín, moviendo enérgicamente las piernas para poner distancia entre él y la traición, que aún debía esclarecer.

Le sorprendía que Reggie Morgan (si acaso era Morgan) hubiera cometido un error tan burdo después de haber urdido un plan tan complicado para tenderle una trampa. Evidentemente, había sicarios que no revisaban sus herramientas antes de cada trabajo. Pero eso era una locura. Cuando uno se enfrentaba a hombres implacables, siempre armados, había que asegurarse de tener las propias armas en condiciones perfectas: que nada estuviera descontrolado.

En aquel cobertizo, caldeado como un horno, Paul había montado la mira telescópica; luego se aseguró de que las calibraciones estuvieran en los mismos números que en la galería de tiro de la casa de empeño. Por fin, como última comprobación, retiró el cerrojo del máuser y miró a lo largo del cañón. Estaba bloqueado. Al principio supuso que sería algo de polvo o creosota del estuche de fibra en el que lo llevaba. Pero después de hurgar con un trozo de alambre estudió atentamente lo que se había desprendido. Alguien había vertido plomo fundido por la boca del arma. Si disparaba, el cañón estallaría o el cerrojo se dispararía hacia atrás, atravesándole el pecho.

Durante la noche el fusil había estado en manos de Morgan. Era la misma arma: el día anterior, mientras lo observaba, Paul había reparado en una configuración característica de la veta. Obviamente Morgan, o quienquiera que fuese, la había saboteado.

Paul actuó rápidamente; arrancó el cordel de algunas cajas y colgó el rifle del techo, para crear la ilusión de que él aún estaba allí. Luego salió subrepticiamente al exterior y se unió a un grupo de la SS que marchaba hacia el norte. Se separó de ellos al llegar a las piscinas, donde buscó una muda de ropa y calzado, se deshizo del uniforme de la SS y rompió su pasaporte ruso para arrojarlo al inodoro.

Ahora estaba a media hora del estadio y corría, corría...

Con la ropa ya empapada de sudor, abandonó la carretera para encaminarse hacia el centro de una aldea pequeña, donde encontró una fuente hecha a partir de un antiguo abrevadero para caballos. Inclinado hacia el caño, bebió un litro de aquella agua caliente y con sabor a herrumbre. Luego se mojó la cara.

¿A qué distancia de la ciudad estaría? A unos seis kilómetros, calculó. Al ver que dos oficiales, de uniforme verde y alto sombrero verde y negro, detenían a un hombre para exigirle sus papeles, giró disimuladamente y se alejó por las calles laterales. Era demasiado peligroso continuar hasta Berlín a pie.

Alrededor de la estación de ferrocarril había varias hileras de vehículos estacionados. Escogió un DKW sin capota y, una vez seguro de que nadie lo veía, utilizó una piedra y una rama quebrada para romper la cerradura. Luego buscó los cables, cortó con los dientes la tela que los aislaba y entretejió los hilos de cobre. Al pulsar el botón de arranque, el motor rechinó por un momento, pero no arrancó. Hizo una mueca al recordar que no había regulado el cebador. Lo ajustó e hizo otro intento. Esta vez el motor cobró vida, petardeando, y él movió la manivela hasta que lo oyó funcionar con suavidad. Necesitó un momento para entender cómo funcionaban las marchas, pero al instante partía hacia el este por las calles estrechas de la aldea. Mientras tanto se preguntaba quién lo habría traicionado.

Y por qué. ¿Acaso por dinero? ¿Por política? ¿Por algún otro motivo?

Pero en esos momentos no podía hallar respuesta alguna a esas preguntas: la fuga ocupaba todos sus pensamientos.

Pisó el acelerador a fondo y viró hacia una carretera ancha e inmaculada; un letrero le aseguró que el centro de Berlín se hallaba a seis kilómetros de distancia.

Un alojamiento modesto, cerca de la calle Bremer, en el sector noroeste de la ciudad. La vivienda de Reginald Morgan, típica de ese barrio, era un lúgubre edificio de cuatro pisos que databa de los tiempos del Segundo Imperio, aunque no recordaba en absoluto las glorias prusianas.

Willi Kohl y el candidato a inspector se apearon del DKW. Al oír nuevamente las sirenas levantaron la vista: un camión lleno de hombres de la SS pasaba veloz por la calle; otra entrega de la alerta secreta de seguridad, aún más amplia que la anterior; al parecer se estaban estableciendo controles de carreteras en toda la ciudad. También Kohl y Janssen fueron parados. El guardia de la SS echó una mirada desdeñosa al carné de la Kripo y les indicó por señas que pasaran. Cuando el inspector le preguntó qué sucedía, se limitó a ordenarles secamente:

—Circulen.

Ahora Kohl tocaba la campanilla instalada junto a la maciza puerta principal. Mientras esperaban golpeaba con impaciencia el suelo con un pie. Dos largos timbrazos más tarde abrió la puerta una casera fornida, con vestido oscuro y delantal, quien agrandó mucho los ojos al ver a dos hombres de traje, muy serios.

—*Heil*. Disculpen los señores la tardanza. Es que mis piernas ya no...

—Inspector Kohl, de la Kripo. —Mostró su credencial para que la mujer se tranquilizara un poco: al menos no era la Gestapo.

—¿Conoce usted a este hombre? —Janssen exhibía la foto del pasaje Dresden.

—¡*Ach*, pero si es el señor Morgan! Vive aquí. No parece muy... ¿Ha muerto?

—Sí, señora.

—Dios nos guar... —La frase, políticamente cuestionable, murió en sus labios.

—Nos gustaría ver sus habitaciones.

—Sí, señor, por supuesto. Por aquí. —Cruzaron un patio tan abrumadoramente sombrío que habría entristecido hasta al irreprimible Papageno de Mozart. La mujer caminaba meciéndose hacia delante y hacia atrás.

—A decir verdad, señores, ese hombre siempre me pareció algo extraño. —Lo dijo echando cautelosas miradas a Kohl, para dejar claro que ella no era cómplice de Morgan, por si lo habían matado los nacionalsocialistas, pero también que su conducta no era tan sospechosa como para denunciarlo—. No lo hemos visto en todo un día. Salió ayer, justo antes del almuerzo, y no ha regresado.

Franquearon otra puerta cerrada con llave, al final del patio, y luego subieron dos tramos de escalera que olían a cebolla y encurtidos.

—¿Cuánto tiempo llevaba viviendo aquí? —preguntó Kohl.

—Tres meses. Pagó seis meses por adelantado. Y me dio una propina... —Se le apagó la voz—. Pero no muy grande.

—¿Los cuartos estaban amueblados?

—Sí, señor.

—¿Recuerda usted que haya recibido algún visitante?

—No que yo sepa. Yo no he hecho pasar a ninguno.

—Muéstrele el dibujo, Janssen.

Él mostró el retrato de Paul Schumann.

—¿Ha visto a este hombre?

—No, señor. ¿También ha muerto? —La mujer añadió abruptamente—: Quiero decir... No, no lo he visto nunca.

Kohl la miró a los ojos. Eran evasivos, pero por miedo, no por engaño, y él le creyó. A sus preguntas respondió que Morgan era comerciante, que no recibía llamadas telefónicas en la casa y que recogía su correspondencia en correos. No sabía si tenía sus oficinas en otro lugar. Nunca había dicho nada concreto sobre su trabajo.

—Bien, ahora déjenos.

—*Heil* —saludó ella. Y se escabulló como un ratón.

Kohl recorrió la habitación con una mirada.

—¿Ha notado, Janssen, que he hecho una deducción equivocada?

—¿A qué se refiere, señor?

—He supuesto que el señor Morgan era alemán porque usaba prendas de paño hitleriano. Pero no todos los extranjeros tienen tanto dinero como para vivir en Unter den Linden y comprar ropa de primera calidad en KaDeWe, aunque ésa sea nuestra impresión.

Su asistente reflexionó por un momento.

—Es verdad, señor. Pero quizá tenía otro motivo para usar ropa *ersatz*.

—¿Quizá deseaba hacerse pasar por alemán?

—Sí, señor.

—Bien, Janssen. Aunque tal vez, antes que hacerse pasar por uno de nosotros, lo que buscaba era no llamar la atención. De cualquier modo, ambas cosas lo hacen sospechoso. Veamos ahora si podemos restar misterio a nuestro misterio. Comencemos por los armarios.

El candidato a inspector abrió una puerta e inició su examen del contenido.

Kohl, por su parte, escogió la búsqueda menos exigente: se instaló en una silla chirriante para revisar los documentos del escritorio. Al parecer el norteamericano había sido una suerte de mediador, que proporcionaba servicios a varias empresas estadounidenses localizadas en Alemania. A cambio de una comisión ponía en contacto a un comprador norteamericano con un vendedor alemán o viceversa. Cuando venían a la ciudad empresarios de Estados Unidos se contrataba a Morgan para que los entretuviera y concertara reuniones con representantes alemanes de Borsig, Bata Shoes, Siemens, I. G. Farben, Opel y muchas más.

Había varias fotos de Morgan y documentos que confirmaban su identidad, pero a Kohl le resultó extraño que no hubiera efectos realmente personales: ni fotos familiares ni recuerdos.

... tal vez era hermano de alguien. Y esposo o amante de alguien. Y quizá tuvo la suerte de criar hijos. Ojalá haya tenido también antiguas amantes que lo recuerden de vez en cuando.

Kohl analizó las implicaciones de esa falta de información personal. ¿Significaría acaso que el hombre era un solitario? ¿O quizá tenía otros motivos para mantener en secreto su vida personal?

Janssen escarbaba en el ropero.

—¿Hay algo en especial que deba buscar, señor?

Dinero estafado, el pañuelo de una amante casada, una carta de extorsión, la nota de una adolescente embarazada... cualquier cosa que pudiera señalar las causas por las que el pobre señor Morgan había muerto brutalmente en los inmaculados adoquines del pasaje Dresden.

—Busque cualquier cosa que nos ayude a esclarecer el caso de alguna manera. No puedo describirlo mejor. Es la parte más difícil de la tarea detectivesca. Use el instinto, la imaginación.

—Sí, señor.

El inspector continuó examinando el escritorio. Un momento después Janssen anunció:

—Mire esto, señor. El señor Morgan tenía fotos de mujeres desnudas. Aquí hay una caja.

—¿Son fotografías impresas? ¿O tomadas por él mismo?

—No, son postales. Ha de haberlas comprado en algún lugar.

—Pues entonces no nos interesan, Janssen. Debe usted discernir cuándo los vicios de una persona son relevantes y cuándo no lo son. Y puedo asegurarle que, de momento, las postales voluptuosas no tienen importancia. Continúe con su búsqueda, por favor.

Hay hombres en quienes la calma crece en proporción directa a la desesperación. Estos hombres son raros y especialmente peligrosos, pues su implacabilidad no disminuye y jamás caen en el descuido.

Robert Taggert era de ese tipo. Aquel maldito sicario de Brooklyn lo había dejado de piedra al haberlo burlado y haber puesto en peligro su futuro, pero él no permitiría que la conmoción sufrida le turbara el buen juicio.

Sabía cómo había llegado Schumann a descubrirlo todo: en el suelo del cobertizo había un trozo de alambre y, al lado, trocitos de plomo. Había revisado el cañón del arma y descubierto el tapón, naturalmente. Taggert pensó, furioso, por qué no se le habría ocurrido vaciar las balas de pólvora. Así no habrían sido peligrosas para Ernst y Schumann habría descubierto la traición demasiado tarde, cuando el cobertizo estuviera ya rodeado por la SS.

Pero aquello, se dijo, aún tenía remedio.

En un breve segundo encuentro con Himmler y Heydrich, en la sala de prensa, les había asegurado no saber de la conspiración mucho más de lo que ya les había explicado; luego abandonó el estadio, informando a los alemanes de que se pondría inmediatamente en contacto con Washington para preguntar si tenían más detalles. Los dejó a ambos murmurando sobre las conspiraciones de judíos y rusos. Le sorprendió que le permitieran salir del recinto sin detenerlo: aunque su arresto no habría sido lógico, sabía muy bien que existía ese riesgo, puesto que el país estaba colmado de sospechas y paranoia.

Ahora Taggert analizaba a su presa. Paul Schumann no era estúpido, desde luego. En la trama en la que le habían implicado, lo hacían pasar por ruso y sabía que eso era lo que buscarían los alemanes. Sin duda a esas horas ya se habría deshecho de su falsa identidad y se presentaría nuevamente como norteamericano. Pero Taggert prefirió no revelar eso a los alemanes; sería mejor presentar al «ruso» muerto, junto con su cómplice: el jefe de una banda delincuente y una disidente; sin duda, Käthe Richter tendría algunos amigos que simpatizaran con los kosi, lo cual añadiría credibilidad a la historia del asesino ruso.

Desesperado, sí.

Pero mientras conducía el furgón blanco hacia el sur, sobre un canal tan pardo como las Tropas de Asalto, se mantenía sereno como una piedra. Estacionó en una calle transitada y se apeó. No dudaba de que Schumann regresaría a la pensión en busca de Käthe Richter: había exigido de manera inflexible llevarse a esa mujer a Estados Unidos. Eso significaba que no la dejaría allí, ni siquiera en esos momentos. Taggert también estaba seguro de que se presentaría en persona en vez de llamarla: Schumann conocía los peligros de los teléfonos intervenidos de Alemania.

Caminaba a buen paso por las calles, sintiendo el golpeteo tranquilizador de la pistola contra la cadera. En una esquina dobló hacia el pasaje Magdeburger y se detuvo a inspeccionar minuciosamente la pequeña calle. Parecía desierta y polvorienta en el calor de la tarde. Después de pasar disimuladamente frente a la pensión de Käthe Richter, como no percibía ninguna amenaza, regresó rápidamente y bajó hasta la entrada al sótano. La abrió a golpes con el hombro y entró subrepticiamente al húmedo subsuelo.

Subió por una escalera de madera, siempre pisando en el lateral de los peldaños, para reducir los crujidos lo máximo posible. Al llegar arriba abrió la puerta y, después de sacar la pistola del bolsillo, salió al vestíbulo de la planta baja. Estaba desierto. No había ruidos ni movimiento alguno, aparte del zumbido frenético de una mosca enorme, atrapada entre dos cristales.

Caminó a lo largo del corredor y se detuvo ante cada puerta para escuchar, pero no se oía nada. Por fin regresó a aquella de la que pendía un letrero toscamente pintado que decía «Casera». Allí golpeó.

—¿Señora Richter?

Se preguntaba cómo sería aquella mujer. Esas habitaciones habían sido alquiladas para Schumann por el verdadero Reginald Morgan, pero al parecer ella y Morgan no habían llegado a conocerse personalmente, pues lo habían resuelto todo por teléfono; en cuanto a la carta de aceptación y el efectivo, los intercambiaron por medio de un sistema de mensajería que recorría toda la ciudad.

Otro toque a la puerta.

—He venido por una habitación. La puerta de la calle estaba abierta.

No hubo respuesta.

Intentó abrir. No estaba cerrada con llave. Al entrar vio que en la cama había una maleta abierta, rodeada de ropa y libros. Eso lo tranquilizó: significaba que Schumann aún no había regresado. Pero ella, ¿dónde estaba? Tal vez quería cobrar algún dinero que le debían o, más probablemente, pedir prestado lo que fuera posible a amigos y parientes. Emigrar de Alemania por las vías permitidas implicaba poder llevar sólo ropa y algo de dinero para gastos personales; si pensaba partir ilegalmente con Schumann llevaría todo el efectivo posible. La radio estaba encendida; las luces, también. Regresaría pronto.

Taggert vio junto a la puerta un tablero con las llaves de todas las habitaciones. Después de tomar las que correspondían a las de Schumann, salió nuevamente al corredor y recorrió silenciosamente el pasillo. Con un movimiento veloz, abrió la cerradura y entró con la pistola en alto.

La sala estaba desierta. Cerró la puerta con llave antes de pasar al dormitorio, sin hacer ruido. Schumann no estaba allí, pero su maleta sí. Taggert se detuvo a reflexionar en el centro de la habitación. El sicario podía ser sentimental en su interés por la mujer, pero era un profesional concienzudo: antes de entrar miraría por las ventanas del frente y de la parte trasera, para ver si había alguien dentro.

Decidió esperar escondido. La única opción realista era el armario. Dejaría la puerta un poco entreabierta para oír a Schumann cuando entrara. Cuando se pusiera a preparar el equipaje, él saldría del ropero para matarlo. Con un poco de suerte vendría con Käthe Richter y podría matarla también. Si no, la esperaría en su cuarto. Desde luego, cabía esperar que ella fuera la primera en llegar; en ese caso él podría matarla inmediatamente o aguardar hasta que llegara Schumann. Habría que decidirse por lo más conveniente. Luego inspeccionaría las habitaciones, para asegurarse de que no quedaran rastros de la verdadera identidad de Schumann, y finalmente llamaría a la SS y a la Gestapo para informarles de que ya había acabado con el ruso.

Taggert entró en el amplio armario y, después de cerrar la puerta casi por completo, se desabrochó casi toda la camisa para aliviar el terrible calor. Inhaló bien hondo, llenando de aire los pulmones doloridos. El sudor le moteaba la frente y le ardía en los sobacos, pero eso no le importaba, pues Robert Taggert estaba totalmente impulsado, o antes bien intoxicado, por un elemento mucho mejor que el oxígeno húmedo: la euforia del poder. El chaval de Hartford, el chico a quien golpeaban sólo por pensar más y correr menos que los otros mozalbetes de ese barrio pobre y gris, acababa de conocer al mismísimo Adolf Hitler, el político más sagaz de la tierra, y los ardorosos ojos azules de ese hombre lo habían mirado con admiración y respeto, un respeto que pronto se repetiría en Estados Unidos, a su regreso, cuando informara a sus superiores sobre el éxito de su misión.

Embajador en Inglaterra, en España. Sí, y con el tiempo incluso en Berlín, ese país que tanto le gustaba. Podría llegar adonde quisiera.

Se enjugó la cara otra vez, preguntándose cuánto tiempo tendría que esperar a Schumann.

La respuesta llegó apenas un momento después: Taggert oyó que se abría la puerta de la calle. Luego, fuertes pisadas en el pasillo, que pasaron de largo ante esa habitación. El toque a una puerta.

—¿Käthe? —preguntó la voz distante.

Quien hablaba era Paul Schumann.

¿Entraría en la habitación de la mujer para esperarla?

No: las pisadas regresaban hacia donde le esperaba el traidor agazapado.

Taggert oyó el repiqueteo de la llave, el chirrido de los goznes viejos y, luego, el chasquido de la puerta al cerrarse. Paul Schumann había entrado al cuarto donde moriría.

28

Con el corazón acelerado, como cualquier cazador que tiene a la presa cerca, Robert Taggert escuchaba con atención.

—¿Käthe? —llamó la voz de Schumann.

Robert oyó el crujido de las tablas, el ruido del agua que corría en el lavabo. Los tragos de un hombre que bebía con sed.

Levantó la pistola. Sería mejor dispararle al pecho, de frente, como si él lo hubiera atacado. La SS lo querría vivo para interrogarlo, naturalmente; no les gustaría que Taggert lo matara por la espalda. Aun así, no podía arriesgarse: Schumann era demasiado corpulento y peligroso como para enfrentarse a él cara a cara. Diría a Himmler que no había tenido más remedio, pues el asesino había tratado de huir o de agarrar un cuchillo y él se había visto obligado a dispararle.

Oyó que el hombre entraba en el dormitorio. Un momento después, un rumor de cajones revueltos: comenzaba a llenar la maleta.

«Ahora», pensó.

Empujó una de las dos puertas del armario para abrirla un poco más. Eso le permitió ver todo el dormitorio. Levantó la pistola.

Pero Schumann no estaba a la vista. Taggert sólo pudo ver la maleta en la cama. Alrededor, esparcidos, algunos libros y otros objetos. Frunció el entrecejo al divisar, en el vano de la puerta, un par de zapatos que antes no estaba allí.

Oh, no...

Comprendió que Schumann había entrado en el dormitorio, pero luego se había quitado los zapatos para pasar nuevamente a la sala, caminando en calcetines. Desde la puerta había estado arrojando libros a la cama, para hacerle pensar que aún estaba allí. Y eso significaba que...

El enorme puño atravesó la puerta del ropero como si fuera algodón de azúcar. Los nudillos golpearon a Taggert en el cuello y en la mandíbula. Un rojo cegador llenó su campo visual, en tanto salía a la sala, a tropezones. Dejó caer la pistola para tomarse el cuello y apretar la carne atormentada.

Schumann agarró a Taggert por las solapas y lo arrojó al otro lado de la habitación, donde se estrelló contra una mesa. Quedó tendido en el suelo, despatarrado como la muñeca alemana que había aterrizado junto a él, sin quebrarse, fijos en el cielo raso los fantasmagóricos ojos violáceos.

—No eres quien dices ser, ¿verdad? No eres Reggie Morgan.

Paul no se molestó en explicar que había actuado como cualquier sicario que se precie: antes de salir se memoriza el aspecto de la habitación, para comparar ese recuerdo con lo que se ve al regresar. Había notado que la puerta del armario ya no estaba cerrada, sino entreabierta. Y como sabía que Taggert estaba obligado a seguirlo para matarlo, comprendió que estaba oculto allí.

—Yo...

—¿Quién? —bramó el sicario.

Como el hombre no decía nada, lo tomó por el cuello de la camisa con una mano mientras le vaciaba los bolsillos con la otra. Cartera, varios pasaportes estadounidenses, una credencial diplomática a nombre de Robert Taggert y la tarjeta de las Tropas de Asalto que había mostrado a Paul en el callejón, durante su primer encuentro.

—No te muevas —murmuró, mientras examinaba lo que había encontrado.

La cartera había pertenecido a Reginald Morgan; contenía un carné de identidad, varias tarjetas con su nombre, una dirección en Washington y otra en Berlín, en la calle Bremer. También incluía varias fotos, todas del hombre que había muerto en el pasaje Dresden. En una de ellas, tomada en una reunión social, estaba entre un hom-

bre y una mujer entrados en años; los tenía abrazados y todos sonreían a la Kodak.

Uno de los pasaportes, muy usado y lleno de sellos de entradas y salidas, estaba a nombre de Morgan. Ése también contenía una
foto del hombre del callejón.

Otro pasaporte, el que había mostrado a Paul el día anterior,
también estaba a nombre de Reginald Morgan, pero la foto era del
hombre que tenía ante sí. Lo acercó a una lámpara para examinarlo
con atención; parecía falso. Un segundo pasaporte, aparentemente
auténtico y lleno de sellos y visados, estaba extendido a nombre de
Robert Taggert, al igual que la credencial diplomática. Los dos pasaportes restantes también mostraban la foto del hombre presente;
uno era estadounidense, a nombre de Robert Gardner; el otro lo presentaba como Artur Schmidt, alemán.

Así que el tipo tendido en el suelo, frente a él, había matado
a su contacto en Berlín para asumir su identidad.

—Veamos, ¿cómo es esto?

—Tranquilízate, amigo. No hagas ninguna tontería. —El hombre había abandonado la rígida personalidad de Reggie Morgan. La
que emergía era escurridiza, como si fuera uno de los lugartenien-
tes que Lucky Luciano tenía en Manhattan. Paul mostró el pasaporte
que creía auténtico.

—Éste eres tú. Taggert, ¿no?

El hombre se apretó la mandíbula y el cuello, donde había recibido el golpe, y frotó la zona enrojecida.

—Me has pescado, Paulio.

—¿Cómo ha ocurrido? —Paul arrugó las cejas—. Interceptas-
te la contraseña del tranvía, ¿verdad? Por eso Morgan se quedó desconcertado en el callejón. Pensó que el traidor era yo, porque fallé con
la frase del tranvía, dije plaza Alexander en vez de Alexanderplatz. Y
yo pensé lo mismo de él. Y tú cambiaste los documentos mientras
revisabas el cadáver. —Leyó la tarjeta de las Tropas de Asalto—. «Fondo de Veteranos». ¡Qué putada! —estalló, furioso por no haberla
mirado mejor cuando Taggert se la mostró—. ¿Quién eres, carajo?

—Soy comerciante. Trabajo para éste o aquél...

—Y te escogieron porque te pareces un poco al verdadero Reggie Morgan.

Eso lo ofendió.

—Me escogieron porque soy hábil.

—¿Y qué me dices de Max?

—Era auténtico. Morgan le pagó cien marcos para que le consiguiera datos sobre Ernst. Luego yo le pagué doscientos para que me permitiera hacerme pasar por Morgan.

Paul asintió.

—Por eso estaba tan nervioso, el imbécil. No era de la SS de quien tenía miedo, sino de mí.

Pero la historia del engaño parecía aburrir a Taggert.

—Tenemos que negociar, amigo —continuó—. Mira...

—¿Para qué han hecho todo esto?

—Oye, Paulio, que no tenemos tiempo para chácharas. Media Gestapo te anda buscando.

—No, Taggert. Si he entendido bien las cosas, andan buscando a un ruso, gracias a ti. Ni siquiera saben cómo soy. Y tú no los traerás hasta aquí, al menos mientras no me hayas matado. Así que tenemos todo el tiempo del mundo. Vamos, larga ya.

—Aquí se trata de cosas más importantes que tú y yo, amigo. —Taggert movió la mandíbula en un círculo lento—. ¡Me has aflojado los dientes, carajo!

—Habla.

—No es...

Paul se acercó un paso, con el puño cerrado.

—Bueno, bueno, cálmate. ¿Quieres que te diga la verdad? Aquí va. Allá en casa hay mucha gente que no quiere meterse en otra guerra de éstas.

—¡Pero si a eso me han mandado a mí! Para impedir el rearme.

—En realidad nos importa un rábano que los alemanes se rearmen. Lo que nos interesa es mantener contento a Hitler. ¿Entiendes? Demostrarle que Estados Unidos está de su parte.

Por fin Paul comprendió.

—Y a mí me tocaba ser la cabeza de turco. Me hiciste pasar por asesino ruso y luego me has denunciado, para que Hitler creyera que Estados Unidos es un gran amigo suyo, ¿no?

Taggert asintió.

—Lo tienes bastante claro, Paulio.

—Pero, ¿estás ciego o qué? ¿No ves lo que está haciendo ese hombre? ¿Quién puede estar de su parte?

—¡Joder, qué nos importa! Puede que Hitler se apodere de una parte de Polonia, Austria, los Sudetes. —Reía—. ¡Puede quedarse hasta con Francia si quiere! No es asunto nuestro.

—Está matando a mucha gente. ¿Es que nadie se ha dado cuenta?

—Por unos cuantos judíos...

—¡Qué dices! Pero, ¿te das cuenta de lo que has dicho? Taggert alzó las manos.

—Mira, no me malinterpretes. Lo que sucede aquí es sólo algo pasajero. Los nazis son como niños con un juguete nuevo: su país. Antes de que acabe el año se cansarán de esa monserga aria. Hitler es pura cháchara. Cuando se tranquilice comprenderá que necesita a los judíos.

—No —aseguró Paul enérgicamente—. En eso te equivocas. Hitler está loco. Es mil veces peor que Bugsy Siegel.

—Escucha, Paulio: ésas son cosas que no decidimos ni tú ni yo. Reconozco que nos has descubierto. Intentamos una de las gordas y tú nos la has arruinado. Hay que aplaudirte. Pero me necesitas, amigo. Sin mi ayuda no podrás salir de este país. Te diré lo que haremos, tú y yo. Buscamos a algún imbécil con cara de ruso, lo matamos y llamamos a la Gestapo. Nadie te ha visto. Y hasta te dejaré hacer de héroe. Conocerás personalmente a Hitler y a Göring. Quizá te den una medalla y todo. Tú y tu amiguita pueden irse a casa. Y añadiré una propina: un buen negocio para tu amigo Webber. Dólares para el mercado negro. Le encantará. ¿Qué opinas? Puedo arreglarlo. Y todo el mundo sale ganando. Y si no... morirás aquí.

—Quiero saber algo —dijo Paul—: ¿ha sido Bull Gordon? ¿Es él quien está detrás de todo esto?

—¿Él? ¡No, hombre! Él no tiene nada que ver. Son... otros intereses.

—¿Qué significa eso de «intereses»? A ver si respondes claro.

—Lo siento, Paulio, pero si he llegado hasta aquí es porque no tengo la lengua floja. Cosas del oficio, ya me entiendes.

—Eres peor que los nazis.

—¿Sí? —murmuró Taggert—. ¡Y lo dices tú, sicario! —Se puso de pie y sacudió el polvo de la americana—. Bueno, ¿qué me dices? Busquemos a algún vagabundo eslavo y le cortamos el cuello; así los alemanes tendrán a su bolchevique. Anda, vamos.

Todo el mundo sale ganando...

Sin cambiar de posición, sin entornar los ojos, sin dar la menor señal de lo que estaba a punto de hacer, Paul clavó el puño directamente en el pecho de ese hombre. Taggert dilató los ojos y se quedó sin respiración. Ni siquiera desvió la mirada hacia el puño izquierdo de Paul, que se disparaba para triturarle la garganta. Cuando cayó al suelo, sus extremidades ya temblaban en los estertores de la muerte; de su boca, bien abierta, surgían sonidos guturales. Ya fuera por fractura de cuello o por fallo cardíaco, murió en treinta segundos.

Paul contempló durante unos momentos aquel cadáver. Le temblaban las manos, pero no por los potentes golpes que había asestado, sino por la furia que le provocaba la traición. Y las palabras de ese hombre.

Puede quedarse hasta con Francia si quiere... Por unos cuantos judíos...

Pasó rápidamente al dormitorio, se quitó la ropa de gimnasia que había robado en el estadio, se lavó con agua de la palangana y volvió a vestirse. Alguien llamaba a la puerta. Ah, Käthe, que había regresado. De pronto recordó que el cadáver de Taggert yacía en la sala, bien a la vista, y se apresuró a llevarlo al dormitorio.

Pero en el momento en que iba a meterlo en el armario se abrió la puerta del apartamento. Paul levantó la vista. No era Käthe quien entraba. Se encontró frente a dos hombres. Uno era gordo, con bigote, y vestía un traje de color claro y chaleco, todo bastante arrugado; traía en la mano un sombrero de paja. A su lado, un hombre más joven, esbelto, de traje oscuro, que aferraba una pistola automática negra.

¡No! Eran los mismos policías que lo seguían desde el día anterior. Se incorporó lentamente, con un suspiro.

—*Ach,* por fin, señor Paul Schumann —dijo el mayor, parpadeando en señal de sorpresa. Hablaba en inglés, pero con fuerte acento—. Soy el detective-inspector Kohl. Voy a arrestarlo, señor, por el homicidio de Reginald Morgan, acaecido ayer en el pasaje Dresden. —Y agregó, bajando la vista al cadáver de Taggert—: Y al parecer, ahora también debo arrestarlo por otro asesinato.

29

Deje las manos quietas. Sí, sí, señor Schumann, por favor. Manténgalas arriba.

El inspector advirtió que el norteamericano era bastante corpulento. Cuanto menos veinte centímetros más alto que él y más ancho. El retrato hecho por el pintor ambulante era exacto, pero el hombre tenía la cara más marcada por cicatrices que en el dibujo; en cuanto a los ojos... los tenía de un azul suave, cautos pero serenos.

—Janssen, compruebe si ese hombre ha muerto —ordenó nuevamente en alemán, mientras apuntaba a Schumann con su pistola.

El joven detective se inclinó para examinar el cuerpo, aunque Kohl estaba prácticamente seguro de estar viendo un cadáver.

Su ayudante hizo un gesto afirmativo y se incorporó.

Para Willi Kohl, encontrar a Schumann allí era una sorpresa a la vez imprevista y grata. No lo esperaba. Apenas veinte minutos antes, en la habitación de Reginald Morgan, había encontrado una carta de confirmación de reserva por unas habitaciones de esa pensión, a nombre de Paul Schumann. Pero Kohl no dudaba de que el norteamericano era demasiado inteligente como para permanecer en esa misma residencia después de haber matado a Morgan. Él y Janssen habían acudido velozmente, con la esperanza de hallar algún testigo, alguna prueba que los condujera a Schumann, pero ni en sueños habían imaginado encontrar al norteamericano en persona.

—Digan, ¿son de esa policía Gestapo? —preguntó el detenido en alemán.

En verdad, tal como decían los testigos, tenía apenas un leve acento. Pronunciaba la ge como un berlinés nato.

—No, somos de la Policía Criminal. —Kohl mostró su credencial—. Procede a registrarlo, Janssen.

El joven oficial lo palpó diestramente en todos los lugares donde pudiera tener un bolsillo, a la vista o secreto. Descubrió su pasaporte estadounidense, dinero, un peine, cerillas y un atado de cigarrillos. Luego entregó todo a su jefe, quien le ordenó esposar a Schumann. A continuación examinó atentamente el pasaporte. Parecía auténtico. Paul John Schumann.

—Yo no maté a Reggie Morgan. Fue él. —Señaló el cadáver con la cabeza—. Se llama Taggert. Robert Taggert. Ha tratado de matarme a mí también. Por eso luchábamos.

Kohl dudaba de que se pudiera clasificar como «lucha» una confrontación entre ese alto norteamericano, de brazos enormes y nudillos rojos, encallecidos, y la víctima, que tenía el físico de Joseph Goebbels.

—¿Que luchaban, dice?

—Me ha apuntado con esa arma. —Schumann indicó la pistola caída en el suelo—. He tenido que defenderme.

—Nuestra Spanish Star modelo A, señor —apuntó Janssen, entusiasmado—. ¡El arma del homicidio!

«Un arma del mismo tipo que la del homicidio», corrigió Kohl mentalmente. La comparación de las balas determinaría si se trataba de la misma o no. Pero jamás corregiría a un colega, aunque fuera novato, delante de un sospechoso. Janssen cubrió la pistola con un pañuelo para recogerla y apuntó el número de serie.

Kohl, después de lamer la punta de su lápiz, garabateó el número en su libreta y pidió a su ayudante la lista de personas que habían comprado esas armas, suministrada por los distritos policiales de toda la ciudad. El joven la sacó de su portafolio.

—Ahora traiga del coche el equipo de dactiloscopia. Tome las huellas del arma y las de nuestros amigos aquí presentes.

—Sí, señor. —El joven salió.

El inspector recorrió con la vista los nombres de la lista; no había ningún Schumann.

—Pruebe Taggert —insinuó el norteamericano—. O alguno de esos otros nombres. —Señaló con la cabeza varios pasaportes apilados en la mesa—. Llevaba todos esos encima.

—Puede sentarse. —Kohl lo ayudó a instalarse en el sofá. Era la primera vez que un sospechoso lo ayudaba en una investigación, pero recogió los pasaportes que, según Schumann, podían resultar reveladores.

Y en verdad lo eran. Uno de ellos, claramente auténtico, era de Reginald Morgan, el muerto del pasaje Dresden. Los otros contenían fotos del hombre que yacía a sus pies, pero bajo nombres diferentes. En esos tiempos, cualquier investigador criminal de la Alemania nacionalsocialista estaba familiarizado con los documentos falsificados. De los otros sólo parecía legítimo el que estaba a nombre de Robert Taggert; también era el único lleno de sellos y visados aparentemente genuinos. Comparó todos los nombres con la lista de los compradores de esa arma. Se detuvo en uno.

Janssen apareció en el vano de la puerta, con el equipo de dactiloscopia y la Leica. Kohl le alargó la lista.

—Parece que es verdad que fue la víctima quien compró la pistola, Janssen. Fue el mes pasado, bajo el nombre de Artur Schmidt.

Eso no eliminaba la posibilidad de que Schumann hubiera matado a Morgan; Taggert podía haberle vendido o entregado la pistola.

—Proceda con las huellas digitales —ordenó Kohl.

El joven oficial abrió el portafolio e inició la tarea.

—Le digo que yo no maté a Reggie Morgan. Fue él.

—Por favor, señor Schumann, por ahora no diga nada.

Allí estaba también la cartera de Reginald Morgan. Kohl la revisó. Hizo una pausa al encontrar la foto de un hombre en una reunión social, de pie entre dos personas mayores.

Sabemos algo más de él... que era hijo de alguien... y tal vez era hermano de alguien. Y esposo o amante de alguien...

El candidato a inspector procedió a espolvorear el arma; luego tomó las huellas digitales de Taggert. Por fin dijo a Schumann:

—¿Puede sentarse algo más hacia delante, por favor?

Kohl aprobó el tono cortés de su protegido.

Schumann cooperó; el joven, después de tomarle las impresiones, le limpió la tinta de los dedos con el líquido astringente incluido en el equipo. Luego puso la pistola y las dos tarjetas impresas en una mesa, para que su jefe lo inspeccionara todo.

—¿Señor?

Kohl sacó su monóculo y examinó con atención el arma y las huellas. Aunque no era experto, en su opinión las únicas huellas de la pistola eran las de Taggert.

Janssen, con los ojos entrecerrados, señaló el suelo con un gesto. El inspector siguió la dirección de su mirada.

Allí había un maltrecho portafolio de cuero. ¡Ah, la cartera reveladora! Se acercó para abrirla y examinó el contenido, descifrando el inglés lo mejor que podía. Había allí muchas notas sobre Berlín, los deportes y las Olimpíadas, una credencial de periodista a nombre de Paul Schumann y docenas de inocuos recortes de periódicos norteamericanos.

«Conque ha estado mintiendo», pensó el inspector. El portafolio lo situaba en el lugar del homicidio.

Pero al examinarlo con atención Kohl notó que, si bien era viejo, el cuero se mantenía blando; de él no se desprendía ninguna escama.

Luego echó un vistazo al cadáver que tenía delante. Dejó el portafolio en el suelo y se agachó junto a los zapatos del muerto. Eran marrones, estaban gastados y desprendían trocitos de cuero. Por el color y el brillo, correspondían a las pistas que había hallado en los adoquines del pasaje Dresden y en el suelo del restaurante Jardín Estival. Los zapatos de Schumann, en cambio, no dejaban escamas. El inspector torció la cara, irritado consigo mismo: otra suposición errónea. Schumann había dicho la verdad. Quizá.

—Ahora registre a ése, Janssen —ordenó mientras se incorporaba. Señalaba el cadáver con la cabeza.

El candidato a inspector se dejó caer de rodillas e inició un minucioso examen del cuerpo. Kohl lo miraba con una ceja enarcada. Janssen encontró dinero, un cortaplumas, un paquete de cigarrillos, un reloj de bolsillo con una gruesa cadena de oro. De pronto el joven frunció el entrecejo:

—Mire, señor. —Y entregó al inspector unas etiquetas de seda, indudablemente cortadas de las prendas que Reginald Morgan vestía cuando murió en el pasaje Dresden. Mostraban los nombres de tiendas o fabricantes alemanes.

—Le explicaré lo que pasó —dijo Schumann.

—Sí, sí, en un minuto podrá hablar. Janssen, comuníquese con la sede. Que alguien lo ponga en contacto con la Embajada de Estados Unidos. Pregunte por este tal Robert Taggert. Dígales que posee una credencial diplomática. Por el momento no mencione que ha muerto.

—Sí, señor.

Janssen localizó el teléfono. Kohl notó que estaba desconectado de la pared, algo muy común en esos días. La bandera olímpica de la casa, a la que no acompañaba el estandarte nacionalsocialista, revelaba que el dueño o su administrador era judío o había caído en desgracia por otra razón; así que era más que probable que los teléfonos estuvieran intervenidos.

—Llame desde la radio del DKW, Janssen.

El candidato a inspector asintió con la cabeza y salió otra vez.

—Bien, señor, ya puede contarme su historia. Y no ahorre detalles, por favor.

Schumann dijo, en alemán:

—Llegué aquí con el equipo olímpico. Soy cronista de deportes. Escritor *freelance*. ¿Sabe qué...?

—Sí, sí, conozco esa palabra.

—Debía encontrarme con Reggie Morgan, quien me presentaría a algunas personas para que pudiera escribir mis artículos. Yo buscaba eso que llamamos «color»: información sobre las partes más pintorescas de la ciudad, jugadores, prostitutas, clubes de boxeo.

—¿Y qué hacía ese tal Reggie Morgan? Me refiero a su profesión.

—Era sólo un comerciante norteamericano que me habían mencionado. Vivía aquí desde hacía unos cuantos años y conocía bien el lugar.

Kohl señaló:

—Dice usted que vino con el equipo olímpico; sin embargo allí no parecían dispuestos a decirme nada de usted. ¿No le parece extraño?

Schumann rió con amargura:

—¿Y usted, que vive en este país, me pregunta por qué la gente se muestra reticente ante las preguntas de un policía?

Es un asunto de seguridad del Estado...

Willi Kohl no permitió que por su cara pasara expresión alguna, pero la verdad que encerraba ese comentario lo abochornó por un momento. Observó con atención a Schumann. Parecía tranquilo.

Kohl no detectó ninguna señal de falsedad, aunque ésa era una de sus especialidades.

—Continúe.

—Ayer debía encontrarme con Morgan.

—¿A qué hora? ¿Y dónde?

—Alrededor del mediodía. Ante una cervecería de la calle Spener.

Al lado del pasaje Dresden, reflexionó Kohl. Y más o menos a la hora del homicidio. Sin duda, si ese hombre tenía algo que ocultar no reconocería haber estado cerca de la escena del crimen. ¿O tal vez sí? Los delincuentes nacionalsocialistas eran, en general, estúpidos y transparentes. Kohl se dio cuenta de que tenía ante sí a un hombre muy sagaz, aunque él no pudiera saber si era un criminal o no.

—Pero, por lo que usted dice, el verdadero Reginald Morgan no apareció. Fue Taggert.

—En efecto, aunque por entonces yo no lo sabía. Dijo que él era Morgan.

—¿Y qué sucedió cuando se encontraron?

—Fue muy breve. Estaba alterado. Me arrastró a ese pasaje; dijo que había sucedido algo y que debíamos encontrarnos más tarde. En un restaurante.

—¿Cuál?

—El Jardín Estival.

—Donde la cerveza no fue de su agrado.

Schumann parpadeó. Luego repuso:

—Pero, ¿ese brebaje puede ser del agrado de alguien?

Kohl se contuvo para no sonreír.

—¿Y usted se encontró nuevamente con Taggert en el Jardín Estival, como estaba planeado?

—En efecto. Allí se nos unió un amigo. No recuerdo cómo se llamaba.

Ah, el obrero.

—Susurró algo a Taggert, que pareció preocupado, y dijo que debíamos salir zumbando... —El inspector frunció el entrecejo ante esa traducción literal de lo que debía de ser una expresión idiomática— ... quiero decir, largarnos. Ese amigo creía que por allí andaba la Gestapo o algo así. Como Taggert pensaba lo mismo, salimos por la puerta lateral. Eso debería haberme hecho entender que algo andaba mal, pero para mí era como una aventura, ¿comprende? Justo lo que buscaba para mis artículos.

—Color local —apuntó Kohl lentamente, mientras se decía que una gran mentira resulta mucho más creíble si el mentiroso le añade pequeñas verdades—. ¿Se reunió usted con ese tal Taggert en otras ocasiones? —Señaló el cadáver con la cabeza—. Además de hoy, desde luego. —Se preguntaba si el hombre admitiría haber estado en la plaza Noviembre de 1923.

—Sí —dijo Schumann—. En una plaza, ese mismo día. Era un barrio feo, cerca de la estación Oranienburger. Junto a una gran estatua de Hitler. Debíamos encontrarnos con otro contacto, pero el tipo jamás apareció.

—Y ustedes «salieron zumbando» otra vez.

—En efecto. Taggert se asustó de nuevo. Era obvio que allí pasaba algo raro. Fue entonces cuando decidí que era mejor cortar las relaciones con él.

—¿Y qué fue de su sombrero Stetson? —preguntó Kohl rápidamente.

Una expresión preocupada.

—Pues si he de serle sincero, detective Kohl, iba caminando por la calle cuando vi que unos... —Vaciló en busca de una palabra—. ¿Unas bestias? ¿Rudos?

—Sí. Unos matones.

—De uniforme pardo.

—Tropas de Asalto.

—Matones —repitió Schumann con cierta repugnancia—. Estaban golpeando a un librero y a su esposa. Me pareció que iban a matarlos y lo impedí. Un momento después había diez o doce de ésos persiguiéndome. Arrojé algunas prendas por la alcantarilla para que no me reconocieran.

«Este hombre es fuerte», pensó Kohl. «Y sagaz».

—¿Va a arrestarme por golpear a unos matones nazis?

—Eso no me interesa, señor Schumann. Lo que me importa de verdad es la finalidad de toda esta mascarada que organizó el señor Taggert.

—Trataba de amañar algunas de las pruebas de los Juegos Olímpicos.

—¿Amañar?

El norteamericano reflexionó un momento.

—Hacer que un jugador pierda deliberadamente. Es lo que había estado haciendo aquí en los últimos meses: organizando grupos de apuestas en Berlín. Los colegas de Taggert apostarían contra algunos de los favoritos norteamericanos. Como yo tengo credencial de prensa, puedo acercarme a los atletas. Él quería que los sobornara para que perdieran adrede. Por eso, supongo, estaba tan nervioso este último par de días. Debía mucho dinero a algunos de sus mafiosos, como él los llamaba.

—¿Y mató a Morgan para poder ocupar su lugar?

—En efecto.

—¡Qué plan tan complicado! —observó Kohl.

—Había mucho dinero en juego. Cientos de miles de dólares.

Otra mirada al cuerpo tendido en el suelo.

—Ha dicho usted que ayer decidió poner fin a su relación con el señor Taggert. Sin embargo está aquí. ¿Cómo se ha producido esta trágica «pelea», como usted la llama?

—Él no aceptó mi negativa. Estaba desesperado por conseguir el dinero; para hacer las apuestas había pedido mucho dinero prestado. Hoy ha venido a amenazarme. Ha dicho que lo amañarían todo para que el asesino de Morgan pareciera ser yo.

—Para obligarlo a usted a ayudarlos.

—Sí. Pero le he dicho que no me importaba. Que lo denunciaría de cualquier modo. Entonces ha sacado esa pistola para apuntarme. Luchamos y él ha caído. Supongo que se ha roto el cuello.

La mente de Kohl aplicó instintivamente la información que Schumann acababa de proporcionarle a los hechos y a lo que él sabía sobre la naturaleza humana. Algunos detalles concordaban; otros eran chocantes. Willi Kohl siempre se obligaba a mantener la mente abierta ante la escena de un crimen, a no extraer conclusiones apresuradas. Ahora lo hizo automáticamente; sus pensamientos quedaron trabados. Era como si una tarjeta perforada se hubiera atascado en una de las máquinas clasificadoras DeHoMag.

—Usted ha luchado en defensa propia y él ha muerto en una caída.

Una voz de mujer dijo:

—Sí, es exactamente lo que ha sucedido.

Kohl se giró hacia la silueta que asomaba en el vano de la puerta. Ella aparentaba unos cuarenta años; era esbelta y atractiva, aunque su cara reflejaba cansancio y preocupación.

—¿Su nombre, por favor?

—Käthe Richter. —Ella le entregó automáticamente el carné—. Administro este edificio en ausencia de su propietario.

El documento confirmaba su identidad; él se lo devolvió.

—¿Y usted ha presenciado los hechos?

—Estaba aquí, en el pasillo. Como oía ruidos dentro, he abierto un poco la puerta. Y lo he visto todo.

—Sin embargo, a nuestra llegada usted no estaba aquí.

—He tenido miedo. No quería que me involucraran.

Conque la mujer figuraba en alguna lista de la Gestapo o la SD.

—No obstante se ha presentado, señorita.

—Después de reflexionar un momento, he pensado que tal vez queden en esta ciudad algunos policías que se interesen por saber la verdad. —Lo dijo en tono desafiante.

Entró Janssen y miró a la mujer, pero Kohl preguntó, sin darle explicaciones:

—¿Y...?

—En la Embajada estadounidense dicen que no conocen a ningún Robert Taggert.

Kohl, con un gesto afirmativo, continuó analizando la información. Finalmente se acercó al cadáver de Taggert.

—¡Qué caída afortunada! —dijo—. Desde su punto de vista, señor Schumann, por supuesto. Y usted, señorita Richter... Le repetiré la pregunta: ¿ha presenciado personalmente la lucha? Debe responderme con sinceridad.

—Sí, sí. Ese hombre tenía una pistola. Iba a matar al señor Schumann.

—¿Conoce usted a la víctima?

—No, no lo había visto nunca.

Kohl echó otra mirada al cadáver; luego se enganchó el pulgar en el bolsillo del reloj.

—Esto de ser detective es un trabajo extraño, señor Schumann. Uno trata de interpretar las pistas y seguirlas a donde conduzcan. Y en este caso las pistas me pusieron sobre sus pasos; en realidad me condujeron directamente hasta aquí. Ahora parece que esas mismas pistas indican que, en realidad, el hombre que he estado bus-cando era este otro.

—A veces la vida es curiosa.

En alemán la frase no tenía sentido. Kohl comprendió que era la traducción literal de una expresión idiomática, pero dedujo el significado. Que, por cierto, no podía negar.

Sacó la pipa del bolsillo. Sin encenderla, se la puso en la boca y mordisqueó la boquilla durante un momento.

—Bien, señor Schumann: he decidido no detenerlo por ahora. Lo dejaré en libertad, pero retendré su pasaporte mientras investigo estos asuntos más a fondo. No salga de la ciudad. Como probablemente ha visto, nuestras diversas autoridades son muy eficientes cuando se trata de localizar a alguien dentro del país. Pero temo que deberá abandonar la pensión. Es la escena de un crimen. ¿Hay algún otro lugar donde yo pueda ponerme en contacto con usted?

Schumann reflexionó durante un instante.

—Pediré una habitación en el hotel Metropol.

Kohl lo apuntó en su libreta y se guardó el pasaporte en el bolsillo.

—Muy bien, señor. ¿Hay algo más que quiera decirme?

—Nada, inspector. Colaboraré en todo lo que pueda.

—Ya puede marcharse. Coja sólo las cosas indispensables. Jans-sen, quítele las esposas.

El candidato a inspector obedeció. Schumann se acercó a la maleta y, bajo la atenta mirada de Kohl, puso en un estuche la navaja, el jabón de afeitar, un cepillo de dientes y el dentífrico. El inspector le devolvió los cigarrillos, las cerillas, el dinero y el peine.

Schumann miró a la mujer.

—¿Puedes acompañarme hasta la parada del tranvía?

—Sí, desde luego.

Kohl preguntó:

—¿Vive usted en este edificio, señorita Richter?

—Sí, en el departamento trasero de este piso.

—Muy bien. Me pondré en contacto con usted también.

Salieron juntos por la puerta. Cuando desaparecieron Janssen frunció el entrecejo.

—¿Cómo puede dejarlo ir, señor? ¿Le cree?

—En parte. Lo suficiente como para dejarlo libre por el momento. —Kohl explicó a su ayudante lo que le preocupaba. Estaba convencido de que ese homicidio se había producido en defensa propia. Y parecía, en verdad, que el asesino de Reginald Morgan era Taggert. Pero quedaban preguntas sin responder. En cualquier otro país, Kohl habría detenido a Schumann hasta haberlo verificado todo. Pero sabía que, si ordenaba que se lo retuviera mientras continuaba la investigación, la Gestapo declararía imperiosamente que el norteamericano era el extranjero culpable que Himmler deseaba. Y antes de que cayera la noche estaría en la prisión de Moabit o en el campo de Oranienburg—. No sólo moriría por un crimen que probablemente no cometió, sino que además el caso se declararía cerrado y jamás descubriríamos la verdad completa. Lo cual es, por supuesto, el objetivo de nuestro oficio.

—Pero, ¿no quiere que lo siga por lo menos?

Kohl suspiró.

—¿Cuántos criminales hemos apresado por haberlos seguido, Janssen?

—Pues... ninguno, creo, pero...

—Dejemos eso para los detectives de la ficción. Sabemos dónde encontrar a este hombre.

—Pero el Metropol es un hotel enorme, con muchas salidas. Desde allí se nos podría escapar con facilidad.

—Eso no nos interesa, Janssen. En breve continuaremos investigando el papel que el señor Schumann ha representado en este drama. Pero ahora lo prioritario es examinar atentamente esta habitación... *Ach,* debo felicitarlo, candidato a inspector.

—¿Por qué, señor?

—Porque ha resuelto el homicidio del pasaje Dresden. —Señaló el cadáver con la cabeza—. Más aún, el culpable ha muerto. No tendremos que molestarnos en someterlo a juicio.

30

El coronel Reinhard Ernst, acompañado por un guardia de la SS, había llevado a Rudy a su casa de Charlottenburg. Cabía agradecer que el niño fuera tan pequeño: no había entendido del todo el peligro corrido en el estadio. Aunque lo inquietaron las caras sombrías de los hombres, la urgencia que imperaba en la sala de prensa y la velocidad con que se alejaban de la Villa, no podía apreciar la importancia de los hechos. Sólo sabía que su *Opa* se había hecho algo de daño en una caída, aunque el abuelo restaba importancia a lo que denominaba «aventura».

En realidad, lo más destacado de la tarde no había sido, para él, el magnífico estadio, el haber conocido a los hombres más poderosos del país, ni tampoco la alarma causada por el asesino, sino los perros. Ahora Rudy quería uno; mejor aún, dos. Hablaba interminablemente sobre los animales.

—Todo está en obras —murmuró Ernst a Gertrud—. He estropeado el traje.

Ella no se mostró complacida, desde luego, pero lo que más la preocupó fue que él hubiera sufrido una caída. Le examinó minuciosamente la cabeza.

—Tienes un chichón. Has de tener más cuidado, Reinie. Te traeré hielo para que te lo apliques.

Él detestaba no poder ser absolutamente sincero con su esposa. Pero no podía, de ninguna manera, decirle que había sido el blanco de un magnicida. Si ella se enteraba le imploraría que se quedara en casa. Insistiría. Y él tendría que negarse, cosa que rara vez hacía con su esposa. Si durante la rebelión de noviembre de 1923 Hitler se había sepultado bajo un montón de cadáveres para protegerse de todo daño, Ernst, por el contrario, jamás evitaría el encuentro con un enemigo cuando su deber le requiriese enfrentarlo.

En circunstancias diferentes sí, tal vez se habría quedado en casa durante uno o dos días, hasta que descubrieran al asesino. Y sin duda lo descubrirían, ahora que se había puesto en marcha el gran mecanismo de la Gestapo, la SD y la SS. Pero ese día Ernst debía atender una cuestión vital: realizar las pruebas en la universidad, con el doctor-profesor Keitel, y preparar el memorándum sobre el Estudio Waltham para el Líder.

Pidió al ama de llaves que le llevara al estudio un poco de café, pan y salchichas.

—Pero Reinie —protestó Gertrud, exasperada—, hoy es domingo. El ganso...

En casa de Ernst la comida dominical era una vieja tradición que no se rompía mientras fuera posible evitarlo.

—Lo siento, querida, pero no tengo opción. El próximo fin de semana sí, lo pasaré entero contigo y con la familia.

Y se sentó ante su escritorio para apuntar algunas notas.

Diez minutos después apareció Gertrud en persona con una bandeja grande.

—No voy a permitir que comas esa basura —dijo mientras retiraba el paño que cubría la bandeja.

El sonrió al ver el enorme plato de ganso asado con mermelada de naranja, repollos, papas hervidas y guisantes con cardamomo. Se levantó para besar a Gertrud en la mejilla. Ella se fue. Mientras Ernst comía, sin mucho apetito, comenzó a preparar un borrador del memorándum.

ESTRICTAMENTE CONFIDENCIAL
Adolf Hitler,
Líder, canciller de Estado, presidente de la nación alemana y comandante de las Fuerzas Armadas.
Mariscal de Campo, Werner von Blomberg, ministro de Estado de Defensa.

Líder y ministro míos:

Se me han pedido detalles del Estudio Waltham, que realizo con el doctor-profesor Ludwig Keitel en la Academia Militar Waltham. Me complace describir la naturaleza de dicho trabajo y los resultados obtenidos hasta ahora.

Este estudio surge de las instrucciones que recibí de ustedes, en cuanto a preparar a las Fuerzas Armadas de Alemania y ayudarlas a alcanzar muy prontamente los objetivos de nuestra gran nación, que ustedes han fijado.

Hizo una pausa para organizar sus pensamientos. ¿Qué revelar y qué ocultar?

Media hora después había completado el documento, de una página y media, y le hacía algunas correcciones a lápiz. Por el momento ese borrador serviría. Haría que Keitel también lo leyera y corrigiera; después, esa noche, perfilaría la versión final. Al día siguiente lo entregaría personalmente al Líder. Escribió una nota para Keitel, pidiéndole sus comentarios, y la enganchó al borrador.

Llevó la bandeja al piso bajo y se despidió de Gertrud. Hitler había insistido en apostar guardias frente a su casa, al menos hasta que atraparan al asesino. Él no tenía objeción, pero pidió que se mantuvieran fuera de la vista para no alarmar a su familia. También había cedido cuando el Líder le exigió que, en vez de conducir personalmente su Mercedes descapotado, se dejara llevar en un coche cerrado por una escolta armada de la SS.

Fueron primero a la Casa Columbia, en Tempelhof. El conductor se apeó para asegurarse de que no hubiera ningún peligro en la zona de entrada. Fue a hablar con los otros dos guardias apostados frente a la puerta y ellos también miraron alrededor, aunque Ernst no imaginaba quién podía ser tan tonto como para intentar un magnicidio frente a un centro de detención de la SS. Pasado un momento, le hicieron una seña y el coronel se apeó. Desde la entrada principal lo condujeron escaleras abajo, franqueando varias puertas cerradas con llave, hasta la zona de las celdas.

Caminó nuevamente por ese largo corredor, caluroso y húmedo, que apestaba a heces y orina. «Qué manera repugnante de tratar a la gente», pensó. Los militares británicos, norteamericanos y franceses que él había capturado durante la guerra habían recibido un trato respetuoso. Ernst se cuadraba ante los oficiales, charlaba con los soldados y cuidaba de que se los mantuviera abrigados, secos y alimentados. Ahora sentía un arrebato de desprecio por el carcelero de uniforme pardo que lo acompañaba, silbando por lo bajo una cancioncilla de moda; de vez en cuando golpeaba los barrotes con la porra, simplemente para asustar a los prisioneros.

Recorridos tres cuartos de la longitud del pasillo, Ernst se detuvo ante una celda y miró dentro. La piel le ardía por el calor.

Los dos hermanos Fischer estaban empapados de sudor. Tenían miedo, desde luego (en ese lugar terrible todo el mundo tenía miedo), pero vio en sus ojos algo más: un desafío juvenil.

Para Ernst fue una desilusión. Esa mirada le dijo que rechazarían su ofrecimiento. ¿Preferían pasar un tiempo en Oranienburg? Él había dado por seguro que Kurt y Hans aceptarían participar en el Estudio Waltham. Eran sujetos perfectos.

—Buenas tardes.

El mayor de los hermanos le saludó con una inclinación de cabeza. Ernst sintió un extraño escalofrío: ese muchacho se parecía a su hijo. ¿Cómo no lo había notado antes? Tal vez era por el aire de serenidad, de confianza en sí mismo, que por la mañana había estado ausente. Tal vez, consecuencia perdurable de la mirada que había visto horas antes en los ojos del pequeño Rudy. De cualquier modo la similitud lo incomodaba.

—Necesito que me digan si participarán en nuestro estudio.

Los hermanos se miraron. Kurt empezó a hablar, pero fue el menor quien dijo:

—Participaremos.

Se había equivocado, pues. Ernst asintió, sonriente y sinceramente complacido. Entonces el hermano mayor añadió:

—Siempre que usted nos permita enviar una carta a Inglaterra.

—¿Qué carta?

—Queremos comunicarnos con nuestros padres.

—Me temo que eso no está permitido.

—Pero usted es coronel, ¿no? ¿Verdad que tiene autoridad para decidir qué está permitido y qué no? —preguntó Hans.

Ernst inclinó la cabeza para examinar al muchacho, pero volvió a concentrar su atención en el hermano mayor. Su parecido con

Mark era verdaderamente impresionante. Vaciló un momento, pero luego dijo:

—Una sola carta. Y tendrán que enviarla antes de que pasen dos días, mientras estén bajo mi supervisión. Los sargentos no consentirán que salga una carta a Londres. Ellos no tienen autoridad para decidir qué pueden permitir y qué no.

Los muchachos intercambiaron otra mirada. Kurt hizo un gesto afirmativo. El coronel también. Y luego se cuadró ante ellos, tal como lo había hecho al despedirse de su hijo: no con el brazo extendido, al estilo fascista, sino con el gesto tradicional, con la palma plana junto a la frente. El guardia de la SA fingió no percatarse.

—Bienvenidos a la Nueva Alemania —dijo el coronel. Su voz, próxima al susurro, desmentía lo rígido del saludo.

Tras girar en la esquina se dirigieron hacia la plaza Lützow, para poner toda la distancia posible entre ellos y la casa de pensión antes de buscar un taxi. Paul se volvía a menudo para ver si alguien los seguía.

—No nos hospedaremos en el Metropol —dijo mientras miraba hacia ambos lados de la calle—. Buscaré un lugar seguro. Mi amigo Otto puede encargarse de eso. Lo siento, pero tendrás que dejarlo todo allí. No puedes regresar.

Se detuvieron en la concurrida esquina. Él le deslizó distraídamente el brazo en torno a la cintura, mientras observaba el tráfico, pero Käthe se puso rígida y se apartó.

Paul la miró, intrigado.

—Regresaré, Paul. —Su voz no expresaba ninguna emoción.

—¿Qué pasa, Käthe?

—Lo que he dicho a ese inspector de la Kripo es la verdad.

—Estabas...

—Estaba en el vano de la puerta, sí, mirando hacia dentro. Eras tú quien mentía. Has asesinado a ese hombre. No ha habido pelea alguna. Él no estaba armado. Estaba allí, indefenso, y tú lo has matado con un golpe. Ha sido horroroso. No había visto nada tan horroroso desde que... desde que...

El cuarto cuadrado contando desde el césped...

Paul guardó silencio.

Frente a ellos pasó un camión descubierto, con cinco o seis Camisas Pardas en la parte trasera. Reían y gritaban algo a un grupo de transeúntes. Algunos de los peatones los saludaron agitando la mano. El camión desapareció a la vuelta de la esquina.

Paul condujo a Käthe a una plaza pequeña y buscó un banco, pero ella no quiso sentarse.

—No —susurró. Lo miraba con frialdad, con los brazos cruzados contra el pecho.

—No es tan sencillo como tú crees —susurró él.

—¿Sencillo?

—Lo mío, por qué he venido. No te lo he dicho todo, es cierto. No quería complicarte.

Entonces, por fin, estalló la ira.

—¡Vaya, qué buena excusa para mentir! ¡No querías complicarme! Me pediste que fuera a América contigo, Paul. ¿No te parece que eso ya era complicarme bastante?

—Me refería a complicarte con mi vida de antes. Este viaje debía ser el final de todo eso.

—¿Qué vida de antes? ¿Eres militar?

—En cierto modo. —Él vaciló—. No, no es cierto. En Estados Unidos era sicario. He venido para detenerlos.

—¿Para detener a quiénes?

—A tus enemigos. —Paul señaló con la cabeza una de los cientos de banderas rojas, blancas y negras que ondeaban a poca distancia—. Debía matar a alguien de este gobierno para impedir que iniciara otra guerra. Pero esa parte de mi vida debía quedar definitivamente cerrada. Me borrarían todos los antecedentes y...

—¿Y cuándo pensabas revelarme ese pequeño secreto tuyo, Paul? ¿Cuando llegáramos a Londres? ¿En Nueva York?

—Eso se ha terminado. Puedes creerme.

—Me has utilizado.

—Nunca te...

—Anoche, esa noche maravillosa, hiciste que te mostrara la calle Wilhelm. Me usabas como pantalla, ¿verdad? Buscabas un sitio desde donde asesinar a ese hombre.

Él levantó la vista hacia una de esas banderas descarnadas y no respondió.

—Supongamos que, una vez en América, yo hiciera algo que te enfadara. ¿Me golpearías? ¿Me matarías?

—¡Käthe! ¡No, por supuesto que no!

—*Ach,* es fácil decirlo. Pero ya me has mentido. —Ella sacó un pañuelo del bolso. El perfume de lilas lo conmovió por un momento; su corazón gimió como si fuera olor a incienso en el velatorio de un ser querido. Ella se enjugó los ojos y guardó el pañuelo—. Dime una cosa, Paul: ¿en qué te diferencias de ellos? En qué, dime... No, no, claro que eres diferente: eres más cruel. ¿Sabes por qué? —Apenas se la entendía, con la voz medio ahogada por las lágrimas—: Me diste esperanzas para luego quitármelas. Con ellos, con las fieras del jardín, nunca hay ninguna esperanza. Al menos ellos no engañan. No, Paul; regresa a tu país perfecto. Yo me quedo. Me quedaré hasta que vengan a llamar a mi puerta. Y entonces desapareceré. Como Michael.

—No he sido sincero, Käthe, lo reconozco. Pero debes venir conmigo... Por favor.

—¿Sabes qué escribió nuestro filósofo Nietzsche? «Quien lucha contra los monstruos debe tener cuidado de no convertirse él mismo en monstruo». Oh, qué gran verdad, Paul. Qué gran verdad.

—Ven conmigo, por favor. —Él la aferró con fuerza por los hombros.

Pero Käthe Richter también era fuerte. Le apartó las manos y dio un paso atrás. Con los ojos clavados en él, susurró implacablemente:

—Prefiero compartir mi país con diez mil asesinos que mi cama con uno solo.

Y giró sobre sus talones. Por un momento vaciló. Luego echó a andar deprisa, atrayendo las miradas de los transeúntes, quienes se preguntaban qué podía haber causado una pelea tan intensa entre dos enamorados.

31

Willi, Willi, Willi...

Era Friedrich Horcher, el jefe de inspectores, quien pronunciaba lentamente su nombre. Kohl acababa de regresar al Alex; su jefe lo alcanzó cuando ya llegaba a su despacho.

—¿Diga, señor?

—Lo estaba buscando.

—¿Ah, sí?

—Es por ese caso de Gatow. Los disparos, ¿recuerda?

¿Cómo olvidarlo? Esas fotos estaban grabadas en su mente para siempre. Las mujeres, los niños... Pero en ese momento volvió a sentir un escalofrío de miedo. ¿Y si ese caso había sido una prueba, tal como él temía? Tal vez los muchachos de Heydrich esperaban ver si abandonaba o no el asunto. Y ahora sabrían que él había hecho algo peor: llamar secretamente al joven gendarme a su casa.

Horcher se ajustó el brazalete rojo sangre.

—Tengo buenas noticias para usted. El caso está resuelto. También el de Charlottenburg, el de esos trabajadores polacos. Ambos fueron obra del mismo asesino.

El alivio inicial de Kohl por no ser arrestado se convirtió rápidamente en desconcierto.

—¿Quién ha cerrado el caso? ¿Alguien de la Kripo?

—No, no. Ha sido el mismo jefe de la gendarmería. Meyerhoff. Imagínese.

Ach... El asunto comenzaba a cristalizar, para disgusto de Willi Kohl. No se sorprendió en absoluto ante el resto de la historia, tal como la contaba su jefe.

—El asesino fue un judío checo. Demente. Como Vlad el Empalador. Ése era checo, ¿no? O rumano, húngaro... no recuerdo. ¡Ja! ¡La historia siempre me ha sido difícil! Pero vamos, que el sospechoso fue detenido y ya ha confesado. Lo entregaron a la SS. —Horcher rió—. Sus agentes han distraído tiempo de esa importante y misteriosa alerta de seguridad para efectuar un poco de labor policíaca.

—¿Hubo algún cómplice?

—¿Cómplices? No, no. El checo actuó solo.

—¿Solo? ¡Pero si el gendarme de Gatow dedujo que los autores debían de ser dos o tres, cuanto menos. Las fotos apoyan esa teoría. Y la lógica también, dado el número de víctimas.

—*Ach,* Willi, los policías entrenados sabemos que a veces la vista engaña. Y un gendarme joven, de un barrio de las afueras... Allí no están habituados a investigar la escena de un crimen. De cualquier manera el judío confesó. Actuó solo. El caso está resuelto. Y el pájaro va camino de la jaula.

—Me gustaría interrogarlo.

Una vacilación. Luego Horcher volvió a acomodarse el brazalete, sin dejar de sonreír.

—Veré qué se puede hacer, aunque es probable que ya esté en Dachau.

—¿En Dachau? Pero, ¿por qué lo han enviado a Múnich? ¿Por qué no a Oranienburg?

—Tal vez porque ya está repleto. De todas maneras el caso está cerrado. No hay motivos para hablar con él.

Desde luego, ese hombre ya debía de haber muerto.

—Además, usted necesita todo su tiempo para concentrarse en el caso del pasaje Dresden. ¿Cómo marcha eso?

—Hemos hecho algunos descubrimientos —informó Kohl a su jefe, tratando de que su voz no delatara su enojo ni su frustración—. Creo que en uno o dos días más tendremos todas las respuestas.

—Excelente. —Horcher frunció el entrecejo—. En la calle Príncipe Albrecht hay aún más alboroto que antes. ¿Se ha enterado? Más alertas, más medidas de seguridad. Hasta han movilizado a la SS. Todavía no sé qué está pasando. ¿Tiene usted alguna noticia, por casualidad?

—No, señor. —Pobre Horcher. Siempre temía que cualquiera estuviese mejor informado que él—. Pronto le presentaré el informe sobre el homicidio.

—Bien. Todo apunta hacia ese extranjero, ¿verdad? Creo recordar que usted dijo eso.

«No, lo dijiste tú», pensó Kohl.

—El caso marcha ahora aceleradamente.

—Excelente. Vaya, qué cosas... los dos trabajando en domingo, usted y yo. ¿Se imagina? ¿Recuerda los tiempos en que teníamos todo el domingo libre y también el sábado por la tarde?

El hombre se alejó silencioso por el pasillo.

Desde la puerta de su oficina Kohl vio los espacios vacíos allí donde había dejado sus notas y las fotografías del caso Gatow. Sin duda Horcher las había «archivado»; eso significaba que habían corrido la misma suerte que el pobre checo judío. Probablemente habían sido quemadas, como el listado del *Manhattan*, y ahora flotaban sobre la ciudad, en el viento alcalino de Berlín, convertidas en partículas de ceniza. Se apoyó pesadamente contra el marco de la puerta, con la vista fija en el escritorio, y pensó: «Esto es lo único innegable del homicidio: que no se puede deshacer. El dinero robado se devuelve, los cardenales se curan, la casa incendiada se reconstruye, la víctima de un secuestro reaparece, atribulada, pero viva. En cambio esos niños que murieron, sus padres, los trabajadores polacos... habían muerto para siempre».

Sin embargo a Willi Kohl se le decía que no era así. Que en ese país las leyes del universo eran algo diferentes. La muerte de esas familias, de esos trabajadores, quedaba borrada. Porque, si hubieran sido reales, la gente honrada no podría descansar sin haber comprendido esa pérdida, sin haberla llorado y (eso incumbía a Kohl) sin haberla vengado.

El inspector colgó su sombrero en la percha y se sentó pesadamente en la silla desvencijada. Echó un vistazo a las cartas y telegramas recibidos. Nada que se relacionara con Schumann. Con su monóculo de aumento, comparó personalmente las huellas que Janssen había tomado a Taggert con las fotos de las que había encontrado en los adoquines del pasaje Dresden. Eran iguales. Eso lo alivió un poco; significaba que Taggert era, en verdad, el asesino de Reginald Morgan; el inspector no había dejado en libertad a un homicida.

Era una suerte poder compararlas por sí mismo. Un mensaje del Departamento de Identificación le informaba que todos los examinadores y analistas habían recibido órdenes de abandonar cualquier investigación de la Kripo para ponerse a disposición de la Gestapo y la SS, a la luz de «novedades referidas al alerta de seguridad».

Se acercó al escritorio de Janssen, quien le informó que los hombres del forense aún no habían retirado el cadáver de Taggert de la pensión. Kohl meneó la cabeza, suspirando.

—Haremos aquí lo que podamos. Que los técnicos de balística analicen la pistola y comprueben si en verdad es el arma homicida.

—Sí, señor.

—Algo más, Janssen. Si los expertos en armas de fuego también han sido reclutados para la búsqueda de ese ruso, haga usted mismo las pruebas. Sabe hacerlas, ¿verdad?

—Sí, señor.

Cuando el joven se hubo retirado, Kohl volvió a sentarse para apuntar unas cuantas preguntas sobre Morgan y el misterioso Taggert; debía hacerlas traducir para enviarlas a las autoridades norteamericanas.

En el vano de la puerta apareció una sombra.

—Un telegrama, señor —dijo el mensajero del piso, un joven de saco gris. Y ofreció el documento a Kohl.

—Sí, sí, gracias. —El inspector desgarró el sobre, pensando que sería la respuesta de United States Lines sobre el listado o la de Manny's Men's Wear acerca del sombrero, pero que en cualquier caso le comunicarían que no podían brindarle ninguna ayuda.

Pero se equivocaba. Era del Departamento de Policía de Nueva York. Aunque estaba en inglés, el significado se comprendía con facilidad.

AL DETECTIVE INSPECTOR W. KOHL.
KRIMINALPOLIZEI ALEXANDERPLATZ BERLÍN.
EN RESPUESTA A SU SOLICITUD DE AYER, DEBEMOS INFORMAR QUE EL EXPEDIENTE DE P. SCHUMANN HA SIDO ELIMINADO Y

NUESTRA INVESTIGACIÓN SOBRE DICHA PERSONA SUSPENDI-
DA POR TIEMPO INDEFINIDO STOP NO HAY MÁS INFORMACIÓN
DISPONIBLE STOP SALUDOS CAP G O'MALLEY DPNY

Kohl arrugó el entrecejo. En el diccionario inglés-alemán del departamento comprobó que «eliminar» significaba «borrar». Releyó varias veces el telegrama. En cada lectura la piel le ardía más y más.

Conque la Policía Criminal tenía a Schumann bajo su mira. ¿Por qué motivos? ¿Y por qué se habían eliminado sus antecedentes, por qué se había detenido la investigación?

¿Cuáles eran las implicaciones de todo eso? La más inmediata: aunque aquel hombre no hubiera matado a Reginald Morgan, era más que posible que hubiera venido a la ciudad con algún propósito criminal.

Y la otra era que Kohl, personalmente, había dejado suelto a un hombre potencialmente peligroso.

Debía hallar a Schumann o, cuanto menos, conseguir más información sobre él lo antes posible. Sin aguardar el regreso de Janssen, Willi Kohl recogió su sombrero y salió por el pasillo en penumbras hacia la escalera. Tan distraído estaba que bajó hacia el sector prohibido de la planta baja. Aun así abrió la puerta. De inmediato le salió al paso un soldado de la SS. Entre el palmoteo de las tarjetas clasificadas por la DeHoMag, el hombre dijo:

—Señor, ésta es una zona restring...

—Déjeme pasar —bramó el inspector, con una fiereza que sobresaltó al joven guardia.

Otro de los guardias, armado con una ametralladora Erma, se volvió hacia ellos.

—Voy a salir de mi edificio por la puerta que está al final de ese pasillo. No tengo tiempo para ir hacia la otra salida.

El joven guardia de la SS miró en derredor, intranquilo. Ninguno de los presentes dijo una palabra. Por fin asintió.

Kohl se alejó a grandes pasos, sin prestar atención a sus pies doloridos, y salió a la intensa luz de la calurosa tarde. Mientras se orientaba apoyó el pie derecho en un banco para acomodar la lana de cordero. Luego partió hacia el norte, en dirección al hotel Metropol.

* * *

—¡*Ach,* señor John Dillinger!

Otto Webber, con el ceño fruncido, señaló una silla en un rincón oscuro de la Cafetería Aria, en tanto aferraba a Paul por un brazo, susurrando:

—Estaba preocupado por ti. ¡No había noticias! ¿Ha servido de algo mi llamada al estadio? La radio no ha dicho nada. Pero es evidente que ese roedor de nuestro Goebbels no usaría la radio estatal para anunciar un magnicidio. —La sonrisa del bandido desapareció de pronto—. ¿Qué pasa, amigo mío? No se te ve precisamente contento.

Pero antes de que Paul pudiera decir nada Liesl, la camarera, reparó en él y acudió veloz.

—Hola, amor mío. —Hizo un mohín—. Debería darte vergüenza. La última vez te fuiste sin darme un beso de despedida. ¿Qué te sirvo?

—Una Pschorr.

—Sí, sí, será un placer. Te he echado de menos.

Webber, completamente ignorado por ella, dijo enfurruñado:

—Disculpa, *ach,* disculpa. Para mí una lager.

Liesl se inclinó para besar a Paul en la mejilla. Él percibió un perfume muy fuerte, que permaneció flotando a su alrededor aun después de que la mujer se hubiese ido. Pensó en lilas, pensó en Käthe. Luego apartó esos pensamientos con brusquedad para explicar a su compañero lo que había sucedido en el estadio y posteriormente.

—¡No! ¿Nuestro amigo Morgan? —Webber estaba horrorizado.

—Un hombre que se hacía pasar por Morgan. Los de la Kripo tienen mi nombre y mi pasaporte, pero creen que yo no lo maté. Tampoco me han relacionado con Ernst y el estadio.

Liesl les trajo las cervezas. Antes de alejarse rozó a Paul, coqueta, y le apretó el hombro, dejando otra nube de fuerte perfume sobre la mesa. Paul apartó la cara para huir de él. Liesl se alejó, meciéndose con una sonrisa lasciva.

—¿No puede entender que no me interesa? —murmuró él, más enfadado aún porque no podía quitarse a Käthe de la cabeza.

—¿Quién? —preguntó Webber entre varios tragos grandes.

—Ella. Liesl.

El alemán arrugó la frente.

—No, no, no, señor John Dillinger. No es ella. Él.

—¿QUÉ?

—¿Creías que Liesl era mujer?

Paul parpadeó.

—¿Es...?

—Por supuesto. —Webber bebió otro poco de cerveza y se limpió el bigote con el dorso de la mano—. Supuse que lo sabías. Es obvio.

—¡Joder! —Paul se frotó con fuerza la mejilla donde había recibido el beso y se volvió a mirarla—. Obvio para ti, quizá.

—Pese a tu profesión, hermano, eres un niño de pecho.

—Cuando me preguntaste a qué sala podíamos ir te dije que me gustaban las mujeres.

—*Ach*, las del espectáculo son mujeres, sí. Pero la mitad de las camareras son hombres. Yo no tengo la culpa de que seas atractivo para ambos sexos. Además es culpa tuya, por haberle dado una propina digna de un príncipe etíope.

Paul encendió un cigarrillo para cubrir el olor a perfume, que ahora le daba asco.

—Veamos, señor John Dillinger: parece que estás en problemas. ¿La gente que está detrás de esta traición es la misma que debe sacarte de Berlín?

—Todavía no lo sé. —Recorrió con la mirada el club, que estaba casi desierto; aun así se inclinó hacia delante para susurrar—: Necesito que vuelvas a ayudarme, Otto.

—*Ach*, aquí estoy, siempre bien dispuesto. Yo, el que te rescata de los Camisas de Estiércol, el fabricante de manteca, el vendedor de champán, el doble de Krupp.

—Pero ya no me queda dinero.

Webber hizo una mueca despectiva.

—Después de todo, el dinero es la raíz de todos los males. ¿Qué necesitas, amigo mío?

—Un coche. Otro uniforme. Y otra arma. Un rifle.

El alemán calló por un momento.

—Tu cacería continúa.

—En efecto.

—*Ach*, qué no habría hecho yo con diez o doce hombres como tú en mi banda... Pero la seguridad en torno a Ernst será más intensa que nunca. Quizá incluso abandone la ciudad por un tiempo.

—Es cierto, pero tal vez no se vaya de inmediato. En su despacho vi que hoy tenía dos compromisos. El primero, en el estadio. El otro, en un lugar llamado Academia Waltham. ¿Dónde queda?

—¿Waltham? Es...

—Hola, querido, ¿quieres otra cerveza? ¿O tal vez me quieres a mí?

Paul dio un respingo al sentir un aliento caliente contra la oreja y unos brazos que lo rodeaban como serpientes. Liesl se le había acercado desde atrás.

—La primera vez será gratis —susurró la camarera—. Quizá la segunda también.

—¡Basta! —ladró él. La cara de Liesl pasó a la frialdad.

Ahora que sabía la verdad Paul notó que, si bien era bonita, tenía ángulos obviamente masculinos.

—No tienes por qué ser tan grosero, querido.

—Disculpa. —Se apartó—. No me interesan los hombres.

—No soy un hombre —replicó Liesl tan tranquila.

—Ya sabes lo que quiero decir.

—Pues entonces has hecho mal en coquetear —le espetó ella—. Me debes cuatro marcos por las cervezas. No: cinco. He sumado mal.

Paul le pagó. La camarera le volvió fríamente la espalda, murmurando, y se dedicó a limpiar ruidosamente las mesas vecinas. Webber comentó, sin darle importancia:

—Mis chicas a veces también se ponen así. Es tan fastidioso...

Al reanudar la conversación, Paul repitió:

—La Academia Waltham, ¿qué sabes de ella?

—Es una escuela militar. Está cerca de aquí, en el camino a Oranienburg, que es la sede de nuestro bello campo de concentración. ¿Por qué no tocas a la puerta y te entregas, ya que estás? Así ahorrarás a la SS el trabajo de rastrearte.

—Un coche y un uniforme —repitió Paul—. Quiero ser empleado público, pero no militar. Como es lo que hicimos en el estadio, posiblemente esperen algo así. Podría ser...

—¡*Ach*, ya sé! Podrías ser un jefe del RAD.

—¿Qué es eso?

—Servicio Nacional de Trabajo. Un soldado de la pala. Todos los muchachos del país deben cumplir un período como obreros; probablemente lo ideó el mismo Ernst como recurso para adiestrar soldados. Llevan las palas como si fueran fusiles y pasan tanto tiempo desfilando como cavando. Tú eres demasiado viejo para estar en el servicio, pero podrías pasar por oficial. Tienen camiones para llevar a los obreros de un lado a otro. Y como se los ve por todos los caminos, no llamarías la atención. Y ya sé dónde conseguirte un buen camión. Y un uniforme. Son de un gris azulado muy bonito. El color te sentará de maravilla.

—¿Y el rifle? —susurró Paul.

—Eso será más difícil. Pero tengo algunas ideas. —Webber acabó su cerveza—. ¿Cuándo quieres hacerlo?

—Debería estar en la Academia Waltham a las cinco y media, a más tardar.

El alemán asintió.

—Pues entonces debemos actuar inmediatamente. Te convertiremos en funcionario nacionalsocialista. —Reía—. Pero no necesitas entrenamiento. Bien sabe Dios que los de verdad no tienen ninguno.

32

Al principio oyó sólo el ruido de interferencias. Por fin los chirridos se fundieron en un:

—¿Gordon?

—No usamos nombres —le recordó el comandante, mientras apretaba furiosamente el aparato de baquelita contra la oreja, para oír con más claridad las palabras que le llegaban desde Berlín. Era Paul Schumann, que llamaba por conexión radial vía Londres. Aún no eran las diez de la mañana del domingo, pero Gordon estaba ante su escritorio del Depatamento de Inteligencia Naval, en Washington; había pasado la noche allí, ansioso por saber si el hombre había logrado matar a Ernst—. ¿Estás bien? ¿Qué ha pasado? Hemos comprobado las transmisiones de radio, los periódicos, pero nada...

—Calla —le espetó Schumann—. No tengo tiempo para eso de «amigos del norte» y «amigos del sur». Escucha bien.

Gordon se incorporó en la silla.

—Adelante.

—Morgan ha muerto.

—¡Dios! ¡No! —Gordon cerró por un momento los ojos, afectado por la pérdida. Aunque no conocía personalmente a ese hombre, su información había sido siempre válida. Y cualquiera que arriesgara su vida por la patria merecía su respeto.

A continuación Schumann lanzó una bomba:

—Lo asesinó un estadounidense llamado Robert Taggert. ¿Lo conoces?

—¿Qué? ¿Un estadounidense?

—¿Lo conoces o no?

—No, nunca lo había oído nombrar.

—Trataba de matarme a mí también, antes de que hiciera lo que me enviaron a hacer. El tipo con quien hablabas en estos últimos días no era Morgan, sino Taggert.

—¿Cómo se llama? Repítemelo.

Schumann se lo deletreó; luego le dijo que tal vez estuviera relacionado con el servicio diplomático de Estados Unidos, aunque no podía asegurarlo. El comandante apuntó el apellido y gritó:

—¡Recluta Willets!

La mujer tardó apenas un momento en aparecer en el vano de la puerta. Gordon le plantó el papel en la mano:

—Averígüeme todo lo que pueda sobre este tipo. —Ella desapareció inmediatamente. Luego, al teléfono—: Y tú, ¿estás bien?

—¿Tú has tenido algo que ver con esto?

Pese a los ruidos de la comunicación, Gordon percibió la ira del sicario.

—¿Qué?

—Fue todo una trampa. Desde el comienzo. ¿Has tenido algo que ver?

El aire pantanoso de la mañana entraba y salía por esa ventana de Washington.

—No entiendo de qué me hablas.

Después de una pausa Schumann le contó la historia completa: cómo había matado Taggert a Morgan para hacerse pasar por él y cómo había traicionado a Schumann ante los nazis. Gordon estaba sinceramente espantado.

—¡No, por Dios! ¡Te lo juro! No sería capaz de hacer algo así a uno de mis hombres. Y a ti te considero uno de ellos, de verdad.

Otra pausa.

—Taggert dijo que tú no participabas, pero quería oírlo de tu propia boca.

—Te juro que...

—Bueno, tienes algún traidor metido entre tu gente, comandante. Te conviene averiguar quién es.

Gordon se apoyó en el respaldo, abrumado por la noticia, con la vista clavada en la pared que tenía delante. Allí colgaban varias condecoraciones, su diploma de Yale y dos fotos, la del presidente Roosevelt y la de Theodorus B. M. Maison, el teniente naval de ancha mandíbula que había sido el primer jefe de la Inteligencia Naval.

Un traidor...

—¿Qué te dijo ese tal Taggert?

—Sólo que era cuestión de «intereses». Nada más específico. Querían mantener contentos al que manda aquí. Al principal, ¿entiendes?

—¿Puedes hablar otra vez con él, averiguar algo más?

Una vacilación.

—No.

Gordon comprendió lo que eso significaba: Taggert había muerto. Schumann continuó:

—Recibí el santo y seña a bordo del barco. Taggert sabía las mismas frases que nosotros. Morgan no. ¿Cómo pudo suceder?

—Yo envié el santo y seña a mis hombres de a bordo. También adonde estás ahora. Se suponía que Morgan iría a recogerlo.

—Pues entonces Taggert recibió el mensaje correcto e hizo llegar a Morgan uno diferente. Ese espía del *Bund* germanoamericano que iba a bordo no pudo transmitir nada. No fue él. ¿Quién pudo hacerlo? ¿Quién conocía la frase?

Inmediatamente surgieron dos nombres en la memoria del comandante. Como ante todo era militar, sabía que un oficial del Ejército debe tener en cuenta todas las posibilidades. Pero el joven Andrew Avery era para él como un hijo. A Vincent Manielli no lo conocía tan bien, pero en su hoja de servicio no había nada que indujera a dudar de su lealtad.

Schumann, como si le leyera la mente, preguntó:

—¿Cuánto hace que trabajas con esos dos chicos tuyos?

—Sería prácticamente imposible.

—Últimamente la palabra «imposible» significa algo muy diferente. ¿Quién más conocía la frase? ¿«Daddy» Warbucks?

Gordon reflexionó. Pero Cyrus Clayborn, el financiero, sólo tenía una idea general de lo planeado.

—Ni siquiera sabía que hubiera un santo y seña.

—Y bien, ¿quién eligió la frase?

—El senador y yo, juntos.

Más interferencias. Schumann no dijo nada. Pero el comandante añadió:

—No, no pudo ser él.

—¿Estaba contigo cuando la transmitiste?

—No. Estaba en Washington. —Gordon se dijo: «Pero pudo enviar un mensaje a Berlín en cuanto cortó la comunicación conmigo, con el código correcto, y hacer que Morgan recibiera uno diferente—. Imposible —dijo.

—Sigo oyendo la misma palabra, Gordon. Esto no me aclara las cosas.

—Mira, todo el asunto fue idea del senador. Habló primero con gente del Gobierno y luego vino a mí.

—Eso significa que desde un principio planeó tenderme una trampa —añadió Schumann, en tono alarmante—. Junto con esas mismas personas.

Los hechos cayeron en cascada por la mente del comandante. ¿Era aquello posible? ¿Adónde conducía esa traición? Por fin el sicario dijo:

—Escucha: maneja esta situación como quieras. ¿Aún piensas enviarme ese avión?

—Sí, señor. Te doy mi palabra de honor. Yo mismo me pondré en contacto con mis hombres de Ámsterdam. Dentro de tres horas y media estará allí.

—No. Necesito más tiempo. Que venga alrededor de las diez de la noche.

—No puede aterrizar en la oscuridad. Vamos a utilizar una pista abandonada. No tiene luces. Pero hacia las ocho y media aún habría suficiente claridad. ¿Qué te parece?

—No. Que sea mañana al amanecer.

—¿Por qué?

Hubo una pausa.

—Esta vez no se me escapará.

—¿Qué vas a hacer?

—Lo que me encomendaron —gruñó Schumann.

—No, no, no puedes. Ahora es muy peligroso. Anda, vuelve a casa. Pon esa tienda que querías. Te la has ganado. Te...

—¿Me escuchas, comandante?

—Adelante.

—Mira, yo estoy aquí y tú estás allá. No puedes detenerme. Deja de gastar saliva. Tú ocúpate de que el avión esté en la pista mañana al amanecer.

La recluta Ruth Willets apareció en el vano de la puerta.

—Espera —dijo Gordon al teléfono.

—Sobre Taggert aún no hay nada, señor. Los de registros llamarán en cuanto tengan algo.

—¿Dónde está el senador?

—En Nueva York.

—Consígame sitio en cualquier avión que vuele hacia allí. Del Ejército, particular, lo que sea.

—Sí, señor.

El comandante volvió al teléfono.

—Paul, te sacaremos de allí. Pero por favor, sé razonable. Ahora todo ha cambiado. ¿Tienes idea de lo peligroso que es?

En la línea aumentaron los ruidos, que se tragaron casi toda la respuesta del sicario, pero Bull Gordon creyó oír una risa. Luego, nuevamente la voz de Schumann. Parte de la frase sonaba, más o menos, «de seis, cinco en contra».

Luego quedó un silencio mucho más potente que las interferencias.

En un depósito del este de Berlín (que Otto Webber consideraba «suyo», aunque para entrar debieron romper una ventana) encontraron percheros llenos de uniformes del Servicio Nacional de Trabajo. Webber descolgó uno de los más vistosos.

—*Ach,* sí, como yo decía: el gris azulado te sienta bien.

Tal vez fuera cierto, pero el color era demasiado llamativo, sobre todo para utilizarlo en la Academia Waltham, donde debería disparar en un campo abierto o en un bosque, a juzgar por la descripción que Webber había hecho del paisaje que rodeaba la institución. Además el uniforme era ceñido, abultado y grueso. Serviría para acercarse a la escuela, pero Paul escogió también ropa más práctica para la tarea en sí: traje de mecánico, camisa oscura y un par de botas.

Uno de los socios comerciales de Otto tenía acceso a varios camiones del Gobierno. Bajo la promesa de que Webber devolvería el vehículo en menos de veinticuatro horas, en vez de tratar de vendérselo nuevamente al Gobierno, el hombre les entregó la llave a cambio de unos puros cubanos fabricados en Rumania.

Sólo faltaba el rifle.

Paul pensó en el hombre de la casa de empeño, el mismo que les había suministrado el máuser, pero no sabía si él formaba parte de la trampa de Taggert; aunque no fuera así, la Kripo o la Gestapo podían haber rastreado el arma hasta él; en ese caso ya estaría detenido.

Pero Otto le dijo que a menudo había fusiles en un pequeño almacén a orillas del río Spree, donde él a veces entregaba pertrechos militares.

Viajaron hacia el norte; apenas cruzado el río giraron hacia el oeste, a través de una zona de edificios bajos de fábricas o tiendas. Webber tocó a su compañero en el brazo; señalaba un edificio oscuro, a la izquierda.

—Es ése, amigo.

Parecía desierto, tal como esperaban, puesto que era domingo («Hasta esos herejes de los Camisas de Estiércol quieren un día de descanso», explicó Webber). Por desgracia el edificio se alzaba tras una alta cerca de alambre de púas y tenía delante un amplio estamiento, que lo hacía muy visible desde aquella vía tan transitada.

—¿Cómo hacemos para...?

—Tranquilo, señor John Dillinger. Sé bien lo que hago. En el río hay una entrada lateral para botes y barcazas, que no se ve desde la calle. Y desde ese costado no se nota que es un almacén nacionalsocialista; no tiene águilas ni cruces gamadas en el muelle. Nuestra visita no llamará la atención a nadie.

Estacionaron cincuenta metros más allá del depósito. Luego Webber lo guió por un callejón hacia el sur, rumbo al agua. Ambos salieron a un muro de piedra que se alzaba sobre el río pardo; allí el aire estaba cargado de olor a pescado podrido. Después de bajar una vieja escalinata tallada en la piedra, se encontraron en un muelle de cemento donde había varios botes amarrados. Otto se embarcó en uno y Paul lo siguió.

En pocos minutos llegaron remando hasta un muelle similar en la parte trasera del almacén militar. Webber amarró el bote y subió cautelosamente por los peldaños de piedra, resbaladizos por las deposiciones de las aves. Paul iba tras él. Al mirar en derredor vio algunos botes en el río, pero casi todas eran embarcaciones de paseo; su amigo tenía razón: nadie les prestaría atención alguna. Subieron unos cuantos peldaños hasta la puerta trasera, donde Paul echó un vistazo a través de la ventana. Dentro no había lámparas encendidas; sólo una mortecina luz solar se filtraba por varias lucernas traslúcidas; la enorme habitación parecía desierta. Webber extrajo un llavero del bolsillo y probó varias ganzúas hasta hallar una que funcionara. Se oyó un suave chasquido. Ante un gesto de su compañero, Paul empujó la puerta.

Entraron en el ambiente caluroso y viciado; los vapores de la creosota irritaban los ojos. Paul vio que había cientos de cajones. Contra la pared, fusiles colgados. El ejército o la SS debían de utilizar el lugar como estación de ensamblaje: retiraban las armas de los cajones, arrancaban la envoltura y limpiaban la creosota con que estaban untados para evitar que se oxidaran. Eran máuser, similares a los que Taggert le había comprado, aunque de cañones más largos. Tanto mejor, pues serían más certeros; era posible que en Waltham debiera disparar desde muy lejos. No tenían mira telescópica. Pero en St. Mihiel y los bosques de Argonne tampoco las tenían y, aun así, la puntería de Paul siempre había sido perfecta.

Retiró un fusil de la pared y, después de inspeccionarlo, probó el cerrojo. Funcionaba suavemente, con el satisfactorio chasquido del metal bien trabajado. Schumann apuntó y disparó sin bala varias veces para tomarle la mano al disparador. Luego localizaron unos cajones con la etiqueta «7.92 mm», el calibre correspondiente al máuser. Contenían cajas de cartón gris, con águilas y esvásticas impresas. Él abrió una, sacó cinco balas y, después de cargar el arma, eyectó una para asegurarse de que fueran los proyectiles adecuados.

—Bien. Ya podemos irnos —dijo mientras se guardaba dos cajas en el bolsillo—. ¿Vamos...?

Lo interrumpió el ruido de la puerta principal, que se abría y arrojaba hacia ellos un fiero rayo de sol. Ambos giraron, bizqueando. Antes de que Paul pudiera levantar el fusil, un joven de uniforme negro les apuntó con una pistola.

—¡Usted! Deje inmediatamente el arma. ¡Arriba las manos!

Paul se agachó para depositar el máuser en el suelo y se incorporó lentamente.

33

Otto Webber dijo con brusquedad:

—¿Qué hace usted, hombre? Somos de Municiones Krupp. Nos han enviado para ver si las municiones eran...

—Quieto.

El joven guardia miró en derredor, nervioso, para ver si había alguien más allí.

—Ha habido un problema con uno de los envíos. Hemos recibido una llamada de...

—Es domingo. ¿Cómo es posible que trabajen en domingo?

Webber se echó a reír.

—Joven amigo mío: cuando envías a la SS un material equivocado, has de corregir el error sin que importe el día o la hora. Mi supervisor...

—¡Silencio!

El joven soldado descubrió un teléfono en un escritorio polvoriento y caminó hacia allí, sin dejar de apuntarles con la pistola. Cuando ya estaba cerca de la mesa, Webber bajó las manos y comenzó a acercársele.

—*Ach,* esto es absurdo. —Se mostraba exasperado—. Aquí tengo mi carné de identificación.

—¡Deténgase en el acto! —El soldado adelantó la pistola.

—Quiero mostrarle los papeles de mi supervisor. —Webber continuaba caminando.

El guardia de la SS apretó el gatillo. Un breve estallido metálico sacudió las paredes.

Paul, sin saber si su amigo había sido alcanzado o no, levantó el máuser del suelo y se arrojó tras una alta pila de cajones para cargar una bala.

El joven soldado se zambulló hacia el teléfono y descolgó el auricular; luego se retiró hacia atrás, agachado.

—¡Escuche, por favor! —gritó ante el aparato.

Paul se levantó deprisa. No podía ver al soldado, pero disparó una bala contra el teléfono, que estalló en diez o doce fragmentos de baquelita. El guardia lanzó un grito.

El sicario volvió a cubrirse, pero no antes de ver que Otto Webber, tendido en el suelo, se retorcía lentamente, apretándose el vientre manchado de sangre.

¡No...!

—¡Oye, judío! —bramó el soldado—. Tira inmediatamente el arma. Pronto habrá aquí cien hombres.

Paul fue hacia la parte delantera del edificio, desde donde podría cubrir a la vez la puerta del frente y la trasera. Por la ventana vio que había una motocicleta solitaria estacionada delante. Comprendió que ese joven sólo estaba allí para una inspección rutinaria del almacén; no iba a venir nadie, era una treta. Pero alguien podía haber oído el disparo. Y el de la SS podía quedarse simplemente allí, impidiéndole moverse, hasta que su superior, viendo que no regresaba, enviara más tropas al depósito.

Miró desde su extremo del montón de cajas. No tenía ni idea de dónde estaba el soldado. Él...

Sonó otro disparo. En la ventana delantera se astilló un cristal, aunque lejos de Paul. El guardia de la SS había disparado para llamar la atención, apuntando hacia la calle, sin que le importara la posibilidad de herir a alguien.

—¡Oye, cerdo judío! —gritaba—. ¡Levántate con las manos arriba, si no quieres morir aullando en Columbia!

Esta vez la voz provenía de un sitio diferente, hacia la parte delantera del almacén. Se había arrastrado hacia delante para interponer más cajones entre él y el enemigo.

Otro disparo atravesó la ventana. Fuera sonó una bocina.

Paul pasó a la hilera siguiente, moviendo el fusil delante de él, con el dedo en el gatillo. El máuser era incómodo: bueno para disparar a distancia, pero no para eso. Echó un vistazo rápido. El pasillo estaba desierto. Otro disparo destrozó una ventana, haciéndolo saltar. Seguramente alguien ya habría oído el ruido; o si no habría visto clavarse una bala en la pared en alguna casa al otro lado de la calle. Tal vez los proyectiles habían alcanzado un coche o herido a un transeúnte.

El sicario avanzó hacia el pasillo siguiente, con rapidez, moviendo el arma delante.

Vio una imagen fugaz del uniforme negro, que desaparecía. El de la SS había oído a Paul, o tal vez le adivinó la intención, y acababa de escurrirse tras otra pila de cajones.

Paul decidió que no podía esperar más. Debía detener al guardia. No quedaba otro recurso que lanzarse a la carga sobre la hilera central de cajones, tal como se hacía durante la guerra, saliendo de las trincheras para atacar; con suerte podría acertar un disparo fatal antes de que el hombre lo rociara con las balas de su pistola semiautomática.

«Vamos», se dijo. E inspiró hondo.

Otra vez...

¡Ya!

Se levantó de un salto y trepó al cajón que tenía enfrente, con el fusil en alto. En cuanto su pie tocó el segundo cajón oyó un ruido atrás y a la derecha. ¡El guardia lo había flanqueado! Pero en el momento en que giraba, las ventanas sucias volvieron a estremecerse con el ruido de otro disparo. Paul se detuvo, inmóvil.

El soldado de la SS apareció frente a él, a seis metros de distancia. Paul levantó frenéticamente el máuser, pero justo antes de que disparara el hombre tosió. De su boca brotó un rocío de sangre; la Luger cayó al suelo. El hombre sacudió la cabeza y cayó pesadamente. Allí quedó, quieto; la sangre iba dando a su uniforme el color de la herrumbre.

Paul miró hacia la derecha. Otto Webber, en el suelo, se apretaba la tripa ensangrentada con una mano. En la otra sostenía un máuser. Se las había arreglado para arrastrarse hasta una hilera de armas, cargar una y disparar. El fusil se deslizó hasta el suelo.

—¿Estás loco? —susurró el sicario, enfadado—. ¿Por qué te has acercado a él así? ¿No se te ha ocurrido que podía disparar?

—No —dijo el alemán, pálido y sudoroso, riendo—. No se me ha ocurrido. —Un suspiro de dolor—. Ve a ver si alguien ha oído los disparos.

Paul corrió hacia la parte delantera y comprobó que la zona aún estaba desierta. Al otro lado de la calle había un edificio alto y sin ventanas, que debía de ser una fábrica o un almacén; estaba cerrado. Lo más probable es que las balas se hubieran clavado allí sin llamar la atención.

—Todo está despejado —dijo a Webber, que se había incorporado y se miraba la masa de sangre del vientre.

—*Ach*...

—Tenemos que buscar un médico. —Paul se colgó el fusil al hombro para ayudarlo a levantarse. Ambos salieron por la puerta trasera. Una vez en el bote, el alemán se recostó, con la cabeza contra la proa, mientras Paul remaba frenéticamente hacia el muelle junto al camión.

—¿Adónde puedo llevarte para que te vea un médico?

—¿Qué médico? —Webber reía—. Ya es demasiado tarde, señor John Dillinger. Déjame. Continúa. Lo sé. Es demasiado tarde.

—No: te llevaré a donde puedan ayudarte —repitió Paul con firmeza—. Dime dónde puedo encontrar a alguien que no corra con el cuento a la SS o a la Gestapo. —Llevó el bote hasta el muelle y, después de atar las amarras, desembarcó. Luego dejó el máuser en un trozo de césped y regresó para ayudar a Webber a salir del bote.

—¡No! —susurró.

Su amigo había desatado la cuerda y aplicado las fuerzas que le restaban en un empellón para apartarlo del muelle. La embarcación ya estaba a tres metros de distancia, a la deriva.

—¡Otto! ¡No!

—Como te he dicho, es demasiado tarde —repitió Webber, jadeando. Luego rió con acritud—. ¡Mira esto, hombre! ¡Un funeral vikingo! *Ach,* cuando vuelvas a tu patria y escuches algo de John Philip Sousa, piensa en mí... Aunque insisto en que es inglés. Ustedes, los americanos, se atribuyen demasiadas cosas. Vete, vete, señor John Dillinger. Tienes un trabajo que hacer.

Lo último que Paul Schumann vio de su amigo fue que cerraba los ojos y se dejaba caer en el fondo del bote. La embarcación iba cobrando velocidad, arrastrada por las aguas lodosas del Spree.

Eran diez o doce, todos jóvenes, los que habían escogido la vida y la libertad antes que el honor. ¿Era cobardía o inteligencia lo que les había motivado a hacerlo?

Kurt Fischer se preguntaba si sería el único, entre todos ellos, que se sentía acosado por esa cuestión.

Los llevaban a través de la campiña, al noroeste de Berlín, en un autobús del tipo que se utilizaba generalmente para las excursiones de los estudiantes. El gordo conductor, que conducía suavemente su vehículo por la carretera serpenteante, intentaba sin éxito que cantaran marchas de cazadores y excursionistas.

Kurt y su hermano compartían anécdotas con los otros. Poco a poco el mayor fue descubriendo algunas cosas. En su mayoría eran arios; todos ellos procedían de familias de clase media y tenían estudios, asistían a la universidad o pensaban hacerlo después de cumplir con el Servicio Laboral. Como Kurt y Hans, uno de cada dos se oponía ligeramente al partido por motivos políticos e intelectuales: eran socialistas, pacifistas o manifestantes. La otra mitad estaba compuesta por «chicos modernos», más ricos, también con ideas rebeldes, pero no tan políticas: su mayor queja contra los nacionalsocialistas era cultural, por la censura que imponían a las películas, el baile y la música.

En el grupo no había, desde luego, judíos, eslavos ni gitanos rumanos. Tampoco comunistas. Pese a las ideas abiertas del coronel Ernst, Kurt estaba seguro de que pasarían muchos años antes de que esos grupos étnicos y políticos encontraran cabida entre los militares o el funcionariado alemán. En lo personal, el muchacho pensaba que eso no podría suceder mientras el poder estuviera en manos del triunvirato formado por Hitler, Göring y Goebbels.

Y allí estaban todos, reunidos por el singular hecho de haberse visto obligados a escoger entre el campo de concentración, donde posiblemente morirían, o una organización que les parecía moralmente condenable.

«¿Soy un cobarde», se preguntó nuevamente Kurt, «por haber escogido como lo he hecho?». Recordó que Goebbels, en abril de 1933, había convocado a un boicot nacional contra las tiendas judías. Los nacionalsocialistas creían que tendría un apoyo abrumador. En realidad resultó perjudicial para el Partido, pues muchos alemanes (el matrimonio Fischer entre ellos) desafiaron abiertamente el boicot. Más aún: millares de personas entraron en tiendas que nunca habían pisado, sólo para demostrar su apoyo a los conciudadanos judíos.

Eso sí era valor. ¿Acaso él no lo tenía?

—¿Kurt?

Alzó la mirada. Su hermano le hablaba.

—¿No me estás escuchando?

—¿Qué has dicho?

—Te preguntaba cuándo comeremos. Tengo hambre.

—No tengo ni idea. ¿Cómo quieres que lo sepa?

—¿Se come bien en el Ejército? Dicen que sí. Pero será relativo, claro. En el campo de batalla no ha de ser como en el cuartel. ¿Cómo será?

—¿El qué? ¿La comida?

—No. Estar en las trincheras, estar en...

—No estaremos en las trincheras. No habrá otra guerra. Y si la hubiera, ya has oído lo que dijo el coronel Ernst: nosotros no tendremos que combatir. Nos asignarán otras tareas.

Su hermano no parecía convencido. Peor aún: no parecía molestarle la idea de tener que combatir. ¡Si hasta parecía que la idea le despertaba curiosidad! Ese nuevo aspecto de Hans le resultó perturbador.

¿Cómo será?

En el autobús continuaban las conversaciones: se hablaba de deportes, del paisaje, de las Olimpíadas, de películas norteamericanas. Y de mujeres, por supuesto.

Por fin llegaron; abandonaron la carretera para desviarse por un camino largo, bordeado de arces, que conducía al recinto de la Academia Militar Waltham.

¿Qué pensarían sus pacifistas padres si los vieran en ese lugar?

El autobús se detuvo, chirriante, frente a uno de los edificios de ladrillo rojo. A Kurt le pareció incongruente que esa institución, dedicada a la filosofía y la práctica de la guerra, funcionara en un valle idílico, con una lustrosa alfombra de césped, trémula hiedra adherida a los vetustos edificios y, al fondo, bosques y colinas que formaban un delicado marco al panorama.

Los muchachos recogieron sus mochilas y se apearon del vehículo. Un joven soldado, no mucho mayor que ellos, se presentó diciendo que era el oficial de reclutamiento y les estrechó la mano en señal de bienvenida. Explicó que el doctor-profesor Keitel vendría muy pronto. Luego mostró en alto una pelota de fútbol, con la que él y otro soldado habían estado jugando, y la arrojó hacia Hans. El chico la pasó hábilmente a otro de los reclutas.

Y como suele suceder cuando se encuentran varios jóvenes y una pelota en un campo de césped, en pocos minutos se formaron dos equipos y se inició el partido.

34

A las cinco y media de la tarde el camión del Servicio Laboral se desvió por una carretera lisa e inmaculada, que serpenteaba entre altos pinos y tejos. El aire estaba moteado de polvo y perezosos insectos que morían al chocar contra el parabrisas.

Paul Schumann se esforzaba por pensar sólo en Reinhard Ernst, en su objetivo. Buscaba a tientas el hielo.

No pienses en Otto Wilhelm Friedrich Georg Webber.

Pero eso era imposible. Lo consumían recuerdos del hombre que había tratado sólo durante un día. En esos momentos pensaba que Otto se habría sentido perfectamente a sus anchas en el West Side de Nueva York, bebiendo con Runyon, Jacobs y el grupo de boxeo. Tal vez hasta le habría gustado boxear un poco. Pero lo que de verdad le habría encantado habría sido tener tantas oportunidades como había en América, la libertad de planear incontables fraudes.

Algún día te contaré mis mejores estafas...

Pero sus pensamientos se borraron al virar en una curva lenta, que conducía a un camino lateral. Un kilómetro más allá vio un letrero pintado con pulcritud: *Academia Militar Waltham*. En el césped holgazaneaban tres o cuatro muchachos vestidos de excursionistas, rodeados de mochilas, cestas y restos de una merienda dominical. Un letrero, junto a ellos, apuntaba a lo largo de la ancha calzada hacia el salón principal. Un segundo camino conducía al estadio, el gimnasio y los edificios académicos, numerados del 1 a 4. Más allá estaba la calzada que llevaba a los edificios 5 a 8. Era en el edificio 5, dentro de media hora, donde Ernst tenía programada una reunión, según Paul había leído en su agenda. Pero dejó atrás el desvío y continuó por la calzada; unos cien metros más allá salió hacia un sitio desierto, sin pavimentar, cubierto de hierba crecida. Allí introdujo el camión entre los árboles, para que no lo vieran desde la carretera principal.

Una inspiración profunda. Se frotó los ojos; se enjugó el sudor de la cara.

Se preguntaba si Ernst se presentaría. O si haría como Dutch Schultz en Jersey City, aquella vez que había faltado a una reunión, sabiendo por instinto (por adivinación, decían algunos) que le tenderían una emboscada.

Pero, ¿qué otra cosa podía hacer Paul? Debía pensar que el coronel se presentaría. Y estaba convencido de que en verdad sería así. Todo cuanto había descubierto sobre ese hombre revelaba que no faltaba a sus obligaciones. El norteamericano se apeó del camión. Después de quitarse el abultado uniforme azul grisáceo y la gorra, los dobló pulcramente para depositarlos en el asiento delantero, bajo el cual había escondido también otro atuendo, por si necesitaba cambiar nuevamente de identidad para escapar. Luego se vistió con las ropas de trabajo que había robado del almacén. Finalmente recogió el fusil y las municiones y se adentró en la parte más densa del bosque; avanzaba tan en silencio como le era posible.

Atravesó poco a poco aquella arboleda tranquila y fragante: con cautela al principio, pues esperaba encontrarse con más guardias o soldados, sobre todo después del atentado de esa tarde contra la vida de Ernst. Le sorprendió no ver nada de eso. Ya más cerca de los edificios, aún entre la maleza, vio gente y vehículos cerca de una de las construcciones, que un letrero identificaba como la número 5, la que buscaba. A unos treinta metros de la entrada se veía un sedán Mercedes negro. Junto al coche, un hombre que vestía el uniforme de la SS miraba en derredor, vigilante, con una ametralladora al hombro. ¿Sería el coche de Ernst? El reflejo de las ventanillas no permitía ver el interior.

Paul advirtió también un pequeño camión cerrado y un autobús, cerca del cual diez o doce muchachos vestidos de paisano jugaban al fútbol con un soldado de uniforme gris. Otro soldado, apoyado contra el autobús, observaba el partido y animaba a uno y otro equipo.

¿Qué motivo podía tener alguien tan importante como Ernst para reunirse con unos cuantos estudiantes? Tal vez eran un grupo escogido de futuros oficiales; en verdad parecían modelos de nacionalsocialistas: blancos, rubios y en muy buena forma física. Quienesquiera que fuesen, cabía suponer que Ernst los vería en el aula; para eso debería recorrer a pie la distancia que separaba el Mercedes del edificio 5. Paul tendría tiempo de sobra para despacharlo. Sin embargo, desde donde se encontraba en esos momentos no disponía de un buen ángulo para disparar. Los árboles y la maleza ondeaban en el viento caliente; no sólo le dificultaban la visión de su presa, sino que podían desviar la bala.

Se abrió la portezuela del Mercedes y de él bajó un hombre calvo, de saco marrón. Paul miró hacia el asiento trasero, detrás de él. ¡Sí! Allí dentro estaba Ernst. Luego la portezuela se cerró, ocultándole al coronel, que seguía dentro del coche. El hombre de marrón, cargado con una gran carpeta, marchó hacia un segundo vehículo, un Opel estacionado cerca de Paul, al pie de la colina boscosa. Después de poner la carpeta en el asiento trasero, regresó al otro lado del campo.

El sicario desvió su atención hacia el Opel; estaba desocupado. El vehículo le proporcionaría una buena posición para disparar; allí estaría a cubierto del fuego de los soldados y, cuando iniciara el regreso hacia su camión para escapar, llevaría una ventaja considerable.

Sí, ese coche sería su escondite de caza. Con el máuser bajo el brazo, Paul avanzó con lentitud, entre el suave zumbido de los insectos, el crujir de la polvorienta vegetación de verano y las risas de los muchachos, que disfrutaban de su partido de fútbol.

Las resistentes ruedas del Auto Union traqueteaban a lo largo de la carretera, a unos míseros sesenta kilómetros por hora; el vehículo se sacudía furiosamente, aunque el pavimento era liso como un espejo. Se oyó una descarga del tubo de escape y el motor jadeó pidiendo aire. Willi Kohl graduó el cebador y volvió a acelerar. El coche se estremeció, pero al fin tomó un poco de velocidad.

Tras salir del edificio de la Kripo a través de la puerta prohibida (en un desafío estúpido, sí), el inspector había ido caminando al hotel Metropol. Al aproximarse oyó música: en el magnífico vestíbulo, las notas compuestas por Mozart hacía tantos años danzaban en las cuerdas de un cuarteto de cámara.

A través de las ventanas pudo ver las arañas refulgentes, los murales con escenas de *El anillo de los nibelungos,* de Wagner, los camareros vestidos con pantalones perfectamente negros y chaquetas perfectamente blancas, que llevaban en equilibrio sus bandejas de plata. Y siguió de largo, sin siquiera detenerse ante el hotel. Sabía desde un principio que Paul Schumann mentía cuando le dijo que se alojaría allí. Su investigación había revelado que ese norteamericano se sentía a gusto, no entre el champán, las limusinas y Mozart, sino con salchichas y cerveza Pschorr. Calzaba zapatos gastados y le gustaba el boxeo. Tenía algunos contactos con los rufianes de la zona que rodeaba la plaza Noviembre de 1923. Un hombre capaz de enfrentarse a puño limpio con cuatro Camisas Pardas no se alojaría en un sitio tan fino como el Metropol. Y tampoco podía pagarlo.

Sin embargo ese lugar había sido el primero que se le había ocurrido cuando Kohl le preguntó cuál sería su nueva dirección; eso indicaba que debía de haberse fijado en él poco antes. Y puesto que la pensión de la señorita Richter estaba a buena distancia, resultaba lógico que lo hubiera visto en su trayecto hacia Berlín Norte, el barrio bajo que se iniciaba cien metros más allá del hotel. Esa zona sí era más acorde con el temperamento y las preferencias de Paul Schumann.

El distrito era grande; en circunstancias normales habrían hecho falta cinco o seis investigadores para recorrer todos los locales y reunir información sobre un sospechoso. Pero Kohl había encontrado ciertas pruebas que, según creía, lo ayudarían a reducir considerablemente la búsqueda. En la pensión había hallado, en los bolsillos del noreteamericano, unas cerillas baratas, metidas en un atado de tabaco alemán. Kohl las conocía. Las veía a menudo entre las pertenencias de otros sospechosos, que las recogían en establecimientos de los barrios bajos de la ciudad, como Berlín Norte.

Tal vez Schumann no tuviera contacto alguno allí, pero era un buen lugar para iniciar la búsqueda. Armado con el pasaporte del norteamericano, Kohl había recorrido la parte sur del vecindario; tras verificar que las cerillas que regalaban eran las mismas, mostraba la foto del hombre a los camareros y los encargados de los bares.

«No, inspector, lo siento... De verdad, no he visto a nadie así, pero estaré alerta. *Heil... Heil Heil Heil...*».

Probó en un restaurante de la calle Dragoner. Nada. Luego, unas cuantas puertas más allá, en un club de la misma calle. Después de mostrar su credencial al hombre de la entrada pasó al bar. Sí, las cerillas eran las mismas que tenía Schumann. Recorrió varias salas mostrando el pasaporte del norteamericano, por si alguien lo hubiera visto. Los clientes de paisano estaban tan «ciegos» como cabía esperar; los de la SS, típicamente reacios a colaborar. (Uno le ladró: «Quítate, Kripo, que no me dejas ver el espectáculo».)

Pero al fin mostró la foto a una camarera y los ojos de la mujer relampaguearon de ira.

—¿Lo conoce? —preguntó Kohl.

—*Ach,* ¿que si lo conozco? Sí, sí.

—¿Su nombre, señorita...?

—Liesl. Él dijo que se llamaba Hermann, pero ya veo que era mentira. —Señalaba el pasaporte con la cabeza—. No me extraña. Ha estado aquí hace apenas una hora, con ese sapo que lo acompaña, Otto Webber.

—¿Quién es ese Webber?

—¿No se lo he dicho? Un sapo.

—¿Qué hacían aquí?

—Lo que todo el mundo. Beber, conversar... *ach,* y coquetear. El tipo coquetea con una y luego la rechaza fríamente. Qué crueldad. —A Liesl se le sacudió la nuez; Kohl dedujo la triste historia—. ¿Lo arrestará usted?

—Dígame, por favor: ¿qué sabe de él? ¿Dónde se hospeda, a qué se dedica?

Lo que la camarera sabía era muy poco, pero le dio una información de oro: al parecer Schumann y Webber planeaban reunirse con otra persona esa misma tarde. Y debía de ser una reunión clandestina, añadió misteriosamente la desdeñada.

—Cosa de sapos. En un lugar que se llama Academia Waltham.

Kohl había salido apresuradamente de la cafetería para volar hacia Waltham en el DKW.

Ahora tenía ante sí la Academia Militar; detuvo suavemente el coche en el arcén de grava, cerca de dos columnas de ladrillo coronadas por estatuas de águilas imperiales. Varios estudiantes que holgazaneaban en el césped, junto a sus mochilas y una cesta con la merienda, echaron un vistazo al polvoriento vehículo negro. Kohl los llamó con un gesto. Los rubios jóvenes, al percibir su autoridad, se acercaron al trote.

—*Heil* Hitler.

—*Heil* —respondió él—. ¿Aún se dan clases aquí? ¿En verano?

—Se imparten algunos cursos, señor. Pero hoy no tenemos clases. Hemos salido de excursión.

Esos chicos, como sus propios hijos, estaban atrapados por la gran fiebre de la educación para engrandecer el Tercer Imperio, pero en un grado si cabe más alto, puesto que la finalidad de esa academia era producir soldados para la patria.

Qué criminales tan brillantes son el Líder y su gente. Al apoderarse de nuestros hijos secuestran a toda la nación...

Abrió el pasaporte de Schumann para mostrar la foto.

—¿Han visto a este hombre?

—No, inspector —dijo uno. Y miró a sus amigos, que también negaron con la cabeza.

—¿Cuánto tiempo llevan aquí?

—Más o menos una hora.

—¿Ha llegado alguien en ese tiempo?

—Sí, señor. Hace poco ha llegado un autobús escolar, acompañado por un Opel y un Mercedes. Negro. Cinco litros. Nuevo.

—No, era el 7.7 —le corrigió un amigo.

—¡Estás ciego! Era mucho más pequeño.

Un tercero apuntó:

—Y un camión del Servicio Laboral. Sólo que no ha entrado por aquí.

—No. Ha pasado de largo y luego ha tomado un desvío. —El muchacho lo señaló—. Cerca de la entrada a otros edificios académicos.

—¿Del Servicio Laboral?

—Sí, señor.

—¿Venía con trabajadores?

—No hemos podido ver la parte trasera.

—¿Han visto al conductor?

—No, señor.

—Yo tampoco.

Servicio Laboral. Kohl reflexionó. Generalmente se usaba a los reclutas del RAD para trabajar en los cultivos y en las obras públicas. Era muy raro que se les asignara un colegio, sobre todo en domingo.

—¿Hay aquí alguna obra en la que el Servicio esté trabajando?

El chico se encogió de hombros.

—Creo que no, señor.

—Yo tampoco he oído nada de eso, señor.

—No digan nada de estas preguntas —pidió Kohl—. A nadie.

—¿Cuestión de seguridad del Partido? —preguntó uno de los chicos, con una sonrisa de intriga.

Kohl se llevó un dedo a los labios.

Y los dejó murmurando con entusiasmo sobre lo que habría querido decir aquel misterioso policía.

35

Se acercaba al Opel gris.

A gatas. Pausa.

Luego volvió a gatear. Como en St. Mihiel y en los densos y vetustos bosques de Argonne.

Paul Schumann sentía el olor de la hierba caliente y del estiércol seco que utilizaban como fertilizante. El olor a aceite y creosota del arma. El olor de su propio sudor.

Otro par de metros. Luego, otra pausa.

Debía avanzar con lentitud: allí estaba muy expuesto. Cualquiera que estuviese en los terrenos que rodeaban el edificio 5 podía mirar en esa dirección y notar que la hierba ondulaba de un modo extraño. O tal vez captar el destello de la luz reflejada en el cañón del fusil.

Pausa.

Estudió nuevamente el lugar. El hombre de marrón retiraba del pequeño camión una pila de documentos. El reflejo de las ventanillas aún impedía ver a Ernst dentro del Mercedes. El guardia de la SS continuaba su vigilancia de la zona.

Paul miró nuevamente el edificio académico. El calvo estaba reuniendo a los jóvenes, que abandonaron de mala gana el partido de fútbol para entrar en el aula.

Puesto que la atención de todos se desviaba hacia otro sitio, Paul apresuró su avance hasta el Opel. Abrió la portezuela de atrás y entró al vehículo recalentado. La temperatura le provocó escozores.

A través de la ventanilla izquierda notó que era un sitio perfecto para efectuar su disparo. Tenía una excelente visión de la zona que rodeaba el coche de Ernst: doce, quince metros perfectamente despejados para derribar al hombre. Además, los guardaespaldas y los soldados tardarían un poco en descubrir de dónde había venido el disparo.

Paul Schumann estaba tocando el hielo con firmeza. Retiró el seguro del arma y fijó los ojos entornados en el automóvil del coronel.

—Los saludo, futuros soldados. Bienvenidos a la Academia Militar Waltham.

Kurt Fischer y los otros respondieron al doctor-profesor Keitel con saludos diversos. La mayoría dijo «*Heil* Hitler».

Era interesante, se dijo Kurt, que el profesor no hubiera utilizado esa fórmula.

Acompañaba a Keitel, al frente del aula, el oficial de reclutamiento que había estado jugando al fútbol con ellos; sostenía una pila de sobres grandes; miró con un guiño a Kurt, quien un momento antes no había logrado pararle un gol.

Los voluntarios ocupaban pupitres de roble. Alrededor, en las paredes, se veían mapas y unas banderas que él no conocía. Su hermano se inclinó para susurrarle:

—Banderas de guerra de los Ejércitos del Segundo Imperio.

El mayor lo acalló con un gesto, irritado por la interrupción y por el hecho de que Hans supiera algo que él ignoraba. ¿Y cómo podía saber, siendo hijo de pacifistas, qué era una bandera de guerra?

El desgarbado profesor continuó:

—Les diré lo que tenemos planeado para los próximos días. Escúchenme con atención.

—Sí, señor. —El coro de voces llenó el aula.

—En primer lugar rellenarán un formulario de información personal y la solicitud de ingreso en las Fuerzas Armadas. Luego responderán un cuestionario sobre su personalidad y sus aptitudes. Las respuestas serán compiladas y analizadas; eso nos ayudará a determinar las aptitudes y las preferencias mentales de cada uno por ciertas tareas. Algunos, por ejemplo, serán más aptos para el combate; otros, para las transmisiones de radio o para las tareas de oficina. Por eso es vital que respondan con sinceridad.

Kurt echó una mirada a su hermano, que no se dio por enterado. Ambos habían acordado responder a ese tipo de preguntas de tal manera que se les asignaran tareas de oficina o incluso trabajos manuales; cualquier cosa que les evitara tener que matar a otro ser humano. Pero ahora temía que Hans hubiera cambiado de idea. ¿Tal vez le seducía la perspectiva de convertirse en combatiente?

—Cuando hayan acabado con los formularios escucharán al coronel Ernst. Luego se les conducirá al alojamiento y se les servirá la cena. Mañana comenzará su entrenamiento; pasarán el mes siguiente practicando la marcha y mejorando el estado físico. Después comenzará la instrucción en las aulas.

Keitel hizo una señal al soldado, que comenzó a distribuir los sobres. Ante el pupitre de Kurt hizo una pausa; habían acordado disputar otro partido antes de la cena, si había suficiente claridad. Luego el hombre salió con Keitel en busca de lápices para los reclutas.

Mientras alisaba sus papeles con aire distraído, Kurt se descubrió extrañamente satisfecho, pese a las angustiosas circunstancias de ese durísimo día. Había, sí, algo de gratitud en eso: hacia el coronel Ernst y el doctor-profesor Keitel, que les habían proporcionado una salvación milagrosa. Pero sobre todo comenzaba a pensar que, después de todo, se le había brindado la posibilidad de hacer algo importante, un acto que trascendía su propia vicisitud. Si hubiera ido a Oranienburg, su prisión o su muerte habrían sido quizá valerosas, pero carentes de sentido. Ahora, en cambio, decidió que esa contradictoria acción de ingresar voluntariamente en el Ejército podía ser el gesto de desafío que había estado buscando, una pequeña pero concreta ayuda para salvar a su país de la plaga parda.

Con una sonrisa dirigida a su hermano, Kurt pasó la mano por el sobre de los cuestionarios. Por primera vez en varios meses sentía el corazón contento.

36

Willi Kohl estacionó el DKW no lejos del camión de Servicio Laboral, que se encontraba a unos cincuenta metros de la carretera, situado obviamente con intención de que no se lo viera.

Mientras se acercaba silenciosamente al camión, con el sombrero de paja bien encasquetado para protegerse los ojos del resplandor del sol, sacó la pistola, alerta a cualquier ruido de pisadas o de voces. Pero no oyó nada que saliera de lo normal: sólo pájaros, grillos y cigarras. Se aproximó al vehículo a paso lento. En la parte trasera vio lo que cabía esperar: bolsas de tela embreada, palas y azadas, las «armas» del Servicio Laboral. Pero dentro de la cabina encontró ciertos elementos que le resultaron mucho más interesantes. En el asiento había un uniforme de oficial de la RAD, cuidadosamente doblado, como si su propietario debiera volver a ponérselo y temiera que las arrugas pudieran darle un aspecto sospechoso. Pero aún más llamativo era lo que había bajo el asiento, envuelto en papel: un traje azul, de chaqueta cruzada, una camisa blanca, ambos de talla grande. La camisa era una Arrow, fabricada en Estados Unidos. ¿Y el traje? Kohl sintió que el corazón le palpitaba con fuerza al ver la etiqueta: «Manny's Men's Wear, New York City».

La tienda favorita de Paul Schumann.

Kohl volvió a poner las ropas en su sitio y miró a su alrededor, buscando alguna señal del norteamericano, el sapo Webber o cualquier otra persona.

Nadie.

Las huellas marcadas en el polvo, junto a la portezuela del camión, indicaban que Schumann se había adentrado en el bosque, hacia el recinto. En esa dirección había un antiguo camino de servicio; aunque estaba cubierto de hierbas crecidas, era más o menos transitable. Pero allí estaría expuesto; a cada lado había setos y matas que ofrecerían a Schumann un lugar perfecto para aguardar escondido. Sólo había otra ruta: a través de la colina boscosa, sembrada de piedras y ramas. *Ach...* sus pobres pies gritaban ya al verla. Pero no había opción. Willi Kohl inició el avance a través de la penosa pista de obstáculos.

«Por favor», rogaba Paul Schumann. «Por favor, sal de ese coche, coronel Ernst, y ponte bien a la vista». En ese país donde Dios estaba legalmente prohibido, donde quedaban pocas oraciones que escuchar, quizá Él le concediera lo que le pedía.

Pero al parecer no era buen momento para recibir la ayuda divina. Ernst seguía dentro del Mercedes. Los reflejos del parabrisas y las ventanas impedían a Paul ver exactamente en qué sitio del asiento trasero estaba. Si disparaba a través del cristal y no daba en el blanco, quizá jamás tendría otra oportunidad.

Estudió nuevamente el sitio. No había brisa. La luz era buena y venía desde el costado, no de frente. Una perfecta oportunidad para disparar.

Se enjugó el sudor de la frente, frustrado. Algo se le clavaba incómodamente en el muslo; bajó la vista. Era la carpeta que el hombre calvo había puesto en el coche diez minutos antes. La empujó hacia el suelo, pero al hacerlo echó un vistazo al primer documento. Lo recogió para leerlo, entre mirada y mirada al Mercedes de Ernst.

Ludwig:
Adjunto a ésta el borrador de mi carta al Líder sobre nuestro estudio. Notarás que he incluido una referencia a las pruebas que haremos hoy en Waltham. Esta noche podremos añadir los resultados.

Creo que, en esta temprana etapa del estudio, es mejor calificar como criminales de Estado a los que matan nuestros sujetos militares. Por ende, verás que, en esta carta, las dos familias judías que matamos en Gatow figuran como subversivos judíos; los trabajadores polacos eliminados en Charlottenburg, como infiltrados extran-

*jeros; los rumanos, como degenerados sexuales. En cuanto a los jóve-
nes arios de hoy, en la Academia Waltham, serán disidentes políticos.
Supongo que más adelante podremos ser más directos en cuanto a la
inocencia de los exterminados por nuestros sujetos, pero por el momento no creo que el clima sea el adecuado para hacerlo.*

*Tampoco me refiero a los cuestionarios que aplicas a los solda-
dos como «examen psicológico». Pienso que esto también provoca-
ría un efecto desfavorable.*

*Por favor, revisa esto y ponte en contacto conmigo si quieres
alterar algo. Mi intención es presentar la carta el lunes 27 de julio, tal
como se me pidió.*

Reinhard

Paul arrugó la frente. ¿Qué significaba todo eso? Pasó a la página siguiente para continuar leyendo.

ESTRICTAMENTE CONFIDENCIAL
Adolf Hitler,
*Líder, canciller de Estado, presidente de la nación alemana y
comandante de las Fuerzas Armadas.*
*Mariscal de Campo, Werner von Blomberg, ministro del Esta-
do de Defensa.*

Líder mío y ministro mío:
*Han pedido ustedes detalles del Estudio Waltham, que estoy
llevando a cabo con el doctor-profesor Ludwig Keitel, de la Academia
Militar Waltham. Me complace describir la naturaleza del trabajo y
los resultados obtenidos hasta ahora.*
*El estudio surge de las instrucciones que de ustedes he recibi-
do, en cuanto a preparar las Fuerzas Armadas de Alemania y ayudarlas a alcanzar con la mayor celeridad los objetivos de nuestra gran
nación, según ustedes los han fijado.*
*En los años vividos como comandante de nuestras valerosas
tropas, durante la guerra, aprendí mucho sobre la conducta de un
hombre durante el combate. Si bien cualquier buen soldado obedece
las órdenes, se me hizo evidente que, ante la obligación de matar, cada uno responde de distinta manera, diferencia que, según creo, se
basa en su temperamento.*

Brevemente expresado, nuestro estudio consiste en formular preguntas a soldados antes y después de que ejecuten a personas condenadas como enemigos del Estado, para luego analizar sus reacciones. Estas ejecuciones implican una serie de situaciones diferentes: diversos métodos de ejecución, categorías de prisioneros, relación del soldado con éstos, antecedentes familiares e historia personal del soldado, etcétera. Los ejemplos recogidos hasta la fecha son los siguientes:

El 18 de julio de este año, en la ciudad de Gatow, un soldado (sujeto A) interrogó largamente a dos grupos convictos por actividades subversivas judías. Luego se le ordenó llevar a cabo la orden de ejecución por fuego automático.

El 19 de julio, en Charlottenburg, un soldado (sujeto B) ejecutó de modo similar a varios infiltrados polacos. A diferencia de las ejecuciones de Gatow, aunque el sujeto B fue el causante inmediato de estas muertes, no había mantenido comunicación alguna con los ejecutados antes del exterminio.

El 21 de julio un soldado (sujeto C) ejecutó a un grupo de gitanos rumanos que mantenían una conducta sexual degenerada; esto se realizó en ciertas instalaciones especiales que hemos construido en la Academia Waltham. El elemento letal fue el monóxido de carbono emitido por el escape de un vehículo. Al igual que el sujeto B, este soldado nunca conversó con las víctimas, pero, a diferencia de él, no los vio morir.

Paul Schumann ahogó una exclamación de horror y volvió a la primera carta. ¡Pero si esas víctimas eran inocentes, según lo admitía el propio Ernst! Familias judías, trabajadores polacos... Leyó nuevamente algunos párrafos para asegurarse de haber entendido bien, pensando que quizás había traducido mal las palabras. Pero no, no cabían dudas. Miró al otro lado del campo polvoriento, hacia el Mercedes negro donde Ernst seguía protegido. Luego continuó leyendo la carta a Hitler.

El 26 de julio un soldado (sujeto D) ejecutó en las instalaciones de Waltham a doce disidentes políticos. En este caso la variante fue que estos convictos eran de extracción aria y, durante la hora previa a la ejecución, el sujeto D había conversado y practicado deporte con ellos, hasta conocer a algunos por sus nombres. Luego se le ordenó que los observara mientras morían.

«¡Dios! ¡Eso es hoy, aquí!».

Paul se estiró hacia delante para mirar, con los ojos entornados. El soldado alemán de uniforme gris, que un rato antes había estado jugando al fútbol con los muchachos, hizo un rígido saludo nazi al calvo del traje marrón. Luego conectó una gruesa manguera al tubo de escape del autobús y a una boca instalada en la pared exterior del aula.

En la actualidad estamos recopilando las respuestas proporcionadas por todos estos sujetos. Tenemos planeadas otras diferentes decenas de ejecuciones, cada una con una variante ideada para que nos proporcione tantos datos útiles como sea posible. Adjunto los resultados de las cuatro primeras pruebas.

Tengan ustedes la seguridad de que rechazamos sin vacilar el pensamiento judío contaminado de traidores como el doctor Freud, y consideramos que la sólida filosofía nacionalsocialista y la ciencia nos permitirán ajustar el tipo de personalidad de los soldados al elemento letal, la naturaleza de las víctimas y la relación entre ellos, a fin de cumplir con más eficacia los objetivos que ustedes han fijado para nuestra gran nación.

Dentro de dos meses presentaremos a ustedes el informe completo.

Con el más humilde de los respetos,
coronel Reinhard Ernst,
plenipotenciario de Estabilidad Interior

Paul levantó la vista hacia el otro lado del campo. El soldado echó una mirada a los jóvenes que estaban dentro del aula, cerró la puerta y luego se acercó tranquilamente al autobús para poner el motor en marcha.

37

Cuando se cerró la puerta del aula los estudiantes miraron a su alrededor. Fue Kurt Fischer quien se levantó para acercarse a la ventana y golpear el cristal con los nudillos.

—Han olvidado darnos lápices —observó.

—En la parte de atrás hay algunos —respondió alguien.

Kurt encontró tres lápices pequeños en la repisa de una pizarra.

—¡Es que no hay para todos!

—¿Cómo podemos hacer un examen sin lápices?

—¡Abran una ventana! —pidió alguien—. ¡Qué calor hace aquí!

Un muchacho rubio y alto, encarcelado por haber escrito un poema donde ridiculizaba a las Juventudes Hitlerianas, se levantó para forcejear con el pestillo.

Kurt regresó a su asiento y, después de romper el sobre, retiró las hojas; quería ver qué clase de información personal deseaban y si se le preguntaba algo sobre el pacifismo de sus padres. Pero se echó a reír, sorprendido.

—Miren esto —dijo—. El mío no se ha impreso.

—Ni el mío.

—¡Todos están así! ¡En blanco!

—Esto es absurdo.

El rubio dijo desde la ventana:

—No se pueden abrir. —Y miró a los otros reunidos en esa habitación sofocante—. Ninguna. Las ventanas no se abren.

—Déjame probar —dijo un joven corpulento. Pero las cerraduras también lo derrotaron—. Están herméticamente cerradas. ¿Por qué...? —Observó la ventana con los ojos entornados—. El cristal tampoco es normal. Es muy grueso.

Fue entonces cuando Kurt percibió el aroma fuerte y dulzón de los tubos de escape, que entraba en el aula por un respiradero instalado sobre la puerta.

—¿Qué es eso? ¡Aquí pasa algo raro!

—¡Nos están matando! —gritó un muchacho—. ¡Miren afuera!

—¡Una manguera! ¡Miren!

—Hay que salir. ¡Rompamos el cristal!

El joven corpulento que había tratado de abrir las ventanas miró a su alrededor.

—¡Una silla, una mesa, cualquier cosa!

Pero los pupitres y los bancos estaban atornillados al suelo. Y aunque la habitación parecía ser un aula normal, no había punteros ni globos terráqueos, ni siquiera tinteros con los que tratar de romper los cristales. Varios estudiantes trataron de derribar la puerta a golpes de hombro, pero era gruesa, de roble, y estaba bloqueada desde fuera. La tenue nube azul de humo de tubo de escape entraba en un chorro incesante.

Kurt y otros dos muchachos trataron de romper las ventanas a patadas, pero el cristal era muy grueso: demasiado como para que pudieran quebrarlo sin una herramienta pesada. Había una segunda puerta, pero ésa también estaba bien trabada.

—Metamos algo en los respiraderos.

Dos jóvenes se quitaron la camisa; Kurt y otro estudiante los levantaron en vilo. Pero Keitel y Ernst, sus asesinos, lo habían previsto todo. El orificio tenía una gruesa rejilla de un metro por cincuenta centímetros. No había manera de bloquear esa superficie lisa.

Los muchachos comenzaban a asfixiarse. Todo el mundo se apartó de las aberturas hacia los rincones de la habitación. Algunos rompieron en llanto; otros rezaban.

Kurt Fischer miró por la ventana. El oficial de «reclutamiento», que pocos minutos antes le había metido un gol, los miraba tranquilamente, cruzado de brazos, tal como alguien podría contemplar el juego de unos osos en el zoológico de la calle Budapest.

Paul Schumann vio allí delante el Mercedes negro, que aún protegía a su presa.

Vio al guardia de la SS que miraba alrededor, vigilante.

Vio al calvo acercarse al soldado que había conectado la manguera al aula; vio cómo le hablaba y apuntaba algo en una hoja de papel.

Vio un campo desierto en el que doce jóvenes acababan de jugar un partido de fútbol, en sus últimos minutos sobre la tierra.

Y sobre todas estas claras imágenes vio aquello que las vinculaba: el horroroso espectro del mal indiferente. Reinhard Ernst no era sólo el arquitecto de la guerra de Hitler, sino también un asesino de inocentes. Y su motivo: reunir información útil.

Allí el mundo entero estaba trastornado.

Paul apuntó el máuser hacia la derecha, hacia el calvo y el soldado. El segundo hombre de uniforme gris, apoyado contra el camión, fumaba un cigarrillo. Había alguna distancia entre los dos soldados, pero Paul creía poder despacharlos a ambos. En cuanto al calvo (que tal vez era el profesor mencionado en la carta a Hitler), no debía de estar armado y lo más probable era que huyese al primer disparo. Entonces Paul podría correr al aula, abrir la puerta y disparar para cubrir la huida de los chicos.

Ernst y su guardia escaparían o se protegerían tras el coche hasta que llegara alguna ayuda. Pero, ¿cómo dejar morir a esos muchachos?

La mira del máuser se fijó en el pecho del soldado. Paul comenzó a aplicar presión contra el disparador.

Luego, con un suspiro furioso, volvió a apuntar al Mercedes.

No; estaba allí con una sola finalidad: matar a Reinhard Ernst. Los chicos del aula no eran asunto suyo. Habría que sacrificarlos. Una vez que él matara a Ernst, los otros soldados se pondrían a cubierto para responder al fuego; entonces Paul se vería obligado a escapar adentrándose de nuevo en el bosque, mientras los chicos se asfixiaban.

Schumann trató de no imaginar el horror que imperaba en esa habitación, lo que estarían pasando esos jóvenes. Una vez más tocó el hielo. Midió su respiración.

Y en ese momento sus oraciones recibieron respuesta: se abrió la portezuela trasera del coche de Ernst.

Y o solía pasar horas nadando y caminaba días enteros», pensó Willi Kohl, enfadado, mientras se apoyaba contra un árbol para recobrar el aliento. Era injusto que se dieran al mismo tiempo un apetito saludable y aptitudes para un trabajo sedentario.

Ach, también estaba la cuestión de la edad, claro.

Por no mencionar los pies.

La policía prusiana recibía el mejor entrenamiento del mundo, pero en su programa no figuraba eso de seguir a un sospechoso a través del bosque, como Göring en sus cacerías de osos. Kohl no veía señales del paso de Paul Schumann ni de persona alguna. Su propio avance era lento. De vez en cuando se detenía, al aproximarse a un matorral muy denso, para asegurarse de que nadie le estuviera apuntando con un arma. Luego reanudaba su cautelosa persecución.

Por fin, a través de la maleza, vio delante un campo de césped recortado en torno a un edificio escolar. Estacionados a poca distancia, un Mercedes negro, un autobús y un camión. También un Opel, al otro lado del campo. Había allí varios hombres; entre ellos, dos soldados y uno de la SS junto al Mercedes.

¿Sería todo eso algún tipo de negociación furtiva entre Schumann y ese Webber, cosas del mercado negro? Y en ese caso, ¿dónde estaban ellos?

Preguntas, sólo preguntas.

De pronto Kohl reparó en algo anormal. Se acercó un poco más, apartando la maleza, y se enjugó el sudor de los ojos para mirar con atención. Entre el tubo de escape del autobús y la escuela había una manguera. ¿Para qué? Tal vez estaban matando alimañas.

Pronto olvidó ese detalle curioso. Su atención se concentró en el Mercedes. Tenía la portezuela de atrás abierta y de él bajaba un hombre. Kohl, asombrado, notó que era un ministro del Gobierno: Reinhard Ernst, el coronel a cargo de lo que se denominaba «Estabilidad Interior», aunque todos sabían que era el genio militar responsable del rearme.

¿Qué hacía él allí? ¿Acaso...?

—Oh, no —susurró Willi Kohl, audiblemente—. ¡Dios mío!

De pronto comprendió con exactitud a qué se debían las alertas de seguridad, cuál era la relación entre Morgan, Taggert y Schumann, para qué estaba el norteamericano en Alemania.

El inspector echó a correr por el bosque rumbo al claro, con la pistola bien apretada en la mano, maldiciendo a la Gestapo, a la SS y a Peter Krauss por no haberle explicado lo que sabían. Maldecía también los veinte años y los veinticinco kilos que la vida había agregado a su cuerpo desde su ingreso en la policía. En cuanto a los pies, tan urgente era su deseo de impedir la muerte de Ernst que olvidó el dolor por completo.

¡Todo mentira!

«Todo lo que nos dijeron era mentira. Para que viniéramos voluntariamente a su cámara de ejecución». Kurt había creído que elegía la salida cobarde al aceptar unirse al servicio. Ahora iba a pagar esa decisión con la muerte. En cambio, si él y Hans hubieran ido al campo de concentración, probablemente habrían sobrevivido.

Nervioso, mareado, se sentó en el rincón del edificio académico 5, junto a su hermano. No estaba menos asustado que los demás ni menos desesperado; no obstante, no intentaba arrancar los pupitres del suelo ni derribar la puerta a golpes de hombro como los otros. Sabía que Ernst y Keitel esperaban eso y habían construido un edificio hermético, inexpugnable, para que les sirviera de ataúd. Los nacionalsocialistas eran tan eficientes como demoniacos.

Él blandía una herramienta diferente. Con el pequeño lápiz que había encontrado en la parte trasera del aula, garabateaba palabras inseguras en una página en blanco, arrancada de un libro. El título del volumen resultaba irónico, considerando que era el pacifismo lo que les había llevado a ese terrible lugar: *Tácticas de la caballería durante la guerra entre Francia y Prusia, 1870-1871.*

Alrededor, gemidos de miedo, gritos de ira, sollozos. Kurt apenas los oía.

—Nó tengas miedo —dijo a su hermano.

—No —dijo Hans, aterrado, con la voz quebrada—. No tengo miedo.

En vez de la carta tranquilizadora que había pensado escribir esa noche a sus padres, la que Ernst había prometido dejarles enviar, redactó una nota muy diferente.

> *Albrecht y Lotte Fischer*
> *Calle Príncipe George nº 14*
> *Swiss Cottage*
> *Londres, Inglaterra*

> *Si por algún milagro reciben esto, sepan, por favor, que en estos últimos minutos de vida los tenemos en el pensamiento. Las circunstancias de nuestra muerte tienen tan poco sentido como las de los millares que han muerto aquí antes que nosotros. Les rogamos que continúen con nuestra obra, sin olvidarnos; así tal vez se acabe esta locura. Digan a quien quiera escucharlo que el mal, aquí, es peor que cuanto puedan imaginar y que continuará hasta que alguien tenga el valor de impedirlo.*
> *Sepan que los queremos.*
>
> *Sus hijos*

Los gritos cesaron; los jóvenes iban cayendo de rodillas o boca abajo y comenzaban a besar las tablas de roble y los zócalos, tratando de chupar el aire que pudiera haber bajo el suelo. Algunos se limitaban a orar apaciblemente.

Kurt Fischer apartó una vez más la mirada de lo que escribía. Hasta rió por lo bajo, pues de pronto comprendía que ése era el objetivo esencial que había deseado: hacer llegar el mensaje a sus padres y finalmente al mundo. Así lucharía contra el Partido. Su arma sería su muerte.

Ya cercano al final, sintió un curioso optimismo, seguro de que esa nota sería hallada y entregada. Y quizá, por medio de sus padres o de otros, sería la raíz capaz de quebrar la muralla de la cárcel que aprisionaba a su país.

El lápiz cayó de su mano.

Con las últimas migajas de pensamiento y energía, Kurt plegó la hoja y la guardó en su cartera, donde más posibilidades tendría de que la retiraran de su cadáver; Dios mediante, algún enterrador o un médico encontraría su mensaje y tendría el valor de enviarlo.

Luego estrechó la mano de Hans y cerró los ojos.

Paul Schumann aún no tenía blanco.

Reinhard Ernst se paseaba erráticamente junto al Mercedes, hablando al micrófono conectado por un cable al tablero del coche. Además, la estatura de su guardaespaldas lo ocultaba a la vista del sicario.

Con el arma lista y el dedo en el gatillo, aguardaba a que el hombre se detuviese.

Tocar el hielo...

Dominar la respiración, ignorar las moscas que le zumbaban en la cara, ignorar el calor. Gritar mudamente a Reinhard Ernst: «¡Deja de moverte, maldito! Déjame hacer esto y volver a mi país, a mi imprenta, a mi hermano... a la familia que tuve, que aún puedo tener».

A su mente vino una rápida imagen de Käthe Richter; vio sus ojos, sintió sus lágrimas, oyó el eco de su voz.

Prefiero compartir mi país con diez mil asesinos que mi cama con uno solo.

Su dedo acarició el gatillo del máuser. La cara de Käthe, sus palabras, desaparecieron en un rocío de hielo.

Y justo en ese momento Ernst dejó de pasearse, colgó nuevamente el micrófono en el tablero del Mercedes y se apartó del coche. De pie, cruzado de brazos, charlaba amistosamente con su guardaespaldas, que movía la cabeza en una lenta afirmación. Ambos contemplaban el aula.

Paul apuntó la mira al pecho del coronel.

39

Al aproximarse al claro Willi Kohl oyó un fuerte disparo.

Resonó contra los edificios y el paisaje antes de que se lo tragaran la hierba alta y los enebros que lo rodeaban. El inspector se agachó instintivamente. Vio que, al otro lado del claro, la alta silueta de Reinhard Ernst caía al suelo, junto al Mercedes.

«No... ¡Ese hombre ha muerto! ¡Es culpa mía! Por mi descuido, mi estupidez, han matado a un hombre, a un hombre que era vital para la patria».

El guardaespaldas del ministro, agazapado, buscaba al atacante.

«¿Qué he hecho?», se preguntó el inspector.

Pero entonces resonó otro disparo.

Mientras se acercaba al tronco protector de un grueso roble, en el borde del claro, Kohl vio que un soldado del Ejército regular caía a tierra. Más allá, otro soldado yacía en el césped, con el pecho ensangrentado. A poca distancia un hombre calvo, de traje marrón, gateaba para refugiarse bajo el autobús.

El inspector miró luego al Mercedes. ¿Qué pasaba allí? Se había equivocado. ¡El ministro estaba indemne! Al oír el primer disparo Ernst se había arrojado al suelo para protegerse, pero ahora se incorporaba con cautela, pistola en mano. Su guardaespaldas había desenfundado un arma automática y también buscaba un blanco.

Schumann no había matado a Ernst.

Entonces resonó un tercer disparo en todo el claro. Hizo trizas una ventanilla del Mercedes. Un cuarto perforó la cubierta y el neumático del coche. Luego Kohl vio movimientos entre la hierba. ¡Era Schumann, sí! Corría desde el Opel hacia la escuela, disparando ocasionalmente hacia el Mercedes con un fusil largo; así impedía que Ernst y su guardia se incorporaran. Cuando estaba llegando a la puerta del aula, el hombre de la SS que protegía al ministro se levantó para disparar varias veces. No obstante el autobús protegía al norteamericano contra sus balas.

Pero no lo protegía de Willi Kohl.

El inspector se secó la mano contra los pantalones y apuntó a Schumann. Sería un disparo a larga distancia, pero no imposible. Y al menos podría inmovilizarlo hasta que llegaran otros soldados.

Pero en el momento en que Kohl comenzaba a apretar el gatillo, Schumann abrió de par en par la puerta del edificio. Lo vio entrar y salir un instante después, llevando a un muchacho a rastras. Lo seguían varios más; tropezaban y se apretaban el pecho, tosiendo. Algunos vomitaban. Otro; luego tres más.

«¡Santo Cielo!» Kohl estaba atónito. El gas no era para las ratas ni los insectos, sino para esos chicos.

Schumann hizo un ademán para indicar a los jóvenes que fueran hacia el bosque. Antes de que Kohl pudiera recobrarse de la impresión y apuntar una vez más, el norteamericano volvió a disparar contra el Mercedes. Así cubrió a los muchachos con su fusil, mientras ellos buscaban la protección del espeso bosque.

El máuser le golpeó con fuerza el hombro al disparar otra vez. Paul apuntaba hacia abajo, con la esperanza de alcanzar a Ernst o al guardia en las piernas. Pero el coche estaba en una hondonada y resultaba imposible hacer blanco por debajo. Echó un rápido vistazo al interior del aula; ya salían los últimos jóvenes; a tropezones, huían hacia el bosque.

—¡Corran! —gritó—. ¡Corran!

Y disparó dos veces más, para inmovilizar a Ernst y a su guardia.

Después de limpiarse el sudor de la frente con los dedos, trató de acercarse al Mercedes, pero el ministro y su guardaespaldas estaban armados y tenían buena puntería; además, el de la SS usaba una pistola automática. Dispararon repetidas veces, sin darle opción de avanzar. En tanto Paul forcejeaba con el cerrojo para cargar el arma, el guardia roció de balas el autobús y el suelo circundante. Ernst saltó al asiento delantero del Mercedes para tomar el micrófono; luego volvió a cubrirse al otro lado del vehículo.

¿Cuánto tardarían en llegar los refuerzos? Paul había atravesado la población de Waltham, que estaba a apenas tres kilómetros; era una aldea de buen tamaño, donde sin duda habría un cuerpo de policía. Y la misma academia podía tener su propia fuerza de seguridad.

Si quería sobrevivir tenía que huir al momento.

Disparó dos veces más, hasta agotar las municiones del máuser. Luego dejó caer el fusil y se agachó para arrebatar la pistola a uno de los soldados muertos. Era una Luger, como la de Reginald Morgan. Frenéticamente, montó el arma.

Al bajar la vista vio, agachado y medio escondido bajo el autobús, al hombre calvo y de bigote que había conducido a los estudiantes al interior del edificio.

—¿Cómo te llamas? —preguntó Paul en alemán.

—Por favor, señor. —Le temblaba la voz—. No me...

—¡Tu nombre!

—Doctor-profesor Keitel, señor. —El hombre lloraba—. Por favor...

Paul recordó el nombre: estaba en la carta referida al Estudio Waltham. Levantó la pistola y le disparó una sola vez, al centro de la frente.

Luego echó un último vistazo hacia el coche de Ernst. No había allí blanco alguno. Cruzó el prado a la carrera, disparando varias veces al interior del Mercedes, para impedir que Ernst y el guardia se incorporaran. Pronto se zambullía en el bosque, en tanto las balas del hombre de la SS cortaban el exuberante follaje verde en torno a él, sin acercarse siquiera al blanco.

40

Willi Kohl se había alejado del claro; ya empapado de sudor y descompuesto por el calor y el esfuerzo, caminaba nuevamente hacia el camión del Servicio Laboral, que debía de ser el medio de escape de Schumann. Desinflaría los neumáticos para impedir que se escapara.

Cien metros, doscientos, jadeando y preguntándose quiénes eran esos jóvenes. ¿Criminales? ¿Inocentes?

Se detuvo a recobrar el aliento. Si no lo hacía, sin duda Schumann oiría con facilidad su respiración sibilante en cuanto se acercara.

Recorrió el bosque con la mirada. No se veía nada.

¿Dónde estaba el camión? Se había desorientado. ¿Por aquí? No, hacia el otro lado.

Pero tal vez Schumann no iba hacia el camión. Tal vez tenía otra manera de escapar. Después de todo el hombre era brillante. Tal vez había escondido...

Sin un ruido, sin advertencia alguna, un trozo de metal caliente le tocó la nuca.

¡No! Su primer pensamiento fue: «Heidi, amor mío... ¿cómo te las arreglarás sola con los chicos, en este mundo loco? ¡Oh, no, no!».

—No se mueva —dijo la voz en alemán, con un acento levísimo.

—No... ¿Es usted Schumann? —preguntó Kohl en inglés.

—Deme la pistola.

Soltó el arma. Schumann la tomó. Una mano enorme lo aferró por el hombro y lo obligó a girar.

«Qué ojos», pensó Kohl, petrificado. Y volvió a su lengua materna.

—Va a matarme, ¿verdad?

El norteamericano, sin decir nada, le palpó los bolsillos por si tuviera otras armas. Luego dio un paso atrás para examinar el campo y el bosque. Como si lo tranquilizara comprobar que estaban solos, hundió la mano en el bolsillo de la camisa y sacó varias hojas de papel, húmedas de sudor, que entregó a Kohl.

—¿Qué es esto? —preguntó éste.

—Léalo.

—Mis gafas, por favor. —El inspector miró hacia el bolsillo de su chaqueta.

Schumann retiró las gafas y se las dio.

Después de montárselas en la nariz, Kohl desplegó los documentos y los leyó rápidamente. Espantado por esas palabras, levantó la vista, mudo, y la clavó en los ojos azules de Schumann. Luego volvió a leer la primera página.

Ludwig:

Adjunto a ésta el borrador de mi carta al Líder sobre nuestro estudio. Notarás que he incluido una referencia a las pruebas que haremos hoy en Waltham. Esta noche podremos añadir los resultados.

Creo que, en esta temprana etapa del estudio, es mejor calificar como criminales de Estado a los que matan nuestros sujetos militares. Por ende verás que, en esta carta, las dos familias judías que matamos en Gatow figuran como subversivos judíos; los trabajadores polacos eliminados en Charlottenburg, como infiltrados extranjeros; los rumanos, como degenerados sexuales. En cuanto a los jóvenes arios de hoy, en la Academia Waltham, serán disidentes políticos...

«Oh, Dios bendito», pensó. «¡El caso de Gatow, el de Charlottenburg! Y otro más: gitanos asesinados. ¡Y esos jóvenes de hoy! Y planeaban otros... Los han matado sólo para este bárbaro estudio, autorizado por la plana mayor de nuestro Gobierno».

—Yo...

Schumann recuperó las hojas.

—De rodillas. Cierre los ojos.

Kohl miró una vez más al norteamericano. *Ach*, sí, tenía ojos de asesino. ¿Cómo se le había pasado por alto en la pensión? «Tal vez porque ya hay tantos asesinos entre nosotros que nos hemos vuelto inmunes». Willi Kohl había actuado con humanidad al dejar a Schumann en libertad mientras él continuaba la investigación, en vez de enviarlo a una muerte segura en las celdas de la SS o la Gestapo. Había salvado la vida de un lobo que ahora se volvía contra él. Sí, podía decir a Schumann que él no sabía nada de ese horror, pero ¿qué motivos tenía ese hombre para creerle? Además (lo pensó con vergüenza), pese a su ignorancia sobre esa monstruosidad en particular, era innegable que el inspector estaba vinculado a la gente que lo había perpetrado.

—¡Ahora! —susurró Schumann con fiereza.

Kohl se arrodilló entre las hojas, pensando en su esposa. Recordaba los almuerzos al aire libre en el bosque de Grünewald, cuando eran jóvenes recién casados. Ah, el tamaño de la cesta que ella preparaba, la sal de la carne, el aroma resinoso del vino, los encurtidos... El contacto de su mano.

El inspector cerró los ojos y rezó; al menos los nacionalsocialistas no habían hallado la manera de convertir en delito la comunicación espiritual. Pronto se sumió en una especie de trance, encomendando a Dios que cuidara de Heidi y sus hijos.

Y al fin cayó en la cuenta de que habían pasado varios segundos.

Con los ojos aún cerrados escuchó con atención. No se oía más que el viento entre los árboles, el zumbido de los insectos, la voz de tenor de un avión allá arriba.

Otro par de interminables minutos. Por fin abrió los ojos. Dudaba. Luego se volvió con lentitud, esperando oír un pistoletazo en cualquier momento.

No había señales de Schumann. El corpulento hombre se había escabullido silenciosamente del claro. A poca distancia se oyó el ruido de un motor de explosión al ponerse en marcha. Luego, el chirrido de las marchas.

Se levantó. Tan deprisa como lo permitían su corpulencia y sus pies doloridos, corrió en dirección al ruido. Al llegar al camino de servicio lo siguió hacia la carretera. No había rastros del camión del

Servicio Laboral. Kohl se volvió hacia su DKW, pero pronto se detuvo. Tenía el capó levantado y unos cables colgando: Schumann lo había inutilizado. Giró en redondo para desandar apresuradamente el trayecto hacia el edificio académico.

Llegó en el momento en que dos coches de la SS se detenían derrapando. De ellos bajaron hombres uniformados que rodearon inmediatamente el Mercedes, en cuyo interior estaba Ernst. Pistola en mano, miraban hacia el bosque en busca de amenazas.

Kohl cruzó el claro hacia ellos. Los hombres de la SS fruncieron el ceño al verlo llegar y le apuntaron con las armas.

—¡Soy de la Kripo! —anunció sin aliento. Y agitó su credencial.

El comandante de la SS le indicó por señas que se acercara.

—*Heil* Hitler.

—*Heil* —jadeó Kohl.

—¿Inspector de la Kripo de Berlín? ¿Qué hace usted aquí? ¿Ha oído el informe de radio sobre el ataque al coronel Ernst?

—No. He seguido al sospechoso hasta aquí, capitán. Pero ignoraba sus intenciones de atacar al coronel. Quería detenerlo por otro caso.

—Ni el coronel ni su guardia pudieron ver al atacante —dijo el hombre de la SS—. ¿Usted sabe cómo es?

Kohl vaciló.

Una sola palabra le quemaba la mente. Se había fijado allí como una lapa y no quería salir.

Esa palabra era «deber».

Por fin Kohl dijo:

—Sí, señor, lo conozco.

El comandante de la SS dijo:

—Bien. He ordenado bloquear todas las carreteras de la zona. Haré llegar la descripción a los controles. Es ruso, ¿no? Al menos eso nos han dicho.

—No, es norteamericano. Y puedo proporcionar algo mejor que su descripción. Sé qué coche conduce y tengo su fotografía.

—¿De veras? —El comandante arrugó la frente—. ¿Cómo?

—Él mismo me ha entregado esto, hace unas horas.

Willi Kohl no tenía otra opción. Con el corazón atormentado, hurgó en su bolsillo para entregar el pasaporte al comandante.

41

Soy un estúpido», pensó Paul Schumann.

Estaba desesperado y aquello no tenía fin.

Conducía el camión del Servicio Laboral hacia el oeste, por carreteras secundarias que conducían a Berlín. Buscaba en el espejo retrovisor cualquier señal de que lo estuvieran persiguiendo.

Un estúpido...

«¡Tenía a Ernst en la mira! ¡Podría haberlo matado! Pero...».

Pero entonces los otros, los muchachos, habrían tenido una muerte horrorosa en esa condenada aula. Se había ordenado no pensar en ellos. Tocar el hielo. Hacer aquello para lo que había ido a ese turbulento país.

Pero no pudo.

Paul golpeó el volante con la palma, lleno de ira. ¿Cuántos otros morirían ahora por esa decisión suya? Cada vez que leyera en el periódico que los nacionalsocialistas habían expandido su Ejército, que tenían armas nuevas, que sus soldados habían participado en ejercicios de entrenamiento, que seguía desapareciendo gente, que alguien había muerto ensangrentado en el cuarto cuadrado de cemento contando desde el césped, en el Jardín de las Bestias, se sentiría responsable.

Y haber matado a ese monstruo de Keitel no restaba espanto a su decisión. Reinhard Ernst, un hombre mucho peor de lo que nadie hubiera imaginado, seguía con vida.

Los ojos se le llenaron de lágrimas. Estúpido...

Bull Gordon lo había escogido porque era muy hábil. Sí, claro, tocaba el hielo. Pero un hombre mejor, más fuerte, no se hubiera limitado a tocar el frío: lo habría metido dentro de su alma para tomar la decisión correcta, fuese cual fuese el coste para esos muchachos. Paul Schumann continuó su marcha, con la cara ardiendo de vergüenza; regresaba a Berlín, donde se escondería hasta que llegara el avión de rescate, por la mañana.

Pero al virar en una curva frenó en seco. Un camión del Ejército le bloqueaba el paso. De pie, a su lado, había seis hombres de la SS, dos de ellos armados con ametralladoras. Paul no esperaba que tardaran tan poco en instalar controles, ni que lo hicieran en carreteras tan secundarias como ésa. Tomó las dos pistolas, la suya y la del inspector, y las puso en el asiento, a mano.

Luego hizo un saludo flojo:

—*Heil* Hitler.

—*Heil,* oficial —fue la seca respuesta del comandante de la SS, aunque hubo un dejo burlón en la mirada que echó al uniforme del Servicio Laboral, que Paul había vuelto a ponerse.

—Dígame, por favor, ¿qué sucede?

El comandante se aproximó al camión.

—Buscamos a una persona relacionada con un incidente que se ha producido en la Academia Militar Waltham.

—¿Por eso he visto antes tantos coches oficiales en la ruta? —preguntó Paul, con el corazón golpeándole el pecho.

El oficial de la SS respondió con un gruñido. Luego le miró fijamente. Iba a hacerle una pregunta, pero en ese momento se detuvo una motocicleta y el conductor, después de apagar el motor, desmontó de un salto para correr hacia el comandante.

—Señor —dijo—, un detective de la Kripo ha averiguado la identidad del asesino. He aquí su descripción.

Paul acercó lentamente su mano hacia la Luger. Podía matar a esos dos, pero aún quedarían los otros, a poca distancia.

El motociclista entregó un papel al comandante y continuó:

—Es norteamericano. Pero habla alemán con fluidez.

El militar consultó la nota. Echó un vistazo a Paul y luego nuevamente al papel.

—El sospechoso —anunció— mide aproximadamente un metro setenta y cinco de estatura y es muy delgado. Pelo negro y bigote. Según su pasaporte, se llama Robert E. Gardner.

Paul miró fijamente al comandante, asintiendo en silencio. «¿Gardner?», se preguntaba.

—*Ach* —dijo el oficial de la SS—, ¿por qué me mira? ¿Ha visto a alguien así?

—No, señor. Lo siento. No lo he visto.

¿Gardner? ¿Quién era? «Un momento... sí», recordó: ese nombre figuraba en uno de los pasaportes falsos de Robert Taggert.

Kohl había entregado a la SS ese documento en vez del de Paul.

El comandante volvió a mirar el papel.

—El detective ha informado que el hombre conducía un sedán Audi de color verde. ¿Ha visto usted ese vehículo en esta zona?

—No, señor.

Paul vio por el espejo que dos de los otros hombres estaban inspeccionando la parte trasera de su vehículo. Enseguida anunciaron:

—Aquí está todo bien.

El comandante continuó:

—Si ve a ese hombre o al Audi, póngase inmediatamente en contacto con las autoridades. —Luego gritó al conductor del camión atravesado en la carretera—: ¡Que pase!

—*Heil* Hitler —saludó Paul, con más entusiasmo del que había oído a nadie desde su llegada a Alemania.

—Sí, sí, *Heil*. ¡Circule!

Un Mercedes de la plana mayor de la SS frenó derrapando frente al edificio 5 de la Academia Militar Waltham, donde Willi Kohl observaba a las decenas de soldados que recorrían el bosque, en busca de los jóvenes escapados del aula.

Se abrió la portezuela del coche y de él se bajó nada menos que Heinrich Himmler en persona. Después de limpiar con un pañuelo sus anteojos de maestro de escuela, se acercó a grandes pasos al grupo formado por el comandante de la SS, Kohl y Reinhard Ernst, quien había descendido del Mercedes y estaba rodeado por diez o doce guardias.

Kohl levantó el brazo y Himmler respondió con un saludo breve; luego estudió atentamente al hombre, con los ojos tensos.

—¿Usted es de la Kripo?

—Sí, jefe de policía Himmler. Soy el detective-inspector Kohl.

—Ah, sí. Conque usted es Willi Herman Kohl.

El detective se quedó desconcertado por el hecho de que el gran jefe de la policía alemana conociera su nombre. Al recordar su archivo de la SD se sintió aún más intranquilo. Aquel endeble hombre le volvió la espalda y preguntó a Ernst:

—¿Estás bien?

—Sí, pero ha matado a varios oficiales y a mi colega, el doctor-profesor Keitel.

—¿Dónde está el asesino?

El comandante de la SS dijo agriamente:

—Ha escapado.

—¿Y quién es?

—El inspector Kohl ha averiguado su identidad. —Ernst, con una temeridad que su rango permitía (pero que Kohl no se habría atrevido a emplear), dijo abruptamente—: Mira la foto del pasaporte, Heinrich. Es el mismo que estuvo en el Estadio Olímpico. Estuvo a un metro del Líder, de todos los ministros. A un paso de todos nosotros.

—¿Gardner? —preguntó Himmler, inquieto, mientras echaba un vistazo al documento que le mostraba el comandante de la SS. —En el estadio utilizó un nombre falso. O quizá el falso es éste. —El hombrecillo levantó una mirada ceñuda—. Pero ¿por qué te salvó la vida en el estadio?

—Evidentemente, no me salvó la vida —dijo Ernst bruscamente—. Yo no estaba en peligro, recuérdalo. Él mismo debió de haber colgado el arma en el cobertizo, para presentarse como aliado nuestro. Así franqueaba nuestras defensas, desde luego. Vaya uno a saber a quién más pensaba matar cuando hubiera acabado conmigo. Tal vez al mismo Líder. El informe del que nos hablaste decía que era ruso —añadió con un dejo de acritud—. Pero este pasaporte es norteamericano.

Himmler calló por un momento, en tanto barría con la mirada las hojas secas que tenía a sus pies.

—Los norteamericanos no tienen ningún motivo para hacerte daño. Supongo que lo contrataron los rusos. —Miró a Kohl—. ¿Y cómo ha sabido usted de este asesino?

—Por pura coincidencia, jefe de policía del Estado. Le estábamos siguiendo porque era el sospechoso de otro caso. Sólo al llegar aquí caí en la cuenta de que el coronel Ernst estaba en la Academia y de que el sospechoso tenía intención de matarlo.

—Pero, ¿usted sabía del atentado anterior contra el coronel Ernst? —preguntó inmediatamente Himmler.

—¿Del incidente al que se ha referido el coronel hace un momento, en el Estado Olímpico? No, señor. No estaba enterado.

—¿No?

—No, señor. La Kripo no ha sido informada. Hace apenas dos horas me he entrevistado con el jefe de inspectores Horcher; él tampoco sabía nada del asunto. —Kohl meneó la cabeza—. Ojalá se nos hubiera informado, señor. Así habría podido coordinar mi caso con la SS y la Gestapo; de esa manera quizás este incidente no se habría producido y estos hombres no habrían muerto.

—¿Eso significa que usted no sabía que nuestras fuerzas de seguridad buscaban desde ayer a un posible infiltrado? —preguntó Himmler, con el plúmbeo tono de un mal actor de cabaré.

—En efecto, mi jefe de policía. —Kohl miró a aquel hombre a los ojos diminutos, enmarcados por gafas redondas de montura negra, y comprendió que era Himmler en persona quien había dado la orden de mantener a la Kripo a oscuras con respecto a la alerta de seguridad. Después de todo, era el Miguel Ángel del Tercer Imperio en el arte de atribuirse méritos, robar gloria y desviar las culpas, aún más que Göring. Kohl se preguntó si él mismo correría algún riesgo. Se había producido un fallo de seguridad potencialmente desastroso; ¿beneficiaría a Himmler sacrificar a alguien por el descuido? La estrella de Kohl parecía estar al alza, pero a veces hace falta un chivo expiatorio, sobre todo cuando tus intrigas han estado a punto de provocar la muerte del experto en rearme de Hitler. Kohl tomó una decisión rápida.

—Lo curioso —añadió— es que tampoco me haya dicho nada nuestro oficial de enlace con la Gestapo. Nos vimos ayer mismo por la tarde. Es una pena que no me haya mencionado los detalles específicos de este asunto de seguridad.

—¿Y quién es su enlace con la Gestapo?

—Peter Krauss, señor.

—Ah. —El jefe de la policía del Estado, con un gesto de asentimiento, archivó la información y perdió todo interés por Willi Kohl.

—Aquí había también unos prisioneros políticos —dijo Reinhard Ernst, evasivo—. Diez o doce jóvenes. Han escapado por el bosque. He ordenado a las tropas que los busquen.

Sus ojos se desviaron nuevamente hacia el aula mortífera. Kohl también miró el edificio, que parecía tan benigno, una modesta institución de estudios superiores que databa de la Prusia del Segundo Imperio y, sin embargo, representaba el mal en estado más puro. Notó que Ernst había hecho retirar la manguera del tubo de escape y alejar el autobús. Algunos documentos que habían quedado esparcidos en el suelo, probablemente parte del abominable Estudio Waltham, también habían desaparecido.

El inspector dijo a Himmler:

—Con su permiso, señor, me gustaría redactar cuanto antes un informe y colaborar en la captura del asesino.

—Sí, inspector, hágalo inmediatamente.

—*Heil* Hitler.

—*Heil* —saludó Himmler.

Kohl echó a andar hacia unos hombres de la SS que permanecían junto a un camión, para pedirles que lo llevaran de regreso a Berlín. Mientras caminaba penosamente hacia ellos decidió que podía maquillar el incidente de manera que se redujera el riesgo para sí mismo. La pura verdad era que la foto del pasaporte correspondía a la cara de un hombre que había muerto en una pensión de Berlín antes de que se produjera el atentado contra Ernst. Pero eso lo sabían sólo Janssen, Paul Schumann y Käthe Richter. Los dos últimos no ofrecerían voluntariamente ninguna información a la Gestapo; en cuanto al candidato a inspector, Kohl enviaría a Janssen a Potsdam inmediatamente, para mantenerlo ocupado durante varios días con uno de los homicidios que estaban sin resolver en esa zona; entonces asumiría el control de todos los expedientes sobre Taggert y el homicidio del pasaje Dresden. Esa noche daría parte del cuerpo del asesino, que había muerto tratando de escapar. Desde luego, el forense no podría haber realizado todavía la autopsia (si es que habían retirado el cadáver); Kohl se aseguraría, mediante favores o soborno, de que la hora de la muerte fuera posterior al atentado de la Academia.

No creía que hubiera más investigaciones. Todo ese asunto era ya un bochorno peligroso: para Himmler, por su desidia en cuanto a la seguridad del Estado, y para Ernst, debido a ese incendiario Estudio Waltham. Podría...

—Eh, Kohl... ¿Inspector Kohl? —lo llamó Heinrich Himmler.

Se volvió.

—¿Sí, señor?

—¿Cuándo calcula que estará listo su protegido?

El inspector reflexionó durante un momento; no encontraba sentido a aquella pregunta.

—Eh... Sí, jefe de policía Himmler. ¿Mi protegido?

—Konrad Janssen. ¿Cuándo podrá pasar a la Gestapo?

¿Qué significaba eso? A Kohl se le quedó la mente en blanco por un momento. Himmler continuó:

—Ya sabe usted que lo aceptamos en la Gestapo antes de su graduación en la Academia de Policía, ¿no? Pero queríamos que se formara con uno de los mejores investigadores del Alex antes de trabajar en la calle Príncipe Albrecht.

Ante esa noticia Kohl sintió el golpe en pleno pecho, pero se recuperó con celeridad.

—Perdone, señor —dijo, meneando la cabeza con una sonrisa—. Lo sabía, desde luego, pero estaba tan concentrado en este incidente... Con respecto a Janssen, pronto estará preparado. Ha demostrado tener un gran talento.

—Hace tiempo que lo tenemos en la mira, Heydrich y yo. Ya puede usted enorgullecerse de ese muchacho. Me da la sensación de que ascenderá rápido. *Heil* Hitler.

—*Heil*.

Kohl se alejó devastado. ¿Janssen? ¿Tenía pensado desde un principio trabajar para la policía política secreta? Al inspector le temblaban las manos por el dolor de esa traición. Conque el muchacho le había mentido en todo, también al decir que deseaba ser investigador criminal y que no pensaba afiliarse al Partido, cuando para ascender en la Gestapo y la Sipo debería ser miembro del mismo. El inspector sintió un escalofrío al recordar las muchas indiscreciones que había compartido con el candidato a inspector.

Por esto que he dicho, Janssen, usted podría hacerme arrestar y enviar a Oranienburg durante un año...

Aun así, reflexionó, el candidato a inspector necesitaba de él para avanzar. No le convenía denunciarlo. Tal vez el peligro no era tan grande como podría haber sido.

Kohl levantó la vista desde el suelo hacia el grupo de la SS que rodeaba el camión. Uno de ellos, un hombre corpulento con casco negro, preguntó:

—¿Sí? ¿En qué podemos servirle?

Él explicó lo de su DKW.

—¿Que el asesino lo ha inutilizado? ¿Y por qué se ha tomado esa molestia, si usted no lo habría alcanzado ni aunque él huyera a pie? —Los soldados rieron—. Sí, sí, lo llevaremos, inspector. Partiremos dentro de algunos minutos.

Kohl asintió y, todavía aturdido por la desagradable sorpresa de haber descubierto lo de Janssen, subió al camión y se instaló allí, solo. El disco anaranjado del sol descendía tras una ladera erizada de flores y hierba. Curvó los hombros, con la cabeza apoyada contra el asiento. Los de la SS subieron al vehículo y lo pusieron en marcha. Salieron de la Academia rumbo sureste, hacia Berlín.

Los soldados conversaban sobre el intento de asesinato, sobre los Juegos Olímpicos y el gran acto nacionalsocialista que se proyectaba para el próximo fin de semana en Spandau.

Fue en ese momento cuando el inspector tomó una decisión. Parecía absurdamente impulsiva, tan repentina como la súbita desaparición del sol bajo el horizonte: un color intenso en el cielo y, un momento después, apenas una penumbra azul grisácea. Pero tal vez no fuera una decisión consciente, sino algo inevitable, determinado mucho tiempo atrás por leyes inmutables, tal como la tarde había de convertirse en noche.

Willi Kohl y su familia abandonarían Alemania.

La traición de Konrad Janssen y el Estudio Waltham, dos claros emblemas de lo que era el Gobierno y hacia dónde se encaminaba, eran motivo suficiente. Pero lo que en verdad decidía la cuestión era ese norteamericano, Paul Schumann.

De pie entre los oficiales de la SS, frente al edificio 5, consciente de que tenía en su bolsillo tanto el pasaporte auténtico de Schumann como el falso de Taggert, Kohl se había torturado por tener que cumplir con su deber. Y al fin lo había hecho. Pero lo triste era que su obligación le ordenaba actuar en contra de su país.

En cuanto al motivo por el cual se iría, lo sabía también. Continuaría simulando que ignoraba la decisión de Janssen (aunque, desde luego, dejaría de hacerle comentarios imprudentes); diría todo aquello que el jefe de inspectores Horcher deseara; se mantendría bien lejos del sótano de la Kripo, con sus atareadas máquinas clasificadoras; manejaría casos como el de Gatow exactamente como ellos querían... lo cual significaba, naturalmente, no manejarlos en absoluto. Sería el modelo de policía nacionalsocialista.

Y en febrero, cuando viajara a Londres para asistir al congreso de la Policía Criminal, llevaría consigo a toda su familia. Y desde allí se embarcarían hacia Nueva York, adonde habían emigrado años antes dos primos, que se ganaban la vida en la gran ciudad.

Al viajar en calidad de alto funcionario de la Kripo, le sería fácil obtener documentos de salida y autorización para llevar consigo una buena cantidad de dinero. Tendría que maniobrar con astucia al prepararlo todo, desde luego, pero en la Alemania actual, ¿quién no tenía cierta habilidad para la intriga?

Heidi se alegraría del cambio, por supuesto: tendría un refugio para sus hijos. Günter se libraría de sus compañeros de las Juventudes Hitlerianas. Hilde podría continuar estudiando y tal vez llegara a ser profesora, como deseaba.

Respecto de la hija mayor había una complicación, desde luego: Heinrich Sachs, su prometido. Pero Kohl decidió persuadir al joven de que los acompañara. Sachs se oponía con vehemencia al nacionalsocialismo, no tenía parientes cercanos y estaba tan enamorado de Charlotte que la seguiría a cualquier parte. El joven era un funcionario talentoso, hablaba bien inglés y, pese a sufrir algunos ataques de artritis, era un trabajador incansable; probablemente en Estados Unidos conseguiría empleo con mucha más facilidad que él mismo.

En cuanto al inspector, ¡comenzar de nuevo ya en la madurez, qué desafío abrumador! Pensó con ironía en esa descabellada obra del Líder, *Mi lucha*. ¡Para lucha la que le esperaba a él! Un hombre cansado, con familia, que iba a comenzar de nuevo a una edad en la que ya debía estar delegando casos en los inspectores jóvenes y tomándose algunas horas libres para acompañar a sus hijos al Luna Park. Pero no era por pensar en el esfuerzo y la incertidumbre venideros por lo que se sentía tan sofocado; no era por eso por lo que se le llenaban los ojos de lágrimas, hasta el punto de que hubo de apartarlos de los muchachos de la SS.

No: las lágrimas eran por lo que veía en ese momento, mientras giraban en una curva de la carretera a Berlín: las llanuras de Prusia. Aunque se mostraban polvorientas y pálidas en ese atardecer del seco verano, aun así exudaban una grandeza palpable, pues eran las planicies de su querida Alemania, una gran nación a la que unos cuantos ladrones habían robado trágicamente las verdades y los ideales.

Kohl hundió la mano en el bolsillo, en busca de su pipa de *meerschaum*. Después de llenar la cazoleta buscó en la americana, pero no tenía cerillas. Se oyó un chasquido; el recluta de la SS sentado junto a él había encendido una y se la ofrecía.

—Gracias —dijo Kohl. Y chupó para encender el tabaco. Luego se apoyó contra el respaldo, llenando el ambiente de un acre aroma a cerezas; en el parabrisas surgían ya a la vista las luces de Berlín.

42

El coche serpenteaba como una bailarina a lo largo de la carretera que llevaba a Charlottenburg. Reinhard Ernst, en el asiento trasero, se agarraba para resistir los giros, con la cabeza apoyada en la lujosa tapicería de cuero. Tenía un nuevo chófer-guardaespaldas; Claus, el teniente de la SS que lo había acompañado a la Academia Waltham, había resultado herido al volar los cristales de la ventanilla y estaba hospitalizado. Seguía al Mercedes otro coche de la SS, lleno de guardias de casco negro.

Se quitó los anteojos para frotarse los ojos. *Ach,* Keitel había muerto y también el soldado que participaba en el estudio. «Sujeto D», lo llamaba Ernst, que ni siquiera sabía su nombre. ¡Qué desastroso había resultado ese día!

Sin embargo, lo que sobresalía entre los pensamientos del coronel era la decisión tomada por el asesino frente al edificio 5. «Si hubiera querido matarme», reflexionaba Ernst, «y obviamente ésa era su misión, podría haberlo hecho con facilidad». Pero había decidido no hacerlo y, en cambio, rescatar a los jóvenes. Al reflexionar sobre ese acto veía con claridad el horror de lo que había estado haciendo. En verdad el Estudio Waltham era algo abominable. Él había dicho a esos jóvenes, mirándolos a los ojos, que si cumplían un año de servicio militar se les absolvería de todo pecado. Y lo había hecho sabiendo que era mentira, una falsedad tejida sólo para mantener a las víctimas tranquilas y desprevenidas, a fin de que el soldado pudiera intimar con ellas antes de matarlas.

Sí, había mentido a los hermanos Fischer, tal como había mentido a los trabajadores polacos al prometerles paga doble por transplantar unos árboles para las Olimpíadas. Y a las familias judías de Gatow, al aconsejarles que se reunieran junto al río, pues en la zona había algunos Camisas Pardas renegados de los que Ernst y sus hombres los protegerían.

Él no tenía nada contra los judíos. En la guerra había combatido junto a ellos; los consideraba tan inteligentes y valerosos como cualquiera. Más aún: si se basaba en los judíos que había conocido entonces y en tiempos posteriores, no lograba ver ninguna diferencia entre ellos y los arios. En cuanto a los polacos, el estudio de la historia le demostraba que ellos tampoco se diferenciaban mucho de sus vecinos prusianos; en verdad tenían una nobleza que pocos nacionalsocialistas poseían.

Repugnante, lo que hacía con ese estudio. Horroroso. Sintió la punzada de una vergüenza aguda como un puñal, como el dolor que le había quemado el brazo al recibir la metralla caliente en el hombro durante la guerra.

La carretera era ya recta; se aproximaban al barrio donde él vivía. Se inclinó hacia delante para indicar al conductor el camino a su casa.

Abominable, sí...

Y no obstante... Mientras miraba los edificios familiares, las cafeterías y los parques de esa parte de Charlottenburg, el horror empezó a esfumarse, tal como sucedía en el campo de batalla tras sonar el último disparo de máuser o Enfield, cuando cesaban los cañonazos y se apagaban los gritos de los heridos. Recordó haber observado al «oficial de reclutamiento», el sujeto D, que de buena gana, caballerescamente casi, había conectado la manguera mortífera a la escuela, aunque minutos antes había estado jugando al fútbol con las víctimas. Otro soldado podría haberse resistido. Si él no hubiera muerto, sus respuestas al cuestionario del doctor-profesor habrían resultado sumamente útiles para establecer los criterios a utilizar para seleccionar a los hombres adecuados para cada tarea.

La debilidad que había sentido un momento atrás, el arrepentimiento impulsado por la decisión del asesino de renunciar a su propia misión, desapareció súbitamente. Una vez más tuvo la seguridad de estar haciendo lo correcto. Que Hitler se regodeara con la locura. Sin duda morirían algunos inocentes antes de que pasara la tormenta, pero finalmente el Líder desaparecería; en cambio, el Ejército que Ernst estaba creando perduraría después que él y sería la columna vertebral de una nueva gloria alemana... y, en último término, de una nueva paz en Europa.

Había que hacer sacrificios.

Por la mañana comenzaría la búsqueda de otro psicólogo o doctor-profesor que lo ayudara a continuar la obra. Y esta vez buscaría a alguien más acorde con el espíritu del nacionalsocialismo. ¡Y que no tuviera abuelos judíos, por Dios! Ernst debía ser más astuto. En ese momento de la historia era necesario ser astuto.

El coche se detuvo frente a su casa. Ernst dio las gracias al conductor y se apeó. Los hombres del coche que lo seguía también salieron y se reunieron con los que ya custodiaban su residencia. El comandante le dijo que la guardia permanecería allí hasta que el asesino estuviera detenido o hasta que se verificara su muerte o su huida del país. Ernst le dio cortésmente las gracias y entró. Mientras saludaba a Gertrud con un beso, ella echó un vistazo a las manchas de hierba y lodo que tenía en los pantalones.

—¡*Ach*, Reinie, no tienes remedio!

Él sonrió débilmente, sin darle explicaciones. Su esposa regresó a la cocina, donde estaba preparando algo fragante, con vinagre y ajo. Ernst subió al piso de arriba para lavarse y cambiarse de ropa. Su nieto dibujaba algo en su habitación.

—¡*Opa!* —El niño corrió hacia él.

—Hola, Mark. ¿Quieres que trabajemos en nuestro barco esta noche?

El pequeño no respondió. Ernst notó que estaba ceñudo.

—¿Qué pasa?

—Me has llamado Mark, *Opa*. Así se llamaba papá. ¿De verdad?

—Perdona, Rudy. No pensaba con claridad. Es que hoy estoy muy cansado. Creo que necesito una siesta.

—Sí, yo también duermo la siesta —aseguró el niño de inmediato, feliz de complacer a su abuelo con sus conocimientos—. A veces estoy cansado por la tarde. *Mutti* me da leche caliente, algunas veces con cacao, y luego duermo la siesta.

—Exacto. Así es como se siente el tonto de tu abuelo. El día ha sido largo y necesita una siesta. Ahora ve a preparar la madera, que después de cenar trabajaremos con nuestro barco.

—Sí, *Opa*, enseguida.

Cerca de las tres de la tarde Bull Gordon subió los peldaños de La Habitación, en Manhattan. En otros barrios la ciudad estaba bulliciosa y vibrante, a pesar de ser domingo, pero allí todo era silencio.

La casa, con las persianas cerradas, parecía desierta, pero al acercarse Gordon, que ese día vestía de paisano, la puerta de la calle se abrió antes de que pudiera sacar la llave del bolsillo.

—Buenas tardes, señor —le dijo el marino de uniforme en voz baja.

Él lo saludó con una inclinación de cabeza.

—El senador está en la sala, señor.

—¿Solo?

—Sí.

Gordon colgó su abrigo de un perchero del vestíbulo. Sentía el peso del arma en el bolsillo. No creía que le hiciera falta, pero se alegraba de tenerla allí. Antes de entrar en la pequeña habitación inspiró profundamente.

El senador estaba sentado en un sillón, junto a una lámpara de pie de Tiffany, escuchando la radio. Al ver a Gordon apagó la Philco.

—¿Cansado del viaje en avión? —preguntó.

—Siempre es cansador. Así lo parece.

Gordon se acercó al bar para servirse un trago. Quizá no convenía, por lo del arma. Pero qué diablos... Añadió otro dedo de whisky al vaso. Luego dirigió al senador una mirada interrogante.

—Sí, pero póngame el doble de eso.

El comandante vertió el líquido turbio en otro vaso y se lo entregó. Luego se sentó pesadamente. Aún le palpitaba la cabeza tras habler volado en el R2D, la versión naval del DC-2. Era igualmente rápido, pero carecía de los cómodos asientos y del aislamiento antisonido de la línea comercial.

El senador vestía traje con chaleco, camisa de cuello duro y corbata de seda. Gordon se preguntó si habría ido así a la iglesia esa mañana. Una vez había dicho que todo político debía asistir a la iglesia, cualesquiera que fuesen sus creencias personales y aunque fuera ateo. Cuestión de imagen. Era importante.

—Bueno —gruñó—, dígame ya lo que sepa. Acabemos con esto.

El comandante bebió un largo sorbo de whisky e hizo exactamente lo que el anciano le pedía.

Berlín estaba quieta bajo el velo de la noche.

La ciudad era una expansión enorme y plana, exceptuando los pocos rascacielos del horizonte y el faro del aeropuerto Tempelhof, al sur. Este panorama desapareció en cuanto el conductor franqueó la cima de la colina para sumergirse en los ordenados barrios del noroeste, entre los coches que parecían regresar del fin de semana en los lagos y las montañas cercanas.

Todo ello hacía que conducir fuera bastante difícil. Y Paul Schumann no quería que lo detuviera la policía de tránsito. Sin papeles, con un camión robado... Era vital pasar inadvertido.

Se desvió por una calle que cruzaba el Spree por un puente y continuaba hacia el sur. Por fin halló lo que buscaba: un solar descubierto en el que había decenas de camiones estacionados. Lo había visto el día de su llegada a la ciudad, en el trayecto entre la Lützowplatz y la pensión de Käthe Richter.

¿Era posible que todo eso hubiera pasado solamente el día anterior?

Pensó otra vez en ella. Y también en Otto Webber.

Por duro que fuera acordarse de ellos, era preferible a reflexionar sobre aquella lamentable decisión tomada en Waltham.

En el mejor de los días, en el peor, el sol al fin se pone...

Pero faltaba muchísimo tiempo para que el sol se pusiera sobre su tremendo fracaso. Tal vez no se pusiera jamás.

Estacionó entre dos camiones grandes y apagó el motor. Luego se apoyó en el respaldo, preguntándose si cometía una locura al regresar a ese sitio. Pero tal vez era un paso prudente. No tardaría mucho. El suave Avery y el agresivo Manielli se ocuparían de que el piloto acudiera puntualmente a la cita en el aeródromo. Además percibía instintivamente que fuera de la ciudad correría más peligro. Los nacionalsocialistas, bestias arrogantes, jamás sospecharían que su presa estaba escondida justo en medio de su jardín.

Se abrió la puerta y el asistente hizo pasar a otro hombre al interior de La Habitación, donde ya estaban Bull Gordon y el senador.

Con su característico traje blanco, la viva imagen de lo que eran los dueños de plantaciones cien años atrás, Cyrus Clayborn saludó a los dos hombres con una sonrisa despreocupada en su cara rojiza. Luego inclinó la cabeza una vez más. Echó un vistazo al armario de los licores, pero sin hacer un solo gesto hacia él. Era abstemio; Bull Gordon lo sabía.

—¿Hay café? —preguntó Clayborn.

—No.

—Ah. —Dejó su bastón contra la pared, cerca de la puerta—. Sólo me hacen venir aquí cuando necesitan dinero. Pero hoy me parece que no me han llamado por eso. —Se dejó caer en el asiento con pesadez—. Es por lo otro, ¿no?

—Es por lo otro —repitió Gordon—. ¿Dónde está su hombre?

—¿Mi guardaespaldas? —Clayborn inclinó la cabeza.

—Sí.

—Fuera, en el coche.

Aliviado por no tener que usar la pistola (el guardaespaldas de Clayborn era muy peligroso), el comandante se comunicó con un marino, de los tres que estaban en una oficina próxima a la entrada, y le ordenó vigilar que aquel tipo permaneciera en la limusina; no debía permitirle entrar a la casa.

—Si es necesario, emplee la fuerza.

—Sí, señor. Será un placer.

Al momento, Gordon vio que el financiero reía entre dientes.

—¿Acaso pensaba que acabaríamos a tiros, comandante? —Como el oficial no respondía, Clayborn agregó—: Pues bien, ¿cómo lo descubrió?

—Por un tipo llamado Albert Heinsler.

—¿Quién?

—Usted debe de conocerlo —gruñó el senador—, puesto que lo puso a bordo del *Manhattan*.

Gordon continuó:

—Los nazis son listos, sin duda, pero nos preguntamos para qué querían un espía en el barco. Me pareció extraño. Como sabíamos que Heinsler pertenecía a la División Jersey del *Bund* germanoamericano, hicimos que Hoover los presionara un poco.

—Y ese marica, ¿no tiene nada mejor que hacer con su tiempo? —gruñó Clayborn.

—Descubrimos que usted contribuye generosamente con el *Bund*.

—Uno tiene que poner su dinero a trabajar —dijo el financiero, locuaz, haciendo que Gordon lo detestara aún más. El magnate hizo un gesto afirmativo—. Conque se llamaba Heinsler, ¿eh? No lo sabía. Estaba a bordo sólo para vigilar a Schumann y hacer llegar un mensaje a Berlín sobre la presencia de un ruso en la ciudad. Teníamos que mantener a los alemanes en alerta, hacer más creíble nuestra pequeña obra, ¿comprende? Todo era parte de la comedia.

—¿Cómo conoció a Taggert?

—En la guerra sirvió a mis órdenes. Le prometí algún cargo diplomático si me ayudaba en esto.

El senador meneó la cabeza.

—No podíamos entender cómo había conseguido los códigos. —Señaló a Gordon, riendo—. Al principio, el comandante creía que era yo quien había vendido a Schumann. No importa; eso no me inquietó. Pero entonces Bull se acordó de sus empresas: usted controla todas las líneas telefónicas y telegráficas de la Costa Oeste. Sin duda hizo que alguien escuchara cuando llamé al comandante para decidir el santo y seña.

—Eso es una estupidez. Yo...

Gordon dijo:

—Uno de mis hombres inspeccionó los archivos de su empresa, Cyrus. Usted tiene transcripciones de mis diálogos con el senador. Lo descubrió todo.

Clayborn se encogió de hombros, más divertido que preocupado. Eso irritó mucho a Gordon, que le espetó:

—Lo sabemos todo, Clayborn.

Explicó que la idea de matar a Reinhard Ernst había surgido del magnate, quien se la había propuesto al senador. Deber patriótico, decía; él colaboraría con fondos para el magnicidio. Por cierto, había puesto fondos para todo. El político habló con altas autoridades del Gobierno, que aprobaron bajo cuerda el operativo. Pero Clayborn había llamado en secreto a Robert Taggert para ordenarle que matara a Morgan, se encontrara con Schumann y lo ayudara a planear el asesinato de Ernst, sólo para salvar al coronel alemán en el último instante. Cuando Gordon fue a pedirle mil dólares más, Clayborn había continuado fingiendo que el comandante hablaba con Morgan, no con Taggert.

—¿Por qué le interesa tanto mantener contento a Hitler? —preguntó Gordon.

Clayborn lanzó un bufido desdeñoso.

—Hay que ser tonto para ignorar la amenaza judía. Están conspirando en todo el mundo. Y eso sin mencionar a los comunistas. ¡Y la gente de color! No se puede bajar la guardia ni por un minuto.

Gordon, disgustado, estalló:

—¡Conque por eso era todo! ¡Por los judíos y los negros!

Pero antes de que el anciano pudiera responder el senador intervino:

—Pues yo creo que hay algo más, Bull... Es por dinero, ¿no, Cyrus?

—¡Pues claro! —susurró el magnate—. Los alemanes nos deben miles de millones: todos los préstamos que les hicimos para mantenerlos en pie en estos quince últimos años. Para que nos sigan pagando debemos tener contentos a Hitler, a Schacht y a los otros dueños del dinero.

—Se están rearmando para iniciar otra guerra —bramó Gordon.

Clayborn replicó, como de pasada:

—Pues entonces será mejor estar de buenas con ellos, ¿no? Más mercado para nuestras armas. —Señaló con un dedo al senador—. Siempre que ustedes, los estúpidos del Congreso, se deshagan de esa Ley de Neutralidad. —De pronto frunció el entrecejo—. Pero, ¿qué piensan los alemanes de la situación de Ernst?

—¡Aquello es un caos completo! —tronó el senador—. Taggert les habla de un magnicidio, pero el asesino escapa y lo intenta de nuevo. Luego Taggert desaparece. En público se dice que los rusos contrataron a un asesino norteamericano, pero en privado piensan que tal vez nosotros estuvimos detrás de todo esto.

Clayborn hizo una mueca de disgusto.

—¿Y Taggert? —De inmediato inclinó la cabeza—. Muerto, claro. Por obra de Schumann. Pues bien, así son las cosas... Bien, caballeros, supongo que aquí termina nuestra estupenda relación de trabajo.

—Reggie Morgan ha muerto por culpa tuya. Eres culpable de varios crímenes bastante graves, Cyrus.

El hombre se peinó una ceja blanca.

—¿Y ustedess, que han financiado esta pequeña excursión con dinero de particulares? ¿No crees que sería un buen tema para una sesión del Congreso? Me parece que estamos empatados, amigos. Creo que lo mejor será que cada uno se vaya por su lado y mantenga el pico bien cerrado. Buenas noches. Ah, y no dejen de comprar acciones de mi empresa, si los funcionarios civiles pueden permitirse ese gasto. Ya verán cómo suben.

Clayborn se levantó con lentitud, recogió su bastón y se encaminó hacia la puerta.

Gordon decidió que, cualesquiera que fuesen las consecuencias y sin importar lo que pasara con su propia carrera, se ocuparía de que Clayborn no se saliera con la suya después de haber hecho asesinar a Reginald Morgan e intentar lo mismo con Schumann. Pero la justicia tendría que esperar. Por el momento había un solo asunto que requería su atención.

—Quiero el dinero de Schumann —dijo el comandante.

—¿Qué dinero?

—Los diez mil que usted le prometió.

—¡Pero si no ha cumplido! Los alemanes sospechan de nosotros y mi hombre ha muerto. Schumann ha fracasado. De dinero, nada.

—Usted no va a birlárselos.

—Lo siento —dijo el millonario, sin pizca de sentimiento.

—Pues en ese caso, Cyrus —exclamó el senador—, te deseo buena suerte.

—Le hará falta —añadió Gordon.

El empresario se detuvo y se volvió hacia ellos.

—Me refería a lo que puede pasarte cuando Schumann descubra que, además de haber conspirado para matarlo, no piensas pagarle —explicó el senador.

—¡Y sabiendo cuál es su oficio! —completó Gordon.

—No se atreverán...

—Ese hombre estará aquí dentro de ocho o diez días.

El industrial suspiró.

—Está bien, está bien. —Y sacó una chequera del bolsillo. Ya comenzaba a rellenar uno cuando Gordon meneó la cabeza.

—No. Quiero ver billetes. Contantes y sonantes. Ahora mismo, no la semana que viene.

—¿Un domingo por la noche? ¿Diez mil dólares?

—Ahora mismo —se hizo eco el senador—. Si Paul Schumann quiere ver dólares, dólares le daremos.

43

Estaban hartos de esperar.

Durante el fin de semana que habían pasado en Ámsterdam, los tenientes Andrew Avery y Vincent Manielli habían visto tulipanes de todos los colores imaginables y muchas pinturas excelentes. Habían coqueteado con rubias de pelo corto y caras redondas y rojizas (al menos Manielli; Avery estaba felizmente casado). También disfrutaron de la compañía de un audaz piloto de la Real Fuerza Aérea, llamado Len Aarons, que estaba en el país dedicado a sus propias intrigas, sobre las cuales se mostraba tan evasivo como los norteamericanos. Bebieron por litros cerveza Amstel y empalagosa ginebra de Ginebra.

Pero la vida en una base militar extranjera cansa bien pronto. Y, a decir verdad, también estaban hartos de estar en ascuas, preocupados por Paul Schumann.

Sin embargo, por fin la espera había terminado. El lunes a las diez de la mañana el bimotor, aerodinámico como las gaviotas, describió un breve giro y luego tocó el césped del aeródromo Machteldt, en las afueras de Ámsterdam. Se posó sobre la rueda de cola, aminoró la velocidad y luego rodó por la pista hacia el hangar, serpenteando, puesto que el piloto no podía ver sobre el morro levantado cuando el avión estaba en tierra.

Avery agitó un brazo para que el esbelto aparato plateado se acercara a ellos.

—Quiero unos cuantos *rounds* con él —gritó Manielli, para hacerse oír por encima del ruido de los motores y las hélices.

—¿Con quién? —preguntó Avery.

—Con Schumann. Quiero entrenar con él. Lo he observado y no es tan bueno como él cree.

El teniente miró a su colega, riendo.

—¿Qué pasa?

—Que te comerá como si fueras una caja de galletas.

—Soy más joven y más rápido.

—Y más estúpido.

El avión se detuvo en una pista de estacionamiento y el piloto apagó los motores. Las hélices tosieron hasta detenerse. La tripulación de tierra corrió a inmovilizar las ruedas bajo el gran Pratt & Whitneys.

Los tenientes se acercaron a la portezuela. Habían pensado comprarle un regalo a Schumann, pero no sabían qué.

—Le diremos que el regalo es éste, su primer viaje en avión —había propuesto Manielli.

—No. No puedes presentar como regalo algo que ya está hecho.

Su compañero reconoció que Avery debía de saber de esas cosas; los casados conocían bien el protocolo de los regalos. Finalmente habían comprado un cartón de Chesterfield, bastante caros y difíciles de conseguir en Holanda, que Manielli llevaba bajo el brazo.

Alguien de la tripulación de tierra se acercó a la puerta del avión y la bajó, convirtiéndose en escalerilla. Los tenientes se adelantaron con una gran sonrisa, pero se detuvieron en seco: quien salía era un joven de veintidós o veintitrés años vestido con ropas muy sucias, encorvado para franquear esa abertura baja.

Parpadeó, alzó una mano para protegerse los ojos del sol y bajó la escalerilla.

—*Guten Morgen... Bitte, Ich bin Georg Mattenberg.* —Rodeó a Avery con los brazos y lo estrechó con fuerza. Luego lo dejó atrás, frotándose los ojos como si acabara de despertar.

—¿Quién diablos es éste? —susurró Manielli.

Avery se encogió de hombros. Luego clavó la vista en la portezuela, por donde iban saliendo otros chicos. En total eran cinco, todos de dieciocho o veinte años y en buen estado físico, aunque exhaustos, legañosos y sin afeitar, con las ropas destrozadas y manchadas de sudor.

—Nos hemos equivocado de avión —susurró Manielli—. ¡Maldición, dónde...!

—No nos hemos equivocado —aseguró su compañero, aunque no estaba menos confuso.

—¿El teniente Avery? —llamó una voz desde la portezuela, con fuerte acento. Era algo mayor que los demás. Lo seguía otro más joven.

—¿Soy yo. ¿Quiénes sois?

—Responderé por los demás, pues soy el que mejor habla su idioma. Me llamo Kurt Fischer. Éste es mi hermano Hans. —La expresión de los tenientes lo hizo reír—. No nos esperaban, sí, ya lo sé. Es que Paul Schumann nos ha salvado.

Contó que Schumann había rescatado a diez o doce jóvenes a quienes los nazis estaban a punto de matar con gas. El norteamericano había logrado recoger a algunos de ellos en el bosque por donde huían y les ofreció la posibilidad de huir del país. Algunos prefirieron quedarse y correr el riesgo, pero siete de ellos, incluidos los hermanos Fischer, decidieron partir. Schumann los había cargado en la parte trasera de un camión del Servicio Laboral, donde ellos cogieron palas y bolsas de tela embreada para hacerse pasar por trabajadores. El norteamericano había logrado atravesar con ellos un control de carreteras y los llevó hasta Berlín sanos y salvos; allí pasaron la noche escondidos.

—Al amanecer nos llevó a un viejo aeródromo de las afueras y nos hizo subir a este avión. Y aquí estamos.

Avery iba a ametrallarlo con más preguntas, pero en ese momento apareció una mujer en la portezuela del avión. Parecía tener unos cuarenta años; era muy delgada y estaba tan cansada como los otros. Sus ojos pardos recorrieron velozmente los alrededores. Luego bajó la escalerilla. En una mano traía una pequeña maleta; en la otra, un libro sin tapas.

—Señora —saludó Avery, echando otra mirada perpleja a su colega.

—¿Usted es el teniente Avery? ¿O el teniente Manielli? —Su inglés era perfecto; sólo tenía un acento levísimo.

—Eh... pues sí, soy Avery.

—Me llamo Käthe Richter. Esto es para usted.

Y le entregó una carta. Él la abrió y dio un codazo a Manielli. Ambos leyeron:

Gordon, Avery y Manelli (o como se escriba):

Lleven a estas personas a Inglaterra, América o a donde quieran ir. Busquenles casa y trabajo. No me importa cómo, pero ocúpense de eso.

Y si se les ocurre enviarlos de regreso a Alemania, recuerden que tengo amigos periodistas; a Damon Runyon o a cualquiera de los otros les interesaría mucho enterarse de la misión para la que me enviaron a Berlín. ¡Sí que sería un artículo estupendo! Sobre todo en año de elecciones.

Ha sido un placer, muchachos.

Paul

P.D.: En la trastienda de mi gimnasio vive un negro llamado Sorry Williams. Ocúpense de que el local quede a su nombre, como sea. Y denle un poco de dinero. Sean generosos.

—También me ha dado esto —dijo ella. Y le entregó a Avery varias hojas maltrechas, escritas en alemán, a máquina—. Se trata de algo llamado Estudio Waltham. Paul dijo que el comandante debía leerlo.

Avery se guardó el documento en el bolsillo.

—Me ocuparé de que lo reciba.

Manielli se acercó al avión, seguido por su compañero, y ambos miraron dentro de la cabina desierta.

—Él no confiaba en nosotros. Pensaba que lo entregaríamos a Dewey, después de todo, y ha hecho que el piloto aterrizara en otro lugar antes de llegar aquí.

—¿En Francia, quizá? —sugirió Manielli—. Tal vez conoció el país durante la guerra... No, ya sé. Debe de estar en Suiza.

Ofendido por el hecho de que Schumann los creyera capaces de no cumplir el trato, Avery alzó la voz, dirigiéndose hacia la cabina:

—Oiga, ¿dónde lo ha dejado?

—¿Qué?

—¿Dónde ha aterrizado para dejar a Schumann?

El piloto arrugó el entrecejo e intercambió una mirada con el copiloto. Luego se volvió hacia Avery. Su voz resonó en el metal del fuselaje.

—¿Acaso él no les ha dicho nada?

Epílogo

Una noche fría en la Selva Negra.

Dos hombres avanzaban pesadamente por la nieve poco profunda. Estaban helados pero parecían tener un objetivo en la mente y una tarea importante que ejecutar cuando llegaran allí.

El propósito, como el deseo, invariablemente insensibiliza el cuerpo contra las molestias.

Y también el *obstler,* ese potente licor austríaco, que ellos bebían generosamente, compartiendo la petaca.

—¿Cómo está tu panza? —preguntó Paul Schumann en alemán, al ver que la mueca de dolor duraba mucho en la cara de su compañero.

El de los bigotes lanzó un gruñido.

—Duele, claro. Dolerá siempre, señor John Dillinger.

Al regresar a Berlín, Paul había hecho algunas sutiles averiguaciones en la Cafetería Aria, hasta enterarse de dónde vivía Otto Webber; quería hacer lo que pudiera por ayudar a las «chicas» de su amigo. Visitó a una de ellas, Berthe, y se llevó la alegre sorpresa de descubrir que Webber aún vivía.

La bala que le perforara el vientre en el almacén junto al Spree había causado daños graves, pero no letales, en su breve tránsito por la abundante carne. El herido había flotado un largo trecho por el

485

río en su funeral vikingo, hasta que unos pescadores lo sacaron y decidieron que no estaba tan muerto como parecía. Lo llevaron a una cama y detuvieron la hemorragia. Pronto estuvo en manos de un antiguo médico de las bandas callejeras, quien a cambio de un pago, lógicamente, lo cosió sin hacer preguntas. La infección posterior fue peor que la herida. («Las Luger disparan las balas más sucias que existen», había asegurado Webber. «El fiador deja entrar gérmenes».) Pero Berthe compensaba su falta de habilidad para cocinar o limpiar con una infinita dedicación como enfermera. Con la ayuda de Paul, pasó algunos meses devolviendo la salud al pandillero alemán.

Paul se mudó a otra pensión, lejos del pasaje Magdeburger y la Alexanderplazt, en una parte olvidada de la ciudad, y allí permaneció un tiempo sin llamar la atención. Trabajaba un poco haciendo de *sparring* en gimnasios; también ganaba unos marcos en alguna imprenta. De vez en cuando salía con mujeres de la zona; casi todas habían sido socis, artistas o escritoras, que se escondían en sitios como Berlín Norte y la plaza Noviembre de 1923. En las primeras semanas de agosto iba con regularidad a una oficina de correos o a una sala de proyección para ver los Juegos Olímpicos en directo, en los televisores Telefunken o Fernseh instalados para los que no habían conseguido entradas para presenciarlos. Disfrazado de buen nacionalsocialista (con el pelo muy decolorado, nada menos), se había obligado a hacer un gesto ceñudo por cada una de las cuatro medallas de oro que ganó Jesse Owens, pero resultó que la mayoría de los alemanes sentados a su alrededor vitoreaban con entusiasmo las victorias del negro. Los alemanes se llevaron la mayor parte de las medallas de oro, cosa que no sorprendió a nadie, pero Estados Unidos ganó unas cuantas y acabó segundo. La única sombra que atribuló a Paul fue que Stoller y Glickman, los corredores judeoamericanos, hubieran sido descalificados de la carrera.

Terminados los Juegos, mientras agosto avanzaba hacia septiembre, acabaron las vacaciones de Paul. Decidido a compensar el poco tino demostrado en la Academia Militar Waltham, reanudó su gesta: matar al plenipotenciario alemán de Estabilidad Interior.

Pero el sistema de contactos de Webber, una herramienta de información increíble, le proporcionó un dato interesante: Reinhard Ernst había desaparecido. Sólo se sabía que su oficina de la Cancillería estaba desocupada. Al parecer había abandonado Berlín con su familia y pasaba mucho tiempo viajando. Se le concedió un título nuevo (Paul había descubierto que los nacionalsocialistas arrojaban títulos, cintas y medallas como maíz a las gallinas) y ahora era «líder supremo del Estado para el enlace especial industrial».

No se sabían más detalles sobre él. ¿Significaba eso que lo habían retirado definitivamente del escenario? ¿O eran simples medidas de seguridad para proteger al zar del rearme?

Paul Schumann no tenía la menor idea.

Pero una cosa era obvia: el rearme militar de Alemania avanzaba a pasos vertiginosos. Ese otoño debutó en España un nuevo avión de combate, el Me 109, con tripulación alemana, en ayuda de Franco y sus tropas nacionalistas. El éxito del aparato fue asombroso, pues diezmó las posiciones de los republicanos. El Ejército alemán continuaba con nuevas levas; los astilleros trabajaban a su máxima capacidad en la producción de submarinos y buques de guerra.

Hacia octubre hasta los barrios más apartados de Berlín se habían vuelto peligrosos. En cuanto Otto Webber estuvo en condiciones de viajar, él y Paul se echaron a los caminos.

—¿Cuánto falta para llegar a Neustadt? —preguntó ahora el norteamericano.

—No mucho. Unos diez kilómetros.

—¿Diez? —gruñó Paul—. Que Dios me ampare.

En realidad se alegraba de que su próximo objetivo no estuviera cerca. Era mejor poner alguna distancia entre ellos y St. Margen, su parada más reciente, donde los oficiales de la Schupo debían de estar descubriendo el cadáver de un jefe local del Partido. Había sido una persona brutal; solía ordenar a sus matones que reunieran y golpearan a los comerciantes para arianizar sus tiendas. Tenía muchos enemigos que deseaban perjudicarlo, pero la investigación de la Kripo o la Gestapo revelaría que las circunstancias de su muerte apuntaban a la casualidad; aparentemente, había detenido su coche a la vera del camino para orinar en el río; al perder el equilibrio en la pendiente helada había rodado cinco o seis metros hasta golpearse la cabeza contra las piedras, después de lo cual murió ahogado por la corriente torrentosa. Junto a él se encontró una botella de *schnapps* medio vacía. Un lamentable accidente. No habría necesidad de continuar investigando.

Ahora Paul pensaba en el próximo destino. Se habían enterado de que en Neustadt se presentaría uno de los hombres de Hermann Göring, vanguardia del operativo que se estaba desarrollando, una miniatura del mitin de Núremberg. Paul había escuchado los discursos en los que incitaba a los ciudadanos a destruir las casas de los vecinos judíos. Se hacía llamar «doctor», pero no era sino un criminal lleno de prejuicios, un hombre mezquino y peligroso. Quizá resultara tan propenso a los accidentes como el líder de St. Margen, si Paul y Webber tenían éxito.

Tal vez otro accidente. Quizá se le cayera una lámpara eléctrica en la bañera. También existía la posibilidad de que, con lo desequilibrados que parecían ser tantos líderes nacionalsocialistas, el hombre se hubiera pegado un tiro o se hubiera ahorcado en un ataque de locura. Desde Neustadt continuarían su viaje hacia Múnich, donde el bendito de Webber tenía otra «chica» que podía albergarlos.

Unos faros refulgieron tras ellos; los dos hombres se apresuraron a adentrarse en el bosque y allí permanecieron hasta que el camión hubo pasado. Cuando las luces traseras desaparecieron tras un recodo del camino, ambos continuaron la marcha.

—*Ach,* señor John Dillinger, ¿sabes para qué se utilizaba esta carretera?

—Dime, Otto.

—Por aquí pasaba toda la producción de relojes cucú. ¿Has oído hablar de ellos?

—Claro. Mi abuela tenía uno. Mi abuelo siempre quitaba las pesas de las cadenas para que se detuviera. Detestaba ese maldito reloj. A cada hora: «cucú, cucú...».

—Y ésta era la ruta que se utilizaba para llevarlos al mercado. Hoy en día ya no hay tantos que los fabriquen, pero en otros tiempos pasaban por aquí carros cargados, a todas horas, día y noche... *Ach,* mira allí ese río. Es afluente del Danubio. Y los ríos del otro lado de la carretera desembocan en el Rin. Esto es el corazón de mi país. ¿Verdad que es muy bello a la luz de la luna?

A poca distancia se oyó el reclamo de un búho; suspiró el viento y el hielo que cubría las ramas de los árboles repiqueteó con un ruido como de cacahuetes al caer al suelo de un bar.

«Tiene razón», pensó Paul. «Este lugar es realmente bello». Y sintió una satisfacción tan crepitante como la nieve bajo sus botas.

Un increíble giro del destino lo había convertido en residente de esa tierra extraña, pero había acabado por encontrarla mucho menos extraña que aquel país donde lo esperaba la imprenta de su hermano, un mundo al que, sin duda, no retornaría jamás.

No: hacía años ya que había dejado atrás esa vida, cualquier circunstancia que incluyera una modesta empresa, una casa como todas, una buena esposa, niños alegres. Y estaba muy bien así. Paul Schumann sólo deseaba lo que tenía en esos momentos: caminar bajo la mirada tímida de la media luna, con un compañero afín a su lado, rumbo al objetivo que Dios le había fijado, aun cuando ese papel fuera la difícil y presuntuosa misión de corregir Sus errores.

Nota del autor

Si bien la aventura de Paul Schumann y su misión en Berlín es pura ficción (y los individuos de la vida real no desempeñaron, desde luego, los papeles que les he asignado), por lo demás he sido exacto en cuanto a la historia, la geografía y la tecnología, así como las instituciones culturales y políticas de Estados Unidos y Alemania en el verano de 1936. La ingenuidad de los Aliados y su ambivalencia en lo que a Hitler y a los nacionalsocialistas se refería eran como las he descrito. El rearme alemán se desarrolló tal como lo he trazado, aunque no fue un solo individuo, como mi ficticio Reinhard Ernst, sino varios los que tuvieron la misión de preparar al país para lo que Hitler soñaba desde hacía tiempo. En Manhattan existía en verdad un sitio llamado «La Habitación». Y el Departamento de Inteligencia Naval fue la CIA de sus tiempos.

Algunas partes de *Mein Kampf,* el libro de Hitler, sirvieron de inspiración para las transmisiones de radio de este relato. Si bien no existió ningún Estudio Waltham, se efectuaron investigaciones de ese tipo, aunque en fechas posteriores: los hombres de la SS fueron responsables de exterminios masivos (conocidos como *Einstatzgruppen)* bajo la dirección de Artur Nebe, quien en otros tiempos había sido jefe de la Kripo. En 1937 el Gobierno nazi utilizaba las máquinas clasificadoras DeHoMag para seguir el rastro de sus ciudadanos, aunque según mis conocimientos nunca funcionaron en la sede de la Kripo. Es verdad que la Policía Internacional Criminal, que resulta ser la salvación de Willi Kohl, se reunió en Lon-

dres a principios de 1937; esa organización acabaría por convertirse en la Interpol.

Ya avanzado el verano de 1936, el campo de concentración
de Sachsenhausen reemplazó oficialmente al viejo campo de Oranienburg; durante los nueve años siguientes hubo allí más de doscientos mil prisioneros políticos y raciales. Muchos millares fueron
ejecutados o murieron a consecuencia de palizas, maltrato, hambre
y enfermedad. Los rusos ocupantes, a su vez, utilizaron esas instalaciones como prisión para albergar a sesenta mil nazis y otros prisioneros políticos; se calcula que antes de que se cerrara el campa-
mento, en 1950, murieron unos doce mil de ellos.

En cuanto al bar favorito de Otto Webber, la Cafetería Aria
cerró definitivamente sus puertas poco después de que terminaran
los Juegos Olímpicos.

Una breve nota referida al destino de varios de los personajes
que aparecen en este relato: en la primavera de 1945, cuando Alemania yacía en ruinas, Hermann Göring creyó equivocadamente que
Adolf Hitler pensaba abandonar el mando del país y pidió suce-
derlo. Para su horror y vergüenza, Hitler se ofendió y lo tachó de
traidor; fue expulsado del Partido nazi y se ordenó su arresto. En
el Juicio de Núremberg Göring fue sentenciado a muerte. Se suicidó
en 1946, dos horas antes del momento fijado para su ejecución.

Heinrich Himmler, a pesar de ser el colmo de la adulación, hizo por cuenta propia propuestas de paz a los Aliados (este hombre,
jefe de la SS y arquitecto de los programas de asesinatos masivos, llegó a insinuar que judíos y nazis debían olvidar el pasado y «enterrar
el hacha de guerra»). Al igual que Göring, fue tachado de traidor por
Hitler. Al caer el país trató de huir disfrazado para escapar de la justicia, pero por algún motivo decidió asumir la personalidad de un
policía militar de la Gestapo, lo cual significaba el arresto automático. Inmediatamente se descubrió su identidad. Se suicidó antes de
que se le sometiera al Juicio de Núremberg.

Hacia el final de la guerra, Adolf Hitler se fue volviendo cada vez más inestable, físicamente débil (se cree que padecía la enfermedad de Parkinson) y depresivo; planeaba ofensivas militares
con divisiones que ya no existían, apelaba a todos los ciudadanos a
luchar hasta la muerte y ordenó a Albert Speer que instituyera un
plan de tierra calcinada (cosa a la que el arquitecto se negó). Pasó sus

últimos días en un búnker cavado bajo el jardín de la Cancillería. El 29 de abril de 1945 se casó con Eva Braun, su amante, y poco después ambos se suicidaron.

Paul Joseph Goebbels se mantuvo leal a Hitler hasta el final y fue elegido sucesor suyo. Tras el suicidio del Führer intentó negociar la paz con los rusos. Sus esfuerzos fueron inútiles. El antiguo ministro de Propaganda y Magda, su esposa, también se quitaron la vida (después de que ella asesinara a sus seis hijos).

Al principio de su carrera, Hitler dijo de la expansión militar que conduciría a la Segunda Guerra Mundial: «Será mi deber llevar a cabo esta guerra cualesquiera que sean las pérdidas... Tendremos que abandonar mucho de lo que nos es querido y que hoy parece irreemplazable. Las ciudades se convertirán en montones de ruinas; nobles monumentos arquitectónicos desaparecerán para siempre. Esta vez nuestro sagrado suelo no se salvará. Pero esto no me atemoriza».

El imperio que, según Hitler, sobreviviría por mil años duró doce.